La cause du peuple

Patrick Buisson

La cause du peuple

PERRIN

www.editions-perrin.fr

12, avenue d'Italie
75013 Paris
Tél. : 01 44 16 09 00
Fax : 01 44 16 09 01
www.editions-perrin.fr

ISBN : 978-2-262-06936-0

A Georges et Madeleine, mes parents.
A Jean-Pierre, mon frère.

Avant d'aller plus loin

« Je ne voudrais pas mourir sans avoir fait ronfler ma fronde aux naseaux morveux des droites. »

Georges Bernanos.

« J'entrerai dans le Paradis avec une couronne d'étrons », claironnait Léon Bloy au crépuscule de sa vie. Bien que j'ignore pour ma part quelle sera, du ciel ou de l'enfer, la destination finale, je sais au moins que, pour le grand voyage, j'ai déjà l'équipement. Me faudrait-il saluer les sycophantes aux motivations disparates, qui m'en ont gracieusement ceint, que je ne saurais par qui commencer. Tant l'on apprend, en de telles heures, quelle source de contrariété on a pu être pour une multitude qui, communiant dans une unanimité tabassante, fait de vous un proscrit et un mécontemporain.

Le pouvoir qui vous échoit et celui qu'on vous prête charrient leur lot de courtisans, d'obligés et de parasites. Des uns et des autres, je fus pourvu et bien. Quand le vent se mit à tourner, il me fallut apprendre à vivre avec l'impromptu de leur lâcheté et les voltes de leur palinodie. J'avais cru, il est vrai, que la position qui m'était dévolue me créait plus de devoirs qu'elle ne me conférait de privilèges. Aussi n'eus-je même pas, au tomber du rideau, la satisfaction de pouvoir m'exclamer, comme Jules Renard en d'autres circonstances : « Je n'ai pas d'ennemis, je n'ai rendu service à personne ! »

Mes ennemis, à tout le moins les plus fidèles d'entre eux, ceux qui n'attendaient de moi que le pire, n'avaient pas eu à patienter jusqu'à la défaite de Nicolas Sarkozy pour m'accabler. Ils recoururent à la méthode commune aux inquisiteurs de tous bords et de tous temps, qui consiste à multiplier la méchanceté par la bêtise. *Ad libitum et ad nauseam.* « Je vous laisse la vie, mais je vous la laisse pire que la mort », résumait Tocqueville, prédisant que le mot d'ordre des anciennes tyrannies ne ferait pas défaut à l'ère des apparentes libéralités. Il faut dire que je leur avais d'emblée facilité la tâche. Mon passeport pour l'existence était, dès l'origine, surchargé de timbres suspects qui n'entraient dans aucune des nouvelles catégories d'élection et n'appelaient à ce titre aucune grâce, mais bien plutôt l'ostracisme.

En tant que conseiller du sixième président de la Ve République, mon nom fut irrévocablement associé à une politique supposée, la « ligne Buisson », qu'évoquaient volontiers les médias sans se risquer à en débattre. Le choix même de la formule suggérait moins la rectitude d'une direction que le galop débridé de quelque cavalier de l'Apocalypse. Hormis cette dernière outrance, qui allait précisément à rebours de mon combat contre la propension au chaos si caractéristique de l'époque, les soupçons qui pesaient sur moi, je le concède, étaient bel et bien fondés. Jamais, je n'avais consenti au jeu du conservatisme vaincu et pénitent. Toujours, j'avais contesté à la gauche le droit qu'elle s'arrogeait de définir les termes de la légitimité, de fixer les limites du pensable et de l'impensable, du dicible et de l'indicible. De m'être approché d'un coup de l'Elysée n'y changea rien. L'occasion creusa au contraire l'urgence qu'il y avait, à mes yeux, de desserrer cette emprise liberticide sur le peuple de France.

La cause de la nation, de son histoire, sa langue et sa culture, m'habitait. J'aimais la nation-chaîne autant que la nation-chêne, la transmission comme l'enracinement. La défendre était pour moi la fonction première du politique. Or le temps était aux entrepreneurs en démolition qui, par utopie, idéologie ou intérêt, liaient la dissolution du fait français dans la globalisation, l'Europe ou le multiculturalisme à l'avènement de cette humanité mondialisée que promettait une religion du progrès pourtant à l'agonie. D'avoir convaincu, en 2007, le candidat Sarkozy de s'emparer de la notion de l'identité nationale, naguère consubstantielle à la signification même du pays, me rendait coupable du seul péché irrémissible, le blasphème contre le culte de la diversité, si prompt et si habile à transposer l'éternelle querelle du Bien et du Mal sur les tréteaux du siècle, mais en se réservant le plus beau rôle, les habits les plus lumineux et les tirades les plus vertueuses, comme il en était allé de toutes les gnoses manichéennes en tous lieux et en tous temps.

Pour ceux qu'animait la volonté prétendument morale et bénévolente de déprendre le peuple français de soi et de le régénérer par l'autre, ce *Big Other* qui empruntait au *Big Brother* d'Orwell sa démiurgie totalitaire, le retour indésirable de l'identité nationale dans la délibération démocratique fit de moi l'homme à abattre. L'élection de 2007 entérinait un dangereux précédent. Non seulement le candidat de la droite ne s'était pas soumis aux totems et tabous du mythe moderne, mais encore il devait sa victoire à l'affirmation de la nation historique comme juste mesure du politique et à la récusation des démissionnaires qui, y compris dans son propre camp, avaient tenté de la congédier. La mauvaise graine ainsi semée était susceptible de germer dans bien des cerveaux d'électeurs, voire chez quelques politiques que ne rebuteraient plus ni l'*amor patriae*, ni l'appel à une certaine verticalité ou transcendance.

Pour ces experts en détournement chez qui l'entrisme valait seconde nature, il était clair que, profitant de ma position auprès du président nouvellement élu, j'allais m'efforcer de restituer un état civil à des idées qu'ils croyaient avoir été bannies pour l'éternité des plus hautes sphères du pouvoir. Que le *remake* fût sempiternellement de leur côté, voilà qui n'effleurait pas leur conscience. Peu importait ! Il fallait à toute force soit m'empêcher, soit me faire payer le prix d'être présent là où je n'avais pas à être et, si possible, les deux d'un même mouvement. Le traitement infligé à ma personne devait servir d'exemple et dissuader les téméraires qui, en situation de responsabilité, voudraient à l'avenir emprunter les sens interdits par l'idéologie dominante laquelle, au nom de l'émancipation du genre humain, entendait ériger la différence en norme d'autant plus aliénante qu'absolue et sacrée.

La démonologie a ceci de commode qu'elle remplace le débat par l'exorcisme. On dressa donc contre moi un barrage olfactif : mes idées étaient « nauséabondes », autant que ma personne était « sulfureuse ». Tantôt Raspoutine alopécique, tantôt Père Joseph défroqué, les représentations fantasmatiques de ma personne qui furent élaborées, quoique sans grande imagination, ressortaient toutes du registre méphistophélique. Il s'agissait de mettre en garde l'opinion contre le petit Satan qui, sa *libido dominandi* en bandoulière, hantait impunément les couloirs de l'Elysée. Quant à ceux qui empruntaient la « ligne Buisson », même par mégarde, sans doute hypnotisés, ils se rendaient complices du crime de régression historique pour avoir cédé à l'envoûtement d'un redoutable « gourou », puisque l'influence qu'on m'accordait ne pouvait rien devoir à la raison raisonnante, mais tout à des sortilèges et autres pentacles où l'irrationnel était réputé se tailler la meilleure part.

La suite allait me faire apparaître sous un jour encore plus détestable. A la destitution politique, il fallait ajouter la disqualification morale afin que l'excommunication fût scellée. Pour avoir lu chez René Girard quel mécanisme commande la logique du bouc émissaire, je ne savais que trop combien toute tentative de disculpation précipite le rite sacrificiel.

Survint donc, en juillet 2009, l'affaire dite des « sondages de l'Elysée ». Pour en apprécier l'absurdité, mieux valait avoir lu les souvenirs que publia naguère, chez Stock, Jean-Marc Lech, le cofondateur de l'institut Ipsos. De 1981 à 2007, il fut le prestataire attitré de la présidence de la République et, au regard du monopole qu'il exerçait de fait, aimait à se présenter comme le « sondeur privé de MM. Mitterrand et Chirac ». Assuré en retour de quelque impunité, il n'hésita pas à porter par écrit comment, payé avec l'argent des fonds secrets, il repartait de l'Elysée la serviette bourrée de billets de banque. Jacques Chirac en fut, dit-on, un peu fâché. Cependant, l'aveu ne suscita ni interrogations ni investigations. L'homme était de gauche, spécialiste des sondages bricolés pour la bonne cause – comme il s'en vantait – et, en dépit ou à cause de cela, les vestales de l'éthique, les lanceurs d'alerte et les juges inflexibles restèrent cois.

Désireux de rompre avec ce genre de pratiques, j'obtins, pour remplir la mission qui m'était confiée par le chef de l'Etat, qu'une convention fût établie dès le mois de juin 2007. Pour la première fois, la présidence de la République consentait donc, sur ma demande expresse, à signer un contrat encadrant les prestations de conseil et d'études d'opinion. Toute la chaîne de commandement de la présidence, du chef du service financier à la directrice de cabinet du président, s'en félicita, considérant que c'était là un grand progrès qui mettait fin à de mauvaises habitudes.

Ce ne fut pas le point de vue de la Cour des comptes à laquelle Nicolas Sarkozy avait décidé de soumettre, également pour la première fois, la gestion de la présidence de la République. Non pas que son rapport final du 15 juillet 2009 relevât au sujet de mon activité la moindre infraction passible de poursuites pénales – en aurait-il trouvé une que le rapporteur eût été dans l'obligation d'en informer aussitôt le Parquet –, mais des « interrogations » étaient soulevées. Le plus simple eût été de s'adresser à moi, en vertu du principe intangible du contradictoire, clé de voûte de l'état de droit, et du propre règlement de la Cour des comptes qui le redoublait en le détaillant. Tel ne fut pas le cas.

Connaissant les réponses aux questions qu'ils avaient posées, ces honorables fonctionnaires n'avaient en effet nul besoin de m'entendre. Pourquoi les « possibilités de mise en concurrence offertes par le code des marchés publics » n'avaient-elles pas été appliquées ? Pour la raison même que la Cour n'avait jamais été autorisée à pénétrer au palais de l'Elysée avant que Nicolas Sarkozy, au début de l'année 2008, ne décidât de lui en ouvrir les portes. Jusque-là, à la suite des lois constitutionnelles de 1875, la présidence de la République, à l'instar de la Chambre et du Sénat, bénéficiait d'un statut dérogatoire au droit commun des administrations, aux règles de la comptabilité nationale, au code des marchés publics et échappait, en conséquence, à tout contrôle au nom d'un privilège régalien. C'était là la coutume solidement établie et jamais remise en cause par les vingt présidents de la République qui s'étaient succédé à la tête de l'Etat. Pour satisfaire à la logique spécieuse de la Cour, il aurait donc fallu que la présidence appliquât au marché des sondages une loi qui n'avait pas lieu de s'appliquer et qui ne l'avait jamais été pour aucun marché élyséen. Aurais-je, quant à moi, accepté d'émarger comme mes prédécesseurs sur les fonds secrets, que la Cour – et pour cause – n'aurait rien trouvé à redire.

Le tour paradoxal de ce rapport eut au moins le mérite de m'éclairer sur la nature du bûcher qu'on me préparait. Le fagot était prêt, les premières flammèches crépitaient avec allégresse. La Cour eut beau conclure en indiquant que la présidence avait immédiatement tenu compte de ses observations, en modifiant là où cela se justifiait les règles de fonctionnement, rien n'y fit. L'ordalie était lancée.

En novembre 2010, l'association Anticor déposa plainte contre moi sur la base de recel du délit de favoritisme. Sous couvert de moralisation de la vie publique, cette association « citoyenne » avait la réputation d'être une officine de gauche appuyée par de proches médias, dont l'action revenait à monter de bruyantes dénonciations qui, incidemment, visaient le plus souvent la droite et, fortuitement, distrayaient l'opinion des scandales qui pouvaient affecter son propre camp. Etrangement, Anticor, qui se réclamait de l'intérêt général, s'était abstenu de se porter une seule fois partie civile dans les nombreuses affaires de corruption qui éclaboussaient, à la même époque, réseaux socialistes et clans mafieux mêlés dans le département des Bouches-du-Rhône.

En novembre 2011, la cour d'appel de Paris rendit un arrêt longuement motivé exposant les raisons pour lesquelles il n'y avait pas lieu d'instruire en vertu de l'article 67 de la Constitution qui instituait l'irresponsabilité totale et définitive pour les actes accomplis par le président de la République en sa qualité. La Cour relevait que la convention passée avec ma société avait été prise au nom du président et entrait de fait dans ce cadre. Volte-face en novembre 2012 : le Parquet demanda la cassation de la décision qu'il avait lui-même requise un an auparavant. Pour ce faire, il n'hésita pas à développer des arguments parfaitement contradictoires à ceux qu'il avait soutenus devant les juges d'appel à l'automne 2011. Or aucun fait nouveau n'était intervenu dans l'intervalle, hormis la défaite de Nicolas Sarkozy et l'élection de François Hollande.

La « République exemplaire » allait pouvoir se déployer en majesté. Nommée garde des Sceaux en mai 2012, Christiane Taubira était membre du comité de parrainage d'Anticor depuis sa création. Elle y figurait encore au moment où fut rendu l'arrêt de la Cour de cassation. Ainsi, pour la première fois dans l'histoire de nos institutions, la personne désignée pour administrer la justice en France était également et non moins personnellement impliquée dans l'action engagée par une partie privée pour initier une action publique contre un justiciable. En bref, elle était juge et partie à la fois. De surcroît, dans un communiqué diffusé par son cabinet, la garde des Sceaux se félicitait de l'action de l'association Anticor, se rangeant publiquement du côté de la partie civile et ce, avant même que l'instruction n'ait débuté. Ce fut dans ce contexte que finalement, en juillet 2015, un juge me mit en examen sans même que je n'eusse été entendu ni par lui ni par les services de police.

Il fallut attendre près de quatre ans pour que, après bien des vicissitudes, la plainte que j'avais déposée contre Christiane Taubira pour prise illégale d'intérêts fût enfin instruite. Alors que l'ancien président d'Anticor, qui avait démissionné de ses fonctions par écœurement et pour n'avoir pas à couvrir de tels agissements, demandait depuis plus d'un an à être entendu afin de livrer à la justice des éléments attestant qu'il y avait bel et bien eu concertation dans cette affaire entre la garde des Sceaux et l'officine gauchiste.

S'agissant de n'importe quel autre citoyen, les défenseurs patentés des droits de l'homme n'auraient-ils pas hurlé depuis longtemps à la forfaiture et au scandale d'Etat ? Seulement voilà, je suis celui, coupable, forcément coupable, contre lequel il est politiquement légitime de requérir fers et bourreaux au mépris de ses droits les plus élémentaires et au prix d'un déni de justice. Mais sans doute me faut-il concevoir ce sort d'exception comme un apanage.

La polémique autour de l'« affaire des sondages » ne fut pas sans répercussion sur mes relations avec Nicolas Sarkozy. Il n'avait échappé à aucun d'entre nous, à l'Elysée, que la décision de faire contrôler la gestion de la présidence ne se réduisait pas au seul souci d'une transparence renouvelée de la vie publique. L'usage des fonds secrets – et c'était légitime – restant soumis au pouvoir discrétionnaire du chef de l'Etat, l'invitation faite à la Cour participait de ces scénographies pédagogiques qu'affectionnait Nicolas Sarkozy pour leur présumée vertu d'édification. J'avais beau être habitué, la désinvolture avec laquelle le président, retranché derrière son impunité constitutionnelle, chercha à se défausser des conséquences de son impéritie sur ses collaborateurs me choqua d'autant plus que j'en étais pour la première fois la victime.

Nos rapports n'en furent pas altérés. Du moins, pas sur le moment. En public comme en privé, Nicolas Sarkozy s'était longtemps complu à me dire : « Je sais tout ce que je te dois. » Après la défaite de 2012, ces mots, dans sa bouche, changèrent insensiblement de sens. Ils n'étaient plus l'expression d'une quelconque gratitude, mais la manifestation d'un ressentiment larvé. Certains hommes sont ainsi faits qu'ils en arrivent à détester ceux qui les ont servis, aidés ou sauvés, alors qu'ils gratifient volontiers les obligés qui se contentent de leur renvoyer l'image de leur munificence. Ce que Labiche appela, dans une pièce fameuse, le complexe de Monsieur Perrichon.

Tout le temps où il avait été au pouvoir, Nicolas Sarkozy n'avait jamais eu pour conviction que son intérêt instantané et, son intérêt changeant, il n'avait cessé de changer d'idées en y mettant toute l'énergie de ses insincérités successives. La « ligne Buisson » n'avait été pour lui qu'un logiciel électoral. Celui qu'il avait jugé le plus performant pour siphonner les voix du Front national en 2007, puis pour éviter l'humiliation d'une écrasante défaite en 2012. En se gardant bien dans l'intervalle de lui donner la moindre application politique, ou si peu.

A partir de l'automne 2013, Sarkozy acheva de se convaincre, sur la foi des sondages, qu'il aurait à faire face à Marine Le Pen au second tour de la prochaine échéance présidentielle. C'était elle et nulle autre, se plut-il à croire, qu'il trouverait sur sa route s'il voulait reconquérir le pouvoir suprême. Il ignorait encore qu'il allait devoir repasser, d'ici à 2017, par la case de l'élection à la présidence de l'UMP, puis par celle des primaires de la droite. Mais là, dans le moment, hors d'un affrontement classique entre la droite et la gauche, ladite « ligne Buisson » ne lui était plus d'aucune utilité. Cette fois, Labiche allait céder la place au Ionesco d'*Amédée ou Comment s'en débarrasser*. J'étais devenu ce cadavre encombrant qui ne cessait de grandir et dont la présence même tantôt éveillait un remords, tantôt se révélait un obstacle. Nicolas Sarkozy était prêt et fut bientôt décidé à saisir le premier prétexte pour mettre fin à une situation qui lui pesait.

Au début du mois de mars 2014, *Le Canard enchaîné* et un site en mal de notoriété livrèrent au public le contenu d'un fichier qui m'avait été volé. Il s'agissait d'un enregistrement réalisé en février 2011 lors d'une réunion de cabinet à la résidence de La Lanterne, le pavillon de chasse versaillais réquisitionné par le président. Sitôt connue l'information, Nicolas Sarkozy fit le choix de croire d'emblée au roman qu'avaient bâti les médias autour de ce document de travail destiné à rester confidentiel et qu'ils avaient rebaptisé « écoutes » pour mieux faire ressortir la prétendue félonie de mon comportement. A aucun moment, il ne chercha à entendre les explications que je lui aurais volontiers apportées en tête à tête. Ce fut une tentative d'exécution froide, préméditée, déterminée, afin d'éliminer le premier témoin, si gênant, de ses errements politiques.

Les médias se chargèrent de la lapidation. Non content d'avoir « droitisé » les campagnes de Sarkozy, j'avais trahi sa confiance en l'enregistrant à son insu. C'en était du crime. Du lourd. De l'imprescriptible. Mon cas ne relevait plus du maintien de l'ordre idéologique, mais de la justice sommaire et expéditive qu'on appliquait, sous d'autres cieux, aux suspects. M'échut une comparution immédiate devant le tribunal où tant de « confrères » se disputeraient les emplois auxiliaires désormais assignés aux titulaires d'une carte de presse : indicateur, délateur et, pour finir, accusateur public. Mais pas celui d'enquêteur, puisqu'on ne se posa guère la question de savoir quelle était la raison de ce fichier, qui me l'avait dérobé et dans quel but, hormis quelques journalistes à l'ancienne qui faisaient profession de se défier des apparences. Comme l'avait prophétisé George Orwell, la « semaine de la haine » dont je fus l'objet eut pour premier effet d'agir comme un gaz incapacitant, annihilant la vérité comme indicible et inaudible.

Les choses avaient cependant le mérite d'une grande clarté. Ce qui, forcément, les rendait suspectes. En tant que prestataire extérieur à la présidence, j'étais tenu non pas à une obligation de moyens, mais de résultat. Durant ces cinq années, Nicolas Sarkozy me sollicita en permanence et sur à peu près tous les sujets. De par sa volonté, j'étais, ainsi qu'il fut maintes fois raconté, le premier et le principal intervenant lors de ces réunions dites « de pilotage stratégique ». Je n'avais donc pas la possibilité, comme d'autres, de prendre des notes et de noircir des carnets Moleskine pour relever les propos et les objections qui étaient échangés. Le fait d'enregistrer certaines réunions importantes était pour moi la garantie de pouvoir disposer d'un verbatim fidèle et d'accomplir mon travail en fournissant les arguments et les éléments de langage les plus appropriés. Sans cela, je n'aurais pu accomplir la mission qui m'avait été confiée. Pas avec la même rigueur en tout cas et ceux qui ont travaillé au sommet de l'Etat savent à quel point la pression y est terrible. Lorsque le président de la République vous téléphone jusqu'à quatre fois par jour, la réactivité et la précision doivent être au rendez-vous.

Il s'ajoutait une autre dimension. Il me revint, dès les premiers jours du quinquennat, d'être institué en quelque sorte, lors de nos réunions de travail, le chroniqueur du sarkozysme. Celui qui, modeste Joinville d'une équipée plutôt chaotique, avait la charge de délivrer un récit qui mettrait de la cohérence là où elle faisait défaut, de la perspective là où il n'y en avait pas, afin d'inscrire, autant que faire se pouvait, la geste présidentielle dans le grand roman national. Le président appréciait ces interventions et particulièrement les dégagements et les analogies historiques qui avaient le don de le conforter ou de le réconforter. Enfin, je pensais qu'il était de mon devoir d'en tirer, quelque jour lointain, un livre non pas d'actualité, mais pour l'histoire. Là encore, l'appoint de cette mémoire sonore était indispensable. Et s'il y avait bien réfléchi, Nicolas Sarkozy aurait eu d'autant moins de raisons de s'en formaliser que, de notre collaboration, je n'avais pas tiré la matière d'un ouvrage à chaud comme il en alla d'un grand nombre de ses conseillers et de ses ministres dans l'année qui suivit sa défaite.

Ces enregistrements, je les assumai et les assume pleinement, ne me reconnaissant qu'un seul tort, celui de m'être fait pirater, malgré toutes mes précautions, un fichier que j'avais eu l'imprudence de ne pas détruire. Comble d'infortune, on entendait sur cet enregistrement la voix de Carla Bruni se réjouir des « contrats mirifiques » que n'allait pas manquer de lui valoir sa situation de Première dame de France et plus encore d'ex-Première dame de France. C'était là, hélas, un échantillon parfaitement fidèle de l'ordinaire de sa conversation. La révélation d'un secret d'Etat n'aurait pas jeté l'ancien président dans pires transes. Le couple Sarkozy annonça qu'il m'assignait en référé pour « atteinte à la vie privée ». Ce qui était d'autant plus savoureux que les propos en question avaient été émis à l'occasion d'une de ces réunions de cabinet où, à notre grande confusion, dans un invraisemblable mélange des genres, l'hôte des lieux nous donnait à partager une intimité qu'aucun de nous ne voulait connaître en conviant son épouse à y participer.

L'offensive judiciaire des Sarkozy déclencha une seconde vague de justiciers toute frémissante d'indignation. Jamais l'honneur de l'ancien président n'avait trouvé autant de croisés intraitables. La ville ne bruissait que de l'horreur de ma forfaiture. La droite que j'avais contrariée en bousculant tant de lâchetés et tant d'intérêts se mêlait à la gauche pour réclamer mon lynchage sur l'air des lampions. Les médias abondaient et aboyaient. En baissant le pouce, le mari de Carla Bruni avait donné le signal d'un hallali qui ne visait rien moins que ma mort sociale. Des limiers vinrent me débusquer dans ma thébaïde vendéenne. Un soir, je vis surgir d'une planque improvisée la face camuse d'un reporter et l'œil obscène d'une caméra. « Qu'avez-vous à déclarer ? » m'apostropha-t-il en brandissant un flash qui m'éblouit. Je compris que j'avais affaire à ce qu'Alexandre Vialatte appelait un journaliste de l'espèce douanière. La caméra se fit insistante, fouillant la pénombre. Le gabelou vira au pandore : « Pourquoi avez-vous fait cet enregistrement? Que comptiez-vous en faire? » N'étant candidat ni au repentir ni au pilori, je dus me résoudre à battre en retraite et à regagner mon domicile. Ce fut ainsi que des centaines de milliers de téléspectateurs découvrirent, sur une chaîne d'information continue, les images d'une silhouette dans une ruelle sombre, feutre rabattu sur le visage, ombre fuyant la traque dans la nuit, transitant entre la réincarnation de M le maudit de Fritz Lang et le spectre du Monsieur Hire de Simenon. Aucun des docteurs ès déontologie des médias ne crut devoir émettre la moindre protestation. Cette nuit-là, il n'y eut qu'un journaliste, un ancien militant trotskiste, pour faire honneur à la corporation : « Je n'ai aucun mérite à t'appeler. C'est plus fort que moi, la meute me fait horreur. Mitterrand disait que c'était des chiens. Même pas! Les chiens, quand ils chassent, n'ont pas bonne conscience. Ils se contentent d'obéir à leur instinct. »

Trois mois passèrent. Il se trouva une juridiction pour accéder à la requête du couple outragé. On m'avait volé un fichier dont le contenu avait été diffusé contre mon gré et à mon plus grand préjudice. Là encore, je ne pouvais être que coupable, forcément coupable, attirant les foudres d'un juste châtiment. Six mois passèrent encore. Il se trouva que Nicolas Sarkozy, ayant décidé de faire son retour en politique, crut bon, cette fois devant des millions de Français, de s'exclamer à mon propos : « J'en ai connu des trahisons, mais rarement comme celle-là. » C'était en effet une parole d'expert. Ce fut le mot de trop.

Jusqu'ici mon histoire n'a appartenu qu'aux faussaires de toutes sortes. Sans doute attendait-on de moi une contrition publique, une autocritique en règle comme les affectionnent les sectateurs d'une morale qui vaut pour tous, sauf pour eux. Sans doute espérait-on que je vienne, comme tant d'autres, me livrer sur un plateau à des épanchements qui eussent été au moins gage d'humanité sinon signe de rachat. Croyant m'anéantir, ils m'ont offert la solitude décapante des cimes, l'aridité nourricière du désert, le « Meurs et renais » de la vieille formule des alchimistes. Sans le vouloir, sans même en avoir conscience, ils m'auront permis de tenir bon et surtout de faire vivre en moi cette parole de l'évangéliste qui est aussi l'orgueilleuse devise des cœurs rebelles : *Si omnes ego non*, « Si tous, moi pas ».

Voici donc mon histoire.

Chapitre I

Vivement hier !

« Le monde est divisé entre Conservateurs et Progressistes. L'affaire des Progressistes est de continuer à commettre des erreurs. L'affaire des Conservateurs est d'éviter que les erreurs ne soient corrigées. »

G.K. Chesterton.

Lorsqu'à l'orée du printemps 2005 débuta notre collaboration, Nicolas Sarkozy était, au sein du club restreint des présidentiables, le plus éloigné de la réalité de la France et du sentiment d'antépathie qui déjà hantait les Français, plus soucieux que jamais de revenir à l'essence et à la permanence de leur destin. Or, s'il était le moins apte ontologiquement à saisir ce sursaut, il se montrait instinctivement le plus désireux de le comprendre.

Plante aquatique au développement tout en surface médiatique, Nicolas Sarkozy se savait dépourvu de racines. Pour lui, contrairement à Jacques Chardonne, le bonheur n'était pas et ne serait jamais à Barbezieux. Ni dans aucun des coins et recoins de cette France profonde où les rivières paressent langoureusement sous des ponts de pierre et où les anciens somnolent sur les bancs d'un mail pareils aux *Assis* de Rimbaud « sentant les soleils vifs percaliser leur peau ». La perspective de passer une nuit dans un quelconque hôtel de préfecture le plongeait dans une angoisse autant physique que métaphysique. La trépidation qui dictait son *tempo* s'accommodait mal du huis clos provincial, de la lenteur des êtres et des choses, des cheminements silencieux, des germinations souterraines. Pour lui, le temps perdu ne serait jamais de l'éternité retrouvée.

Cependant, un autre mécanisme psychique lui commandait de ne pas s'arrêter à ce qui n'était que l'épiderme ou la surface des choses. L'échec du référendum sur le traité établissant une constitution pour l'Europe, le 29 mai 2005, venait de montrer la fracture entre le peuple et les élites, entre la dissidence et l'ordre établi, entre « nous » et « eux ». Il allait sceller entre Nicolas Sarkozy et moi-même une complicité agissante. D'avoir perçu très tôt l'issue de ce scrutin, d'avoir su en anticiper les clivages socioculturels et les retombées politiques devait m'instituer auprès de lui en interprète attitré de cette France des gueux et des manants qui avait voté « non » et que la spatialité des comportements électoraux conduirait bientôt à identifier sous le vocable rébarbatif de « France périphérique ». Dans la cohorte des communicants, sondeurs et autres politologues avançant bardés d'un chapelet de lieux communs anorexiques, je faisais figure d'irrégulier, de réfractaire, d'original, et cela lui plaisait.

Un autre facteur allait s'avérer déterminant. Assez peu citoyenne du monde, très peu élite nomade, mais cul de plomb autant que cul-terreux, mon ascendance mi-bourguignonne mi-limousine, qui procédait des effets combinés du sédentarisme et de l'endogamie cantonale, le rassurait pleinement. Accrochés aux branches de mon arbre, il y avait de gros sabots et un bouquet de patronymes à l'humeur champêtre : Bouleau, Lattaud, Deroche, Lamotte, Moiret, Levrat, Auger, Collet, Bellenand, Berthelon, Bonnet, ou encore Ancian, Blondeau, Mermet, Rougeat, Poncet, Cochet, Giroux, Buaz et Clerc. Autant de quartiers de francité, j'en avais bien conscience, pouvaient avoir, à l'heure de la mondialisation heureuse, quelque chose d'indécent qui semblait témoigner à travers les siècles d'un coupable entêtement. Et si je n'en tirai nulle gloriole, je n'étais pas prêt, pour autant, à m'en excuser. Pas plus de ce qu'avaient été les miens : cultivateurs, manouvriers, vignerons, métayers, charrons, tonneliers, tailleurs de pierre ; toute une lignée d'un peuple que chaque ligament reliait à la mémoire du sol, tout un compagnonnage de ce vieil ordre de labeur et d'honneur dont Péguy fut le dernier chantre. Au total, bien de gens de peu et peu de gens de bien. Ma trisaïeule paternelle étant née Meurdefaim, je n'en avais pas pour autant brodé de conscience de classe, ayant en égale détestation la revanche des opprimés et l'arrogance des oppresseurs. Autant dire que j'avais tout pour incarner, à ses yeux, cette antépathie dont je lui dépeignais la prégnance et lui annonçais le retour.

Aussi, en ce printemps 2005, le rôle que Nicolas Sarkozy me proposa avec une solennité inhabituelle n'était-il pas pour me déplaire. Je devais être sa « boussole », son « capteur », sa baguette de sourcier, le spécialiste de la tectonique des plaques électorales chargé de repérer les gisements de voix et d'évaluer la probabilité et la magnitude d'éventuelles secousses. Mais aussi et surtout l'homme de la radicalité, ce que j'entendais non pas au sens courant des médias, mais celui strict de l'étymologie : le latin *radix* désigne l'axe de la plante qui croît du sol au sommet pour mieux renvoyer figurativement au fondement sans lequel aucune existence ne saurait subsister. Avant même de passer au vocabulaire du jardinage et de la bouture, le désuet « raciner » ne s'employait-il pas, dès le XIIe siècle, pour décrire la manière dont un peuple se fixe en un lieu à partir duquel il s'ébauche en communauté de vie[1] ? Etre l'homme des racines, faire preuve de radicalité, c'était littéralement ne pas se satisfaire du paraître, ne pas donner quitus au phénomène, creuser pour plonger à la source. Rien à voir donc avec l'extrémisme ou l'ultracisme. Il s'agissait au contraire de renouer les fils du temps, nécessité de toujours qui tournait désormais à l'urgence.

L'ordre des anciens jours

L'antépathie ? « Nul ne sait de quoi hier sera fait », dit un proverbe russe. Par tempérament, les Français pensent le contraire. En vertu d'une prudence aiguisée au fil des âges, hier est pour eux une valeur sûre quand l'avenir leur apparaît hautement spéculatif. Les politiques ont beau diviniser le « changement », lustrer leurs « désirs d'avenir », entonner devant eux le refrain « vivement demain », rien ne les convainc moins. Tout au plus feignent-ils de souscrire à cet usage intempestif du mode futur dont ils s'inquiètent plus qu'il ne les rassure.

Mondialisation et globalisation, les sœurs jumelles de l'entropie capitaliste, ont eu pour effet, en moins de deux décennies, de remettre à l'ordre du jour l'antique principe rhétorique du *laudator temporis acti*. La lame de fond était déjà forte en 2005, elle n'a cessé de grandir depuis[2]. Il faut se rendre à l'évidence : la croyance consolatrice en un progrès émancipateur et la promesse rédemptrice des lendemains qui chantent ne font plus recette. Aucun des mantras de notre présent vindicatif n'a de force conjuratoire face aux sortilèges du « bon vieux temps ». La France est devenue un vaste continent antépathe où l'attachement à des modes de vie, à un milieu culturel, à une forme sociale, en un mot à un *habitus*, se nourrit d'une défiance accrue envers un avenir menaçant. A l'injonction morale, qui leur commande d'incriminer le passé dépeint comme un cortège de coutumes absurdes, de préjugés ridicules et de superstitions aliénantes, de s'en détourner ou de ne s'en souvenir que sur le mode de la repentance, à l'interdiction religieuse de regarder en arrière, les Français répondent par un attrait croissant pour leur histoire et leurs traditions, sans évoquer même la fâcheuse et irrépressible appétence qui est la leur pour les arbres généalogiques.

Un phénomène aussi massif qui lie la propension à sacraliser le passé et l'aspiration à le voir renaître n'a pas échappé aux télévisions en quête de programmes fédérateurs. Elles se sont employées à illustrer, non sans succès, la prophétie de Nerval : « Ils reviendront, ces Dieux que tu pleures toujours/Le temps va ramener l'ordre des anciens jours. » De « L'amour est dans le pré » au « Village préféré des Français » en passant par « Le plus beau pays du monde » ou « La meilleure boulangerie de France », la télé-terroir est moins une télé-miroir qu'une rétrotélé. Elle dresse le panégyrique des valeurs et des saveurs d'autrefois parallèlement à l'inventaire glorieux des visages et des paysages, du bâti et du crépi, des sentiers et des métiers, du muséal et du monumental ; bref, tout un patrimoine de la « douce France » dont l'imagerie démontre à quel point la tradition ne se rapporte pas à ce qui est préexistant, mais révèle ce qui est invariant. Autrement dit, de ce qui, au-dedans de nous, en notre tréfonds, nous fait, nous agit et nous meut au présent.

Dans un monde où surabonde le virtuel, à l'heure du *globish* d'aéroport et de la *fusion culture* californienne, cette télé-là parle le langage rassurant de l'expérience concrète et de la permanence des appartenances qui, seules, permettent d'apprécier l'intérêt des novations. Elle raconte les trésors d'un passé rétabli non pas comme un obstacle au devenir commun, mais comme une protection contre une ère déraisonnable. Alors que les séries hype subliment les héros issus de la diversité, modelés sur l'étranger, venus du grand ailleurs, alors que les pubs *united colors* exaltent pour horizon prédestiné l'arc-en-ciel des différences, alors que les talk-shows désignent un Jamel Debbouze comme l'antonyme salvifique de tous les Dupont-Lajoie, Bidochon et autres

Deschiens, la rétrotélé redonne voix et visages aux autochtones des communes et des hameaux. Elle les a même installés en *prime time*, alors que les élites s'échinent à les traiter en déchets non recyclables d'un exécrable archaïsme.

Le cinéma s'en est mêlé à son tour, exhumant de la mémoire collective les images d'une France heureuse et harmonieuse. Sur une petite dizaine d'années, entre 2001 et 2009, *Le Fabuleux Destin d'Amélie Poulain*, *Les Choristes*, *Bienvenue chez les Ch'tis* ou encore *Le Petit Nicolas* ont célébré le temps où, grâce à un long façonnement social des comportements et des attitudes, un certain art de vivre à la française dispensait de tout questionnement sur le « vivre ensemble ». Le public a applaudi, en a redemandé et se serait volontiers découvert réactionnaire pour peu que le mot eût échappé aux détestables connotations dont on le leste. Il n'en a pas moins rêvé que la roue de l'histoire inverse enfin sa marche.

Les historiens connaissent le rôle des systèmes mythologiques comme réponses aux phénomènes de crise[3]. Les politiques de droite comme de gauche, eux, les nient ou les ignorent au nom du « demain mieux qu'hier » qui leur sert d'enseigne corporatiste. Ou, quand ils en subodorent l'existence, ils se trompent sur la signification à leur donner. Ainsi de l'« âge d'or », le plus souvent réduit à l'évocation nostalgique des images de félicité et d'innocence attachées à un monde révolu. Or la déploration du « bon vieux temps » n'est jamais fortuite ni anodine. Elle connaît un regain dans les périodes critiques de grande mutation qui ont pour effet de détruire les équilibres acquis et de désagréger les mécanismes de solidarité ordonnant la vie collective. Elle est le cri de ralliement des civilisations qui ne veulent pas mourir. Récit explicatif soulignant les dangers des transformations en cours, il n'a pas moins valu, chaque fois, symbole de résistance pour les entités collectives qui se sentaient menacées dans leur être profond.

Force motrice et puissance mobilisatrice plutôt que réminiscence stérile, l'attrait pour le passé dépasse le simple frémissement émotif ou le pur sentiment esthétique. Il est indissociable de la conception du temps historique que se faisait le positiviste Comte, rappelant qu'on ne saurait réduire l'humanité aux seuls vivants. Cette même conception que défendait, en des termes proches, le catholique G.K. Chesterton : « De toutes les raisons de mon scepticisme devant cette habitude moderne de tenir les yeux fixés sur l'avenir, il n'est pas de plus forte que celle-ci : tous les hommes qui, dans l'histoire, ont eu une action réelle sur l'avenir avaient les yeux fixés sur le passé. C'est ainsi que l'homme doit toujours – pour quelle étrange raison ? – planter son verger dans un cimetière. L'homme ne peut trouver la vie que chez les morts. »

Mais là, en cette année 2005 qui voyait ce mouvement collectif de retour sur soi s'amplifier et Nicolas Sarkozy me demander de l'accompagner, en quoi l'antépathie pouvait-elle se révéler autre chose qu'un sujet de méditation ? En quoi pouvait-elle être un ressort politique ? Un levier susceptible de soulever les masses ? Un agir pour une droite capable non plus de convoitise, mais de création théorique ?

France d'avant et France d'après

Hormis la conquête du pouvoir suprême, le but ultime que Nicolas Sarkozy assignait à son action n'était jamais explicité. Avait-il sinon une certaine idée de la France, du moins un projet politique pour celle-ci ? Les nostalgiques de la grandeur nationale n'étaient-ils pour lui qu'une clientèle parmi d'autres à traiter ? Concevait-il seulement ce qu'est le bien commun ? L'ambivalence de son positionnement avait fait de lui un oxymore ambulant : ministre de rupture, il était à la fois membre des gouvernements Raffarin puis Villepin et premier opposant. L'habileté tactique qui consistait à se poser, après les deux mandats de Jacques Chirac, en candidat de l'alternance à l'intérieur de son propre camp cumulait bien des avantages. C'était la résurgence de la vieille dialectique giscardienne du changement dans la continuité, dopée aux anabolisants du verbe sarkozyste.

Question idées, c'était un polygame, adepte du multipartenariat intellectuel, toujours en quête de nouveaux produits conceptuels plus électoralement performants que ceux auxquels il avait déjà eu recours. Son appétence nourrissait son inconstance. Il était pourtant un schéma qui revenait avec insistance quand il livrait sa vision stratégique en petit comité. La huitième élection présidentielle de la Ve République à laquelle il s'apprêtait à concourir devait être celle du grand renversement, selon le modèle américain qu'Edouard Balladur avait déjà tenté d'importer en 1995 sur la suggestion du même Nicolas Sarkozy. Celle qui verrait la flèche du mouvement changer de sens et la droite s'approprier la modernité tout en renvoyant la gauche au conservatisme et à l'immobilisme. Le changement, la droite l'avait accepté jusque-là non parce qu'elle l'aimait, mais parce qu'il était, selon le mot de La Rochefoucauld, de la « mort inévitable ». Cette fois, elle allait le courtiser, l'apprivoiser, en faire l'unique objet de son désir.

Dans l'entourage du président de l'UMP et parmi ceux qui pilotaient ce tête-à-queue idéologique, figurait Alain Minc. Il s'y distinguait par un brio qui n'avait d'égal que son cynisme d'oligarque décontracté. A l'époque, il comptait encore au nombre des thuriféraires de la mondialisation heureuse. Etait conservateur, dans son esprit, tout ce qui, sur le plan économique, social ou culturel, pouvait empêcher la marche triomphale de l'économie globale. Autrement dit, tout ce qui constituait le socle organique et symbolique des solidarités traditionnelles. La nouvelle *doxa* planétaire avait ses impératifs catégoriques : « avancer », « bouger », « faire bouger les lignes », « sortir de la routine », « ne pas être frileux », « renoncer aux acquis », « rompre avec les habitudes », « être mobile, flexible, nomade ». C'était promouvoir la roue du hamster ou plutôt accomplir la révolution permanente non plus par le biais de l'utopie communiste, remisée aux oubliettes de l'histoire, mais grâce au mouvement brownien de destruction créatrice propre au capitalisme. Par un tour de passe-passe, Marx, Lénine et Trotski disparaissaient derrière l'économiste autrichien Joseph Schumpeter qui, au milieu du siècle dernier, avait décrété bénéfique l'effervescence perpétuelle du marché. Le mot d'ordre demeurait ainsi inchangé. Il fallait, du passé, faire table rase, déconstruire l'ordre ancien, balayer les archaïsmes de la société française, à commencer par l'inclination des classes populaires au conservatisme.

Seul mais dirimant hiatus, la mondialisation était d'ores et déjà perçue comme plus destructrice que créatrice. Elle se révélait par là profondément anxiogène. Que faire pour apaiser le peuple, le convaincre que, demain, cette éternelle catégorie de l'optimisme historique serait en définitive autre chose qu'une interminable purgation reportant *sine die* la récompense promise ? Comment lui faire admettre que la mondialisation, et son cortège hypothétique de bienfaits, exigeait autant de sacrifices préalables, d'emplois supprimés, d'usines délocalisées, de paysages mutilés, mais aussi de relations conflictuelles, de tensions communautaires, de heurts civilisationnels plus ou moins larvés, bref, d'insécurité économique, sociale, culturelle ?

Pour Nicolas Sarkozy, il y allait d'une pure affaire d'accompagnement psychologique. Afin que les Français acceptassent les changements qu'il jugeait nécessaires, la référence au passé était, il s'en disait persuadé, indispensable. Elle devait faciliter les transitions, amortir les chocs, créer un cadre de « réassurance » propice à toutes les « avancées ». Rassurer? Cela signifiait, dans son langage, annoncer en tapinois le retour à une période plus ou moins idéalisée mais connue, plutôt que de clamer à haute voix d'alarmantes percées. En d'autres termes, Nicolas Sarkozy était prêt à exalter la France d'antan pour mieux faire advenir la « France d'après », selon le slogan exécrable que lui avait fourni un publicitaire amateur de science-fiction et qui évoquait irrésistiblement le monde vitrifié de *The Day After* (2004), ce film américain narrant le lendemain d'une catastrophe planétaire.

Une fois arraché à son concepteur et inversé, ce prétendu ciseau dialectique devait cependant recouvrir quelque utilité stratégique. Du rétrospectif allait surgir le prospectif. Il suffisait de recourir à une sorte d'alchimie à rebours. Si la France d'après empruntait à la quincaillerie des agences de communication, la France d'avant ressortait, pour sa part, comme la valeur montante des études de *marketing*. Ne mettaient-elles pas toutes en évidence le désir incoercible qu'éprouvaient les quinquagénaires de retrouver l'univers symbolique des objets et icônes de leur jeunesse? Or 50 ans, n'était-ce pas précisément l'âge médian de l'électeur qui serait amené à se prononcer pour choisir le nouveau président? Le « segment décisif », comme aiment à le désigner ceux qui font profession de découper les populations en parts de marché? De surcroît, le penchant renouvelé des industries culturelles pour l'antépathie ne connaissait-il pas une subite accélération à l'approche du scrutin présidentiel? L'abord de l'année 2007 ne voyait-il pas le triomphe des « Enfants de la télé », des tournées *revival* des chanteurs des années 1970 et des innombrables rééditions de disques, livres ou tricots vintage?

Encouragée dans la sphère marchande où elle soutenait la consommation des inclus, la nostalgie ne profitait cependant pas du même crédit au sein des élites dirigeantes qui se pinçaient le nez devant cette résurgence de la France « moisie ». Effet d'aubaine, la campagne de Nicolas Sarkozy, au fur et à mesure qu'elle se déroula, exhuma une à une les vertus politiques de la référence au passé, qu'il s'agît de refaire groupe, lien ou sens. Sans qu'il en eût toujours conscience, particulièrement au début, le candidat de l'UMP vit ainsi chacun de ses meetings s'articuler autour de concepts antépathiques plus ou moins manifestes. Autant les salles accueillaient avec une indifférence polie les exhortations à « croire que l'avenir est une chance », autant elles applaudissaient à tout rompre l'exaltation de la France des usines et des clochers, l'annonce d'un retour aux valeurs d'ordre, de travail et d'unité. La ringardise avait de beaux jours devant elle.

Au sommet de ces célébrations, l'éloge de l'école républicaine, de l'école d'hier et d'avant-hier où les élèves se levaient par respect pour les maîtres, s'apparenta à un véritable programme de restauration. Ce mémento enthousiasmait les auditoires en ressuscitant dans l'imaginaire collectif les temps où l'estrade conférait aux professeurs un supplément d'autorité, où le tablier que portaient les écoliers de Doisneau aux doigts tachés d'encre estompait la hiérarchie des conditions sociales, où le préau symbolisait cet espace sanctuarisé dans lequel on séparait les sexes mais où l'on mélangeait les âges. Que Nicolas Sarkozy saluât dans le Mont-Saint-Michel « l'âme de la France et l'une des plus belles prières que les hommes aient jamais adressées au ciel » ou, plus largement, « le long manteau d'églises et de cathédrales qui recouvre notre pays », le rappel des racines chrétiennes, auquel s'était toujours refusé Jacques Chirac, soulevait une ferveur comparable. La mention convoquait moins l'univers de la foi que le monde commun de signes et de symboles qui lui survivait et auquel une majorité de Français, croyants ou non, restaient profondément attachés. La nation que nous faisions ainsi revivre tenait moins de la construction contractuelle, dont Renan avait fait un plébiscite quotidien, que de la sédimentation historique d'un patrimoine matériel et immatériel qui, par strates successives, avait conféré à la France les attributs d'une personne vivante.

Dans ce registre, Ségolène Royal n'était pas en reste. Prenant à rebrousse-poil l'intelligentsia de gauche pour laquelle le moindre regret du passé était psychologiquement délictueux, elle allait imposer à Nicolas Sarkozy une redoutable concurrence sur un terrain où on ne les attendait ni l'un ni l'autre. Toute de blanc vêtue dans des atours de dame à l'ancienne, diaphane, immaculée et solitaire, la candidate socialiste se mit à multiplier les apparitions à la manière des madones médiévales flottant entre terre et ciel. Son slogan « Désirs d'avenir » offrit vite l'étrange particularité de se décliner uniquement sur le mode de retours au passé. A l'encadrement militaire des délinquants avec salut au drapeau et à la censure du petit écran expurgé de la violence et de la pornographie, elle ajouterait bientôt les ateliers de couture au collège et le pavoisement des balcons aux couleurs nationales, entre autres ex-voto renvoyant à l'Eden retrouvé, mêlés de souvenirs mélancoliques de l'âge tendre du scoutisme.

Entre les deux principaux candidats, ce fut, dans la dernière ligne droite de la campagne, à qui réussirait à incarner de la façon la plus convaincante l'absolu d'un passé réconfortant par la profusion et la stabilité de ses repères. A qui parviendrait à exprimer le mieux, auprès des populations fragilisées par la détérioration de leurs conditions d'existence, son attachement viscéral à la France d'avant. A qui finirait en somme par s'approprier le vieux slogan soixante-huitard en le renversant de la manière la plus radicale : « Cours, camarade, le vieux monde est (non plus derrière mais) devant toi ! »

Pour Nicolas Sarkozy, soucieux de s'identifier aux valeurs de mutation et de nouveauté, de rupture et de modernité, l'emploi n'était pas exactement celui qu'il avait imaginé tenir dans la distribution de la présidentielle. Revêtir une mise moins chatoyante que la parure taillée par les communicants pour la circonstance lui coûta. Il lui aurait fallu se saisir de l'occasion pour accomplir la métamorphose que réclamaient l'heure et la fonction. Il s'y essaya. La mue ne fut jamais complète. A défaut d'être résolument sincère, elle n'allait surtout pas être exempte de rechutes.

Au possible, nul n'est tenu

Advint donc le « Sarko Show », ainsi qu'adversaires et commentateurs se complurent à brocarder le congrès que l'UMP organisa le dimanche 14 janvier 2007, au Parc des Expositions, à Paris, en vue d'investir son candidat à l'élection présidentielle. Il est vrai que le décor et l'ambiance rappelaient les grandes conventions américaines, que la confidence « J'ai changé », lâchée avec une impudeur apprêtée depuis la tribune, et le slogan « Ensemble, tout devient possible » martelé à satiété, que lui avait concocté un ancien d'Euro RSCG, tiraient Nicolas Sarkozy vers le pastiche involontaire d'un télévangéliste racoleur. Il y avait néanmoins un côté plaisant dans l'affaire. La formule censément innovante reprenait, avec l'insouciance que seule permet l'ignorance, le « Tout est possible » lancé par Marceau Pivert, l'animateur de la tendance « gauche révolutionnaire » au sein de la SFIO, au moment de la grève générale qui avait accompagné l'arrivée au pouvoir du Front populaire en juin 1936.

Eternelle débitante en utopies, la gauche pouvait-elle se laisser supplanter, sans réagir, dans la fonction qui lui était jusque-là historiquement dévolue ? Or personne ou presque ne broncha, exception faite de Jean-Luc Mélenchon et de Jean-Christophe Cambadélis avec qui je débattais alors régulièrement à « Politiquement Show » sur le plateau de LCI. Eux virent bien, en ce hold-up lexical, un signe supplémentaire de l'incapacité de la candidate socialiste à défendre l'espace aérien de l'imaginaire progressiste contre les intrusions en piqué d'un redoutable adversaire. N'empêche, ce « Tout est possible », par-delà l'élan collectif qu'il était censé animer, était pure folie. Un tel slogan exposait le futur élu à un cruel retour du réel. D'abord parce qu'il obéissait à ce besoin compulsif d'une mystique séculière, déduite du millénarisme biblique, mais qui entend substituer le bonheur à la béatitude, la prospérité au salut et le dividende à l'espérance, au prix d'un troc fallacieux voué à la désillusion finale. Ensuite, parce que son enflure optimiste n'apparaissait pas sans précédent et le fit immédiatement ou presque ranger au musée des candeurs détrompées. Il évoquait ces cafés de l'« avenir » et du « progrès » dont l'espèce avait proliféré dans nos villes et nos villages à la veille de la Première Guerre mondiale. Ou, plus près de nous, le *Paradise Now !* farfelu de la nouvelle gauche américaine en plein conflit du Vietnam. Enfin et surtout, dans le face-à-face métaphysique opposant les partisans de l'illimité aux gardiens des limites, c'était se ranger du côté de ceux qui ne reconnaissaient aucun principe d'autolimitation en quelque domaine que ce fût et jusque dans la nature même de l'homme. C'était également récuser le travail de civilisation qui impose des limites *entre* pour maintenir des limites *à* et qui dresse des frontières pour instaurer des médiations.

Que répondre à cet estimable essayiste, dernier spécimen de la gauche péguyste, fin analyste et parfait honnête homme, qui m'objecta sur un ton narquois que l'idéologie de la non-limite correspondait parfaitement à la psychologie juvénile de « mon » candidat ? Comment ne pas redouter chez Nicolas Sarkozy l'enchaînement mythique de l'*hybris* et de la *némésis*, de l'ambition extrême et du châtiment fatal que les dieux grecs réservaient aux adorateurs de la démesure, incapables de penser la finitude de l'homme, l'arpentage du monde, le tragique de l'histoire? Pour tout dire ce « Tout est possible » me parut utopique, pernicieux, délétère. En un mot : détestable. A quoi bon rappeler une fois de plus que Hannah Arendt y voyait l'essence du totalitarisme, le ressort même de l'émancipation démiurgique dont la Terreur fit de la France, en 1793, le premier laboratoire? Personne n'était disposé à m'entendre, pas même Sarkozy qui ne comprenait pas mon obstination et ne voulut pas en démordre.

Moins indiscutable encore au regard de l'évolution des mentalités, parce qu'il est le credo de la religion politique du progrès perpétuel, le recours au mot d'ordre infantile du « Tout est possible » représentait un contresens absolu. En ce début de IIIe millénaire, un basculement aussi inouï qu'inattendu était en train de se produire. Dominante depuis plus de deux siècles dans les sociétés occidentales, l'idéologie du devenir infini arrivait en bout de course. Le progrès-croyance agonisait et avec lui la confiance prométhéenne dans les capacités de l'homme. La société moderne qui, selon la formule de Bernanos, « avait tiré ses principales ressources » de cette « inflation effrontée de l'espérance » vivait désormais sous la menace d'une panne de liquidités. Progrès matériel et progrès social, progrès technique et progrès moral : sans qu'on y eût pris garde, le carré magique de l'enchantement positiviste avait tourné à la cellule de dégrisement. Advenait une révolution majeure qui ne donnait lieu à aucun débordement spectaculaire dans les rues, à aucun sujet dans les journaux télévisés, à aucun colloque d'experts et autres sachants dans les universités. Et pour cause : tout se passait dans les têtes et à bas bruit. Insensiblement, les Français des classes moyennes et populaires avaient cessé de croire dans le grand récit de l'histoire comme parousie de l'humanité, ordonnée à ce finalisme qui prétendait en décider le sens et la soumettre à un but. Ils étaient de moins en moins nombreux à s'incliner devant cette divinité qui, engendrée par les Lumières, leur promettait, comme il se doit, un avenir radieux. Un sentiment de déclassement collectif et individuel s'était emparé des esprits. Le chômage de masse, la fragilisation du salariat, l'accélération des processus de mobilité sociale descendante, l'effondrement du niveau scolaire, la dépréciation des diplômes composaient le premier volet de ce panorama dépressif. Le démantèlement de l'infrastructure industrielle sous les coups de butoir de la mondialisation, le dynamisme surmédiatisé des puissances émergentes associé à l'idée que désormais les choses se jouaient ailleurs que dans la vieille Europe, l'explosion de la dette publique en formaient le second. En ressortait l'image d'un déclin perçu comme inexorable, peut-être même irréversible.

Fatigue de la modernité

Pour qui ne se tient pas dans des abris antiréalité, comme nombre de politiques, les chiffres[4] restent à disposition. Ils sont accablants : quatre jeunes Français (18-25 ans) sur dix sont convaincus que leurs conditions de vie seront très dégradées par rapport à celles de leurs parents, six Français sur dix que leur situation sociale s'est détériorée au long cours, sept sur dix que les jeunes auront moins de chances de réussir qu'hier ou qu'aujourd'hui dans le monde de demain. Même paysage de déréliction quand on considère les données statistiques : dans la France des années 2000, un fils de cadre supérieur sur quatre et une fille sur trois sont employés ou exercent une activité qui les classe dans le prolétariat du tertiaire ; autant dire que l'ascenseur social des « Trente Glorieuses » qui permettait aux individus d'occuper le plus souvent un statut social supérieur à celui de leurs ascendants s'est transformé en un descenseur, un toboggan vertigineux. Surplombant le tout, la certitude selon laquelle il faut désormais ranger sous le vocable de progrès ce qui rabat les hommes dans l'ordre des moyens et ne vise rien d'autre qu'une utilisation chaque jour plus efficace du matériel humain.

Or, plus ce sentiment s'impose au peuple, plus les élites s'adonnent au bougisme, cette ultime métamorphose du progressisme à bout de souffle. Chacun dans son style, Pierre-André Taguieff[5] et Philippe Muray[6] ont dénoncé le règne de la fluctuation sans fin devenue à soi sa propre fin. D'où l'invite permanente à tout chambouler dans une trémulation censée complaire au génie de l'instant toujours neuf parce qu'incessamment atomisé. En ce sens, Gilles Deleuze, allié du sophiste Protagoras et de son mythe de la mobilité universelle, aura compilé le vrai bréviaire de Mai 68 avec son *Anti-Œdipe*[7], qui exalte les « machines désirantes », les « schizo-décodeurs » et autres « rhizomes », afin de mettre la volonté de puissance du surhomme nietzschéen à la portée du consommateur de *duty-free*. Lui et les autres maîtres de la déconstruction, Foucault, Derrida, Lyotard, et dans une autre mesure Lacan, auront ainsi offert, sous couvert d'accomplissement révolutionnaire, une contre-idéologie utile aux puissants pour perpétuer leur déni du réel et leur mépris subséquent du populaire.

Si une élection n'est jamais la résultante de paramètres économiques contrairement à ce qu'enjoint la pyramide de poncifs érigée pour étouffer tout débat, elle traduit toujours peu ou prou l'évolution du paysage mental et des imaginaires qu'il commande. Or, au moment même où le parti du « mouvement », auquel la gauche s'était identifiée depuis l'origine dans un éloge mécanique de l'innovation, se trouve frappé d'obsolescence, où la rédemption du mal par l'ingénierie sociale est démentie dans les faits, et où la magie de la technique – « cette domination de l'esprit par ce dont l'esprit est absent », selon le mot de Carl Schmitt – se heurte à un scepticisme croissant, une partie de la droite, à la remorque de l'hyperclasse mondialisée, va reprendre à son compte le thème du changement, confirmant de la sorte le tableau clinique qu'avait pu en brosser Mark Twain en son temps : « Les gens de gauche inventent des idées nouvelles. Quand elles sont usées, la droite les adopte. »

C'est ne pas voir que, dans ce mot-valise de changement, se logent le vacarme de la société techno-marchande qui fonctionne suivant le principe de la destruction créatrice, mais aussi le mutisme des catégories populaires qui, depuis les années 1970, n'en connaissent que le pouvoir annihilateur. « On ne va jamais plus loin que lorsqu'on ne sait pas où l'on va » : face à la « fatigue de la modernité[8] » diagnostiquée par de rares esprits clairvoyants, la droite se retrouve dans la position de Joseph Prudhomme, incapable de repenser le paradigme de l'ère qui s'ouvre autrement qu'en le recouvrant de la même logorrhée pontifiante revue et corrigée par les agences de communication.

Quelle représentation de l'avenir après l'épuisement des amulettes et autres fétiches du bonheur? Quel imaginaire qui ne soit pas l'antithèse du réel pour remplacer l'imaginaire défunt? Récusant la flèche et le cycle, le vecteur progressiste comme le cercle réactionnaire, le sociologue Michel Maffesoli privilégie la notion d'« enracinement dynamique[9] », soit une progressivité impliquant la tradition et découlant de cet héritage symbolique que l'on avait cru définitivement dépasser. Ce pourrait être là une troisième voie prometteuse entre l'immobilisme mortifère du fossile et l'impatience mélioriste de l'invertébré, étant entendu que la tentative pour rattraper le retard du présent réel sur un présent idéal est toujours à recommencer. En parfaite congruence, en tout cas, avec les attentes d'une population profondément déstabilisée par la centrifugeuse de la mondialisation qui emprisonne les hommes dans le tambour de l'incertitude et la peur du lendemain.

La triangulation des Bermudes

Aucune des notes de l'objecteur de modernité que je suis ne parviendrait jamais à gagner Nicolas Sarkozy à cette évidence. Par tempérament, mais aussi par conviction, il était lui-même un adepte du bougisme. Il y avait ancrée au fond de lui-même la certitude que, pour parvenir à exister, une politique se devait d'affirmer qu'elle changerait quelque chose en quelque façon, ou au moins le faire accroire, et que tout, par construction, était préférable au statu quo, quitte à en rabattre par la suite. C'est peu dire qu'il ne partageait pas la haine du poète envers le « mouvement qui déplace les lignes ».

A la fin du mois de janvier 2007, la campagne du candidat de l'UMP n'avait pas encore trouvé la ligne de rhumb, l'aire de vent qui mène à bon port ; son cap se révélait incertain et sa voile faseyait. Ségolène Royal, malgré une navigation à la godille, avait repris l'avantage dans plusieurs enquêtes d'opinion. S'ensuivirent quelques semaines pénibles où les discours de Nicolas Sarkozy se mirent à ressembler aux vieux enregistrements de « La voix des nôtres », la maison de disques fondée en 1929 par la SFIO. De Jaurès à Blum en passant par Ferry, Zola, Jean Zay et Georges Mandel, on y entendait grésiller les grandes envolées du socialisme français remixées par Henri Guaino.

L'histoire de France est un réservoir si riche en hautes figures que puiser ses modèles dans un seul camp n'était peut-être pas le meilleur service à rendre à un candidat qui avait pour vocation d'assumer les deux versants du roman national. Ensemblier d'un étrange syncrétisme où un gaullisme amputé de son inclination monarchiste et de tout ce qu'il doit à la tradition capétienne fricotait avec un communisme miraculeusement rédimé de ses crimes, l'ancien commissaire au Plan de Jacques Chirac avait une excuse : il était l'un des derniers à croire que la gauche avait pour mission historique d'être le parti des pauvres, qu'elle restait « le cri de douleur du prolétariat ». Quand la gauche elle-même ne se donnait plus la peine d'afficher le souci du peuple et ne cachait plus son mépris pour l'engeance des « prolos » déqualifiés en tant que sujets historiques et relégués dans la catégorie des « petits Blancs », Guaino, lui, continuait de confondre dans une même cause la bourgeoisie progressiste et les damnés de la terre.

Effet immédiat, sa promotion en tant que « plume » officielle du candidat de l'UMP allait alimenter les supputations autour d'une figure à la mode : la triangulation. A la fois stratégie politique et manipulation de l'opinion, la triangulation consiste à récupérer des idées et des propositions, mais aussi des symboles et des références appartenant au camp adverse pour séduire les électeurs flottants. Une triangulation réussie tient compte simultanément du brouillage des clivages, de leur fluidité et de leur persistance en communiquant sur une capacité nouvelle à dépasser les affrontements entre les partis et leurs lignes habituelles. Elle requiert la complicité active des médias toujours prêts, il est vrai, à relayer les locuteurs politiques dont les discours constituent des critiques implicites ou explicites de leur propre camp. Le premier théoricien en fut Dick Morris, le conseiller que Bill Clinton appela à la rescousse en 1996 afin de le préparer à son duel contre le républicain Bob Dole. Mais ce fut dans l'Angleterre post-thatchérienne, avec Tony Blair et son communicant Alastair Campbell, que cet art du contrepied démontra une relative efficacité en permettant au New Labour d'élargir sa base électorale tout en désamorçant les critiques de l'opposition *tory*.

En France, il y avait déjà quelques lustres que le camp censément conservateur, passé en totalité ou presque sous la domination idéologique de la gauche après la Libération, pratiquait la triangulation sans le savoir. Et avec un insuccès que rien n'était jamais venu démentir. La « nouvelle société » promue par Jacques Chaban-Delmas et pensée par Jacques Delors en avait été une timide ébauche, avant que Valéry Giscard d'Estaing, et son « libéralisme avancé », n'imposât en modèle indépassable la quintessence d'une politique voulue par la gauche et réalisée par la droite. « Nous avons vidé le programme commun de son contenu » : ce constat de Jean Lecanuet, formulé dès 1974, annonçait le triomphe de François Mitterrand sept ans plus tard. Tant les renoncements idéologiques, loin de déstabiliser l'adversaire, préparent et préfigurent les futures débâcles électorales de son propre camp.

Un autre exemple plus récent soulignait à quel point le fait de chasser sur les terres de l'ennemi, bien que constitutif de l'art de la guerre depuis la nuit des temps, n'est pas, en politique, exempt de fâcheux contrecoups. Lors de l'élection présidentielle de 1995, Jacques Chirac fit campagne sur le thème cher à Emmanuel Todd de la « fracture sociale » pour contourner par la gauche la candidature d'Edouard Balladur. A l'époque, on salua la manœuvre pour son habileté. Or, d'un strict point de vue électoral, l'alchimie supposée revint à transformer l'or en plomb et un total des voix de droites avoisinant 60 % au premier tour en une courte victoire créditée d'un petit 52 % au second. Mais l'élection du maire de Paris à sa troisième tentative masqua les effets collatéraux dudit contournement : après quatorze ans de présidence mitterrandienne, la gauche fracassée aux élections législatives de 1993, concassée lors des européennes de 1994, renaissait tel le phénix de ses cendres avec un Jospin tangentant les 48 %.

Sur le papier, les tenants d'une nouvelle triangulation ne manquaient pas d'arguments. Assurés d'avoir à affronter un libéral pur et dur, un bushiste, un atlantiste captif des serres de l'aigle yankee, bref, un « néoconservateur américain à passeport français », selon la formule percutante d'Eric Besson, les socialistes, qui avaient construit toute leur stratégie sur l'« inquiétante rupture tranquille » de Nicolas Sarkozy, ne pouvaient qu'être pris au dépourvu par un candidat faisant campagne dans les usines et posant à l'héritier de Jaurès. A condition toutefois que, par une offre appropriée, le champion de la droite vînt disputer à la gauche l'avantage moral que lui avait longtemps conféré le quasi-monopole du social et qu'il prît en charge la souffrance du peuple dans sa triple dimension économique, quotidienne et identitaire.

Or il n'était en rien question de cet impératif dans les propositions qui remontaient au candidat, mais plutôt de marqueurs sociétaux susceptibles de séduire la fraction libertaire de l'électorat de gauche que rebutait le puritanisme de Ségolène Royal. Ce fut une sorte de concours Lépine à destination d'un jury qui aurait été exclusivement composé de lecteurs des *Inrockuptibles* et de téléspectateurs du « Petit journal » de Canal+. Depuis cette galaxie, dont la matière noire est formée de particules interchangeables – journalistes, publicistes, hommes de réseaux et d'obédience –, étaient largués des ballons d'essai sur les sujets de société que l'on jugeait « porteurs » pour le candidat de la droite. A entendre ces pythies désintéressées, le droit de vote des étrangers aux élections nationales, la discrimination positive – *affirmative action*, disait-on par révérence à l'égard d'un modèle américain par ailleurs largement imaginaire –, le financement des mosquées sur fonds publics, le mariage gay représentaient autant de bonnes affaires qu'il fallait sans plus attendre confisquer à la gauche pour les contrefaire en utiles correctifs d'image.

Nicolas Sarkozy n'était pas loin de penser la même chose : « *Tu comprends*, me disait-il, *j'ai besoin d'un acte fondateur, de quelque chose de transgressif, pour montrer que je ne suis pas sectaire, que je sais à la fois cliver et transcender les clivages. En 1981, Mitterrand a tout chamboulé avec sa proposition d'abolir la peine de mort. Contre l'avis de la majorité des Français. C'est ça la référence. C'est ça qui a marqué les esprits.* »

Les transgressions auxquelles il songeait, dans la lignée de la suppression de la « double peine » pour les délinquants étrangers qu'il avait fait voter en 2003 avec le soutien de la gauche, n'étaient en fait qu'autant de génuflexions devant la *doxa* conformiste. En bref, une plate reddition face au projet ambiant de transformer la France en société postnationale et multiculturelle. Sur le droit de vote des étrangers comme sur la « double peine », il croyait pouvoir jouer un tour à la gauche en lui dérobant ses concepts, alors que la bonne stratégie ne consistait pas à vouloir lui prendre ses idées, mais à savoir comment lui prendre ses électeurs, ce que de Gaulle avait parfaitement compris en son temps.

Ajouter la dérégulation civique et sociétale à la dérégulation économique et sociale dont la gauche l'accusait d'être le fourrier ne pouvait que contribuer à accentuer le caractère anxiogène de la « rupture » qu'incarnait Nicolas Sarkozy, quand la majorité des Français, à commencer par celle qui s'était exprimée lors du référendum de 2005, apparaissait demanderesse de protections tous azimuts.

Quels critères retenir pour opérer les arbitrages? Faire le choix de l'impolitique, c'est-à-dire de cette tendance contemporaine qui remplace la réflexion sur la Cité par un moralisme érigé en instance suprême prévalant sur le bien commun? Ou bien s'en tenir à l'évaluation de l'impact électoral de telle ou telle mesure dans une logique exclusivement comptable? Pour trancher ce débat, le candidat Sarkozy accepta de s'en remettre aux oracles sondagiers dont je lui livrais régulièrement la synthèse au coin de la cheminée de son bureau, place Beauvau. Etudes en main et chiffres à l'appui, je m'employai à lui démontrer que la triangulation envisagée s'apparentait plutôt au triangle des Bermudes, une sorte de trou noir électoral où risquaient de disparaître un ou deux millions de bulletins. Et qu'au final, les pertes en ligne seraient infiniment plus importantes que les gains hypothétiques, singulièrement dans l'électorat populaire, chez ceux que la démographe Michèle Tribalat finirait par appeler les « natifs au carré[10] » à la fois très attachés aux attributs de la citoyenneté et plutôt conservateurs sur le plan des mœurs.

Un trader de la politique

Esprit mobile, optimisant dans l'instant les informations qu'il venait d'enregistrer, Nicolas Sarkozy était un trader de la politique, un court-termiste qui avait le goût des allers et retours spéculatifs. Pour parler le langage des marchés, il ne se déterminait qu'au vu d'un possible retour sur investissement et d'une rapide prise de bénéfices. Je sentais bien que mes batteries de statistiques avaient fait mouche, qu'elles avaient pilonné la zone où les défenses étaient les plus vulnérables. *Exit* le droit de vote des immigrés en faveur duquel il s'était pourtant prononcé dans son livre-programme *Libre*, paru en janvier 2001. L'affaire s'annonçait autrement ardue autour du fortin de la discrimination positive défendu par tous les promoteurs intéressés de la France multiculturelle, autrement dit, les classes dominantes susceptibles d'en tirer un avantage moral ou un profit financier, et souvent les deux à la fois. En clair, le Medef et les bobos. Mon interlocuteur aligna, l'une après l'autre, ses figures de rhétorique habituelles, tels des soldats de plomb à la parade : « *Je dois me servir de mes deux jambes pour avancer : la droite et la gauche* », « *Pour que je puisse être ferme, il faut que je commence par être juste* », « *Ils ont tellement de handicaps que si on ne leur donne pas plus que les autres, ils ne pourront pas s'en sortir* ».

Pour lui répondre ce jour-là, je n'étais pas venu les mains vides. J'avais avec moi des pages entières remplies des verbatims recueillis au cours de « focus groupes », ces réunions qualitatives où des animateurs ont pour tâche de faire dégorger la souffrance sociale. Ouvriers menacés par le déménagement de leur usine, techniciens déclassés, artisans et agriculteurs au bord de la faillite ou du suicide, mères célibataires surendettées, petits employés et néoprolétaires du tertiaire, précaires et temps partiels, il y avait là un éventail à peu près complet des gueules cassées de la mondialisation, dont les fameux « petits Blancs » et autres « souchiens » suivant la taxinomie établie par les médias.

Hémisphère droit ? Non. Hémisphère peuple. Fidèle à la mission qu'il m'avait assignée, je fis entendre auprès du candidat la voix du *white trash*, non pas l'indignation – le mot pue la bonne conscience des petits-bourgeois –, mais la colère ou le dépit de ceux que l'idéologie diversitaire avait relégués selon le mot de Philippe Muray dans la catégorie des « ploucs émissaires ». Leur langage était fruste : « La discrimination positive, c'est une discrimination contre moi, ça c'est sûr. » Parfois cartésien : « S'il y a des citoyens plus, il y aura forcément des citoyens moins. » Le plus souvent lapidaire : « A Paris, ils sont contre la préférence nationale, mais pour la préférence étrangère. » Tous comprenaient d'instinct que le principe d'équité dont se réclamait la discrimination positive valait prétexte à mettre au rancart le principe d'égalité et que, rendant certains candidats plus égaux que d'autres, cette justice distributive permettrait finalement de choisir le moins compétent.

Pas la moindre discordance sur ce point entre les sympathisants socialistes et ceux qui se déclaraient proches du Front national : véritable dénégation de la « méritocratie républicaine », la discrimination positive était unanimement rejetée comme une sorte de racisme d'Etat, une politique de quotas ethniques, un système qui fonde en droit la supériorité des minorités reconnues aux dépens de la majorité ou des autres minorités non qualifiées, une machine à fabriquer du ressentiment et, bouillonnant dans la grande cuve du multiculturalisme, les ferments d'une future guerre civile.

Il n'y avait pas que ces voix de la France d'en bas pour inciter à la prudence. Les expériences étrangères nous y invitaient tout autant. N'était-ce pas aux Etats-Unis, où l'*affirmative action* était devenue le gauchisme des classes supérieures et l'étendard des néolibéraux, que la politique de discrimination positive avait servi à masquer l'accroissement de l'inégalité économique entre les plus hauts et les plus bas revenus[11] ? Les chiffres ne montraient-ils pas que la politique en faveur de la diversité n'est nullement un moyen d'instaurer l'égalité mais, au contraire, un mode de gestion de l'inégalité ? En France pourtant, un organisme comme la Haute autorité contre les discriminations et pour l'égalité (Halde) avait servilement dupliqué le modèle américain d'après lequel ce n'est pas la pauvreté qui interdit d'accéder à la réussite ou à l'emploi, mais uniquement l'origine ethnique et le sexe des individus. Voilà que les races, déniées par les scientifiques en tant que fait biologique, resurgissaient comme fait social au nom d'un antiracisme qui réfutait l'existence même des races. Plongée en Absurdie ! Toute l'idéologie de SOS Racisme, qui depuis des années avait largement contribué à promouvoir un essentialisme racial ou ethnique tout en prétendant le combattre, donnait là ses fruits les plus corrompus.

« Je sais, je sais... » S'il s'était raidi à mon propos, Sarkozy, le « Français de sang mêlé », ne lui opposa cependant aucune réfutation quant au fond, mais juste, accompagnée d'un geste de la main comme pour m'interdire tout développement, une pointe d'agacement résigné. La discrimination positive ne serait pas au cœur de la campagne et ne reviendrait plus que pour des apparitions sporadiques ou sous le travestissement sémantique d'« égalité des chances », destiné, prudence oblige, à amoindrir le signifié.

Il était temps de procéder à un deuxième dessillement. En quête d'un « islam de France » depuis la création du Conseil français du culte musulman en 2003, Nicolas Sarkozy avait voulu croire qu'il serait possible d'empêcher le financement des mosquées par l'étranger et d'enrayer la propagation des imams et prêches salafistes à la condition d'autoriser ce culte à recevoir des fonds publics, quitte à modifier pour cela la loi sur la séparation des Eglises et de l'Etat. Ce que d'innombrables rapports des meilleurs spécialistes du monde islamique, arguant qu'aucun des pays concernés n'était prêt à renoncer à ce moyen de contrôle sur leurs nationaux émigrés en France, n'avaient pas réussi à faire, un simple sondage allait y parvenir. Au vu des résultats catégoriques qui s'en dégageaient – plus de 80 % d'opinions défavorables –, le candidat décida de ne pas inscrire la révision de la loi de 1905 à son programme, remisant le projet au magasin des chimères à hauts risques. Au moyen de quelques chiffres, Sarkozy venait de toucher du doigt, avant même qu'il ne fût inventé, le concept d'« insécurité culturelle[12] » : une décharge d'électricité sociale qu'il ne sembla pas près d'oublier.

Restait la question du mariage homosexuel, revendication emblématique de la révolution anthropologique prônée par une faction ultraminoritaire de citadins privilégiés, bruyamment relayée par les médias et au sein même de l'UMP par Gaylib, un mouvement associé. Le véritable indicateur ne tenait évidemment pas dans le rapport de force entre les « pour » et les « contre », mais au regard de la place qu'occupait un tel projet dans la hiérarchie des motivations de vote des Français. Or celui-ci n'était un déterminant du choix que chez ses adversaires et dans la proportion de cinq contre un. Autrement dit, un positionnement en faveur du mariage gay pouvait valoir au candidat de la droite le même sort funeste que connut Valéry Giscard d'Estaing, lâché par une partie de l'électorat catholique antiavortement qui préféra voter blanc ou glisser dans l'urne un bulletin estampillé IVG (Interruption volontaire de Giscard) lors du second tour des élections présidentielles de 1981.

Il était un autre argument auquel le candidat de la droite ne se montra pas insensible. Le mariage gay correspondait à une mesure d'essence libérale. Ce n'était pas la société qui s'ordonnait à la morale d'Etat, mais l'Etat qui s'alignait sur la morale d'une minorité agissante : à chacun ses mœurs et ses lois! Le sujet se prenait pour la référence du tout et la société se fragmentait, selon le mot du psychanalyste Tony Anatrella, en autant de « tribus psychiques[13] ». Or tous les efforts de Nicolas Sarkozy depuis un an ne consistaient-ils pas précisément à se débarrasser du mistigri du libéralisme et, pis encore, du « néolibéralisme », à se défaire de cette tunique de Nessus qui lui collait à la peau?

A titre personnel, Nicolas Sarkozy demeurait toutefois favorable à un projet d'union civile pour les couples homosexuels, de même qu'il considérait l'avortement comme l'une des « valeurs intangibles de la République ». Sur ces questions de société, c'était un homme qui, suivant le mot du moraliste, n'échappait pas à « l'esclavage dégradant d'être un enfant de son temps ». Mais, là encore, son sens de l'opportunité politique le prédisposait à toutes les volte-face. Une « mission de réflexion » confiée à un Luc Ferry toujours preneur, un entretien au magazine *Têtu*, une visite aux jeunes homosexuels libéraux de Gaylib pour leur dire la « *place particulière*[14] » qu'ils avaient dans son cœur : il avait déjà en tête toutes les figures d'une scénographie compensatoire, bien plus élaborée que celle que je m'apprêtai à lui proposer et qu'il énuméra avec une jubilation non dissimulée.

— *Autrefois, dans un certain milieu, on appelait cela l'entôlage. Ce n'est pas au ministre de l'Intérieur que je vais l'apprendre. Ce n'est pas bien, pas bien du tout...*

L'œil s'alluma, canaille :

— *Je vais te dire ce qui nous différencie des autres.* C'*est que toi et moi, on est des mauvais garçons.*

Pourquoi le contredire ? Le candidat Sarkozy pensa-t-il vraiment qu'il s'agissait là d'une mauvaise action, mais d'une bonne affaire ? Tout donne à croire, au contraire, qu'il était persuadé d'avoir trouvé en moi le conseiller qui lui permettait de concilier pragmatisme et idéologie, logique boutiquière et défense des grands principes, arithmétique électorale et bonne conscience. La droite ne pense pas. Elle compte. Et c'est là son malheur sans cesse recommencé.

Moins de quarante jours après le congrès de l'UMP, alors même que le locataire de la place Beauvau n'avait pas encore quitté les lieux, les choix décisifs furent faits non pas *ex abrupto* et de façon théorique, mais par des arbitrages successifs dont seul le premier cercle qui entourait le candidat fut vraiment informé. Il n'y aurait pas de transgression destinée à séduire la gauche, aucune concession autre que formelle au « Boboland » et pas davantage de diagonale du flou. La place était dégagée pour une toute autre campagne. Henri Guaino pouvait bien fourbir la fameuse citation apocryphe de Jaurès – « La nation, c'est le seul bien des pauvres » –, il me verrait cette fois être le premier à applaudir des deux mains.

Chapitre II

L'élection se gagne au peuple

« L'enracinement est peut-être le besoin le plus important et le plus méconnu de l'âme humaine. »

Simone Weil.

Cela faisait quinze ans et plus que chaque scrutin était marqué par un vote de rejet à l'égard du pouvoir en place. Elections législatives anticipées de 1997, élections européennes de 1999, élections municipales de 2001, élection présidentielle de 2002, élections régionales et consultation européenne de 2004 : les électeurs semblaient décidés à administrer aux élus, quelles que fussent leurs étiquettes, la purge dont se réclamait jadis le slogan poujadiste : « Sortez les sortants ! » En 2007, le renouvellement de l'offre politique qu'occasionnaient les primocandidatures de Nicolas Sarkozy et de Ségolène Royal serait-il suffisant pour briser ce cycle et mettre les partis de gouvernement à l'abri de nouvelles déconvenues ?

Pour les élites aux affaires, la victoire du « non », lors du référendum de 2005 sur la Constitution européenne, fut comme une réplique amplifiée du 21 avril 2002 qui avait vu la qualification de Jean-Marie Le Pen au second tour de l'élection présidentielle. Adopté par 92 % des parlementaires (730 sur 796), le projet de loi autorisant la ratification du traité suscita, trois mois plus tard, le rejet de plus de 55 % des votants en France métropolitaine. Bien qu'affublée par les grands médias de toutes sortes d'épithètes malsonnantes qui l'assimilèrent à un vote de « repli » et de « rétraction », la victoire du « non » n'avait pas été seulement celle de la France souffrante, mais d'abord et aussi celle de la France profonde. La sociologie du vote montrait un pays coupé en deux : d'une part, les gagnants de la mondialisation (classes urbaines métropolitaines) et ceux qui en étaient protégés (fonctionnaires, retraités) ; d'autre part, les victimes de l'économie-monde (ouvriers, prolétaires du tertiaire et chômeurs). A bien des égards, une telle fracture ouverte entre l'électorat populaire et les partis de gouvernement qui s'étaient tous prononcés en faveur du « oui » apparaissait irréductible.

Village coutumier contre village planétaire

A gauche, le Parti socialiste avait en une décennie abandonné, le peuple au profit d'improbables « multitudes ». Il avait substitué à la traditionnelle lutte des classes une analyse sociétale qui faisait des minorités, ethniques ou autres, et de leurs revendications conflictuelles le nouveau moteur de l'histoire. L'enfouissement du peuple-classe suivit de près l'abjuration du peuple-nation. Figure rédemptrice dans le cinéma et la littérature populistes d'avant-guerre, l'ouvrier n'était plus qu'un article déréférencé dans le magasin de la gauche. Une figure de la ringardise. Le suicide de Pierre Bérégovoy, seul hiérarque d'origine prolétaire, anticipa à sa triste façon la fin du double mandat de François Mitterrand marqué par l'ivresse de l'« argent roi », alors que ce même Mitterrand n'hésitait pas à en dénoncer la force corruptrice dans un étonnant exercice de dédoublement psychologique passé à la postérité. En choisissant un 1er mai, jour de la fête du Travail, pour mettre fin à ses jours, l'ancien ajusteur-fraiseur devenu Premier ministre n'avait-il pas voulu signifier, sous forme de message *post-mortem*, qu'une page dans l'histoire de la gauche était définitivement tournée ?

La droite, de son côté, s'était peu à peu réduite à la peau de chagrin de segments électoralement minoritaires et socialement déclinants : travailleurs indépendants, femmes au foyer, retraités, agriculteurs. Pendant vingt-cinq ans, elle s'était abstenue de toute réflexion sur les moyens de renverser une évolution aussi défavorable du rapport de force. Elle n'avait fait que spéculer avec paresse sur l'implacable mécanique du rejet à l'encontre du pouvoir en place qui est, en France, à l'origine de toutes les alternances ou presque. Il lui aurait fallu être inventive pour sortir du long sommeil hypnotique dans lequel l'avait plongée l'idéologie dominante insufflée par la gauche. Or, si la gauche ne s'était pas arrêtée de rêver – c'est sa fonction –, la droite quant à elle – c'est son drame – n'avait pas cessé de dormir. Tout au long de cette hibernation, elle se révéla rigoureusement incapable de penser et encore moins de bâtir une offre politique et une dynamique victorieuse à même d'amalgamer vote captif et vote populaire.

Pourtant, les références historiques qui auraient dû l'y inciter ne manquaient pas. A commencer par celle du gaullisme, dernière tentative réussie d'échapper à l'enclavement sociologique, de réconcilier des catégories aux intérêts apparemment antagonistes et de marier les contraires en vertu d'un rassemblement transcendant les classes et les partis. Pour la première fois depuis un demi-siècle, l'élection de 2007 offrait au candidat de la droite une occasion historique de parler à cette France de la relégation, qui, en assurant la victoire massive du « non » au référendum, était devenue l'enjeu décisif des scrutins à venir, de lui adresser un discours en phase avec les réalités quotidiennes auxquelles elle se trouvait confrontée, d'être le metteur en mots de ses inquiétudes et de ses vicissitudes, l'alchimiste langagier de ses aspirations et de ses afflictions. Compassion ou intérêt, esprit de justice ou calcul électoral, tout commandait à la droite d'accomplir une véritable révolution culturelle : aller au peuple, y relayer la gauche qui s'en était détournée, confisquer à celle-ci l'avantage moral qu'elle s'était arrogée depuis un siècle en monopolisant à son profit la question sociale.

Le plus difficile restait cependant à faire comprendre. A savoir qu'en politique, il n'est pas d'idées généreuses, mais de bonnes ou de mauvaises idées. Le 1er mars 2007, j'adressai une note au candidat Sarkozy : « En sociologie électorale comme ailleurs, les absences structurent les présences, les manques sont des agents de l'histoire. L'électorat populaire est à prendre. La France des fragilités sociales représente plus de 60 % de la population. Aucun candidat ne peut plus l'emporter à la présidentielle sans le soutien majoritaire des nouvelles classes populaires. L'élection qui vient ne se gagnera pas au centre, comme le rabâchent les augures psittacistes qui t'entourent, mais au peuple. »

Rare occasion, en effet, que cette échéance de 2007. Tous les signaux sont là, seule la puissance d'émission est appelée à se développer par la suite. Les convulsions du mythe moderne à l'agonie cachent de moins en moins une lutte culturelle aussi multiforme que décisive contre l'emprise du marché. De l'ère qui s'est ouverte au carrefour de la chute du mur de Berlin, de l'essor de la globalisation financière et du retour du religieux, nous ne percevons toutefois que les prémices.

De même que l'internationalisme prolétarien achoppa au début du XXe siècle sur l'ancrage des solidarités dans l'inconscient collectif des nations jalouses de leur singularité, de même que les Etats communistes eurent à remiser l'utopie de la révolution mondiale et ne purent se maintenir qu'en se métamorphosant en autant de nationalismes farouches, de même aussi la tentative de construire une planète uniforme, débarrassée des particularismes, résurgence de la vieille fable de la grande famille humaine séparée par les accidents de l'histoire, provoque en retour, à mesure qu'elle se dévoile, le réveil des peuples. Elle se heurte en premier lieu à cet invariant anthropologique si bien décrit par l'historien américain Christopher Lasch : « Le déracinement déracine tout, sauf le besoin de racines[1]. »

Par sa tradition politique, la France constitue un lieu exemplaire de ce retournement. Apparues à la fin des années 1980, les nouvelles radicalités, de l'extrême gauche à l'extrême droite en passant par un José Bové « déconstruisant » le McDo de Millau, ont été l'ébauche brouillonne d'un mouvement de résistance à ce processus de déracinement historique dont la délocalisation est le pendant géographique. Bénéficiant d'interactions souterraines, ces jacqueries ont reçu ponctuellement le soutien de la même population de précaires et de réfractaires, en dépit de tout ce qui peut les séparer en surface. Aussi disparates qu'ils apparaissent par leurs origines, leurs motivations et leurs objectifs, des soulèvements inattendus tels que La Manif pour tous, les Bonnets rouges ou encore Nuit Debout s'inscrivent, trente ans plus tard, dans ce modèle neuf d'insurrection contre le désordre établi et qui rompt avec la dérive libérale, libertaire et finalement consumériste de Mai 68[2].

Or, les stratèges de ces mouvements feraient bien d'y penser, le territoire est le premier champ de bataille des mutations en cours. A rebours de la société mondialisée qui s'édifie sur la mobilité des êtres, la France des nouvelles classes populaires redécouvre le localisme comme réponse et riposte au globalisme. La relocalisation des pauvres apparaît comme la réplique systémique des délocalisations voulues par les décideurs de l'oligarchie. D'abord, sous l'effet de la sédentarisation contrainte que subissent les plus démunis qui sont tenus à l'écart des grandes villes par la flambée du prix de l'immobilier et qui voient leur mobilité résidentielle s'effondrer parallèlement à leur mobilité sociale. Ensuite et surtout, en raison de ce besoin incompressible, à la jointure du biologique et du culturel, de s'amarrer à des bornes lorsque l'anomie fait vaciller les fondations et trembler les lignes.

Contre la mondialisation, quintessence du non-lieu, qui pousse à la déterritorialisation et au délestage des attaches symboliques, le peuple des laissés-pour-compte plébiscite le lieu comme première composante du lien. Le village coutumier contre le village planétaire. Le village comme capital social et culturel protecteur à l'heure où l'Etat ne protège plus. Etre, c'est habiter. Comprendre que personne n'échappe totalement à la marque des origines, à l'imprégnation de l'enfance et à la contagion des paysages. Le bonheur est dans le pré, pas dans le terrain vague, ni dans la ville-monde ou dans un *openfield* ouvert à tous les vents. Encore moins dans la socialité de synthèse des pseudo-réseaux sociaux, refuges pour zombies au regard rivé sur les écrans, mais oublieux des étoiles.

Le collectif reprend le pas sur le connectif. Voici que le XXIe siècle qui devait marquer l'avènement d'un monde postnational s'ouvre sur une demande de réenracinement. Voici que le nomadisme, promu valeur sociétale montante par une écrasante croisade médiatique et publicitaire, est rejeté pour ce qu'il est : un esclavage plus inflexible que toutes les anciennes aliénations. Voici que, contre toute attente, la terre, l'attachement au territoire reprend place dans l'imaginaire politique et affectif des Français. Voici que les « prolos », les « péquenauds », les « ploucs » et autres « bouseux », toutes les figures moquées et méprisées conjointement par le turbo-capitalisme et la gauche kérosène, renouent avec les vertus de la solidarité communautaire, se réapproprient l'art de vivre qui constituait encore, dans un passé pas si lointain, le seul et authentique « capital des pauvres », avant que l'assommoir de la culture *mainstream* ne s'emploie à les éradiquer. Voici que sonne l'heure de la revanche pour les « imbéciles heureux qui sont nés quelque part » et auxquels on ne cessait de faire payer le crime de nativisme : savoir d'où l'on vient et ce qu'on doit aux siens. Voici que la révolte point contre cette barbarie aussi douce qu'implacable dont ils pressentent qu'elle menace leur plus simple humanité.

L'identité n'est plus un gros mot

Si autistes fussent-ils par ailleurs, les principaux compétiteurs de la campagne présidentielle de 2007 avaient humé l'air du temps. En réhabilitant la notion de terroir, chacun à sa manière parla identité. François Bayrou choisit la place de Serres-Castet, son village natal et le berceau de ses ancêtres, pour déclarer sa candidature, le 2 décembre 2006, avec vue imprenable sur la plaine de Pau et la chaîne des Pyrénées. Un mois auparavant, Ségolène Royal avait fêté sa victoire aux primaires du PS par un « apéro-chabichou » à Melle, sa terre d'élection des Deux-Sèvres, en se posant comme la candidate des provinces : « Moi, si je suis élue, je réunirai l'ensemble des régions de France, parce que la totalité des régions de France, c'est la France ! » Quelle était cette voix qui, venue de l'inconscient ou de quelque lointaine réminiscence, lui faisait paraphraser Charles Maurras, presque mot pour mot, quand celui-ci écrivait en 1898 dans *L'Idée de la décentralisation* : « Il faut concevoir la France comme une fédération des provinces de France » ?

Entre irradiation et transfiguration, la sémiologie du royalisme renvoyait à un univers politico-mystique de droite : l'allure racée, le code vestimentaire, le vocabulaire et jusqu'à la famille de quatre enfants, objet non identifiable pour une gauche d'essence malthusienne. Si la crise née de la mondialisation tenait bien dans ce moment où, n'ayant plus conscience de ce que l'on est, on n'a plus confiance en ce que l'on est, si la réponse politique réclamait, comme je le croyais et le crois encore, de redonner aux Français les moyens de reconquérir leur identité déniée ou compromise, alors l'incarnation réussie de Ségolène Royal en « fille de France » faisait d'elle une candidate redoutable. Bien plus, en tout cas, que ne l'imaginaient certains esprits rudimentaires de l'UMP qui se plaisaient à la représenter en clone de Bécassine, la petite bonne bretonne à la fois godiche et bornée dont les aventures firent les beaux jours de *La Semaine de Suzette* au début du siècle dernier.

En regard, le profil de Nicolas Sarkozy proche par bien des aspects de celui des élites cosmopolites et désarrimées du pays, le sobriquet de « Sarko l'Américain » qu'il avait laissé se répandre moitié par insouciance, moitié par complaisance, la syntaxe capricante dont il s'était fait une habitude risquaient d'apparaître beaucoup plus labiles dès lors qu'il s'agissait de porter une

« certaine idée de la France ». Surpris par la bonne résistance de la championne du PS, déstabilisé par l'émergence de François Bayrou qui, après avoir longtemps fait du surplace, grimpa jusqu'à 24 % des intentions de vote dans la première semaine de mars 2007, le candidat de l'UMP n'accorda pas la même attention aux deux phénomènes. Parce qu'imprévisible, et en tout cas inattendue à ce niveau-là, la percée du Béarnais l'inquiéta davantage. Filmé à sa demande au volant du vieux tracteur de son père, Bayrou labourait avec bonheur les sillons d'un populisme rural et moissonnait les applaudissements des Français modestes avec ses tirades tantôt contre l'arrogance des bureaux parisiens, tantôt contre l'assujettissement des médias à l'argent et, plus encore, contre Sarkozy l'« ami des milliardaires du CAC 40 et des vedettes du showbiz ».

Pour entraver la montée en puissance du candidat du Modem, une carte avait été tenue en réserve : le ralliement de Simone Veil, figure historique de l'UDF, adulée par les médias, mais dont la popularité toute platonique ne bénéficia jamais que d'une très faible encaisse électorale. L'ancienne ministre de la Santé devait annoncer le 8 mars, après avoir pris congé du Conseil constitutionnel, qu'elle acceptait la présidence du comité de soutien à la candidature de Nicolas Sarkozy. Ce jeudi-là précisément, ce fut un candidat en proie à la plus grande fébrilité qui nous convoqua dans son bureau de la place Beauvau.

Invariablement, ce genre de réunion débutait par une litanie d'imprécations destinées à illustrer la tragique solitude d'un chef d'exception desservi par une brigade de médiocres aussi peu combative qu'inventive :

— *Qu'est-ce qu'ils font au siège de campagne ? Hein ? Moi, je vais vous dire ce qu'ils font au siège de campagne. Ils me bombardent de notes de vingt pages totalement illisibles et définitivement inexploitables. Des trucs de technos ! Et puis la vérité, c'est que c'est une équipe de mous. Moi, j'ai besoin de pitbulls, pas de sommeillants.*

Ce jour-là, une fois passée la phase d'autoallumage, la combustion, progressivement, se ralentit :

— *On me fait faire des émissions pour me rendre sympathique, mais ce n'est pas forcément ce que les Français attendent de moi. Ils s'en moquent, les Français, que je sois sympathique ! Ils veulent que je fasse le job. Est-ce qu'on demande à Rocco Siffredi d'avoir des sentiments ? Est-ce qu'on attend de lui des mots d'amour ? Non mais je m'excuse d'être vulgaire : Siffredi, son truc, c'est pas la bluette.*

Pourquoi fallait-il, selon un rituel établi qui ne se démentirait plus jusqu'au printemps 2012, qu'il me donnât la parole en premier, manifestant ostensiblement par là l'intérêt qu'il portait à chacune de mes interventions? Etait-ce parce qu'il redoutait le conformisme d'un entourage peu enclin à s'aventurer hors de la zone de stabulation de la pensée autorisée et que, m'étant fait une spécialité de l'abattage de masse des vaches sacrées, il attendait de moi, suivant le mot de Mallarmé, que je bouscule « la litière où le bétail heureux des hommes est couché »?

L'ouverture était trop belle pour ne pas la saisir :

— Contrairement à ce que tu crois, le soutien de Simone Veil, après celui de Giscard ne sont pas de bonnes affaires. Cela va te valoir le ralliement d'un certain nombre de personnalités ancillaires de la politique au risque de transformer une candidature que tu as toi-même présentée comme une candidature de rupture en candidature de l'établissement. Le danger, c'est que le normatif l'emporte sur le transgressif. Ou plutôt que les Français finissent par penser que, chez toi, le transgressif est tactique et le normatif atavique. Plus tu apparaîtras comme le rassembleur des notables, moins tu seras suivi par les gros bataillons de l'électorat populaire. D'ailleurs, ce dernier commence à décrocher.

Nicolas Sarkozy s'engouffra dans la brèche, renchérissant sur mes propos iconoclastes :

— *Patrick a raison. Ma campagne patine. Elle se normalise. Elle se banalise. On ne surprend plus. On ronronne. Ce n'est pas avec des has been qu'on va intéresser les Français. Veil, Giscard, Chirac, tout ça c'est la vieille politique. Il faut faire banco... Sinon, on est mort. Il faut éclipser Bayrou. Me remettre au centre du débat. Ce soir, à France 2, je n'ai pas le choix : il faut que je renverse la table. Il faut que je transgresse. Sur quoi je transgresse? Hein? Sur quoi?*

J'avais, sur ce point, une idée très précise :

— La transgression majeure, que cela plaise ou pas, c'est l'identité nationale. La crise identitaire est au cœur du mal-être populaire. Personne ne te le dit, mais c'est la première souffrance sociale. C'est la souffrance de la sous-France. Elle n'est pas, contrairement à ce que raconte la gauche, rejet de l'autre, mais refus d'une dépossession de soi et de devenir autre chez soi. Les Français ont le sentiment que l'intégration des immigrés confine à une désintégration de l'identité nationale. Pour permettre au migrant de conserver ses racines, on somme le pays d'accueil de renoncer aux siennes, à un art de vivre, à une mémoire collective, à une histoire commune. Avec ses lois mémorielles culpabilisatrices, Chirac a accru ce malaise dans des proportions inouïes. On ne peut pas traiter toutes les crises à la fois. Si c'est la survie du peuple français qui est en jeu, alors il faut traiter en priorité la crise identitaire. La vraie rupture est là. Tout le reste est littérature…

Pendant tout le temps de ma tirade, Nicolas Sarkozy n'avait pas cessé de promener un regard circulaire d'abord interrogatif puis malicieux. Ce fut à Henri Guaino qu'échut le dernier mot :

— Avec l'identité, tu vas au-delà de la France du non. Tu touches le cœur des petites gens.

Le soir, sur le plateau d'« A vous de juger », le ministre-candidat annonça qu'il créerait, s'il était élu, un ministère de l'Immigration et de l'Identité nationale. Au téléphone, quelques minutes à peine après la fin de l'émission, la voix claironnait : *« Tu m'avais dit de transgresser. Tu vois, je t'ai écouté, je l'ai fait. Avec moi, tu n'es pas au bout de tes surprises. »* Comme prévu, les médias frémirent, les maîtres censeurs glapirent et les grandes consciences se hérissèrent. Le lendemain, consigne fut donnée par Sarkozy en personne de faire barrage aux appels de Simone Veil qui, en cette journée de la Femme, réagit en épouse trompée. Elle en tenait pour un « ministère de l'Immigration et de l'Intégration » et voulait à toute force le faire savoir à « son » candidat qui avait choisi délibérément de se mettre aux abonnés absents. En meeting à Caen, celui-ci enfonça le clou : *« L'identité de la France, ce n'est pas un gros mot. La fierté d'être français, l'identité française sont au cœur de la campagne électorale. »* Le 10 mars, il se lança dans l'une de ces opérations d'intimidation qu'il affectionnait particulièrement et qui impressionnaient les esprits faibles et les constitutions fragiles. A Edouard de Rothschild, l'actionnaire de référence de *Libération* dont l'édition de la veille avait titré en une : « Sarkozy monte au Front », il promit mille désagréments et, en cas de victoire, l'interruption des subventions publiques. Le 12, en petit comité, on le vit jubiler : *« Je crois qu'on tient un truc. »*

Cependant, une opposition interne s'était organisée autour d'Antoine Rufenacht qui, faute de pouvoir lui faire abandonner son projet, espérait obtenir qu'il en modifiât l'appellation en, cette fois, « ministère de l'Immigration et de l'Identité républicaine ». Les arguments ne manquaient pas pour contrer cette tentative d'usurpation sémantique et je m'employai à les rappeler. Que la France avait existé bien avant la République, laquelle ne fut pas le fondement de son être historique, mais une modalité tardive de celui-ci, et que la « francité » ne se réduisait pas à la citoyenneté. Que, chez de Gaulle lui-même, c'était la France qui transcendait la République, non pas l'inverse, et que l'objectif premier qu'il avait assigné à la Résistance n'était pas le rétablissement des institutions républicaines qu'il évoqua seulement le 11 novembre 1941, mais la lutte patriotique pour la libération du pays et le rétablissement de la souveraineté nationale. Et qu'en choisissant la croix de Lorraine, un symbole catholique pluriséculaire, plutôt que la Marianne républicaine, le Général avait opéré du même coup, selon le mot de l'historien Maurice Agulhon, une « petite contre-révolution symbolique[3] ».

La cause était entendue? Rien de moins sûr. S'apprêtant le jeudi 15 mars à tenir meeting à Saint-Herblain, dans la banlieue nantaise, Nicolas Sarkozy tenait en poche le discours que lui avait rédigé Emmanuelle Mignon, la tête pensante de la plate-forme programmatique et, sur le document qui allait être remis à la presse, c'étaient bel et bien les mots « identité républicaine » qui avaient remplacé ceux d'« identité nationale ». Une heure avant qu'il ne montât en tribune, je communiquai au candidat les résultats de l'enquête qui venaient de me parvenir. Plus de 70% de sympathisants de droite approuvaient la création d'un ministère de l'Immigration et de l'Identité nationale et l'adhésion était encore plus forte dans l'électorat-cible de la France populaire. Un silence accueillit l'énoncé de ces chiffres. Puis, détachant chaque syllabe :

— *Ecoute-moi bien. Je voudrais te dire que si je suis élu, je te le devrai pour une large part.*

Un quart d'heure plus tard, à la stupéfaction des journalistes présents dans la salle, l'identité nationale était rétablie, au moins verbalement, dans ses prérogatives de campagne. Le 16 mars, un sondage de la Sofres crédita le candidat de l'UMP d'une progression de quatre points. Celui-ci s'en félicita à haute voix : *« Depuis que j'ai lancé l'idée, Bayrou est parti en vrille. »*

Une digue avait sauté. Un conservatisme transgressif à la française sortait des limbes. Au sein de notre cénacle, je n'étais plus seul à pressentir qu'il y avait là tous les éléments d'une équation politique optimale.

En sortant du plateau de « Politiquement Show », Jean-Christophe Cambadélis me lança tout à trac : « C'est plié! Vous avez gagné. » L'ancien trotskiste de l'OCI ne décolérait pas de voir nombre de ses camarades socialistes relayer la campagne qui montrait une photo de Sarkozy surplombée du slogan : « Votez Le Pen. » L'idée même d'une équivalence entre les deux hommes à propos de la question de l'identité représentait le type de réflexe pavlovien idéologiquement satisfaisant, mais politiquement et électoralement désastreux. Elle eut pour effet de rabattre toute une partie de l'électorat du Front national, découragée par l'absence de perspective d'une quatrième candidature de Le Pen à la fonction suprême, vers le candidat de l'UMP que l'on n'avait cessé de lui présenter comme un substitut du vieux leader frontiste et finalement beaucoup plus dangereux puisque susceptible d'accéder au pouvoir.

Historiquement chrétiens

Quelle faiblesse organique poussait-elle Nicolas Sarkozy à enchaîner presque automatiquement l'annonce d'une proposition un peu forte et l'ajout d'un codicille qui suggérait le contraire, comme s'il était effrayé par sa propre audace ? Pourquoi prenait-il pour habileté ce qui n'était qu'ambivalence, sinon contradiction ? Pour complémentarité ce qui n'était que confusion et incohérence ? Chez lui, la génuflexion suivait le blasphème, la contrition succédait à la bravade. De l'une, il escomptait naïvement l'aman des grandes consciences ; de l'autre, il attendait plus prosaïquement son salut électoral. L'invention de l'« identité nationale » appelait en retour de balancier un éloge de la société multiculturelle pourtant honnie de cette France populaire dont il sollicitait les suffrages. Il y sacrifia, le dimanche 18 mars, devant un public de jeunes réunis au Zénith de Paris, par une ode à « la France de toutes les couleurs et de toutes les religions » conclue par le tube du chanteur raï Faudel, « Mon pays ».

Cette « France d'après » – d'après la France ? – ne devait cependant tenir le haut de l'affiche que l'instant d'une tirade sur la « société de l'amour » toute d'émotion amniotique où baignent d'ordinaire les futures catastrophes. Au fil des meetings, le ministre-candidat avait en effet découvert la force mobilisatrice de la référence identitaire. Dotée d'une double fonction, symbolique et sociale, elle permettait de refonder à la fois l'imaginaire politique et le lien public au sein d'un grand récit dont le peuple français redevenait l'acteur central. Plus une rencontre, sans que ne fussent évoquées les figures majeures de l'histoire. Plus un discours où ne ressuscitassent Clovis, Jeanne d'Arc et les soldats de l'an II. Plus une allocution, sans que le roman national de Nicolas Sarkozy ne s'enrichît de nouveaux chapitres, ainsi que de références de plus en plus nombreuses au catholicisme en tant que culte « historial » de la France.

La lecture d'un article de Marcel Gauchet que je lui transmis acheva de le convaincre. Pour le penseur du « désenchantement du monde[4] », la « sortie de la religion » en Europe, c'est-à-dire la sortie d'un monde où la religion était structurante, aiguisait paradoxalement la réactivation du facteur religieux comme forme de l'identité. Plus encore que de constituer l'acmé de la « revanche de Dieu » ou le pic du « choc des civilisations », l'expansion de l'islam politique n'en était-elle pas le symptôme le plus apparent ? Son irruption au sein d'une société sécularisée n'allait-elle pas induire un inévitable contre-effet de balancier ? J'étais pour ma part convaincu que, confrontés à un tel environnement, les Français étaient en passe de se redécouvrir non pas religieusement, mais historiquement chrétiens au moment où le discours ambiant les sommait d'oublier leur triste passé. Il ne s'agissait plus de croyance, mais d'une volonté de préserver un élément consubstantiel à l'identité du pays, d'un attachement à un cadre historico-politique dont le catholicisme façonnait la mémoire profonde. Ce choix à demi qui, éludant la question de la foi, ne laissait subsister qu'un bras de la croix, avait tout pour convenir au candidat Sarkozy dans la mesure où celui-ci n'aspirait après tout qu'à recueillir le suffrage des électeurs. L'éclipse de la verticalité, c'est-à-dire du rapport de l'homme à Dieu, n'entamait en rien l'horizontalité du lien qui persistait à unir les hommes entre eux autour d'un patrimoine symbolique et d'un minimum de sens à partager. Pour le dire prosaïquement, si les Français n'allaient plus à l'église, hormis pour les baptêmes, les mariages et les enterrements, ils demeuraient attachés à leur clocher. Ainsi, de façon incidente, le champion de la droite découvrit-il l'étymologie latine du mot « religion » : *religare et relegere*, « relier et rassembler ». Il lui sembla que ce devait être là également l'essence du politique et il eut la bonne grâce de s'en émerveiller.

Un incident survenu au début du mois d'avril vint accentuer cet aspect de la campagne. Au détour d'un entretien avec Michel Onfray, publié par le mensuel *Philosophie Magazine*, Nicolas Sarkozy, confronté à une question portant sur la génétique, s'aventura dans les sables mouvants de l'inné et de l'acquis, terrain où même les plus aguerris risquent l'enlisement : « *J'inclinerais, pour ma part, à penser qu'on naît pédophile.* » A l'en croire, il y avait donc un gène pour cette pathologie, comme pour le suicide et les autres comportements anomiques ! De tous les coups qui s'abattirent sur lui, celui que lui administra le cardinal André Vingt-Trois, à grand renfort de crosse archiépiscopale, fut sans conteste le plus rude : « L'homme est libre. Dire que quelqu'un est prédéterminé [...], cela veut dire que l'homme est conditionné absolument. » Aux réactions qui remontèrent d'un peu partout, il ne fut pas difficile de comprendre que l'électorat catholique avait été brutalisé.

Que faire pour dissiper ce trouble ? Se montrer à la messe de Pâques ? Cécilia, l'épouse du candidat, s'était évanouie dans la nature et celui-ci ne voulait en aucun cas s'afficher en mari délaissé là où l'usage commande de se rendre en couple. Une visite à Colombey-les-Deux-Eglises, haut lieu de pèlerinage gaulliste, fut programmée pour le lundi 16 avril, à moins d'une semaine du premier tour. Le soir même, Nicolas Sarkozy devait se rendre sur le plateau du 20 heures de TF1 pour répondre aux questions de Patrick Poivre d'Arvor. Je lui proposai de placer la journée sous un double parrainage. A l'ombre de deux grands chênes abattus. Le matin, il ferait le signe de croix après s'être recueilli sur la tombe du fondateur de la Ve République et, devant les téléspectateurs, il citerait le Général et Jean-Paul II comme les deux figures contemporaines qui l'avaient le plus inspiré. En apprenant que le candidat allait rendre hommage au pape défunt, Patrick Devedjian, Pierre Lellouche et quelques autres hiérarques de l'état-major de campagne frôlèrent le collapsus. Une bourrasque souleva les tabliers.

L'avalanche des mises en garde n'y fit rien. Le candidat Sarkozy montra la ferveur d'un catéchumène et la détermination d'un zélote. Rien ne put plus l'arrêter. Le moment venu, il prononça, mot pour mot, le texte que je lui avais préparé : « *Si j'avais deux noms à citer, je dirais sans hésitation d'abord le général de Gaulle, pour sa passion de la France, la fidélité à ses convictions et pour l'exemple du service de l'intérêt général... Je dirais également sans hésiter, même si ça peut étonner, Jean-Paul II, l'homme qui a eu le courage de dire aux jeunes Français et aux jeunes du monde : "N'ayez pas peur." C'est une très belle phrase qui m'avait beaucoup marqué.* » Comme toujours après une prestation réussie, il réagit avec l'engouement d'un pur affectif :

Je t'aime, mon Patrick !

Par la suite, il insista pour me raconter comment le frère de sa belle-sœur Sophie, un légionnaire acquis jusque-là à la cause frontiste, avait décidé de voter pour lui en l'entendant invoquer les mânes du pontife polonais.

Pourquoi s'arrêter en si bon chemin ? Mettant à profit le dernier entretien que le candidat devait donner à la presse écrite nationale, j'ajoutai un paragraphe au texte que publia *Le Figaro* le 18 avril : « *J'ai fait mienne l'analyse de Gramsci ; le pouvoir se gagne par les idées. C'est la première fois qu'un homme de droite assume cette bataille-là.* » Provoquer la gauche sur le terrain de l'hégémonie culturelle où elle régnait sans partage depuis plus d'un demi-siècle en citant le théoricien marxiste de l'entrisme, voilà un défi qui l'enchanta tant il se sentait porté sur les ailes de la victoire.

— Ce sont des paroles qui t'obligent pour la suite, Nicolas !

— *Pourquoi dis-tu ça ? Tu ne m'en crois pas capable ? Ne t'inquiète pas, mon Patrick !*

Bandes annonces et bandes ethniques

« Tout ce qui existe est symbole. Tout ce qui arrive est parabole. » Les quarante-cinq mois passés de façon discontinue par Nicolas Sarkozy au ministère de l'Intérieur entre 2002 et 2007 illustrèrent à la perfection ce mot de Paul Claudel tant ils rendirent lisibles et prévisibles les ressorts d'une histoire qui, à l'époque, restait encore à écrire. En obtenant de Jacques Chirac le poste qu'avaient occupé Georges Clemenceau, Georges Mandel, Jules Moch ou Raymond Marcellin, le nouvel occupant de la place Beauvau s'était fixé comme objectif de se construire l'image d'un homme d'ordre et plus encore d'un restaurateur de l'autorité de l'Etat. Il n'ignorait pas que les banlieues et leur dérive insécuritaire constituaient pour lui le véritable espace de probation.

Dans la novlangue politico-médiatique, le mot « banlieue » désignait désormais exclusivement ces territoires par où transitaient les vagues d'immigrés les plus récentes et qui correspondaient au maillage administratif des 751 « Zones urbaines sensibles » et des 2 493 quartiers ciblés par les « Contrats urbains de cohésion sociale » de la loi Borloo d'août 2003. Loin d'avoir été abandonnée, ladite banlieue avait bénéficié d'une densité de dotations et d'équipements bien supérieure à celle des zones périurbaines et rurales regroupant les populations autochtones souvent économiquement plus défavorisées. Les communes elles-mêmes investirent beaucoup en lieux de sociabilité et en crédits associatifs, tandis que la desserte des banlieues par les transports en commun fut considérablement améliorée en entraînant un volume de dépenses publiques sans commune mesure avec les recettes. En vingt ans, près de 100 milliards d'euros avaient été déversés par la politique de la ville et ce, sans la moindre amélioration des indicateurs sociaux, comme le notait déjà un rapport de la Cour des comptes en 2002. Pas plus qu'ils n'avaient contribué à faire reculer l'état de non-droit au cœur de ces cités en proie à toutes les formes d'illégalisme, mais interdites d'accès aux forces de l'ordre.

Le 19 juin 2005, au lendemain d'une fusillade qui avait coûté la vie à un très jeune garçon, Nicolas Sarkozy se rendit sur les lieux et promit de « nettoyer au karcher » la cité des 4000 de La Courneuve, afin d'en « faire disparaître les voyous ». En acrobate de l'escalade verbale, il franchit un nouveau degré le 25 octobre 2005, où sur la dalle d'Argenteuil, après avoir essuyé divers jets de pierre et quolibets, il jura devant une résidente visiblement excédée et une flopée de caméras : « *Vous en avez assez de cette bande de racailles ? Eh bien, on va vous en débarrasser !* » La force de percussion de ces mots déchaîna la polémique, d'autant plus qu'ils n'émanaient pas de Jean-Marie Le Pen, mais d'un ministre de la République dans l'exercice de ses fonctions. La transgression langagière de Sarkozy était tout sauf un dérapage. C'était le fruit, sinon d'une analyse politique et sociologique sur la coupure entre le peuple et les élites, à tout le moins de la volonté de retrouver un langage commun avec les catégories les plus exposées à la prédation.

Plus question de se faire l'allié du populisme en refusant de nommer les choses par leur nom et de lui faire, selon la formule d'Alain Finkielkraut, « cadeau du réel ». D'où ce choix de mots qui n'exhalaient pas la mauvaise conscience. D'où cette volonté de formules postées comme des sentinelles à l'entour de ce qui tombait sous la vue pour quiconque n'avait pas renoncé à voir. D'où cette réaction contre l'euphémisation du vocabulaire politique, dont le terme « sauvageon », exhumé par un Jean-Pierre Chevènement d'ordinaire moins pusillanime, fut le prototype.

A voir le torse bombé et l'index pointé de l'imprécateur, on pouvait toutefois se demander s'il n'y allait pas de l'affichage répétitif de postures d'autorité conçues comme autant de bandes annonces programmatiques pour un futur candidat à la présidence de la République. Mais à se poser en rempart face aux minorités violentes qui menaçaient la paix civile, Nicolas Sarkozy s'exposait du même coup à une tension croissante entre le dire et le faire. La culture du résultat qu'il revendiquait à chaque discours représentait un défi qui ne manquait pas de panache; c'était également un pari à hauts risques puisqu'il le mettait en situation d'être rattrapé, un jour ou l'autre, par son bilan sur des sujets aussi sensibles que la sécurité publique et la maîtrise de l'immigration. Pour autant, et par-delà le calcul politicien, Nicolas Sarkozy assuma le premier un authentique acte de rupture avec le système des territoires concédés comme autant de comptoirs à la délinquance et au crime organisé.

Selon la version officielle colportée à l'époque par les médias, ce fut la mort accidentelle de deux adolescents pourchassés par la police, après une tentative de vol à Clichy-sous-Bois, le 27 octobre 2005, qui fit s'embraser la banlieue parisienne et, par extension, la plupart des « quartiers sensibles » en province. Les émeutes durèrent trois semaines, occasionnant plus de 200 millions d'euros de dégâts. Pour la gauche, il s'agissait d'un mouvement né de la désespérance sociale, s'instituant en fer de lance des luttes nouvelles. L'explication par le triptyque exclusion-pauvreté-chômage révélait, une fois de plus, l'état de déni volontaire dans lequel se meuvent les idéologues du multiculturalisme. Pour les Français qui regardaient chaque soir à la télévision les émeutiers mettre le feu aux voitures et aux bus, s'attaquer à ces symboles de l'intégration que sont les écoles, les gymnases ou les médiathèques, il n'y avait aucun doute : le caractère ethnique de cette guérilla urbaine sautait aux yeux.

Le ministre de l'Intérieur, lui, avait d'autres informations, dont il se garda bien, sur le coup, de faire état. En réalité, le véritable déclencheur des émeutes n'était pas la mort des deux adolescents, si traumatique fût-elle, mais les rumeurs selon laquelle des policiers avaient jeté une grenade lacrymogène dans la mosquée Bilal de Saint-Denis. Le premier sinon principal ressort des émeutes était bel et bien la solidarité religieuse. Tout comme était patent le schéma culturel d'inspiration islamique auquel obéissaient les auteurs de ces violences. Etrange mouvement social, en effet, que celui où la non-mixité avait force de loi au point que les jeunes hommes étaient seuls à tenir le haut du pavé à l'exclusion de toute participation féminine. Imaginerait-on, même dans la société patriarcale française du XIXe siècle, Louise Michel empêchée de descendre dans la rue pour donner l'assaut à la butte Montmartre et assignée à domicile pour y préparer le thé ?

En fait, s'il y avait mouvement social, c'était dans le sens où une minorité violente défendait par délégation le double système d'économie souterraine et d'économie parallèle qui, avec la manne de l'argent public et la rente des aides sociales, fait vivre les cités[5]. Les « territoires perdus de la République » avaient fait jusque-là l'objet d'une concession implicite de la part de la gauche comme de la droite dans le cadre d'une sous-traitance mafieuse. Le non-droit ne perdurait dans ces zones que parce qu'il recouvrait un non-dit.

Avec une folle témérité et non sans un certain courage, Nicolas Sarkozy voulut rompre ce pacte. Fortement impressionné par le bilan de Rudolph Giuliani comme *attorney general* puis comme maire de New York entre 1994 et 2001, il entendit faire de la lutte contre la drogue l'un des axes majeurs de sa politique. Il se dota des moyens pour frapper vite et fort avec la création, dès 2002, des Groupements d'intervention régionaux (GIR) et l'implantation dans les banlieues les plus difficiles de dix-sept compagnies de CRS et de sept escadrons de gendarmerie. La Seine-Saint-Denis, le tristement célèbre « neuf-trois », devait être l'un des premiers laboratoires de la « méthode Sarko ».

En déclarant la guerre aux réseaux de trafiquants qui mobilisaient une importante main-d'œuvre de jeunes et même de très jeunes délinquants pour surveiller et approvisionner les terrains du deal, il était intimement convaincu que la question de la drogue faisait le lien entre les problématiques les plus brûlantes de l'heure : insécurité, immigration non maîtrisée, chômage endémique dans les cités, mondialisation des marchés illégaux. Sur les neuf premiers mois de 2005, la pression policière sur les réseaux multiproduits, qui avaient profité de l'organisation du marché de l'herbe afin de vendre héroïne, cocaïne, crack et ecstasy, fut couronnée de résultats records.

Pour une fois, l'antisarkozysme hystérique de la gauche ne la fourvoya pas : le ministre de l'Intérieur était bel et bien le principal responsable des émeutes de l'automne 2005. Mais non pas pour les motifs ordinairement incriminés : provocations verbales, refus du *nursing* social des populations délinquantes, choix du tout-répressif et de la « tolérance zéro ». La culture de l'excuse peinait, cette fois, à masquer la réalité. Les émeutes étaient d'abord et avant tout une riposte à l'offensive que le premier flic de France, rompant avec la passivité de ses prédécesseurs, avait osé déclencher. L'enjeu n'était rien moins que les quelque 10 milliards d'euros de chiffre d'affaires annuel qu'engendrait le seul marché du cannabis, sans compter les autres trafics.

Auteur en juin 1992 d'un rapport très documenté sur la violence des jeunes des cités[6], le député socialiste Julien Dray avait mis en avant le rôle des caïds et autres dealers dans la manipulation de cette violence afin de limiter les interventions extérieures dans leur zone d'activité. C'était l'époque où les futurs incendiaires, encore dans l'enfance, commençaient à prêter une oreille attentive à la rage apocalyptique du groupe de rap NTM (Nique Ta Mère) : « La guerre des mondes, vous l'avez voulue, la voilà. Mais qu'est-ce qu'on attend pour foutre le feu ? » La vérité est que la guérilla urbaine de l'automne 2005 fut autant une révolte ethnique tournée contre les représentants de l'Etat et les édifices censés incarner localement son autorité que la mise en œuvre d'une stratégie visant à desserrer l'étreinte policière et à rendre sa fluidité à l'économie souterraine de la drogue.

Pendant les vingt et un jours que durèrent les émeutes, Nicolas Sarkozy, comme tous les ministres de l'Intérieur depuis vingt ans, vécut avec le syndrome Malik Oussekine. A son tour, il éprouva la hantise de voir se répéter la bavure policière qui, le 6 décembre 1986, avait conduit à la mort de cet étudiant franco-algérien à l'issue d'une manifestation contre le projet de réforme des universités porté par Alain Devaquet. La doctrine française du maintien de l'ordre en était ressortie changée. Le drame avait renforcé les inhibitions et les scrupules de la droite en la matière, dont la gauche ne s'était pourtant jamais trop embarrassée. Briseurs de grèves, Georges Clemenceau, le « sinistre de l'Intérieur » qui laissa sur le pavé cinq morts, dont une jeune fille de 20 ans, après avoir donné l'ordre de tirer sur les viticulteurs de Narbonne en juin 1907, ou Jules Moch, qui fit charger les mineurs du Nord et du Forez en novembre 1947 par les Compagnies républicaines de sécurité nouvellement créées et appuyées par le 11e régiment parachutiste de choc, ne passèrent-ils pas à la postérité comme des modèles de vertu républicaine ?

Nicolas Sarkozy n'était rien de cela. Sa conception du maintien de l'ordre apparaissait entièrement subordonnée à la gestion de sa cote de popularité. Son obsession n'était pas de réprimer les fauteurs de trouble, mais de contrôler, de doser et de contenir la riposte, tant il demeurait persuadé que Chirac et Villepin guettaient le moindre faux pas pour provoquer sa chute. L'antienne résonnait aux oreilles de ses proches collaborateurs :

— *L'ordre est affaire de rapport de force et uniquement de rapport de force. C'est lorsque nos forces sont en sous-effectif qu'elles prennent peur et cognent. Avec les CRS, il y a un bouton « Stop », un bouton « Marche », mais pas de bouton « Recul ».*

Le ministre agit donc en conséquence. Il déploya sur le terrain des effectifs considérables : 11 200 gendarmes et policiers qui reçurent pour consigne de résister coûte que coûte tant aux jets de projectiles qu'aux provocations de toutes sortes. Trois semaines d'affrontements dans un contexte quasi insurrectionnel, sans le moindre blessé grave du côté des émeutiers, allaient contribuer, mieux que n'importe quel haut fait, à lui sculpter une statue dans le marbre que le couple exécutif, acharné à sa perte, avait préparé pour sa sépulture.

La route de l'Elysée n'en était pas dégagée pour autant. Au printemps 2006, les manifestations contre le CPE, le Contrat première embauche, dont le texte avait été voté par l'Assemblée nationale après que Dominique de Villepin eut à engager la responsabilité du gouvernement, ouvrirent une nouvelle passe dangereuse. La crainte qui tenaillait cette fois le ministre de l'Intérieur était une descente des banlieues sur Paris, une sorte de match retour des émeutes de 2005 : « *S'ils déboulent des cités,* laissa-t-il échapper, *c'est autre chose que les sauterelles, c'est du lourd, c'est du méchant.* »

Le 26 mars, un cortège de 200 000 étudiants et lycéens se dirigea vers l'esplanade des Invalides, point de dispersion prévu pour la manifestation. Les abords de la place étaient si sensibles qu'ils obligeaient à une mobilisation extrême de forces statiques, afin de barrer l'accès à l'Elysée par le pont Alexandre III et d'empêcher toute incursion intempestive en direction de l'Assemblée nationale et des ministères. Tout au long du trajet, les manifestants avaient été harcelés par de petits groupes de JV, de « jeunes violents » en langage policier, venus des cités qui, entre deux raids, avaient multiplié les actes de vandalisme contre les boutiques et le mobilier urbain. Lorsqu'ils arrivèrent sur l'esplanade, les premiers éléments du cortège se retrouvèrent coursés, jetés à terre, frappés lourdement à coups de poing et de pied par des nuées de casseurs encagoulés. A quelques dizaines de mètres de là, les forces de l'ordre assistèrent, étrangement impassibles, à ce long déchaînement de violence.

Pour Nicolas Sarkozy, les Invalides furent l'équivalent d'Austerlitz pour Napoléon Bonaparte : son chef-d'œuvre tactique, la seule bataille où il avait pu choisir le terrain, y amener l'ennemi et lui imposer son plan. A tout le moins, s'il faut en croire l'histoire qu'il aimait à raconter en petit comité : « *Nous avions pris la décision de laisser les bandes de blacks et de beurs agresser les jeunes Blancs aux Invalides, tout en informant les photographes de* Paris-Match *de la probabilité de sérieux incidents. Nous avons tremblé à l'idée qu'il puisse y avoir un blessé grave. Mais, au fond, ça valait la peine d'endurer pendant une demi-journée les sarcasmes des médias. Il faut dire qu'ils s'en sont donné à cœur joie : "La police est impuissante, que fait Sarkozy ?"* »

L'émotion fut en effet à son comble, après la publication dans la presse de photos dont l'opinion ne retiendrait qu'une chose : des hordes sauvages étaient entrées dans Paris. La ligne de clivage ne passait plus entre gauche et droite, mais divisait barbares et civilisés, « racaille » et honnêtes gens comme au temps de M. Thiers. Au surlendemain des Invalides, le ministre de l'Intérieur convoqua les journalistes à une de ces séances de mise en condition qu'il affectionnait. Froncements de sourcils et rodomontades : « *Force restera à la loi.* » Le 28 mars, une nouvelle manifestation, tout aussi imposante, se forma avant de s'élancer en direction de la place de la République. Il était prévu que, dans un premier temps, les casseurs pussent s'ébrouer sans intervention de la police. « *On les laissera faire leurs courses chez Darty et à Go Sport* », avait intimé l'homme fort du gouvernement. Des heurts sporadiques aux cris de « Nique ta mère, Sarkozy ! » se prolongèrent bien après l'ordre de dispersion. Vers 19 heures, changement de climat. Quelque 4000 policiers furent déployés autour de la place. Les canons à eau entrèrent en action. Puis l'air s'alourdit des fumées des lacrymogènes. Figées dans une passivité inhabituelle cinq jours auparavant, les forces de l'ordre firent montre, cette fois, d'une redoutable alacrité en chargeant les groupes de casseurs. Elles procédèrent à plus de six cents interpellations en un temps record. A 21 h 15, l'échauffourée prit fin et l'ordre était rétabli. L'heure même où Nicolas Sarkozy, après avoir emprunté l'itinéraire sécurisé par le préfet de police de Paris, Pierre Mutz, put faire son apparition sur les lieux et s'y présenter en homme providentiel, fier de montrer, aux termes d'un scénario réglé au millimètre pour les caméras de télévision, à quel point il maîtrisait la situation face à un Premier ministre englué dans un affrontement mortifère avec la jeunesse.

Un mythe était né avec le concours actif du principal intéressé qui ne cessait de répéter, comme pour mieux s'en convaincre, qu'il avait « *tué le job* ». Rusant à son habitude avec la réalité, la gauche avait longtemps cru pouvoir réduire le problème de la sécurité à sa dimension psychologique, le sentiment d'insécurité. Nicolas Sarkozy lui répondit sur le même registre, en valorisant le sentiment de sécurité – le « Sécurithon », raillaient ses adversaires – qu'il avait su infuser dans l'opinion grâce à une détermination apparemment sans faille, même si les résultats étaient loin de corroborer le triomphalisme tapageur du ministre. Le chiffre des violences aux personnes, en nette augmentation (+9 %) sur la période 2002-2005, n'entama en rien son image. Si les Français se montraient partagés sur son bilan, ils le désignaient en revanche et de très loin comme la personnalité la plus apte à lutter contre la délinquance. A l'heure de la gouvernance médiatique, les perceptions n'étaient-elles pas des faits tant que l'information vécue n'entrait pas en collision avec l'information colportée par les journalistes ? Or, dans la perception majoritaire, ainsi que le montraient toutes les enquêtes, l'insécurité n'était plus un problème de police, mais de justice. La question centrale ne tenait plus à l'inefficacité policière, mais à l'impunité judiciaire. Plus il y avait d'arrestations, notamment de mineurs, moins il y avait de condamnations prononcées par les tribunaux. Les Français, qui réclamaient la fin d'une justice sur mesure devenue une justice sans mesure, en étaient convaincus. Pour un temps au moins, la crédibilité de Nicolas Sarkozy parut inoxydable.

OPA sur l'électorat frontiste

Pour rallier les suffrages des nouvelles classes populaires, devenues indispensables à la formation de toute majorité présidentielle, le candidat de la droite n'avait pas d'autre choix que de les disputer au Front national. Tout comme le firent le général de Gaulle à partir de 1958 et François Mitterrand en 1981 aux dépens du Parti communiste qui était alors le réceptacle privilégié du vote ouvrier, il lui fallait procéder par captation. Or, depuis la fin des années 1990 et la mise en place d'un « cordon sanitaire » destiné à cantonner le mouvement lepéniste hors du périmètre républicain, la droite de gouvernement avait opté, sous la pression conjointe de la *doxa* médiatique et de la gauche, pour une condamnation morale de Jean-Marie Le Pen, mais aussi de ses électeurs. Mêlant par là des considérations étrangères à l'essence même du politique et à sa fin dernière – qui n'est pas d'agir au nom de préceptes, quels qu'ils soient, mais de servir le bien commun –, elle s'était ainsi abandonnée à une attitude proprement impolitique.

L'ostracisme professé envers le vote populiste eut donc l'heur de donner bonne conscience à tous ceux qui, pour des raisons plus ou moins nobles et désintéressées, prirent le parti d'ignorer la souffrance sociale et le souci holistique, l'angoisse profonde de dilution du collectif qu'il manifestait face aux désordres de l'individualisme libéral. A la différence d'un Chirac transformé sur le tard en champion de la lutte contre un fascisme fantasmé, sans doute pour tenter de conférer *in extremis* un sens à une trajectoire politique qui en avait été jusque-là tragiquement dépourvue, Nicolas Sarkozy s'était toujours refusé à diaboliser l'électorat du Front national. A droite, il était l'un des rares à avoir compris que, pour empêcher la répétition du 21 avril 2002 et une nouvelle qualification de Jean-Marie Le Pen au second tour de la présidentielle, la meilleure stratégie consistait à l'affaiblir dès le premier, en le privant d'une partie de cet électorat populaire dont le poids s'avérait d'autant plus décisif dans un tel scrutin que sa participation y était massive

Intégrant ce nouveau rapport de force, l'option qui faisait des catégories défavorisées l'électorat-cible du candidat de l'UMP installait Le Pen en concurrent le plus direct de Sarkozy au premier tour et ses électeurs en force d'appoint au second. Elle devait avoir pour corollaire un profond renouvellement de l'offre politique à droite afin de tenir compte des attentes des classes populaires. Pas plus qu'il ne chercha à démoniser le vote frontiste, Nicolas Sarkozy n'entendit faire du FN une instance séparée à laquelle la nation aurait sous-traité sa part maudite. Il y avait de toute évidence chez le candidat de l'UMP un mélange de pragmatisme et de cynisme à la Mitterrand qui l'inclinait à considérer que les idées ne valaient jamais que comme des leviers d'ambition et qu'il était loisible d'en changer dès lors qu'on changeait de stratégie. Il entrevoyait nul fossé entre la droite de gouvernement et la droite ultra, mais un *continuum* où les différences étaient moins de nature que d'intensité :

« Les valeurs du Front national sont celles de tous les Français, constata-t-il lors d'une réunion de travail, le 22 décembre 2005, au lendemain des émeutes urbaines. *C'est la manière dont le FN les exprime qui est choquante. Les Français n'aiment pas les plats trop pimentés qui emportent la gueule. »*

L'ouverture au peuple ne pouvait cependant se satisfaire d'un vœu pieux à l'adresse des électeurs. Elle obligeait le candidat à agir, autant que possible, sur l'univers de concurrence qui était le sien. En d'autres termes, à peser de telle manière que la configuration de l'offre électorale lui fût la plus favorable possible. Au seuil de la campagne, une question, très vite, se posa : de la candidature ou de la non-candidature de Le Pen, quelle était l'éventualité la plus propice à assurer l'élection de Nicolas Sarkozy ? Et dans la première hypothèse : fallait-il ou non aider le président du Front national dans sa collecte, toujours difficultueuse, des cinq cents signatures d'élus locaux que la loi électorale exigeait depuis 1976 pour parrainer toute candidature ?

A dire vrai, il n'y avait guère lieu à débat. Tel était le sens de ma note en date du 26 novembre 2006 au futur champion de la droite : « S'il devait être empêché de concourir, Le Pen, à n'en pas douter, en ferait porter la responsabilité exclusive à la droite et donnerait aussitôt une consigne d'abstention massive au premier comme au second tour. Avec le risque qu'une part importante de son électorat, rendu enragé par ce qu'il ressentirait comme un déni de démocratie, se réfugie dans une abstention protestataire. Or environ un tiers des Français déclarant avoir une bonne opinion de Le Pen optent aujourd'hui pour le vote Sarkozy dès le premier tour de l'élection présidentielle. Par ailleurs, les matrices de reports de voix font apparaître au second tour un taux de transfert compris entre 70 et 75 % de l'électorat frontiste en faveur du candidat de l'UMP contre 25 % à 30 % au bénéfice de Royal. Dans tous les cas de figure, l'abstention qu'engendrerait la non-candidature de Le Pen serait infiniment plus préjudiciable au premier qu'à la seconde. »

Aussi, lorsque le sempiternel feuilleton de la course aux signatures manquantes revint nourrir le *lamento* lepéniste dans un jeu de rôle dont le président du FN savait tirer le meilleur parti, il n'y avait plus à barguigner. Le 5 mars, ce fut un Sarkozy solennel qui déclara sur le plateau de France 3 : *« Moi, je combats les idées de M. Le Pen, mais je me battrai pour que M. Le Pen comme M. Besancenot puissent défendre les leurs. »* La fausse symétrie avait pour but d'ouvrir une séduisante perspective sur un candidat si tolérant, si peu sectaire, si « voltairien » qu'il était prêt à offrir une tribune à ses adversaires à quelque camp qu'ils appartinssent. La réalité était moins éthérée. Certes, publiquement, l'UMP en appela aux élus non membres de formations politiques et leur demanda de se porter au secours de tous les candidats en carence. Mais, dans les coulisses, il en alla autrement. Les instructions de Sarkozy à Alain Marleix, ancien responsable des fédérations du RPR et fin connaisseur de la carte électorale, étaient de faire remonter une cinquantaine de signatures d'élus au candidat Le Pen et à lui seul. Le 14 mars, le compte était bon pour le président du FN qui put enfin déposer 535 parrainages au Conseil constitutionnel. Pour les initiés de la démocratie d'apparence, il ne s'agissait là, après tout, que de l'une des saynètes qui se donnent régulièrement à huis clos et à l'insu du bon peuple : François Hollande n'avait-il pas fourni en 2002 le contingent de signatures nécessaires au trotskiste Olivier Besancenot et François Baroin, qui tient boutique de père en fils à l'enseigne de l'antifascisme militant, ne s'était-il pas entremis, sur ordre de Chirac, pour apporter, la même année, à Bruno Mégret les paraphes qui lui faisaient défaut ?

Jusqu'au bout, la volatilité de l'électorat populaire se révéla extrême si bien qu'à mesure qu'on se rapprochait de l'échéance, la fidélisation des électeurs flottants devint l'un des enjeux majeurs du premier tour. Pour le candidat Sarkozy, la première affiche de campagne de Jean-Marie Le Pen, qu'une rumeur persistante attribuait à sa fille Marine, nous fit l'effet d'une divine surprise. On y voyait une jeune beurette vêtue d'un jean laissant apparaître un string rose, la lèvre inférieure clouée par un piercing et le pouce baissé, comme pour signifier on ne savait quelle mise à mort. Une légende inhabituellement longue achevait de rendre paradoxal le message qu'était censée porter cette image : « Nationalité. Assimilation. Ascenseur social. Laïcité. Droite/gauche : ils ont tout cassé ! » Si, en se rendant, le 6 avril, sur la dalle d'Argenteuil, là où « le ministre de l'Intérieur n'ose plus se rendre », le chef frontiste parut épingler son concurrent de façon spectaculaire, il accentua en réalité le trouble au sein de son propre électorat, quand il déclara à l'adresse des passants : « Vous êtes des Français à part entière… Si certains veulent vous “karcheriser” pour vous exclure, nous voulons vous aider à sortir de ces ghettos de banlieue où les politiciens français vous ont parqués. »

Au soir du premier tour, les résultats validèrent avec éclat la stratégie déployée par Nicolas Sarkozy dans les dernières semaines de la campagne. Avec plus de 31,1 % des suffrages, il réalisait le meilleur score d'un candidat de droite depuis 1974. Son positionnement de « candidat du peuple » lui avait permis de rallier plus d'un million et demi de voix populistes, principalement aux dépens de Le Pen qui perdait sept points et plus d'un million d'électeurs par rapport à 2002. Au mépris de l'arithmétique électorale et malgré le verdict implacable des chiffres, les adeptes d'un second tour au centre, les processionnaires de l'« ouverture » ne désarmèrent pas, fidèles en cela à l'aphorisme de Paul Valéry selon lequel : « La grande affaire des hommes est de faire que ce qui est ne soit pas et que ce qui n'est pas soit. »

Cette coalition des ventres mous m'inspira une suite de notes où la vigueur le disputait à la rage. Le 23 avril : « Tu n'es pas le candidat d'un "nouveau rêve". Ce concept qui mixte la "nouvelle frontière" de Kennedy et le "J'ai fait un rêve" de Martin Luther King est encore une idée foireuse de publicitaire. C'est une perle amphigourique, mais qui n'a aucun contenu politique. La France n'est pas l'Amérique et Nicolas Sarkozy n'est pas Jean Lecanuet [...]. Il n'y a que deux concepts opératoires pour ce second tour : tu es le candidat du peuple français (et non du peuple de France), tu es le candidat de la "France du travail", le candidat qui veut remettre le travail à l'honneur, le candidat des bosseurs et non des gagneurs, des petits et non des nantis. » Le 30 avril : « Le concept d'"ouverture", avec sa connotation politicienne qui renvoie aux années Mitterrand, ne peut être que contre-performant. De même qu'est contre-productif tout ce qui peut rappeler les vieilles combinaisons RPR-UDF. Ne tombons pas dans le piège d'un positionnement contracyclique que nous tend l'inculture médiatique. Ce qui nous intéresse chez Bayrou, ce ne sont pas les notables qui, de toute façon, vont tomber comme des poires blettes, mais les électeurs populistes, ce magma de l'extrême centre dont Bernanos disait : "Il faudrait des reins pour pousser tout cela !" »

Cette approche anthropologique du centrisme eut le don de réjouir mon interlocuteur. Au reste, son siège était fait. Les reports des voix frontistes l'inquiétaient tout autant si ce n'était davantage que le comportement des électeurs de Bayrou. D'autant qu'une phrase maladroite lâchée sur le plateau de TF1 était venue réactiver les préventions des diverses chapelles souverainistes : « *Faire voter un nouveau référendum, c'est se mettre en situation de faire battre l'Europe et donc de la démanteler. Si je suis élu… Est-ce que vous croyez que je pourrai dire au pays… "J'ai encore besoin d'avoir votre opinion"* ? » Tout Sarkozy se tenait là : démagogue, mais non démophile, flattant les revendications populaires, mais farouchement déterminé à n'en pas tenir compte hors les périodes électorales, sollicitant par sa posture les suffrages du populisme et prêt à en récuser les implications, à refuser d'y voir « ce moment où le peuple rappelle à ses gouvernants qu'il entend être gouverné selon son intérêt[7] ».

Que faire pour s'assurer que le report des voix lepénistes s'effectuerait dans des proportions qui garantiraient le succès du candidat de la droite ? Intermédiaire occasionnel entre Sarkozy et Le Pen qu'il croisait depuis 1999 au Parlement européen, Brice Hortefeux s'exposa imprudemment, une semaine avant le premier tour, en se déclarant favorable à l'introduction d'une dose de proportionnelle aux élections législatives. Il avait cru bien faire. Il s'était grillé. Il fallait un autre émissaire : ce serait moi.

— *Appelle Le Pen… Demande-lui ce qu'il veut. Faut-il que je le reçoive ? S'il faut le recevoir maintenant, tu sais, je le recevrai. Je ne suis pas comme les autres… Je sais prendre mes responsabilités, moi.*

— Ce serait un signal fort, en effet, mais ce serait prématuré. Après l'élection sûrement. Il sera sensible à cette marque de considération. Surtout si cela se passe à l'Elysée et devant les caméras de télévision. D'ailleurs, il a déjà dit publiquement qu'à la différence de Chirac, tu es un homme avec qui on peut parler.

Un premier contact fut pris, dès le lundi 23 avril, avec le président du FN visiblement désarçonné par sa contre-performance de la veille. Le samedi 28, le message dont j'étais porteur avait été mûrement pesé : Nicolas Sarkozy s'engageait, au cas où il l'emporterait le 6 mai, à assurer une représentation équitable des minorités dans les deux assemblées. La proposition avait ceci d'habile qu'elle pouvait être interprétée comme une main tendue autant à Bayrou qu'à Le Pen. Restait à en convaincre Henri Guaino, thuriféraire du scrutin uninominal majoritaire à deux tours. Le candidat l'ayant chargé de rédiger le discours du grand rassemblement à Bercy prévu pour le lendemain, le gardien des Tables de la Loi gaulliste, emporté par l'élan de la victoire et l'espoir d'un destin personnel, n'émit que des réserves de pure forme. Rien ne s'opposait plus à la transfiguration électorale des nouveaux « misérables ». Si bien que le dimanche 29, s'adressant aux « *exclus* », à ceux qui s'estimaient « *condamnés à ne pas avoir leur mot à dire dans la République* », le propos de Nicolas Sarkozy prit un tour solennel : « *Je m'engage, si je suis élu président de la République, à réunir toutes les forces politiques de la nation et à discuter avec elles de la possibilité d'introduire un peu de proportionnelle au Sénat ou à l'Assemblée nationale, sans créer le risque d'une instabilité qui serait désastreuse. Je veux que chacun se sente représenté dans la République, mais que nous gardions le scrutin majoritaire, clé de la stabilité de la République.* »

Les mots ayant été prononcés, Sarkozy, comme toujours, se montra impatient de prendre son bénéfice. Au téléphone, Le Pen me lit des morceaux choisis de son allocution du 1er mai. Il en modula chaque mot avec la satisfaction d'un homme qui avait retrouvé sa pugnacité : « Il serait illusoire et dangereux de voter pour la candidate socialiste pour se venger du hold-up réalisé sur notre programme par Nicolas Sarkozy. Soutenue par l'extrême gauche révolutionnaire, on sait qu'elle veut, entre autres, régulariser les clandestins… Peut-être l'élu du 6 mai sera-t-il digne de celle du 8[8], mais j'en doute ? Si toutefois, il en était ainsi, les patriotes que nous sommes, face à l'épouvantable désastre, sauront apporter dans le cadre de leur fonction l'appui nécessaire à toute politique de salut public. » A ces paragraphes qui figureraient bel et bien dans le discours prononcé le jour de la fête du Travail, il en ajouterait un autre renvoyant dos à dos les « deux candidats du système » et assorti d'une consigne d'abstention massive. Un *addendum* qui lui avait été suggéré *in extremis*, mais fortement, par sa fille Marine dont il n'appréhenderait le jeu trouble tout au long de cette campagne que bien des années plus tard. Pas de diatribe cependant sur le « pire » et le « mal » comme au temps du duel entre Mitterrand et Chirac en 1988. Le Pen avait compris d'instinct que sa base populaire ne pouvait être que sensible au discours d'un candidat qui manifestait respect et compréhension à l'égard des électeurs frontistes en lieu et place de la détestation et du mépris chiraquien. Nicolas Sarkozy, quant à lui, prit son parti de ce service minimum.

Le drame de l'élu du 6 mai sera d'oublier aussitôt que le soutien de « la France des lève-tôt », de « la France qui n'en peut plus », de « la France pour qui la vie est si âpre » comportait de lourdes obligations, que ce viatique-là n'était ni inconditionnel ni irrévocable.

Chapitre III

Feu le corps du roi

> « O couronne de France, que tu es précieuse et précieusement très vile. Précieuse étant considéré le mystère de justice que tu contiens, mais vile… étant considéré le fardeau, labeur, angoisse et péril d'âme que tu donnes à ceux qui te portent sur les épaules. »
>
> Charles V.

Pour la première fois, le 11 novembre 2013, un président de la République en exercice est conspué lors de son passage sur les Champs-Elysées à l'occasion des cérémonies de l'armistice. Une bordée de sifflets et d'invectives consacre la déchéance symbolique de l'homme censé représenter la nation et être gardien de sa mémoire. Pour la première fois, le 30 juin 2014, un ancien président de la République est placé en garde à vue dans les locaux de l'office anticorruption de Nanterre. Une mise en examen pour corruption active, trafic d'influence actif et recel de violation du secret professionnel sanctionne l'homme qui, un quinquennat durant, aura entre autres pouvoirs été garant de l'autorité judiciaire. L'injure de la foule qui tourne effrontément à l'humiliation publique de François Hollande, la prise de corps de Nicolas Sarkozy qui vise clairement à le priver de la dignité inhérente à son statut achèvent de dégrader sinon la représentation que les Français se sont faite jusque-là de la fonction présidentielle, du moins l'image qu'ils ont de ses deux derniers titulaires.

Depuis que le général de Gaulle a quitté l'Elysée en avril 1969, aucun de ses successeurs n'aura réussi à endosser de façon convaincante – hormis peut-être, sous certains aspects, Georges Pompidou et François Mitterrand – l'habit si lourd à porter de monarque républicain taillé, il est vrai, sur mesure pour le père fondateur de la Ve République. Tout avait été fait, auparavant, sous la IIIe et la IVe République, pour garantir avec la dilution de l'exécutif, une dépersonnalisation du pouvoir. En rompant avec cette volonté d'abstraction qui remonte à la Révolution de 1789, la constitution de 1958 et plus encore l'élection du chef de l'Etat au suffrage universel instituée par la loi référendaire du 6 novembre 1962 ont renoué avec une tradition plus longue, plus ancienne et plus profondément enracinée, selon laquelle, en France, pays latin de culture chrétienne, le pouvoir suprême s'exerce non par délégation, mais par incarnation. Ce qui l'apparente davantage à l'âge des Dieux qu'au monde des Egaux. Comme si la République n'était parvenue à se débarrasser de la monarchie qu'en la reproduisant et en lui concédant, au bout du compte, une sorte de supériorité existentielle.

C'est que les Français sont restés attachés, tout citoyens et républicains qu'ils se prétendent, à ce « concentré de religion à visage politique[1] » incarné par celui qui prend en charge les affaires de l'Etat, quand bien même ne représente-t-il que les aspirations agrégées du corps électoral. Mais si une élection peut constater l'émergence d'une autorité, celle-ci ne s'impose véritablement dans la durée que si elle parvient à donner corps à la transcendance du pouvoir, à conférer une épaisseur charnelle à l'institution immatérielle, à surmonter la contradiction latente entre l'impersonnalité du principe et la personnalisation de l'exercice.

De la conception moderne de la monarchie et de l'étiquette qui la gouvernait, découle, en effet, traversant les âges, un code de représentation, un système de normes qui règle la manière dont les individus interagissent dans la sphère publique. La prestation du roi, telle que la décrit Saint-Simon, consistait à susciter le respect de ses sujets en restituant par sa personne la force et la majesté de l'Etat : « Ce qui n'a peut-être été donné à nul autre, écrit-il à propos de Louis XIV, il paraissait avec le même air de grandeur et de majesté en robe de chambre jusqu'à n'en pouvoir soutenir les regards, comme dans la parure des fêtes ou des cérémonies [...] ou à cheval à la tête de ses troupes [...]. Voilà pour l'extérieur qui n'eut jamais son pareil ni rien qui en ait approché[2]. » Si les gouvernés n'attendent plus aujourd'hui que le monarque républicain leur inspire une déférence révérencielle comparable à celle que provoquaient autrefois pompes et ostensions, du moins n'ont-ils pas renoncé à ce qu'il les représente par une posture légitime.

Cette sensibilité n'a fait que croître au fur et à mesure que s'est creusée l'évidence que le pouvoir régalien allait s'affaiblissant. En consentant, comme aucun président avant eux, à des abandons de souveraineté aussi considérables que la capacité de contrôler les frontières, avec la convention de Schengen, et de battre monnaie, avec le traité de Maastricht, François Mitterrand puis Jacques Chirac, dans un même élan européiste, n'ont pas fait que céder aux exigences de la mondialisation libérale. Ils ont volontairement et consciemment abdiqué des pans entiers de la dimension effective de leur autorité et asséché du même coup le terrain symbolique de leur fonction désormais privée de quelques-uns des attributs les plus prestigieux de la puissance étatique. Ni l'un ni l'autre cependant n'auront porté atteinte – si ce n'est à la marge – à la dimension représentative de la présidence telle que les usages l'avaient fixée dans l'esprit des Français. Avec le pouvoir, ils ont consenti à la comédie du pouvoir. Ils ont adhéré à la théologie politique qui, venue du Moyen Age, commande la fiction du double corps du Prince : un corps public et un corps privé, un corps sacré et un corps profane. Autrement dit, le corps mystique de la communauté qu'il revêt et le corps physique de l'individu qu'il dévêt.

La métamorphose, réussie, combine présence et distance, proximité et verticalité ; ratée, elle oscille entre ces deux pôles de désacralisation que sont l'exhibition de la personne et la vulgarisation de la fonction. « Du sublime au ridicule, disait Napoléon, il n'y a qu'un pas. » De cette dérive, commencée dès après le départ du général de Gaulle, le narcissisme de Nicolas Sarkozy, d'un côté, et le bonhomisme de François Hollande, de l'autre, auront été l'aboutissement. Mais la chronique retiendra que, pis encore, l'un et l'autre auront revendiqué, chacun à sa façon, cette logique de l'abaissement.

Naissance d'une téléprésidence

La première et la plus visible des ruptures initiées par Nicolas Sarkozy fut précisément de transgresser la loi non écrite de l'incarnation du pouvoir. Langage, gestuelle, démarche : la mystique du double corps se trouva soumise, d'entrée, à une entreprise systématique de démolition. En lieu et place de la retraite dans un monastère bénédictin qui avait été un instant envisagée, le séjour du nouvel élu sur le yacht de son ami Vincent Bolloré, au large de l'île de Malte, opéra au vu et au su de tous les Français une trivialisation spectaculaire de la fonction, plutôt que la transsubstantiation espérée de la personne privée en homme d'Etat. Pourtant, lorsqu'il accéda à la magistrature suprême, Sarkozy n'ignorait pas ce que sous-tendait le mot de Voltaire : « Pour avoir quelque autorité sur les hommes, il faut être distingué d'eux. » Il en réfutait, en revanche, la version gaullienne formulée dès *Le Fil de l'épée* : « L'autorité ne va pas sans le prestige, ni le prestige sans l'éloignement[3]. »

Enfant de la télévision, il entendait simplement se différencier du commun non pas par des valeurs de principe et de culture, mais de comportement et de pratique : la performance, la vitalité et l'énergie, l'absence de préjugés et la transparence. Son aptitude à transformer la compétition politique en un programme d'expression de soi et de développement personnel lui avait valu le qualificatif de « star académicien » de la présidentielle. Il devait en faire la démonstration tout au long de la journée du 17 mai 2007, ce jeudi de l'Ascension qui vit son installation à l'Elysée et la nomination, tôt dans la matinée, de François Fillon à Matignon.

Nicolas Sarkozy m'avait prié de venir pour 11 h 30 au Palais. A cette heure avancée de la matinée, je n'étais pas le premier visiteur. Dans l'antichambre, je croisai un Jack Lang à l'aplomb jovial : « Qu'est-ce que vous faites ici ? » Le « Et vous ? », qui m'échappa des lèvres, n'appelait cependant pas de réponse à quelques heures de la formation du nouveau gouvernement. Dans le grand bureau dominant le parc, le nouveau président, tout à l'ivresse de la cérémonie d'intronisation de la veille, inaugura le jubilé permanent de sa propre personne qui allait occuper l'essentiel de son mandat. Bâtons rompus sur le dos de son prédécesseur :

— *Je la laisse vide,* me dit-il en montrant la place qu'occupait rituellement Jacques Chirac sur le grand canapé. *Son esprit l'habite,* ajouta-t-il. *C'est dire si je ne vais pas être trop encombré.*

A la journaliste Catherine Pégard qui vint nous rejoindre au bout de quelques minutes, il lança en pointant l'index dans ma direction :

— *J'ai fait* sa *campagne.*

Avant d'ajouter :

— *Enfin j'ai fait sa campagne parce que j'avais* aussi *envie de la faire.*

L'annonce qui suivit eut pour effet de nous tétaniser :

— *Demain je vais déjeuner à la cantine avec les ouvriers d'EADS et aujourd'hui... Aujourd'hui, vous allez voir, je vais surprendre, je vais tout bousculer, tout.*

Deux heures plus tard, la France entière était édifiée. Les premières images du président Sarkozy furent celles d'un joggeur en short et en baskets, que l'on vit gravir en sueur le sacro-saint perron de l'Elysée après une longue course au bois de Boulogne en compagnie de son Premier ministre. La souffrance qu'il allait ainsi donner à voir tout au long de son mandat, à pied ou à vélo, en coureur de fond ou en cycliste, se voulait-elle une métaphore de l'exercice du pouvoir ? Un écho de ces incessants appels à l'effort qu'il prodiguait aux Français, ou bien encore son propre tribut au culte de la performance et du succès ?

Entrepreneur et metteur en scène de lui-même, l'épatant Sarkozy avait tenu parole. En quelques minutes, il avait mis à bas l'ancien système de représentation. Désirant moins être compris que vu et reconnu, il allait instituer le point de mire cathodique comme source de légitimation de sa personne, laquelle finirait par recouvrir et absorber sa politique. En cela, Il inaugurait un règne inconnu, celui de la téléprésidence instantanée. L'impact en fut immédiat. Le nouveau style élyséen faisait système avec l'époque du tout à l'ego. Il y avait quelque chose de circulaire entre la frénésie épiphanique de ce président m'as-tu-vu et l'insatiable voyeurisme des chaînes d'information continue. Entre la médiacratie et la médiocratie. Il ne s'en désolait pas, mais s'en targuait.

Et si c'était lui qui avait raison de congédier ainsi le symbolique au profit du pragmatique ? Et si, par-delà sa propre difficulté à habiter la fonction, il y avait désormais inadéquation de la charge présidentielle à la démocratie médiatique, aux nouveaux réseaux sociaux et à leur misère sémiologique ? Et si je n'étais qu'un incurable passéiste accroché à l'idéal désuet du roi prud'homme qui unissait *fortitudo et sapienta*, « force et sagesse », à la figure intemporelle du roi preux et courtois ? Il y avait de quoi douter, en tout cas, pour peu que l'on fût sensible aux hosannas dont les desservants de l'économisme triomphant emplirent leurs bulletins paroissiaux dans les premières semaines de l'état de grâce, les uns célébrant la « professionnalisation du job », les autres louant la transposition du « modèle managérial à la direction de l'entreprise France ». Pour autant, la bienveillance de l'opinion, apparemment sous le charme de l'éblouissante pyrotechnie du maître artificier, ne dissipa pas ma perplexité. A vrai dire, je redoutai les inéluctables retombées de ce que la presse, unanime, saluait alors comme un « dépoussiérage » de la fonction.

« Avantages et inconvénients de la communication spontanée » : ce fut sous ce titre en apparence anodin que j'adressai, le 6 juillet, une première note en forme de mise en garde contre la propension du nouvel élu à s'exprimer en toutes circonstances et presque toujours en mouvement. « La campagne était terminée, lui écrivis-je, il faut en finir avec le *running president.* » Décidément, m'expliqua-t-on avec un brin de condescendance, je ne comprenais rien à l'*homo politicus* moderne, à ce capitaine performant, mobile, flexible, qui ressemblait tant au rêve des Français qu'ils entrevoyaient à travers lui leur âme collective. Pourtant, à l'automne, le climat changea insensiblement. Passé l'effet de surprise, l'effervescence dionysiaque du nouveau président escorté de ses bacchantes journalistiques commença à tourner à vide. Bientôt, cette théâtrocratie[4] du corps surexposé ne fut plus perçue comme une sorte de langage cristallisant une atmosphère mentale faite d'affects collectifs, mais comme une forme d'expression inadéquate et dérangeante. L'incident du Guilvinec accentua un malaise jusque-là latent. Le 6 novembre 2007, soit six mois jour pour jour après son élection, Nicolas Sarkozy alla au contact des marins-pêcheurs, confrontés à une hausse sans précédent du prix du gazole. D'un jeune manifestant posté en surplomb du quai, une injure fusa : « Enculé ! » L'échange qui s'ensuivit ne rappelait que de très loin l'Académie des jeux floraux :

— *Qui est-ce qui a dit ça ? C'est toi qui as dit ça ? Eh ben, descends un peu le dire, descends un peu...*

— Si je descends, je te mets un coup de boule. Donc, vaut mieux pas.

— *Si tu crois que c'est en m'insultant que tu vas régler le problème des pêcheurs...*

A la rhétorique de distanciation parfois littéraire, souvent convenue de ses prédécesseurs, Nicolas Sarkozy avait substitué un parler nettement plus relâché qui privilégiait une intimité immédiate avec le peuple. Mais la syntaxe approximative, les mots familiers, les expressions gouailleuses et brutales qui, comme lui, bombaient le torse et avaient permis au candidat d'être si bien compris du plus grand nombre détonnaient dans la bouche du sixième président de la Ve République dont on attendait davantage de mesure et de componction. Le temps se profilait où la crudité de son verbe, l'exubérance de sa verve lui reviendrait en pleine face telle une charge explosive qu'il eût lui-même allumée. Ce serait le 23 février 2008, à l'occasion du Salon de l'agriculture, lorsque le corps physique du souverain aurait à subir la profanation d'un quidam refusant sa poignée de main par un tutoiement aussi irrévérencieux qu'intempestif : « Ah non, touche-moi pas ! Tu me salis ! » Celui-là, visiblement, ne croyait pas au roi thaumaturge, guérisseur d'écrouelles. Le « *Casse-toi, pauv'con !* » qu'il essuya en réplique, et dont les médias s'emparèrent aussitôt pour en faire l'emblématique sentence de l'indignité présidentielle, resterait, dans l'histoire du quinquennat, telle une flétrissure indélébile. Comme la plupart des hommes politiques de sa génération, Nicolas Sarkozy voulait croire que la proximité et non la grandeur était source de popularité. Il ne s'agissait pas, pour lui, d'être le président de tous les Français, mais comme tous les Français. Il n'entendait ni proposer un modèle, ni susciter un désir d'imitation. De ce point de vue, la réussite, au bout de six mois, était indiscutable.

Un chanoine au Vatican

Entre-temps, le caractère frontal du nouveau président, bousculant les codes et les protocoles au détriment même des règles élémentaires de la bienséance, avait trouvé à s'exprimer dans des circonstances beaucoup plus solennelles et, de fait, plus préjudiciables à l'image de la France qu'il avait pour charge de représenter. La première visite officielle du chef de l'Etat au Saint-Siège fut pour moi le révélateur le plus cru et le plus alarmant des fragilités psychologiques qui gouvernaient désormais le pays. Non que j'en eusse auparavant ignoré l'existence, mais sans doute ne m'étaient-elles pas apparues si rédhibitoires qu'aucune grâce d'état ne pût sinon les rédimer, du moins en circonscrire les manifestations les plus fâcheuses.

Ce jeudi 20 décembre 2007, nous fûmes une bonne douzaine de collaborateurs et d'invités personnels du président rassemblés dans le vestibule d'honneur de l'Elysée à n'en pas croire nos yeux. Voilà que Nicolas Sarkozy descendait le grand escalier à palmes dorées édifié par Murat en compagnie d'une personne vêtue d'une extravagante fourrure semblable à celles qu'affectionnaient au lendemain de la guerre les « dames du bois de Boulogne » chères à Robert Bresson. Tout le monde reconnut Marisa Borini, la mère de l'ex-mannequin Carla Bruni avec laquelle le président s'était affiché cinq jours plus tôt au parc d'attractions de Disneyland. En feuilletant le petit livret qui nous fut remis avant de monter dans l'Airbus présidentiel à la base aérienne de Villacoublay, chacun put découvrir que figurait, parmi les personnalités composant la délégation française, une certaine Gilberta et non Marisa Borini. Renseignement pris, Gilberta était le prénom de la tante de Carla Bruni et, pour l'état civil, le second prénom de l'ancienne top-modèle.

Pourquoi un tel camouflage? De toute évidence, le nom de cette invitée surprise n'avait été communiqué ni à Mgr Dominique Mamberti, le Français qui occupait le poste de Secrétaire pour les relations avec les Etats, ni au service du protocole. Le Saint-Siège craignit-il que sous cette fausse identité ne se cachât la *bella raggazza* qui n'avait pas laissé que de bons souvenirs en Italie et dont le compte n'était pas vraiment créditeur auprès de l'Eglise? Le conciliabule qui occupa en plein vol Nicolas Sarkozy et Jean-Pierre Asvazadourian, son propre chef du protocole, parut attester, en tout cas, que nos hôtes gardaient un vif respect de l'usage et un ferme souci de la décence auxquels le nouveau président semblait sinon rétif du moins étranger. Sur place, Marisa Borini se verrait interdire l'accès aux appartements pontificaux et cantonnée à l'écart du reste de la délégation dans les jardins du Vatican.

Arrivée avec près de vingt minutes de retard, notre petite troupe gagna en trombe, tel un essaim bourdonnant, la galerie du deuxième étage avant de prendre place dans la bibliothèque où nous attendait le doux Benoît XVI. Mon statut d'invité ne me contraignait à aucune réserve. J'étais bien décidé à en profiter lorsque vint mon tour d'être présenté au successeur de Pierre. Le geste de Sarkozy fut enveloppant, onctueux, son laïus du même métal : « *Patrick Buisson a été l'un des artisans de mon élection. C'était très important pour lui de pouvoir vous rencontrer.* »

Baiser l'anneau du dernier monarque absolu d'Occident était en effet un privilège que seuls pouvaient apprécier ceux qui, comme moi, avaient été élevés dans un entre nous imaginaire composé de moines ligueurs et autres compagnons de Jéhu. A mi-voix, je remerciai le Saint-Père pour le *motu proprio* qu'il avait promulgué six mois plus tôt et qui rétablissait la messe tridentine dans ses droits d'avant la réforme liturgique de 1962. L'œil du pape vrilla, la pression de sa main sur la mienne se fit insistante. L'échange des cadeaux marqua le début de la débandade. Le président procéda à un retrait insidieux pour consulter ses textos, sous le regard du souverain pontife dont la tête semblait s'être soudain enfoncée dans la mozette de velours rouge doublée d'hermine blanche qui couvrait ses épaules.

Nouvelle accélération impulsée par un Sarkozy plus véloce que jamais dans sa traversée du palais apostolique et sa descente de l'escalier royal du Bernin. Etaient-ce les talonnières de Mercure, ces attributs du dieu romain des marchands et des bonimenteurs, qui lui donnaient ainsi les pieds ailés ? Essoufflée, la chenille processionnaire des gentilshommes du pape, la fameuse « noblesse noire », peinait à suivre le rythme, décrochant du peloton avant d'y recoller dès qu'une chicane ralentissait la marche du groupe de tête. Les gardes suisses contemplaient, ahuris, Jean-Marie Bigard qui, l'appareil photo à bout de bras, mitraillait l'une après l'autre les salles que nous traversions au pas de charge. Désarmant Bigard qui, dans l'avion, m'avait confié : « D'accord je suis le comique le plus con et le plus vulgaire de France, mais il n'empêche que je crois en Dieu. C'est mon droit, non ? »

Ultime station, la plongée au tréfonds de la nécropole du Vatican se fit sous la houlette du recteur de l'Institut pontifical d'archéologie. Devant le tombeau de saint Pierre, le docte prélat, tout à sa passion, détaillait l'historique des fouilles, lorsque Guy Gilbert, le « curé des loubards », se pencha vers lui : « Frère, faites vite, j'ai les crocs. » Cédant à son tour à l'impatience, Nicolas Sarkozy, d'un geste de chef de bande, rameuta sa cohorte hétéroclite en direction du cortège officiel qui devait nous conduire à la trattoria « Dal Bolognese », derrière la Piazza del Popolo. Jamais, de mémoire de vaticaniste, un chef d'Etat en visite officielle n'avait affiché aussi peu de réserve et de solennité en des lieux qui appellent recueillement et déférence.

Comment croire que le même homme, moins de trois heures plus tard, allait prendre possession de son titre et de sa stalle de chanoine honoraire de la basilique majeure Saint-Jean-de-Latran en s'abandonnant au lyrisme d'une ode à la France chrétienne telle qu'aucun chef d'Etat républicain n'en avait jamais prononcé, désignant le catholicisme comme *« source majeure de la civilisation française »* et entraînant derrière lui la farandole de ses saints, de Bernard de Clairvaux à Charles de Foucauld en passant par Saint Louis et saint Vincent de Paul ?

Spontanément, pour la première fois de la journée, sitôt eut-il franchi le seuil de la porte Majeure, il ralentit le pas et infléchit son allure comme s'il avait été happé par les hauteurs de l'édifice, aspiré par son élan vertigineux. Lorsque éclata, sous le plafond baroque de la mère de toutes les églises, l'hymne *Domine, salvam fac Galliam*, « Dieu, protège la France », la gravité se mit dans ses traits. Qu'était-ce donc qui l'habitait en cette seconde précise ? Qu'avaient-ils donc deviné, ces dignitaires de la Curie, pour qui le discours du président français semblait avoir d'un seul coup effacé l'image chaotique de ses gesticulations lors de la visite au souverain pontife ? Qu'avaient-ils donc éprouvé pour qu'ils fussent si empressés à venir nous congratuler, avec sur toutes les lèvres le sésame de la « laïcité positive » ? « Si on n'espère pas l'inespérable, on ne le reconnaîtra pas », disait déjà Héraclite. Un instant, je voulus croire au miracle d'une durable transfiguration. Nonobstant les tribulations et les vicissitudes qui suivirent, je saurai toujours gré à Nicolas Sarkozy de ces moments-là.

L'illusion fut néanmoins de courte durée. A peine notre Airbus avait-il décollé de l'aéroport de Rome-Ciampino qu'il me fit venir dans le salon présidentiel. La bataille entre la fonction et la pulsion, entre le devoir et le bon vouloir, qui ne cesserait plus jusqu'à la fin de son mandat, se rouvrit sous les plus fâcheux auspices. Le nouveau chanoine d'honneur du Latran était au comble de l'exaltation :

— *Le pape m'a dispensé de deux choses : la pauvreté et la chasteté.*

— C'est amusant, mais j'espère que tu en as profité pour lui demander des indulgences.

Romano Prodi, lors de la réception officielle au palais Chigi, lui avait remis un petit mot manuscrit qu'il fit glisser vers moi : « Les carabiniers italiens sont toujours des plus clairvoyants. » Puis, pour ménager son effet, une revue dont la couverture représentait Carla Bruni remettant le drapeau olympique à un gendarme transalpin. Le regard de Marisa Borini, qui n'avait pas perdu un mot de notre échange, pétilla. Oubliées l'humiliation du matin et la relégation sous les pins parasols du Vatican, une vice-régence commençait. Emporté par un sentiment d'omnipotence, l'homme qui venait d'exalter *« l'aspiration à l'infini et l'attente de spiritualité »* des Français dans un discours dont chacun pressentait qu'il devait marquer un tournant, ne faisait, quant à lui, ni rêve de gloire ni prière pour son salut :

— *Je veux mourir riche. Blair me dit qu'il se fait payer 240 000 dollars par conférence. Deux cent quarante mille dollars, tu te rends compte ! Je suis sûr que je peux faire mieux.*

— Tu as peut-être d'autres choses à faire d'ici là. Etre pleinement président, par exemple.

— *Qu'est-ce que ça veut dire « être pleinement président » ? Ecoute-moi bien, je vais te dire quelque chose qui va te surprendre : jamais je ne me suis senti aussi libre. Je fais le job, mais je me sens totalement libre, tu entends : totalement libre.*

— Tu te trompes, Nicolas, ce n'est pas un job, c'est une charge. Elle t'oblige. Tu te sens libre parce que tu te sens puissant, mais, que cela te plaise ou pas, tu ne t'appartiens plus. Tu as parlé, tout à l'heure, de la radicalité du sacrifice à propos du sacerdoce des prêtres. Il y a de cela – et tu le sais bien [5] – dans la fonction présidentielle : une ascèse, un renoncement.

— *Tout ça, c'est de la préhistoire. J'ai bien réfléchi. Les Français ne veulent plus de ce culte hypocrite des apparences. Ils apprécient le changement de style. Je n'ai pas à m'en expliquer. Tu connais la suite : qui s'explique s'excuse, qui s'excuse s'accuse...*

Ce que Nicolas Sarkozy ignorait délibérément, c'était qu'il ne faisait pas que remplacer des apparences par d'autres et que, si en politique les apparences pouvaient comme au théâtre suffire à figurer un monde, il en était qui suscitaient le respect quand d'autres n'attiraient que le mépris. Peu de Français eurent connaissance du discours du Latran. Nombreux, en revanche, furent ceux qui découvrirent, effarés, les images diffusées en boucle d'un président convulsif et compulsif aux côtés du pape. Et sans doute parmi eux, y en avait-il déjà plus d'un pour se dire que ce président était définitivement trop petit, non tant par la taille que par son incapacité à se hisser symboliquement à la hauteur de sa mission.

« Jouir sans entraves »

« Méfiez-vous des hommes de petite taille : ils sont butés et arrogants [6] », prévenait malicieusement le cardinal Mazarin dans son *Bréviaire des politiciens*, ce recueil de conseils que l'ancien nonce apostolique, à Paris, sous la régence d'Anne d'Autriche, avait destiné au futur Louis XIV. La fonction royale exigeait, à l'en croire, que le souverain effaçât ce qu'il y avait de trop humain en lui, qu'il consentît les « derniers efforts » afin de n'être dominé par aucune passion et que, par une volonté sans faille, il ne laissât jamais transparaître en public aucune de ses émotions, offrant ainsi aux regards l'impassibilité d'un visage impénétrable et cultivant de la sorte cette force de dissimulation que l'abbé de Choisy appelait la « principale qualité des rois[7] ».

A rebours de cet art de gouverner, Sarkozy apparut pressé d'achever le délitement déjà ancien des institutions. Parvenu au faîte du pouvoir, celui qui avait déchaîné l'enthousiasme de ses partisans, le 29 avril 2007, à Bercy, en proposant de *« rompre réellement avec l'esprit, avec les comportements, avec les idées de Mai 68 »*, se métamorphosa en parangon de ce qu'il avait dénoncé. En certificateur habilité, Daniel Cohn-Bendit ne manqua pas d'apporter toute l'autorité de son expertise : « S'il y a un soixante-huitard à l'Elysée, c'est bien lui ! Sans ces mouvements d'émancipation des années 1960 – et donc sans 1968 –, quelqu'un comme Sarkozy n'aurait pas pu être élu président de la République. » Plus exactement, l'élu de 2007 était le premier président de l'ère de l'ego dont 1968 n'avait été que le prélude. En transformant son mandat en ivresse de lui-même, en exhibant à tout moment le spectacle d'une double jouissance, celle de son intimité et celle de son pouvoir, le chef de l'Etat ne fit pas qu'abolir la frontière entre l'espace public et la sphère privée, il s'érigea en référent ultime de l'individu tout-puissant qui ne supporte ni carcan ni contraintes et ne s'accomplit qu'à travers la réalisation de son désir.

La scénarisation de sa vie intime au détail près avait connu une première ébauche durant l'intermède de quatre mois que Cécilia Ciganer-Sarkozy passa au Palais. Elle allait revêtir un caractère obsessionnel à la fin de l'année 2007, au cours de ces semaines qui marquèrent le début de l'idylle avec Carla Bruni. En pleine lune de miel, Sarkozy sembla frappé d'une incontinence du moi plus grave qu'à l'ordinaire, subverti par cette vulgarité qui est à la fois l'or noir du monde moderne et le combustible préféré des médias, débridés par l'éternel présent d'Internet. A Louxor où il s'était rendu en visite privée entre Noël et le jour de l'An, la présence de la toute nouvelle compagne du président de la République ne passa pas inaperçue des autorités égyptiennes qui, au regard du rigorisme islamique ambiant, réclamèrent plus de discrétion. Lorsqu'il m'appela au matin du 26 décembre, je m'attendais à ce qu'il m'interrogeât sur les commentaires de la presse française. Sa préoccupation était tout autre :

— *Y a-t-il des photos ?*

A la une du *Figaro* et du *Parisien* s'étalait, en effet, un cliché du couple. Lui et Carla, me dit-il, voguaient au même moment sur une felouque et, à défaut du clapotis des eaux du Nil, j'entendis distinctement une voix féminine demander : « Elles sont comment, les photos ? »

Le vendredi 28, l'agitation communicationnelle du président tourna à la parade nuptiale d'un coq de bruyère. Cette fois, la question vint sans détour :

— *Crois-tu que notre histoire à Carla et à moi aura un impact favorable sur le moral des Français ?*

Ainsi donc, c'était pour la presse people qu'il s'affichait en tenue de *Gala* : en jean et chemisette, main dans la main ou enlacé avec l'élue de son cœur ! Mieux, la romance du couple, transmise en temps réel par toutes les télévisions, n'aiderait-elle pas à conquérir un public imperméable à la techno-politique, mais qui fonctionnait à l'affect et se passionnait pour les intermittences du cœur ? Comme si l'événement devait sceller la rencontre fusionnelle entre un peuple de Narcisse et un président égocentrique.

En réalité, comme souvent avec Sarkozy, le personnage phagocytait la personne. Il ne se montrait jamais aussi sincère que lorsqu'il obéissait à la fois à l'instinct et au calcul, là où sa ligne de plus grande pente lui paraissait devoir enclencher un mouvement ascendant de sa courbe de popularité. Sans doute pensait-il au fond de lui-même que l'actualité heureuse de sa vie sentimentale pouvait offrir un antidote à la morosité ambiante sinon un remède à la dépression collective des Français. Il était en revanche incapable d'imaginer que ce spectacle pût être perçu pour ce qu'il était. Les verbatims recueillis par les enquêtes d'opinion rabattaient presque tous le politique vers le psychologique. Dans les versions élaborées, on dénonçait le triomphalisme phallique d'un adolescent attardé qui, après avoir subi l'affront public « du cocufiage et du lâchage » de sa seconde épouse, exultait de pouvoir s'exhiber au bras d'une *trophy woman* dont la seule présence était réputée marquer le prestige et la puissance érotique de celui sur qui elle avait jeté son dévolu. Quant aux versions plus rudimentaires, mieux vaut encore les taire aujourd'hui. En langage commun, cela se résumait en quelques mots : immaturité, indignité, infantilisme.

Comment lui faire comprendre que, loin de lui attirer les faveurs de l'opinion, l'étalage de son bonheur privé, l'exhibition de son bon plaisir risquaient de cristalliser le ressentiment de cette « France qui se lève tôt » dont il avait exalté le sens de l'effort durant sa campagne ? Je lui citai cette réplique que Sacha Guitry prêtât à son Beaumarchais : « Dame, je suis heureux. Cela se déteste, un homme heureux dont rien ne peut troubler le bonheur insolent. Etes-vous assez fort, assez indépendant pour supporter la vie d'un homme heureux ? » Il ne vit pas et se refuserait toujours à voir ce que la tentation de Guitry, ce « moitrinaire » monomane qui paya au prix fort, à la Libération, son train de vie au luxe insolent, sa comédie du bonheur perpétuel et sa marotte de collectionneur de femmes jeunes et jolies, pouvait avoir de comparable à la sienne. Il récusa mes arguments avec véhémence et revendiqua l'exercice d'un droit à l'impudeur qui était, selon lui, en phase avec l'air du temps.

La scène advint le 2 janvier 2008 et eut pour cadre le Tong Yen, un restaurant chinois de la rue Jean-Mermoz, non loin de l'Elysée, où il m'avait convié entre son escapade en Egypte et la visite privée qu'il devait effectuer à Pétra à l'invitation du roi Abdallah II de Jordanie. Comme à son habitude, il passa commande dans une ellipse très sarkozyenne :

— *Tout et tout de suite !*

Avant d'enchaîner, à peine assis :

— *Mitterrand faisait voyager sa fille naturelle et sa maîtresse pour qu'elles le rejoignent à Assouan dans un avion spécial aux frais du contribuable. Je devrais voyager dans un avion du Glam et je ne le fais pas. Ça me coûte, mais ça ne fait que mieux souligner la tartufferie des autres. Chirac s'envoyait des actrices en catimini, Giscard des mannequins. Avec moi, tout est transparent, tout se déroule au grand jour. Je mets fin à ces hypocrisies que les Français ne supportent plus. Je vis avec mon temps.*

Ou encore :

— *Les Français ne veulent ni d'un président glacé, ni d'un président glaçant. Je veux mettre de la vie au plus haut niveau du pouvoir.*

La profession de foi était sans équivoque : il s'agissait de se libérer de la logique verticale du pouvoir pour faire entrer la société dans l'Etat, de renverser l'idée jugée autoritaire et rétrograde comme quoi l'Etat engendrait la société. En d'autres termes, passer de la société gouvernée à la société gouvernante. La grande réforme intellectuelle et morale, l'anti-Mai 68 que le candidat Sarkozy avait appelé de ses vœux, était mort-née. En quelques phrases jetées en vrac, le nouveau président qui se voulait miroir de l'inconscient sociétal venait de confesser sa religion presque à son insu : le primat du plaisir sur le devoir. Si le pire n'était pas encore sûr, aucune méprise, en revanche, n'était plus possible : l'homme dont j'avais été institué le conseiller officieux, et bientôt « sulfureux », représentait le prototype du sujet postmoderne. Comment canaliser pareille énergie entée sur le primesaut et la turbulence ?

Sept mois après son élection, le reflux de l'opinion fut brutal. L'état de grâce, qui avait survécu à l'été, fit place à une violente déprise au terme de l'une de ces rapides oscillations dont l'humeur politique des Français est coutumière. Aucune catégorie n'était épargnée. Des classes populaires pour qui sa « désinvolture » s'assimilait à une forme de dédain à l'électorat traditionnel de la droite qui lui reprochait son manque de prestance et son comportement de parvenu, tous le recrachaient comme un noyau, tous le rejetaient comme un intrus, un corps étranger à cette identité nationale dont il s'était pourtant fait le héraut. Les médias, quant à eux, étaient encore partagés entre la fascination pour le *storytelling* d'un président qui répondait à leur besoin chronique de buzz et l'anathème d'une psychanalyse discount qui raillait l'absence de « surmoi » et les débordements du « ça » chez Nicolas Sarkozy.

La visite d'Etat en Grande-Bretagne, les 26 et 27 mars 2008, s'annonçait comme l'apothéose de ce président *showman* et surtout de la toute nouvelle Première dame épousée sept semaines plus tôt à l'Elysée, dans un huis clos prétendument inviolable, sauf pour les « voleurs » de clichés de *Paris-Match*, postés avec leurs téléobjectifs sur le toit du Grand Palais. Tout avait été organisé pour faire de Carla Bruni-Sarkozy une nouvelle Jackie Kennedy et de Londres le proscenium, ou plutôt le podium, d'un défilé à l'échelle mondiale. La *First Lady of fashion*, comme la surnomma le *Daily Mail*, était arrivée avec douze toilettes différentes dans ses bagages. De fait, le facile succès de l'ex-top-modèle allait éclipser le contenu diplomatique du voyage présidentiel. Si la robe en crêpe de soie bleu nuit qu'elle porta lors du dîner de gala donné par la reine rallia tous les suffrages, la robe bustier prune qu'elle avait choisie pour le dîner offert le lendemain par le Lord-maire de Londres donna des sueurs froides au chef du protocole de l'Elysée, qui avait vainement cherché à la convaincre de cacher ses épaules dénudées. Combat d'arrière-garde, puisque les Anglais n'ignoraient plus rien du corps de Carla Bruni, dont le *Telegraph* avait publié, le matin même, une photo nue prise en 1993 en annonçant que celle-ci serait prochainement mise aux enchères chez Christie's.

Dans le St George's Hall, la salle à manger monumentale de Windsor, avec sa table d'acajou longue de 60 mètres et son plafond en forme de carène renversée, le président français, tournant la tête dans tous les sens de son curieux roulement d'épaules, n'offrit pas la même image d'aisance souveraine. Le verdict de la presse britannique qui, s'érigeant en arbitre des bonnes manières, lui objecta son absence d'allure présidentielle (*"Sarkozy doesn't come across as particularly presidential")* fut cruel et alla jusqu'à le qualifier d'« écolier agité », d'*"excited schoolboy"*. *« Capitalisme de la frivolité »* : l'expression avait été utilisée par le chef de l'Etat lui-même lors de son discours au Guildhall à propos de la crise des *subprimes*. Elle aurait pu tout aussi bien être coulée dans l'encre des tabloïds, tant elle semblait également s'appliquer au style du nouveau couple présidentiel. Pour Nicolas Sarkozy, l'exercice du pouvoir était une *ego pride parade* qui ne connaissait pas d'entracte.

Une privatisation du pouvoir

Pour qui observait Nicolas Sarkozy en ce début de l'année 2008, le doute n'était pas permis : les changements intervenus dans son état matrimonial avaient profondément modifié son rapport aux affaires de l'Etat. Tout se passait comme si, pendant ces quelques mois de célibat, la politique n'avait été que le dérivatif compensateur d'une vie privée peu satisfaisante. Son assiduité à la réunion qui se tenait à 8 h 30 dans le salon vert jouxtant le bureau présidentiel s'en ressentait. L'ordre du jour également, chaque fois qu'il consentait à nous gratifier de sa présence. Invariablement, d'une voix où le contentement le disputait à la feinte indignation, il signalait à l'unité près le nombre de paparazzi embusqués, chaque matin, en contrebas de la rue Pierre-Guérin, à quelques dizaines de mètres de l'hôtel particulier de Carla Bruni où vivait désormais le couple. Puis venaient les considérations comparatives sur ses épouses successives qu'il développait sans plus de tact : « *Carla est belle, hein ? Et en plus, elle en a là-dedans*, disait-il en portant l'index à son front. Puis, dans un sourire qui se voulait complice : *Ça me change...* » Des regards furtifs s'échangeaient entre conseillers. La plupart avaient connu les débordements du mari trompé au temps de Cécilia, personne n'imaginait que, devenu président, il pût autant se laisser envahir par ses émotions.

Etait engagé un processus de privatisation du pouvoir qui allait de pair avec le spectacle de l'infantilisation de celui qui l'exerçait. Le chef né pour « cheffer » était en réalité un fragile séducteur subjugué par ses conquêtes, un faux dur submergé par un état permanent de dépendance affective, une âme malheureuse qu'habitait non pas le dur désir de durer, mais celui d'être aimé. Ce mâle dominant vivait sous l'empire des femmes. Plus qu'à Bonaparte auquel le comparait encore un petit cercle de courtisans volontairement abusés par son énergie ébouriffante, laquelle semblait en l'occurrence s'être trouvé un autre emploi, Sarkozy faisait irrésistiblement penser à des prédécesseurs de moins glorieuse mémoire avec lesquels il partageait une même croyance dans la magie souveraine des sentiments. Au général Boulanger, si épris de sa maîtresse, Marguerite de Bonnemain, que Marie Quinton alias « la belle meunière », la tenancière de l'hôtel qui abritait leurs amours clandestines à Clermont-Ferrand, confia : « Elle fera de lui ce qu'elle voudra. Si elle l'aime pour lui plus que pour elle-même, elle le rendra grand. Sinon, il est perdu. » Ou encore au président du Conseil Paul Reynaud, si faible devant son envahissante concubine, la comtesse Hélène de Portes, que la presse d'alors les surnomma « le lutin et sa fée ».

A partir du printemps 2008, un autre discours commença à poindre chez Nicolas Sarkozy. Les charges, les obligations, les contraintes, l'ascèse requise pour le plein exercice de la fonction présidentielle lui étaient devenues par trop pesantes. Les mots, en apparence, s'adressaient à Cédric Goubet, son chef de cabinet, mais ils étaient lancés à la cantonade : « *Arrêtez de charger mon agenda. Ça n'a pas de sens. Aucun sens* », répétait-il comme s'il cherchait lui-même une direction. Au soir du second tour des élections municipales, le 16 mars 2008, à l'heure où la déroute de l'UMP s'affichait sur tous les écrans, Nicolas Sarkozy nous fit monter Claude Guéant, Franck Louvrier, le conseiller chargé de la communication, et moi-même dans ses appartements privés. Au mur, des photos du président signées Bettina Rheims remplissaient les intervalles entre de grandes toiles non figuratives qui, dans tous les sens du terme, faisaient tache. Des corbeilles de fruits, des soucoupes de chocolats, des pochettes Dior et d'autres grandes marques étaient disséminées sur les divans, les poufs et les tables basses. En adepte d'un négligé savamment étudié, Carla Bruni-Sarkozy commenta à notre usage cet apparent désordre : « Le personnel de l'Elysée est un peu perturbé, car je suis très désordonnée. Je laisse des pantalons avec des mouchoirs par terre dans la salle de bains. Je sens bien qu'on ne me le tolère que parce que je suis de gauche. » Pour la première fois, une mise en garde affleura sous le propos en forme d'apparente supplique : « Il ne faut pas me le tuer. »

Bientôt, l'adjuration laisserait place à la franche exaspération d'une femme contrariée dont Nicolas Sarkozy se ferait le relais complaisant auprès de ses plus proches collaborateurs : « La République je m'en fous, la politique je m'en fous, l'Elysée je m'en fous. Ce que je fais, c'est pour toi et pour toi uniquement parce que, franchement, on a de l'argent, on a tout ce qu'il faut pour être heureux, pourquoi donc aller se faire déchiqueter par ces hyènes ? » C'était déjà le *lamento* de Joséphine de Beauharnais, deux siècles auparavant, en des termes certes empreints d'une plus grande sobriété : « J'ai pris un mari pour être avec lui. » Napoléon qui, en homme d'autrefois, ne confondait ni les genres ni les registres lui rappela sur le mode goguenard la distribution des rôles : « Je pensais dans mon ignorance que la femme est faite pour le mari, le mari pour la patrie, la famille et la gloire ; pardon de mon ignorance ; l'on apprend toujours avec nos belles dames. » Faut-il préciser que son lointain et indirect successeur se situait aux antipodes de ce modèle ? A ces visiteurs qui n'en pouvaient mais, il délivrait une version personnalisée et remixée de leur programme conjugal :

— La situation a changé... Maintenant, j'ai de l'argent. Je ne vais pas m'emmerder pour des gens qui ne le méritent pas.

« Libre d'avoir été qui elle a été », telle qu'elle se dépeignit dans un entretien à *Libération* en juin 2008, la Première dame de France n'avait en réalité d'autres envies que de poursuivre la vie de patricienne libertaire et bohème qui avait toujours été la sienne. S'y mêlait la revendication petite-bourgeoise d'un droit au bonheur assez semblable à celle qui valut à Don Pedro de la part de son père, le roi Ferrante, cette terrible sentence : « En prison pour médiocrité[8] ! » Il ne lui répugnait pas d'y ajouter les agréments et les attributs extérieurs du pouvoir, fût-ce par procuration, mais sans avoir à en subir même indirectement les astreintes. A l'image d'une société où l'obligation de résultat s'appliquait également aux bonheurs privés, le couple présidentiel ne songea plus qu'à repousser les intrusions des conseillers et leur prétention chronophage à se disputer l'emploi du temps du chef de l'Etat.

Un premier incident éclata le 5 février 2008, trois jours après la célébration du mariage à l'Elysée, lorsque Sarkozy s'emporta contre son chef de cabinet, responsable de l'organisation d'un déplacement en Guyane. Il ne voulait à aucun prix coucher dans la résidence du préfet :

— *Qu'est-ce que je vais faire de 17 heures à 9 heures du matin ? Il fait nuit noire à cette saison et le coin est infesté de moustiques. Et puis d'abord qu'est-ce que je vais foutre en Guyane ? La Guyane, c'est 200 000 habitants dont la moitié d'analphabètes.*

Les premières images qui arrivèrent en métropole agirent comme une arme de destruction massive : on y voyait le président en jean dans un village amérindien entouré par les notables du cru simplement vêtus d'un pagne. Sur l'écran de mon ordinateur, les commentaires des Français s'affichaient en temps réel : « Le président est-il en vacances ? », « On ne l'a pas élu pour qu'il se paie du bon temps, mais pour qu'il s'attaque à nos problèmes », « Sait-il qu'il représente la France ? ».

Peu à peu, les réunions dites « d'agenda » tournèrent à la corrida. Tel un taureau enragé qui déboulerait dans l'arène, l'époux de Mme Bruni pointait ses cornes et plantait son regard en direction de l'impudent qui avait eu la fâcheuse idée de lui proposer soit un nouveau déplacement, soit un nouveau rendez-vous que n'avait pas programmé le secrétariat de la présidence. On s'attendait à ce qu'il l'embrochât au terme d'une charge furieuse, lorsque la voix se faisait soudainement plaintive, presque gémissante, comme ce 10 juin 2008 : *« Il y va de ma vie. Je vais crever si vous continuez tous comme ça. Vous devriez me protéger, vous ne faites que m'exposer. »*

De retour d'une rencontre bilatérale à Berlin, voilà qu'il aurait voulu commencer sa journée à 11 heures et voilà qu'on lui imposait un emploi du temps infernal : discours pour la journée du handicap, déjeuner avec le monde culturel, réception du président de Gazprom puis du président des Comores, réunion du comité de pilotage stratégique et remise collective de Légions d'honneur. L'extinction progressive du discours critique envers ses immédiats prédécesseurs longtemps qualifiés de « rois fainéants » alla de pair avec la revendication d'horaires aménagés. La privatisation du pouvoir était sur le point de s'achever. De la réappropriation du temps présidentiel, elle s'étendit à la domestication de l'espace à l'intérieur duquel le chef de l'Etat accomplissait les devoirs de sa charge.

Le roi est nu

Avec Nicolas Sarkozy, la sphère du politique ne fut jamais une zone sécurisée à l'abri des intrusions. La séparation d'avec sa vie privée, qui aurait dû être la règle, fit en réalité figure d'exception. On ne saurait compter les décisions, de plus ou moins grande importance, qui n'aient été peu ou prou inspirées par les tribulations de sa vie sentimentale, peu ou prou envahies par les métastases publiques de son intimité.

Le choix du Fouquet's comme lieu de célébration de sa victoire électorale, le 6 mai 2007, choix à ce point inconvenant qu'il apparut très vite au plus grand nombre comme l'acte fondateur de l'ère du bling-bling, une sorte de sacre où la sainte ampoule aurait été sponsorisée par Moët Hennessy et les ducs et pairs du royaume remplacés par les barons du CAC 40! Tous, dans l'entourage de Sarkozy, dénoncèrent à travers ce choix malencontreux l'influence de Cécilia. A commencer par la garde rapprochée du candidat que la presse désignerait ultérieurement sous l'appellation générique de « la firme » et qui, anathématisée lors du retour (provisoire) de l'épouse volage, se plairait à décrire celle-ci comme « la femme la plus vénale de la place de Paris ».

L'augmentation de son salaire de président de 7000 à 18700 euros au prétexte de l'aligner sur celui du Premier ministre? Un des dommages collatéraux résultant de la pension alimentaire due à Cécilia au terme du jugement de divorce par consentement mutuel qui avait entériné dix jours auparavant les accords entre les deux ex-époux. Conscient de l'effet délétère que pouvait avoir une telle annonce auprès de cette France à laquelle il avait demandé de travailler plus pour gagner plus, il enjoignit à sa directrice de cabinet Emmanuelle Mignon de mettre simultanément en œuvre la promesse faite au lendemain de son élection d'autoriser la Cour des comptes, au nom de la transparence, à contrôler pour la première fois les dépenses de la présidence de la République. L'affaire fut révélatrice de ce mentir vrai auquel aboutissait, malgré elle, une telle communication politique. Chargée de vendre aux médias une « grande première dans l'histoire de la République » et une « avancée majeure de notre démocratie », la cellule de l'Elysée ne fit que mettre en valeur le caractère artificiel de cette grossière manœuvre de diversion.

Pour avoir été le témoin involontaire et embarrassé de quelques scènes de genre qui relevaient au mieux de Feydeau, au pis de Labiche, je n'ignorai rien des conséquences que pouvait exercer l'emprise tyrannique des émotions de Nicolas Sarkozy sur sa vie publique. J'avais pu constater à quel point la crise conjugale de 2005 avait fait de lui un candidat cyclothymique et un ministre à la motivation affectée de variations saisonnières. J'avais surtout gardé en mémoire le psychodrame du 6 mai 2007, ce dimanche du second tour de l'élection présidentielle où, après avoir échangé à plusieurs reprises dans la matinée et bien qu'il n'y eût plus aucun doute sur l'issue du scrutin, le candidat m'appela une nouvelle fois vers 15 heures :

— *A ton avis, où va s'arrêter le curseur ? 53 ou 54 % ? J'aimerais que tu le dises à Cécilia. Je te la passe.*

A l'autre bout du fil, j'entendis une voix excédée me lancer tout à trac :

— Dites-lui 54 et qu'il nous foute la paix…

Une autre scène tout aussi humiliante pour le mari bafoué se produirait le 24 juillet, soit moins de trois mois après son entrée en fonction, à l'occasion de la libération des infirmières bulgares détenues en Libye. Cédant à sa demande pressante, je m'étais résolu à congratuler l'« héroïne » du jour. A l'homme qui venait de lui offrir la scène internationale comme écrin en braquant sur elle les caméras du monde entier, elle n'avait plus à offrir qu'une indifférence glacée, dédaigneuse de ce qui n'était à ses yeux que stratagèmes dilatoires.

La relation avec Carla Bruni, ce qui en affleura dès leurs premières apparitions publiques et qui rappelait certaines situations vécues antérieurement avec Cécilia, allait nourrir dans les médias une campagne visant à psychiatriser le comportement du président. L'immixtion du domaine conjugal dans la gestion quotidienne des affaires publiques se révélait un mouvement irrésistible, insidieux, enveloppant, qui pénétrait par tous les interstices et qui s'apparentait à un exercice de contrôle psychologique à distance. Le premier outil en était le téléphone. Par sa sonnerie impérative sinon comminatoire, réservée en principe aux seules circonstances exceptionnelles qui requéraient une intervention immédiate, il avait pour effet de suspendre le temps, d'interrompre le déroulement de la réunion et d'asseoir de façon ostentatoire la suprématie de l'instance privée sur le cours de l'Etat. La main en cornet sur l'appareil comme pour étouffer le son de sa voix, le président semblait chercher une confidentialité d'autant plus illusoire que, sitôt raccroché, il se ferait un devoir de nous restituer la part de la conversation qui aurait pu nous échapper. Les prétextes de ces intrusions étaient la plupart du temps des plus futiles :

— *Figurez-vous qu'il y a un drame*, résuma un jour le chef de la cinquième puissance mondiale, *il y a deux araignées à la maison, de la taille d'une mygale, dit Carla*.

Invariablement, la communication se terminait par des sucreries dignes de la collection Harlequin : « *Oui, mon bonheur... Oui, mon cœur... A ce soir, mon ange...* »

La présence réelle de l'épouse du président revêtit également d'autres espèces. Si le temps n'était plus où les galanteries de la Cour offraient la matière à des bouts-rimés et autres épigrammes, les aventures et les liaisons supposées du couple présidentiel étaient désormais charriées par le nouveau *cloaca maxima* auquel on avait donné le nom d'Internet. Au printemps 2010, un blog, hébergé par le site du *Journal du dimanche*, relaya quelque « source » aussi anonyme que malveillante : Mme Bruni serait tombée sous le charme du chanteur Benjamin Biolay, tandis que Nicolas Sarkozy aurait trouvé réconfort auprès de Chantal Jouanno, ancienne championne de karaté qui occupait alors le poste de secrétaire d'Etat à l'Ecologie. Pour l'offensé, il n'était pas de calomnie plus infamante, ni d'affront plus blessant, d'autant plus que la presse internationale, du *Daily Telegraph* à *La Stampa* en passant par *CBS News* et *La Tribune de Genève*, propagea aussitôt la rumeur. Une affaire d'Etat était née dont le président n'allait plus cesser de nous entretenir sous la forme d'une sitcom digne d'*Amour, gloire et beauté*, avec ce qu'il fallait de petites et grandes trahisons, d'intrigues souterraines et de manœuvres occultes, de traquenards meurtriers et de dagues effilées pour nous maintenir en haleine.

Outre les ragots sur de prétendues aventures extraconjugales, le chef de l'Etat lui-même fut victime du *Google Bombing*, une technique de référencement sauvage utilisée par les webmasters pour faire artificiellement remonter une page sur le moteur de recherche ou orienter vers un résultat précis. Ainsi, pendant de longues semaines, la page Facebook officielle de Nicolas Sarkozy figura-t-elle en tête des résultats pour l'expression « trou du cul », élégante manière de nourrir le débat d'idées dans l'espace public. L'agacement légitime qu'il en conçut n'était rien cependant en regard de la transe dans lequel le plongeait la lecture des innombrables rubriques qui, sur la Toile, dressaient la liste des amants de l'ancien mannequin. Défendre l'« e-réputation » de son épouse devint pour lui un enjeu prioritaire. Jusqu'à ce dimanche 26 septembre 2010 où, quelques jours après avoir reçu à l'Elysée Larry Page, le cofondateur de Google, en compagnie d'Eric Emerson Schmidt, le président-directeur général de la firme américaine, il nous annonça avoir enfin trouvé l'expert capable de *« nettoyer le net profond »*, de bombarder en retour les rumeurs et de contrer les détournements. Merveille d'un monde virtuel qui promettait à tout un chacun le pilori public auquel il pouvait se retrouver instantanément cloué, mais qui se réservait de vendre aux puissants, et à prix d'or, la savonnette à vilain pour passer du remugle méphitique à l'odeur de sainteté et, si besoin était, de faux-vrais certificats de virginité !

Le plus éprouvant dans ce mélange des genres restait sans conteste les apparitions récurrentes de la Première dame de France lors des réunions de travail qui avaient pour cadre tantôt le salon vert de l'Elysée, tantôt le grand salon de La Lanterne, la résidence dont Sarkozy avait confisqué l'usage à son Premier ministre. Une silhouette dans l'embrasure de la porte, un ample geste de la main qui l'encourageait – *« Entre, entre ! »* – et l'impétrante était propulsée du vestibule jusqu'au cœur même du sanctuaire. Rares furent ces violations de la ligne de démarcation qui ne se traduisirent pas par une *diminutio capitis* pour le chef de l'Etat, un abaissement symbolique de sa personne et donc de la fonction qu'il était censé incarner à l'extrême en pareils lieux, en de telles occasions et en présence de collaborateurs dont chacun portait un titre qui le rattachait soit au président soit à la présidence.

Ainsi nous fut-il donné d'assister, le 30 mai 2011, au spectacle d'une décollation douce. Le G8 de Deauville, conçu comme une sorte d'apothéose de la diplomatie française, venait de s'achever. Comme à son habitude, Carla fit son entrée dans le salon vert avec cette démarche ondulante qu'elle réservait jadis au tapis des podiums. Porté par une joie impétueuse, Nicolas Sarkozy, qui ne tenait plus en place, s'extasia sur le décolleté de son épouse et nous invita sans vergogne à faire de même. Ostensiblement, je détournai la tête pour marquer une désapprobation qui n'échappa pas aux protagonistes de la scène. A commencer par le personnage central.

Lui : — *Patrick n'apprécie pas...*

Elle : — En quatre ans, je n'ai pas fait une bourde. Ça compte, non ? Qu'auraient fait d'autres à ma place ? Tenez, cette Mme Medvedeva, on ne peut pas dire qu'elle ait de la classe. En tout cas, moi, je n'aimerais pas m'appeler Mme Sarkozyva.

Lui : — *C'est vrai, mon cœur, tu as fait un parcours sans faute. Vous pourriez la féliciter, au moins*[9]*...*

Difficile de discerner à travers les borborygmes émis par les conseillers autour de la table ce qui relevait de l'approbation ou soulignait l'embarras et la confusion générale.

Elle : — Bon, c'est vrai, la presse italienne a relevé que je n'avais pas embrassé Berlusconi. C'était au-dessus de mes forces. J'ai eu peur de me barbouiller de fond de teint, il en avait une sacrée couche. En plus, il est tiré de partout. Ses racines de cheveux sont dessinées. De dos, c'est horrible. Comme il n'aime que les filles entre 17 et 22 ans, je comprends qu'elles demandent beaucoup !

Lui : — *Au G20 de juin 2010, il a voulu me faire poser avec sa « nouvelle collaboratrice » sortie soi-disant première de l'école d'attachés de presse. Je me suis tout de suite méfié. Je l'avais repérée avec sa poitrine siliconée et ses talons aiguilles. C'est là qu'il s'est confié à moi : « Je vais te dire pourquoi je plais aux femmes. Je suis beau, riche, un peu vicieux et elles savent que je vais bientôt mourir. »*

Debout, derrière le fauteuil présidentiel, la silhouette légèrement arrondie de Carla Bruni se détachait dans le contre-jour. C'était l'heure des demi-confidences égrenées sur un ton de plus en plus mutin.

— Si c'est une fille, susurra-t-elle en évoquant l'heureux événement annoncé depuis déjà plus de cinq semaines, je l'appellerai France. Si c'est un garçon... euh... Franco ?

— L'idée n'est pas mauvaise. Cela devrait nous aider du côté du Front national, me risquai-je à commenter au milieu de l'hilarité générale.

Pendant tout le temps où elle s'était exprimée, l'ex-top-modèle, s'autorisant du huis clos, n'avait cessé de passer sa main dans les cheveux du président qui se montrait de plus en plus affaissé sur son fauteuil Empire. Accablant spectacle. Comme les autres sans doute, murés dans un silence que j'imaginai réprobateur, je souffris de voir ainsi bafouées autant la dignité de l'homme que celle de sa fonction. Que restait-il, sous cette caresse, de l'aura qui devait entourer l'homme d'Etat, le faire apparaître comme une autorité libre de toutes entraves, comme un chef, le chef, le souverain du « dernier ressort » ?

Deux ans auparavant déjà, en mai 2009, j'avais été consterné comme beaucoup de Français par ce reportage dans lequel Carla Bruni, recevant les rédactrices de *Femme actuelle*, avait lancé à l'adresse de son mari, venu la saluer dans son bureau de l'aile Est du palais de l'Elysée, un maternel et maternant : « Bon courage, chouchou ! » du plus mauvais effet. Une étape supplémentaire serait franchie dans la trivialisation du monarque républicain lorsqu'au soir du second tour, place de la Bastille, sous le regard de millions de Français, François Hollande déférerait à l'ordre comminatoire de Valérie Trierweiler : « Embrasse-moi sur la bouche. » En cela, le vainqueur du 6 mai 2012 apparaîtrait, en dépit de sa déjà célèbre anaphore « Moi, président », comme le fidèle continuateur de Nicolas Sarkozy, avant même que la révélation de sa liaison avec Julie Gayet ne le fasse également migrer, à l'arrière d'un scooter, vers la rubrique people. Inaccessibles à toute voix venue des hauteurs ou des profondeurs, dépouillés de toute dimension institutionnelle par leur volonté d'apparaître dans une proximité émotionnelle et sentimentale avec le commun des mortels, bousculés par un destin trop grand pour eux, l'un et l'autre avaient pris le risque de paraître plus préoccupés par leurs affaires de cœur que par les souffrances des Français. En voulant montrer qu'ils étaient des hommes comme les autres, tous deux ne réussirent à ne donner d'eux que l'image d'êtres désespérément ordinaires.

Pouvoirs et contre-pouvoirs de l'image

L'idée que l'autorité politique ne constitue pas un *dominium*, un droit de propriété rapporté à un individu, mais un *ministerium*, un office exercé au nom de tous, est au cœur de la pensée occidentale. Elle anime aussi bien la tradition antique, biblique ou philosophique, portée par Jérusalem, Athènes et Rome, que la doctrine de la chrétienté médiévale récapitulée par saint Thomas d'Aquin dans son *Commentaire du livre de la politique d'Aristote* : « Au bien d'un seul, on ne doit pas sacrifier celui de la communauté : le bien commun est toujours plus divin que celui de l'individu[10]. » Cette vision de l'administration de la Cité aura d'abord été en France le propre de la monarchie pour qui elle semble inséparable de la conception organiciste de la société qu'exprime Louis XIV dans son *Mémoire pour l'instruction du dauphin* rédigé en 1661 : « Car enfin, mon fils, nous devons considérer le bien de nos sujets bien plus que le nôtre propre. Il semble qu'ils fassent une partie de nous-mêmes, puisque nous sommes la tête, ils sont les membres[11]. » C'est ce legs que réactive la Ve République, au moins dans l'imaginaire des Français, en replaçant la figure du monarque présidentiel au centre des institutions, en la faisant passer du soi subjectif au nous objectif dont il redevient le représentant ordonné à l'intérêt général.

Par l'idée qu'ils se font de la France et de l'Etat, ainsi que l'incarnation hiératique qu'ils en donnent, par leur style respectueux des rites et du protocole et par l'exemplarité de leur vie publique subordonnée à la charge qui leur a été confiée, Charles de Gaulle et Georges Pompidou apparaissent rétrospectivement comme les derniers disciples de cet ordre plus ancien selon lequel, dit encore l'Aquinate, « le pouvoir est un sacrifice, seul le service rendu fonde la légitimité ». Il n'est qu'à regarder les portraits officiels des deux premiers présidents de la Ve République qui constituent alors l'essentiel de la représentation du pouvoir pour comprendre à quel point le message qu'ils ont conçu à l'adresse des Français ne souffre pas d'ambiguïté. Poser dans la bibliothèque de l'Elysée en habit noir de cérémonie surmonté du grand collier de la Légion d'honneur revient à signifier que la fonction l'emporte sur la personne.

Avec Giscard, la subversion des codes n'est pas le simple caprice d'un homme épris d'innovation, elle traduit un changement de perspective, un glissement du centre de gravité. Plus de signes d'apparat, ni de décoration apparente, le nouveau président plastronne en costume de ville. La verticalité a pris congé de l'image présidentielle qui se donne à voir dans les grandes largeurs du format télévisuel. La République descend de la cimaise pour se répandre sur les écrans. Le plan « plein cadre », à partir des épaules, escamote les trois-quarts du corps physique du chef de l'Etat pour mettre en valeur un visage au sourire avenant qui se veut la transposition française du modèle Kennedy. Ces modifications indiquent que le curseur s'est déplacé de la charge vers celui qui en est investi et qu'en congédiant la symbolique de l'autorité et de la puissance, le choix a été fait d'y substituer la séduction. L'habile tour de passe-passe a pour lui les atours de la « modernité » tant vantée par le candidat Giscard et qui va de pair avec la fortune du mot « charisme », seul fondement désormais médiatiquement reconnu de la légitimité.

L'iconographie du pouvoir revêt toujours, *volens nolens*, un caractère programmatique qui, entre sacralisation et désacralisation, rythme le rapport entre l'invisible et le visible en politique[12]. Le célèbre portrait de Louis XIV exécuté en 1701 par Hyacinthe Rigaud, le peintre officiel de la Cour, avait matérialisé, par le retournement du sceptre que le roi tenait désormais à la manière d'un bâton de commandement, la fleur de lys tournée vers le bas, une nouvelle symbolique du pouvoir moins axée sur le spirituel que sur le temporel, délibérément orientée vers la terre et non plus vers le ciel. De même, l'iconographie officielle du giscardisme opte pour la sécularisation en se déployant sous le signe de l'immanence[13]. Le président, comme jadis le roi, devait incarner ce qui nous dépasse. Avec VGE, il n'est plus que l'expression de nos désirs *hic et nunc*, le délégué, le représentant de la société avec laquelle il cherche à se confondre en réduisant sinon en supprimant la distance inhérente à la charge suprême. Une rupture est consommée, lourde d'orages.

Un président selfie

La filiation était patente entre Giscard, le premier de nos dirigeants à avoir exigé d'être systématiquement filmé en gros plan lors de ses allocutions officielles ou qui s'exposa torse nu devant les caméras de télévision à l'issue d'un match de football dans le vestiaire de Chamalières, et Sarkozy, le président selfie pour qui saturer de sa personne le champ médiatique fut une obsession de chaque instant. Peu lui importait de se montrer en chef de l'Etat, en joggeur ou en touriste, du moment que les images assuraient sa téléprésence. Dans les deux cas, le but poursuivi était de transformer la politique en un espace entièrement investi par l'apparence, l'émotion, les affects où l'homme d'Etat aurait toujours moins d'intérêt que l'état d'homme ou plutôt que l'homme dans tous ses états. A la délectation subtile que manifestaient chez le premier le maniérisme de la langue et la simplicité affectée du grand bourgeois se prévalant d'une noblesse d'emprunt, faisait écho chez le second une autocélébration permanente que signalaient l'exubérance du parler et la brutalité des manières du self-made-man.

Pour ce dernier, en effet, rien n'avait plus d'importance que le spectacle qu'il donnait de sa puissance, supposée ou réelle, et de son rayonnement, censément indestructible. Qu'il prît à témoin l'ensemble des Français ou qu'il s'adressât au cercle restreint de ses plus proches collaborateurs, l'enjeu était en ce qui le concernait à peu de chose près le même. Un intermède digne de la *commedia dell'arte*, survenu au printemps 2010, avait laissé augurer du stade critique que finirait par atteindre le développement grandissant de ce que d'aucuns appelaient *mezza voce* une « thérapie personnelle ». L'ordre du jour de la réunion du dimanche 9 mai portait comme sujet principal le débriefing du sommet des dirigeants européens qui s'était tenu, deux jours plus tôt, à Bruxelles. Retrouvant les accents entraînants de la présidence française de l'Union européenne, en 2008, quand il s'était agi de dénoncer la spéculation contre l'euro et de défendre la nécessité d'une gouvernance économique commune, le chef de l'Etat en avait appelé à une mobilisation générale pour opposer une « réponse systémique » à une « crise systémique ».

Depuis la débâcle de l'UMP aux élections régionales, cinq semaines auparavant, il avait concédé que la surexposition de sa personne et la surproduction de la parole présidentielle n'allaient pas sans lui faire commettre quelques erreurs. Toute la difficulté était de lui faire abandonner jactance et jouissance, ces deux pathologies soixante-huitardes qui affectaient chez lui l'exercice du pouvoir au point de le transformer en commentateur extatique de sa propre action au moyen d'une figure de rhétorique éculée – *« Si je ne le dis pas, qui le dira ? »*. Comment l'amener à être à la fois plus sobre et plus économe ? « Dorénavant, lui avais-je suggéré, il faut que la monstration vaille démonstration. » En d'autres termes, user du symbole comme discours, recourir au *mythos* en lieu et place du *logos*. La formule lui avait tellement plu qu'il l'avait répétée à tous ses interlocuteurs, ministres ou journalistes indifféremment, dans les jours qui avaient suivi.

De ce point de vue, la réunion des chefs d'Etat et de gouvernement de la zone euro à Bruxelles fut plutôt une réussite illustrée par le ballet des dirigeants européens autour du président français pour une fois avare de toute glose superflue. Aussi relative que la diète médiatique eût été, puisque entrecoupée d'une roborative conférence de presse dans la nuit du vendredi au samedi qui n'avait toutefois pas été retransmise, l'effort avait surtout valu par l'abstinence de tout triomphalisme et le jeûne de l'habituelle revendication publique d'un leadership que l'aimantation des caméras avait suffi à expliciter au vu de tous.

Sevré de la grande première dont il aurait rêvé de gratifier les Français et le monde entier, gonflé telle la grenouille de la fable de ce qu'il n'était pas loin de considérer comme un *imperium* planétaire, Nicolas Sarkozy n'eut, ce dimanche-là, pas d'autre préoccupation que d'en convaincre le petit cercle de collaborateurs qu'il avait réuni pour une représentation privée dans ses appartements de l'Elysée. Au staff habituel s'étaient joints exceptionnellement Xavier Musca, le secrétaire général adjoint de la présidence, et Jean-David Levitte, le sherpa du président surnommé par ce dernier « Diplomator ». La séance débuta par le traditionnel exorde où il était fait litière des *« technocrates imbéciles »* et de leurs *« dossiers nuls »*, ainsi que de ces diplomates *« qui ne comprennent rien à la politique »*. Le cas de Jean-Claude Trichet, le directeur de la Banque centrale européenne, arriva rapidement sur la sellette. Ce fut à Xavier Musca, qui avait été le second de Trichet à la fin des années 1980, d'être interpellé le premier.

— *Tu vois, Xavier, tu es mille fois plus courageux que Trichet, mais tu as gardé les défauts de ta caste : l'admiration pour tes pairs. Moi, Trichet, je le connais. Il était à la Direction du Trésor quand j'étais au Budget. Ce type me répugne. Déjà il suait à grosses gouttes avec ses gants beurre frais et ses chemises mal taillées. C'est drôle, cette révérence pour vos aînés que vous avez, vous et votre caste. En politique, on a plutôt tendance à penser : « Mon prédécesseur est un gros con ! »*

Après avoir dressé le récit de la négociation au terme de laquelle il était parvenu à convaincre Merkel de créer un fonds d'urgence pour contrer la crise de l'euro, il insista pour que nous assistions à l'échange téléphonique qu'il devait avoir avec Barack Obama. Durant les vingt minutes que durerait la conversation entre les deux présidents qui se parlaient par interprètes interposés, comment ne pas comprendre que la scène qui se jouait devant nous était destinée à notre édification et pour lui une source de félicité qui irradiait toute sa physionomie ?

— *"Hi, Sarkozy speaking!"*

— « Comment vas-tu? »

— *Depuis quand tu parles français, Barack? Je ne veux pas te cacher la réalité, cela a été très dur avec Angela, mais nous sommes arrivés à un accord. Soit cela suffit à stabiliser les marchés lundi, soit je te propose de prendre l'initiative d'un G8 à Washington. Sinon, c'est l'Europe et le monde qui vont exploser.*

— Il y a un risque certain de chaos. Je suis d'accord avec ton schéma. Et je te félicite pour ton leadership.

— *Tu te rends compte, Barack, c'est nous les deux métèques qui allons débloquer la situation…*

— C'est bien possible *(rires)*.

— *Salue Michelle et embrasse les filles.*

— Salue Carla et les garçons.

A deux reprises, au cours de cet échange, Sarkozy demanda que la Maison Blanche publiât un communiqué pour faire savoir que le président américain et lui-même avaient constaté une profonde convergence de vues lors d'un entretien téléphonique. Il obtiendrait gain de cause moins d'une heure plus tard, mais froncerait les sourcils en découvrant la déclaration de Bill Burton, le porte-parole de Washington qui avait cru devoir ajouter, non sans malice, que « le président Obama a également appelé dans la journée la chancelière allemande Angela Merkel pour la deuxième fois en trois jours[14] ».

La tragicomédie s'installait dans la suite des jours. Je savais cet écueil depuis le début et ne me l'étais jamais caché. Pourquoi, dès lors, rester auprès de lui, ne pas partir sur la pointe des pieds? Au reste, un tel départ était-il possible sans éclat, sans dommage pour le président lui-même, quand celui-ci se plaisait à répéter auprès de ses visiteurs du soir : *« La présence de Buisson à mes côtés, c'est un signal, c'est la garantie que je ne me chiraquiserai pas. »*

Quel sens y aurait-il eu, d'ailleurs, à quitter le navire amiral, alors que la France risquait l'un de ces grands naufrages qui hantait son histoire? Enfin, n'y avait-il pas, en dépit de tant d'errances, la volonté éperdue que montrait parfois Nicolas Sarkozy de courir après son rôle?

Entre tous les conflits inutiles que ses postures intempestives occasionnèrent, celui, larvé, qu'il entretint avec l'armée, dernier ordre où le sacrifice suprême restait exigible au nom d'un bien supérieur à l'existence individuelle, ne fit que souligner l'irréductible fracture culturelle entre un président si peu porté à considérer sa fonction comme l'accomplissement d'un service et un corps dont la principale caractéristique était de pousser l'abnégation jusqu'au don total de soi-même.

Il y eut pourtant un instant de grâce où l'homme fut dépassé par sa propre mise en scène, où la radioactivité des mots contamina le locuteur. *« L'armée française, ce n'est pas seulement un instrument parmi d'autres d'une politique. L'armée française, c'est l'expression la plus achevée de la continuité de la nation française dans l'histoire. »* Là, dans la cour des Invalides, devant les cercueils de sept soldats français tués quelques jours auparavant en Afghanistan, Nicolas Sarkozy, tête nue et stoïque sous une pluie diluvienne qui ruisselait sur son visage et burinait ses traits, offrit aux caméras ce profil de médaille grâce à quoi on put croire, l'espace de quelques minutes, que le sentiment tragique de l'histoire venait de le visiter et de le transformer en homme d'Etat. Etrange cérémonie des adieux anticipés que nous fûmes quelques-uns à vivre, ce mardi 19 juillet 2011, comme le premier et dernier rite initiatique auquel le président, élu en 2007, avait enfin accepté de se soumettre à l'heure où il envisageait d'être candidat à sa propre succession.

L'abîme appelle l'abîme

Par un éclatant paradoxe, François Mitterrand, l'un des derniers si ce n'est le dernier président à avoir recouru au vocabulaire traditionnel de la charge, aura été aussi celui qui a aboli la peine de mort, endossé la doctrine des pertes minimales dans les engagements militaires et inauguré l'usage d'une cérémonie nationale pour tout soldat tué en mission. Il a signifié par là qu'il n'était plus supportable que les corps individuels puissent être encore soumis au corps collectif et saisis, pour quelque raison que ce fût, par l'ordre politique. Le pouvoir et le peuple, l'Etat et la nation ont ainsi coïncidé dans un même reflux devant la théorie du sacrifice comme fondatrice de cet ordre.

De Giscard à Hollande en passant par Sarkozy, la crise de la fonction présidentielle, quelles qu'en aient été les formes, n'aura eu en définitive qu'une seule origine : le refus des présidents successifs d'incarner la place du sacré dans la société. La question se pose de savoir ce qui, du maintien ou de l'abandon du sacré, dans la forme de l'Etat et dans l'incarnation du pouvoir, aura été tout compte fait le plus dommageable[15]. Aux premiers signes d'une insoumission plus festive que révolutionnaire, aux premières manifestations d'une mutation sociétale marquée par l'avènement de l'individu-roi à travers, selon la magistrale formule d'Emmanuel Mounier, la « dissolution de la personne dans la matière[16] », les dirigeants politiques se sont empressés de conclure, tantôt au nom de la « modernité », tantôt au nom de la « normalité », à l'impérieuse nécessité d'une sécularisation du pouvoir, au dépouillement de son armature symbolique, protocolaire et rituelle.

Tandis que les élites rêvent de « dépoussiérer » la fonction présidentielle, le peuple français, quant à lui, continue de se montrer éminemment réactif à la vieille mythologie de l'homme providentiel soit pour l'appeler de ses vœux, soit pour exprimer la nostalgie des grandes figures mystiques de son histoire, celles des « sauveurs » qui resurgissent à chaque crise. Le peuple ne veut ni d'un Solon, législateur impénitent, ni d'un Moïse, prophète fulminant, mais encore moins d'une « démocratie participative ». L'idée qu'il persiste à se faire de l'autorité suprême récuse le modèle du joueur d'accordéon en pull-over, du ludion narcissique aux Ray-Ban d'aviateur et du Félix Faure en scooter en butte à minuit au démon de midi. Il est, en somme, resté fidèle à la manière de nouer la verticalité et l'horizontalité qui fut celle des « gloires de la nation ».

Mais la spirale de dégradation de la fonction présidentielle ne saurait se résumer à une série malheureuse de personnes et de styles inappropriés. Elle a souligné l'inaptitude profonde des candidats sélectionnés par le système des partis à reprendre à leur compte la notion de bien commun dont ils auront même ignoré jusqu'à l'expression. En définitive, l'impopularité de nos dirigeants aura résulté moins du rejet des décisions qu'ils ont prises en s'exerçant à gouverner que de l'oubli du principe au nom duquel ils auraient dû gouverner. Amputé de sa raison d'être, le pouvoir a cessé d'être intelligible et, cessant d'être intelligible, il a également cessé d'être crédible.

Verticalité, profondeur, densité : le déficit des trois dimensions présidentielles qui est apparu de façon criante sous les trois derniers quinquennats a-t-il irréversiblement compromis la fonction ? De l'inaptitude de la classe politique française à faire sortir de ses rangs depuis plus de trente ans des personnalités capables de se hisser à la hauteur de la charge, d'aucuns ont conclu à la nécessité de remettre en cause une institution dont l'omnipotence semble frappée d'obsolescence. La « monarchie républicaine » impliquant à la fois distance, recul et une certaine part de mystère ne serait plus adaptée, nous explique-t-on, à une démocratie médiatique qui, par le biais des télévisions, des sondages et des réseaux sociaux, exige désormais proximité, instantanéité et transparence. Ce qui, en dernière analyse, conduirait à remplacer le peuple réel, dont l'humeur est jugée changeante, plus sensible aux personnes qu'aux idées et, pour tout dire, soumise à la démagogie populiste, par le peuple virtuel de la démocratie d'opinion beaucoup plus facile à orienter, à modeler et finalement à manipuler dans le sens voulu par la classe dirigeante.

La suppression de l'élection du président de la République au suffrage universel n'entraînerait pas un surcroît de démocratie, mais déboucherait, au contraire, sur un nouveau simulacre de démocratie. C'est le chemin inverse qu'il faut emprunter. En faisant ratifier par les Français l'élection du président de la République au suffrage universel, le général de Gaulle a voulu parachever l'œuvre qui consistait à conjurer le spectre du « régime désastreux qui livrait la République à la discrétion des partis », ainsi qu'il s'en était expliqué lors de son allocution du 18 octobre 1962. Si ce face-à-face direct entre les candidats et la nation doit impérativement rester la clé de voûte des institutions, car il y va de l'unique consultation à laquelle le peuple français participe encore massivement à proportion du sentiment qu'il a d'en être resté l'arbitre, mais aussi du seul scrutin dont la légitimité indiscutable confère à l'élu l'autorité d'une « investiture directe » qui, selon les mots mêmes du Général, peut donner à celui qui la reçoit « la force et l'obligation d'être le guide de la France et le garant de l'Etat », l'usage qui s'est peu à peu établi de remettre au système partisan le monopole de la sélection des candidats n'a en revanche rien de gaullien : il réintroduit l'omnipotence des partis là où de Gaulle cherchait à juste titre à la limiter.

Reconstituer le corps politique du chef de l'Etat, lui redonner la faculté d'incarner la communauté, d'opérer à travers sa personne la symbiose entre la nation et la fonction, implique que soit interrompue, selon la formule de Jacques Julliard, la mise en « propriété privée des moyens de gouvernement[17] » que la partitocratie a réalisée à son profit. La sélection des candidats à la présidence de la République par le système est un échec cuisant qui a eu pour effet de dégrader l'exercice de la charge et d'abîmer l'image de la France. Les procédures existent pour rouvrir le jeu démocratique, rompre avec la consanguinité du régime des factions. Le parrainage des candidats par les citoyens en est un, alors que les primaires inventées par la classe politique ne font qu'amplifier ce phénomène de parthénogenèse qui fonctionne au profit exclusif des représentants d'une sensibilité clanique et non de la nation. De l'actuel processus de reproduction et de cooptation des pseudo-élites ne peut sortir qu'un personnel façonné par l'étroit conformisme de l'idéologie dominante, gouverné par l'anthropologie dérisoire de l'économisme qui prétend réduire les hommes à leurs seuls comportements sinon rationnels du moins rationalisables, dépourvu de toute vision autre que l'horizon indépassable de la matière et des chiffres, obsédé par le pondérable et le quantifiable, inaccessible à la dimension symbolique du pouvoir, imperméable aux legs de la tradition et de l'histoire nationale, réfractaire à l'idée même du bien commun. Comme en 1958, la captation partisane est à l'origine d'une profonde crise du système. Elle a fait preuve à la fois de sa nocivité et de sa sclérose si bien que les Français s'en détournent un peu plus à chaque scrutin. Comme s'ils avaient pris conscience de l'antique malédiction énoncée au psaume de David : *Abyssus abyssum invocat*, « L'abîme appelle l'abîme ».

En attendant ce réveil aussi impondérable qu'inéluctable, l'histoire retiendra que, entre les présidences de Jacques Chirac et de François Hollande, qui se seront tant flattés l'un l'autre de se ressembler, le quinquennat de Nicolas Sarkozy aura constitué un tournant. La promesse de restaurer l'autorité de l'Etat, le goût pour l'action d'éclat à contre-courant de la pensée dominante, un certain panache mis au service de la fierté nationale retrouvée avaient été les principaux ressorts de la victoire de 2007. La déception n'en fut que plus forte. En ce sens, nul plus que lui n'aura illustré cette dissolution du bien commun dans un individualisme démonstratif. Nul plus que lui n'aura sapé les fondements de la fonction présidentielle en transposant au sommet de l'Etat le processus d'individuation et d'infantilisation qui affecte la société française. Nul autre, enfin, n'aura autant symbolisé par sa posture cette révolution qui, en moins de deux générations, a consisté, selon Hervé Juvin, en une « sortie brutale du monde du dû et du lien au monde du soi et du droit[18] ». L'hyperprésidence n'aura été en fin de compte qu'une hypoanarchie.

Chapitre IV

De l'hyperprésidence à l'hypoprésident

> « Si la honte, chez le vivant de l'Histoire, provenait d'une incapacité à se montrer digne de l'exemple du père, alors il devenait urgent d'anéantir tout ce qui de près ou de loin relevait de l'ancienne puissance paternelle puisque celle-ci était la source des pires malheurs. »
>
> Philippe Muray.

L'acte de décès du père en tant que figure de l'autorité remonte à mai 1968. Il est vrai que cela faisait déjà quelque temps qu'il n'était pas au mieux de sa forme. A la prophétie de Balzac, implacable psycho-mécanicien de la comédie humaine, selon laquelle « en coupant la tête du roi, la Révolution a coupé la tête de tous les pères de famille », répond, par-dessus les siècles, le constat du psychanalyste Lacan sur la « forclusion du nom du père ». En procédant à la pendaison symbolique de l'effigie du général de Gaulle à la fois « père de la nation » et monarque républicain, en reprenant à leur compte l'utopie permissive de la société sans pères théorisée durant l'entre-deux-guerres par les philosophes de l'école de Francfort[1], les contestataires de 1968 posent l'acte fondateur d'une révolte qui déborde le cadre sociétal et culturel. « Papa pue » n'est sans doute pas le slogan le plus connu, ni le plus populaire, du « joli mois de mai », il en demeure assurément le plus subversif. Par-delà les revendications ponctuelles et le mimodrame qui emprunte aux journées révolutionnaires du XIXe siècle, le mouvement des « enragés » fait de la figure du père sa cible première, non pas comme une expression parmi d'autres, mais en tant que prototype et source de toutes les formes d'autorité.

La mort du père

Toute la littérature engagée de l'époque établit un lien systémique entre l'ordre patriarcal et l'ordre politique. Rejeter la « religion archaïque du père », l'hégémonie du « despote paternel » représente la meilleure façon de s'attaquer aux fondements mêmes du pouvoir, ainsi que le résume la sociologue Evelyne Sullerot : « La société sans pères à créer doit être une société de liberté [...] dans laquelle les adolescents prennent la parole, eux qui représentent demain se faisant, et imposent silence aux "vieux", à ceux qui prétendent savoir, enseigner, commander, gouverner, aux pères, aux profs, aux ministres, et au Vieux par excellence, le général de Gaulle[2]. » Le « premier des Français » aura beau, le 30 mai 1968, dans une fameuse allocution radiodiffusée, siffler la fin de la récréation, rameuter la « France profonde » avec les mâles accents d'un chef de guerre, brandir les attributs de la légitimité, mettre en déroute les apprentis insurgés, ce sera bel et bien la dernière fois que la voix du père se fera entendre et imposera son autorité à la nation tout entière. Après, selon le mot de Philippe Muray, viendra le temps des « papas poussettes ».

Avec Mai, tous les « grands signifiants despotiques » sont congédiés. La mort de Dieu, comme celle du père, ne relève plus du débat, mais du constat. Du moins est-ce ce que proclame le siècle en son jabot avantageux. La psychanalyse leur ayant appris à reconnaître le lien intime qui relierait le complexe paternel et la croyance religieuse, les féministes sont les premières à en tirer la leçon, à l'instar d'Elisabeth Badinter : « Si l'humanité a voulu se débarrasser de Dieu, c'est avant tout parce qu'elle voyait en lui le symbole du père[3]. » La forme d'organisation sociale qui s'était jusqu'ici maintenue comme une sorte d'invariant anthropologique cède sous les assauts conjugués de l'égalitarisme et du capitalisme, du droit et du marché. Fonction paternelle, puissance maritale, valeurs viriles : ce sont ces trois dimensions que la société récusera à partir des années 1970, tandis que le législateur, suivant l'évolution des mœurs, s'emploiera à « déconstruire » ces « montages » symboliques et normatifs.

Au bout du compte, la postmodernité se réduira à un vaste processus visant à délégitimer, décrédibiliser et destituer tout rapport à la transcendance et à l'immatériel ; bref, à ébranler et annihiler les valeurs qui déterminaient un individu à agir indépendamment de la stricte rationalité comptable. Quoi de plus absurde, en effet, que la coutume, le sacré et la tradition qui, tous, énonçaient la loi du père ? Le défi de l'homme postmoderne sera de vouloir affronter le monde sans la protection du roi, du prêtre, du soldat et autres figures à l'ombre tutélaire desquelles les générations précédentes s'étaient, des siècles durant, abritées.

Par-delà la crise de la représentation de la masculinité, c'est l'autorité qui n'est plus acceptée. Si le principe n'en est plus légitime, sur quoi en faire reposer l'exercice ? Dans la Rome antique, elle était conférée par l'antériorité d'un grand récit, une sorte de religion civique à quoi tous se référaient, de l'empereur au *pater familias*, et par quoi chacun se sentait « lié en arrière ». A l'ère de l'individu-roi où les grands récits collectifs sont discrédités, l'autorité ne peut être perçue que comme une atteinte liberticide à la souveraineté du moi, une contrainte abusive à laquelle il convient d'opposer un droit de critique et, le cas échéant, un devoir d'insubordination. Rien ne légitime plus le pouvoir qui se voit alors restreint à la *potestas*, la puissance publique obligée de recourir à la coercition, quand l'*auctoritas* appelle le consentement.

Dès lors, l'alternative qui s'offre aux détenteurs d'un tel pouvoir est soit de tendre à restaurer l'autorité, mais dans l'ignorance ou l'incertitude de savoir comment, soit, l'objectif étant jugé indésirable, illusoire ou inaccessible, de chercher à obtenir le consentement populaire par d'autres moyens. Depuis de Gaulle, il n'est plus de « père de la nation », plus de pasteur, plus de guide, Mitterrand lui-même n'ayant revendiqué, sous l'appellation de « Tonton », que le modeste emploi d'un parrain cynique et bienveillant. Voici le temps du *soft power*, non pas une nouvelle puissance, mais un rapport nouveau à la puissance. Au mot de « gouvernement », qui était réservé à la conception hiérarchique et centralisé de l'Etat, s'est peu à peu substitué le terme de « gouvernance » pour désigner la nouvelle gestion horizontale du pouvoir propre aux démocraties libérales. Dans la pratique gaullienne, si le président était au-dessus des partis, c'était pour conduire et assurer le gouvernement des hommes, non pas pour transiger et préserver ce qu'on appelle les « grands équilibres sociétaux » par le biais de l'administration des choses.

Le pouvoir, faute d'une autorité qui le légitime, est devenu, pour le dire avec les mots d'Hannah Arendt, un « pouvoir qui ne vaut rien[4] », un lieu vide, sans tête, de moins en moins incarné, mais de plus en plus narcissique. Un lieu livré au « rienisme », se désolait déjà Joseph de Maistre, où les occupants successifs sont condamnés à apprendre, chacun à tour de rôle et tous à leurs dépens, qu'il n'est rien de plus corrosif que la poussière des dieux morts.

Gouvernance ou leadership ?

Le règne de Chirac avait été celui de l'irresponsabilité perpétuelle, des valises de billets et des spadassins. Dans les conservations privées, Sarkozy, qui en avait vécu les coulisses jusqu'à l'écœurement, ne manquait jamais l'occasion de manifester à l'égard de son prédécesseur une indignation que le temps n'était pas parvenu à atténuer : « *Chirac aura été le plus détestable de tous les présidents de la Ve. Franchement, je n'ai jamais vu un type aussi corrompu. Un jour, il a voulu me faire signer un contrat avec l'Arabie saoudite. Je me demande encore comment il a osé me mettre ça sous le nez. Il en a tant fait qu'il était fatal que ça lui pète à la gueule. J'ai rarement rencontré quelqu'un d'aussi méchant et avide. Il y a quand même une chose qui m'étonne : vu ce qu'il a ramassé, je n'ai jamais compris qu'il n'ait pas d'appartement à Paris*[5]. »

Sur le plan politique, le double mandat de Jacques Chirac s'était achevé sans avoir livré la clé de l'énigme : pourquoi cet homme avait-il mis autant d'énergie pour conquérir et conserver le pouvoir, alors qu'il s'employait méthodiquement à le vider de son contenu ? La pugnacité du candidat, la férocité à l'égard de ses rivaux, hors et dans son propre camp, contrastaient étrangement avec l'absence de grand dessein de l'élu à la tête de l'Etat. Avec lui, le domaine présidentiel s'était réduit au périmètre du Téléthon. Sécurité routière, lutte contre le cancer, aide aux handicapés : le quinquennat, qui lui avait échu moins qu'il ne l'avait gagné après un septennat empêché, devait se limiter à la promotion de ce triptyque apolitique et consensuel.

Par le primat concédé au diktat de la rue sur la loi votée par la représentation nationale, la présidence chiraquienne fut aussi celle de la capitulation permanente face aux manifestations. Pis encore, l'homme restera dans l'histoire comme celui qui, avec le texte sur le Contrat première embauche (CPE), aura pris la décision, abracadabrantesque dans un état de droit, de promulguer une loi tout en s'interdisant de l'appliquer, ainsi qu'il l'annonça dans son allocution du 31 mars 2006, sinistre cérémonie de l'impuissance politique autocouronnée devant des millions de Français. Au fond, cet héritier apostat du gaullisme se sera pour l'essentiel employé à défaire l'œuvre de relèvement entreprise par le fondateur de la Ve République. Désavoué à deux reprises par le suffrage universel, la première lors du changement de majorité consécutif à la dissolution de 1997, la seconde lors de la victoire du « non » à l'issue du référendum de 2005 sur la Constitution européenne, il se refusera chaque fois à en inférer la moindre incidence politique, s'accrochant à son trône en carton-pâte avec une constance qui n'aura d'égale que l'opiniâtreté mise à appliquer son seul et unique programme : *I will survive.*

Face à ce désastre, la personnalité de Nicolas Sarkozy semblait remplir un vide. Non qu'il pût prétendre ressusciter la figure du père dont l'écartaient son morphotype et sa genèse d'enfant de divorcés, mais parce que son tempérament coïncidait avec le retour au modèle du leadership qui, dans l'histoire, supplée toujours à l'épuisement des idéologies, au discrédit des expertises et à la dépréciation des instances collectives de délibération. Un président leader par opposition au président aboulique qu'était Chirac, une présidence de restauration pour trancher avec une présidence de renoncement qui venait d'entrer dans sa phase terminale : tel fut le schéma présidentialiste et (un peu) providentialiste que je proposai à Nicolas Sarkozy au sortir de l'épisode calamiteux du CPE pour répondre à la crise d'un pouvoir évanescent comme à la perte de crédibilité du politique qui en avait résulté. L'idée le séduisit, mais pas au point, cependant, de tirer les conséquences ultimes du couplage entre la contraction du quinquennat et l'inversion du calendrier législatif. Cette mutation impliquait que nos institutions évoluent vers un régime authentiquement présidentiel dans lequel le chef de l'Etat assumerait la totalité du pouvoir exécutif et, donc, l'entière responsabilité devant l'opinion, indépendamment de la majorité parlementaire. Ce qu'il ne sut ou ne voulut qu'entrevoir.

La réflexion inaboutie du candidat Sarkozy s'arrêta au concept d'hyperprésidence, même si le mot, forgé ultérieurement par les médias, ne faisait pas encore partie de son vocabulaire. Il s'agissait pour lui ni plus ni moins que de mettre fin à la singularité française d'une dyarchie inégalitaire entre l'Elysée et Matignon dont, au cours des périodes de cohabitation, les observateurs internationaux avaient pu mesurer l'incongruité et le ridicule lors des conférences de presse à géométrie variable concluant les grands sommets. Ne lui restait plus qu'à trouver un Premier ministre qui par avance renoncerait à exister de façon autonome, un contre-modèle des Chaban, Chirac, Rocard et consorts, un Premier ministre qui aurait en quelque sorte théorisé le reformatage sinon la disparition de sa fonction. L'erreur fut de se convaincre que, s'il existait quelqu'un qui, parmi le personnel politique, correspondait à ce portrait-robot, ce quelqu'un ne pouvait être que François Fillon.

Le fond et l'écume

Lancée dans l'euphorie de l'état de grâce, la réforme des régimes spéciaux de retraites (SNCF, RATP, EDF-GDF, Banque de France, etc.) devait être la mère de toutes les réformes, le laboratoire de la méthode Sarkozy alliant concertation avec les partenaires sociaux, volontarisme étatique et audace rénovatrice. En fait, l'expérience tourna très vite à la confusion quand il devint évident que les mâles résolutions affichées masquaient toujours moins l'écart qui ne cessait de se creuser entre le maximalisme de la campagne et le minimalisme de l'action, entre l'agressivité du verbe et la réalité d'un pouvoir prêt à négocier sur tout. Bref, que le sarkozysme n'était au fond que la continuation du giscardisme et du chiraquisme par d'autres moyens.

A l'annonce du projet gouvernemental, les syndicats de cheminots entamèrent un mouvement de grève qui allait paralyser les transports ferroviaires pendant une dizaine de jours. Sur le papier, le texte du gouvernement avait pour lui l'équité, le bon sens et un soutien massif de l'opinion publique très favorable à l'alignement des régimes spéciaux sur le régime général de la fonction publique. Pour les libéraux et les Diafoirus de l'économisme, il s'agissait là du premier coup de pioche dans le « mur de Berlin des corporatismes ». En réalité, c'était une tout autre partie, décisive au regard de l'avenir du quinquennat, qui se déroulait à l'arrière-plan : le nouveau pouvoir saurait-il résister aux bourrasques de ce fameux « troisième tour social » qui faisait s'envoler les promesses de campagne comme plume au vent ? Parviendrait-il à échapper à ce syndrome de 1995 qui affectait les gouvernements de droite depuis qu'Alain Juppé, droit dans ses bottes de sept lieues pour mieux amorcer le recul, avait dû capituler en rase campagne devant les millions de manifestants qui réclamaient le retrait de son plan dans lequel, outre la Sécurité sociale, il était déjà question des régimes spéciaux ?

Chaque soir, durant dix jours, nous nous retrouvâmes autour du président de la République pour des réunions de crise auxquelles participaient, une fois sur deux, le Premier ministre François Fillon, le ministre du Travail Xavier Bertrand et la ministre de l'Intérieur Michèle Alliot-Marie. Chacun, autour de la table, semblait avoir conscience que la façon dont l'exécutif allait sortir de cette première épreuve marquerait ou non la rupture avec la trop longue soumission de l'Etat aux intérêts catégoriels. Au début, Nicolas Sarkozy campa aux avant-postes d'une sorte de ligne Maginot qu'il imaginait imprenable sinon incontournable, tout en ne s'interdisant pas une « certaine intelligence manœuvrière » en fonction de l'évolution du rapport de force. Il fut même question que le chef de l'Etat aille à la rencontre des cheminots non grévistes dans un dépôt de la banlieue parisienne. L'idée suscita le courroux d'Henri Guaino, grand débitant d'apophtegmes dans le stock desquels il puisait quand forcissait le vent de la contradiction. Nous eûmes un échange à fleurets non mouchetés :

— Ce serait une pure folie que d'utiliser le président comme briseur de grève. Ce serait un contre-emploi total. Ce n'est pas dans sa fonction qui est de rassembler et de maintenir la paix civile, non de dresser les Français les uns contre les autres.

— Comme de Gaulle…

— Quoi de Gaulle ?

— De maintenir la paix civile comme de Gaulle. Excuse-moi, Henri, je veux bien reconnaître au Général toutes les vertus, mais enfin ce n'était pas un tendre. Il lui est même arrivé de faire tirer sur des Français et pas qu'une fois, si j'ai bonne mémoire. Au nom de l'autorité de l'Etat dont tu es, par ailleurs, le premier à regretter le dépérissement.

Agacé par ces escarmouches qui tournaient au rituel entre Guaino et moi, le président intervint, comme à son habitude, avant le premier sang :

— *Arrêtez ! Pas de positionnement idéologique ! Ce n'est pas le moment. J'ai besoin de vous deux. J'ai besoin que vous vous additionniez pour m'aider à prendre les bonnes décisions.*

Il n'y eut pas chez Sarkozy de décrochage brutal, pas de volte-face spectaculaire, mais à mesure que la grève s'installa dans la durée un fléchissement par étapes, une érosion progressive du paysage mental. De la volition à la nolition. De la nolition à la reddition. Sans doute avait-il en tête, dès le départ, l'idée que l'opération répertoriée dans les manuels de l'Ecole de guerre sous l'intitulé de « repli stratégique » nécessitait des phases transitoires et réussissait d'autant mieux qu'on prenait soin de ne jamais l'appeler par son nom ou, mieux encore, de la maquiller en son contraire et de l'habiller des oripeaux de la victoire. Habile et inamovible machiniste de la réforme cogérée avec les syndicats depuis la fin des années 1970, le conseiller social Raymond Soubie affichait pourtant un optimisme dont il n'était pas coutumier. Le baromètre que publiait *L'Humanité* à chaque grand mouvement de mobilisation indiquait un faible niveau de soutien envers les grévistes, d'à peine 45 % contre 62 % en décembre 1995. Cet heureux présage ne rassura pas pour autant le chef de l'Etat.

Le lundi 12 novembre, veille de débrayage à la SNCF, ladite « intelligence manœuvrière » pointa le bout du nez : *« Tout est négociable : salaires, emplois, pénibilité. Tout vaux mieux qu'une grève longue. A ceux qui me reprochent d'avoir tout lâché aux marins pêcheurs du Guilvinec, je leur rappelle la crise de 1994 où les conseillers de Balladur disaient : "Rigueur ! Rigueur ! Intransigeance !" Moyennant quoi, les marins ont mis le feu au parlement de Bretagne. Une bonne négo est souvent moins coûteuse. »*

Cette méditation à voix haute n'avait rien du Sermon sur la montagne, elle valait feuille de route pour le ministre du Travail. Xavier Bertrand n'avait-il pas cru conclure d'échanges informels que Bernard Thibault n'entendait-il pas faire montre de jusqu'au-boutisme ? Le secrétaire général de la CGT ne lui avait-il pas demandé que tous deux étudient de conserve les divers scénarios de sortie de grève ?

Pressentant le mouvement qui s'annonçait, j'adressai une note au président de la République, un peu à la manière de ces voltigeurs chargés de couvrir le décrochage des troupes vers des positions fixées par avance. Avec le vague sentiment de mener un combat d'arrière-garde : « La bonne marche des réformes voudrait qu'il n'y ait pas de vaincu. La logique d'opinion en réclame un. Faute de quoi, le risque est celui d'une réforme qui ne serait que faciale et purement technocratique, dépourvue de toute la portée symbolique dont elle a été investie par les Français qui nous soutiennent comme par nos adversaires. Nous avons tiré tout le profit possible de la concertation avec les syndicats réformistes. Le combat n'est plus ni social ni politique, mais idéologique. Il est conduit par une minorité activiste dont l'objectif est d'empêcher à tout prix l'exécutif de franchir ce premier obstacle. Qu'avons-nous à opposer à ceux pour qui le "troisième tour social" a toujours été un coup à double détente visant à bloquer toute tentative de restauration de l'autorité de l'Etat ? Tout ce qui va dans le sens du consensus affaiblit le président. Dès qu'il fait bouger les lignes, il s'en trouve renforcé. C'est le coup de poing idéologique qui désarçonne l'adversaire, pas la bienveillance. »

Lorsque s'ouvrit la réunion du 15 novembre, je pus croire, un instant, que Nicolas Sarkozy validait mon calendrier : « *La première semaine du conflit sera sociale, la seconde politique, la troisième idéologique.* » Mais ce fut tout aussitôt pour privilégier ce qu'il appelait l'« hypothèse du scénario noir » :

— *On ne peut plus exclure une grève longue, un maximum de désagréments pour les usagers et une chute de popularité. L'opinion nous soutient, mais au bout de quelques jours ce sera le délitement et on demandera : « Que fait le gouvernement ? » Je sais de quoi je parle, croyez-moi.*

Au sixième jour de grève, le dimanche 18 novembre, le conseil de cabinet, cette fois en formation restreinte, ne parut vouloir retenir que les signes d'apaisement qui, il était vrai, se multipliaient : les agents d'EDF et de GDF étaient sortis du conflit, les enquêtes quotidiennes enregistraient un fort recul du soutien des personnels de la SNCF comme de la RATP et, du coup, le nombre de grévistes subissait une nette décrue. Une tout autre préoccupation hantait le président. Soucieux de camper une ligne thatchérienne, Fillon, l'homme qui avait déclaré, quelques semaines auparavant, être en charge d'un Etat proche de la faillite, venait de demander aux organisations syndicales l'arrêt de la grève en préalable aux négociations. Le propos va-t-en-guerre de son Premier ministre, dans lequel il subodorait quelque trouble arrière-pensée, ne passait pas : « *Il n'y aura pas de préalable à la négociation. Qu'est-ce que c'est que ça, un préalable ? Il faut être comme un père de famille avec les Français, un père aimant et dialoguant. Le dialogue doit passer avant l'exercice de l'autorité. Les autres gouvernements ont fait l'inverse. Ils ont été fermes puis faibles. Ils ont paradé avant de tout lâcher. La fermeté n'est pas la rigidité, le dialogue n'est pas la faiblesse.* »

La conséquence pratique de cette admonestation en l'absence de l'intéressé ne se fit pas attendre. La date butoir pour la reprise du travail à la SNCF que le président avait initialement fixée au 19 novembre était reportée au 21, afin d'« enjamber » [*sic*] la grande journée de grève de la fonction publique prévue le 20. Après quoi, foi de Sarkozy, il interviendrait le cas échéant à la télévision pour annoncer la réforme des régimes spéciaux par décret, l'organisation d'une consultation auprès des agents des entreprises concernées et, dans l'intervalle, la mise en place de moyens de transport de substitution.

Il n'y eut ni tremblements, ni foudres, ni Jupiter tonnant. Propulsé à grande vitesse dans les premières semaines du quinquennat, le train des réformes s'arrêta à la gare des régimes spéciaux. Ordre fut donné au ministre du Travail, le 22 novembre, de signer à tout prix un accord avec les syndicats. Pour résoudre la quadrature du cercle, la solution tenait dans l'art subtil du faux-semblant : d'une main, ne rien lâcher sur la mesure phare qui prévoyait l'alignement de la durée de cotisation sur celle du régime général pour les futurs entrants ; de l'autre, accorder de substantielles compensations aux actuels salariés des régimes spéciaux en jouant sur d'autres paramètres plus complexes et moins en vue. L'essentiel était de produire l'illusion du changement. Par l'affichage d'une avancée symbolique, le gouvernement pourrait ainsi se prévaloir d'une rupture avec l'immobilisme de ses prédécesseurs, d'une brèche ouverte dans la société des avantages acquis et des rentes de situation non sans avoir procédé, en coulisses, aux concessions nécessaires – le fameux « grain à moudre » ! – pour contenir les mouvements sociaux. Sitôt connue la signature de l'accord avec les syndicats, un grand récit clarificateur et mobilisateur fut mis en place : la grève s'était brisée sur la volonté de fer du président et aucun commentateur n'entra dans le détail des compensations, bien trop technique pour que l'on s'y attardât. En septembre 2010 seulement, on apprendrait, grâce au rapport du sénateur UMP Dominique Leclerc, que, dès 2020, le gain cumulé de la réforme du régime spécial de la SNCF serait annulé au regard du coût des mesures d'accompagnement que l'Etat avait dû concéder pour boucler la négociation.

Du *storytelling*, la méthode Sarkozy, expérimentée place Beauvau, avait retenu l'usage stratégique propre aux *sales managers* et aux *spin doctors*. Le soin apporté à l'écriture du récit médiatique devait rendre la fiction plus vraisemblable que la réalité elle-même. Entre cynisme et sincérité, ce mantra des communicants avait fini par créer une sorte de bovarysme politique, où le textuel se substituait au réel et où la tension narrative servait à dissimuler l'impuissance à l'action derrière l'intensité de la représentation. Dans cette construction performative, parler c'était agir, dire c'était faire ou plutôt faire croire. Séance inaugurale du quinquennat, la grève de novembre 2007 ne laissait que trop présager ce qu'allait être le volontarisme sarkozyen : un moteur à deux temps fonctionnant au mélange d'un discours dur et d'une pratique molle.

A l'Elysée, je n'étais pas le seul à me heurter au même constat. Emmanuelle Mignon, la directrice de cabinet du président, ne cachait plus sa déception. Le courrier électronique qu'elle m'adressa le 23 janvier 2008 me surprit néanmoins par la virulence du ton : « La campagne de Nicolas Sarkozy a été un succès, parce qu'elle a mis de l'écume (le rêve, les valeurs, la qualité des discours, les symboles, la réhabilitation du verbe en politique, la puissance de communication grâce à une stratégie méthodique, organisée, déterminée, la dynamique de groupe derrière un leader) sur du fond (le sérieux du candidat, la qualité des argumentaires, la qualité du projet). Ce qui ne marche pas aujourd'hui, c'est qu'il n'y a plus d'écume et pas de fond. Plus d'écume parce que sa "production" n'est pas organisée. Tout ce qui avait été efficace pendant la campagne a disparu [...]. Le fond est inexistant parce qu'on a renoncé à la rupture. Bien sûr, cela ne s'est pas fait d'un seul coup. Cela s'est fait progressivement, à force de petits renoncements et de grosses faiblesses. Nous n'avons changé personne dans l'administration et l'administration le sait. Nous avons même plutôt tendance à remercier ceux qui nous avaient trahis et à sanctionner ceux qui nous avaient aidés, à remercier ceux qui sont mauvais et à ne pas valoriser ceux qui sont bons. Nous ne sanctionnons jamais les comportements habituels de l'administration que nous avions pourtant tellement promis de changer : les décrets d'application des lois qui ne sont pas pris au bout de deux ans, les nominations arbitraires, les cabinets pléthoriques, les circulaires incompréhensibles. Nous n'avons pas de politique économique, parce que le président n'a pas voulu arbitrer entre ses conseillers (politique de la demande ou politique de l'offre, déficit budgétaire ou rigueur) et n'a pas pris de risque (TVA sociale, libéralisation de l'économie, etc.). Toutes les réformes sont *a minima* ou petit bras (heures supplémentaires, marché du travail, marges arrières...). Quant à moi, la seule chose qui me rendrait service, c'est que tu lui dises que j'ai conscience de ne servir à rien, mais que je suis réellement empêchée de faire par Guéant et Pérol[6] et que si j'ai voulu partir en septembre, ce n'était pas un caprice[7]. »

Longtemps encore, Nicolas Sarkozy continuerait à croire qu'agir sur les images avait le pouvoir de transformer la réalité, de lui façonner d'autres contours plus flatteurs, de modeler l'idée que les Français se feraient de sa présidence. Longtemps, après que certains observateurs, plus lucides que malveillants, eussent démonté les ressorts de la communication présidentielle en des termes d'où l'indulgence était désormais exclue, tel Marcel Gauchet : « Le sarkozysme manie la contradiction sans complexe. Une bonne partie des prétendues réformes sont pour la galerie. Sarkozy sait manier comme personne l'intransigeance verbale et une gestuelle très chiraquienne des compromis. C'est un bonapartisme pour la télévision où l'affichage de la volonté l'emporte sur la réalité[8]. »

A la fin de l'année 2007, il n'y eut plus qu'un fauteuil à la table du salon vert, celui du président. L'autre, qui lui faisait face, avait été remplacé par une chaise.

Un césarisme sans César

Génératrices d'angoisse sociale, les périodes d'anomie eurent toujours pour effet au cours de notre histoire de susciter l'appel au protecteur, le recours à l'homme providentiel dont la *celeritas* s'empare des foules subjuguées et la *gloria* s'enracine dans l'action d'éclat. Toute une sensibilité populaire, violemment hostile au parlementarisme des notables et mue par une méfiance atavique à l'encontre des corps intermédiaires, se reconnut plus d'une fois dans ce que Maurice Barrès appelait la « France poignarde », ce peuple des faubourgs et des campagnes perpétuellement en quête d'un chef à poigne, éternellement en attente d'un sabre sauveur et d'une voix inspirée venant de plus haut et de plus loin. Au mieux, une telle ferveur porta un Bonaparte sur le pavois ; au pis, elle s'entícha de ces beaux militaires qui, à l'instar du général Boulanger ou du colonel de La Rocque, remplirent mieux l'uniforme que leur destin.

Dans cette galerie des tempéraments politiques, Nicolas Sarkozy inventa une figure intermédiaire : celle d'un césarisme sans César, d'un empire sans emprise, d'un autoritarisme enclin à des emportements à répétition qui le rendaient toujours plus incapable de se faire obéir. Quiconque travailla un tant soit peu avec lui fut amené, un jour ou l'autre, à en faire l'expérience : il menaçait, vitupérait, humiliait, vociférait, brandissait un sabre de bois, mais ne sanctionnait jamais, ou alors soit trop tard, soit à mauvais escient. Il était incapable en somme d'exercer un vrai pouvoir, faute d'avoir renoncé, suivant le mot du philosophe Dany-Robert Dufour, à « la toute-puissance et à la toute-jouissance du pouvoir[9] ».

Les relations avec les parlementaires de la majorité s'en ressentirent immédiatement. Au demeurant, elles ne devaient jamais sortir d'une ambiguïté originelle : élus six semaines après le 6 mai 2007, mais avec une participation inférieure de vingt-trois points, les députés du groupe UMP ne reflétaient ni sociologiquement ni idéologiquement la composition de l'électorat qui avait assuré la victoire de Sarkozy. La révolution culturelle portée par la campagne du candidat de la droite n'avait pas connu de réplique au sein du parti fondé par Chirac qui restait tributaire de ses anciennes pratiques. Imbu de sa personne, conscient de sa supériorité au sein d'une « famille » qu'il méprisait, Sarkozy crut-il – à supposer qu'il l'eût voulu – pouvoir accomplir la promesse d'une alternance à l'intérieur de son propre camp avec un personnel politique insuffisamment renouvelé ?

En tout état de cause, les caciques de l'UMP, relayés par les parlementaires, eurent vite fait d'amortir le potentiel disruptif du nouveau président. Et ce, avec d'autant plus de facilité qu'ils avaient tout aussi vite pris la mesure de l'« éthique de responsabilité » que le candidat avait juré d'introduire dans la conduite des affaires publiques. En lieu et place de la « culture du résultat » qui devait supplanter l'irresponsabilité chronique des membres du gouvernement, il n'y eut ni évaluation ni notation du travail des ministres, et pas davantage de bilan d'étape, mais un art consommé de la fugue et du contournement des situations conflictuelles. Des indociles aux versatiles, des rétifs aux vindicatifs, des paresseux aux irrévérencieux, des frondeurs aux ergoteurs, la rumeur se répandit comme quoi l'ire présidentielle n'était qu'un soufflé qui retombait aussi vite qu'il était monté. Plus le volume de décibels était élevé, plus l'impunité du fautif pouvait être considérée comme acquise. La liste serait trop longue à dresser de ces réunions cathartiques qui n'eurent pour raison d'être qu'un rôle d'exutoire des humeurs peccantes au sommet de l'Etat.

Entre toutes ces séances à vocation thérapeutique, celle du 14 mai 2008 fut sans conteste un cas d'école. Le gouvernement venait de subir un camouflet à l'Assemblée nationale. Le projet de loi sur les OGM avait été rejeté en deuxième lecture à cause du peu de députés de la majorité présents dans l'hémicycle au moment du vote. Le sort de Roger Karoutchi, le secrétaire d'Etat chargé des relations avec le Parlement, était sur la sellette et la position de Jean-François Copé, en tant que président du groupe UMP, guère plus confortable. Survenant presque un an après son entrée à l'Elysée, l'affaire produisit l'effet d'un électrochoc à haut voltage sur le cerveau du président :

— *Ce n'est pas Copé le responsable. C'est grotesque, rien ne marche… J'appuie sur un bouton* (il fait mine de presser un bouton imaginaire) *et… il ne se passe rien. Puisque c'est ainsi, je vire Karoutchi ! C'est injuste ? C'est un copain ? Raison de plus. Je ne peux pas continuer comme ça.*

— Monsieur le Président, s'interposa Guéant, vous n'avez pas sanctionné les écarts précédents de vos ministres. Celui-là fait bien son travail.

Que dire pour l'empêcher de céder à une faiblesse coupable, aux voix qui, de toutes parts, demandaient déjà la grâce du serre-file défaillant ? L'amener à une plus juste appréciation des risques ?

— Mieux vaut une injustice qu'un désordre ! Tu as bien conscience que si tu ne prends aucune sanction, tu vas conforter le dilettantisme, l'aquoibonisme et le je-m'en-foutisme dans les rangs de la majorité ? Comment sortira-t-on demain d'une prison dont on ne cesse de reculer les murs ?

— *Tu as raison. Je suis à la tête de la France, je ne suis pas à la tête d'une équipe de copains.*

Progressivement sa colère retombait, la voix s'apaisait, retrouvait les modulations moelleuses d'une conversation de salon entre gens de bonne compagnie :

— *Je vais attendre la fin de la navette avec le Sénat et le vote définitif du texte, ainsi nous éviterons de dramatiser et cela n'en aura que plus de poids.*

— Ce qui compte, c'est que les Français fassent la relation de cause à effet. L'exemplarité implique l'instantanéité de la sanction.

— *Quarante-huit heures ! Au plus tard lundi !*

— Il est déjà plus tard que tu ne penses.

— *Virer un ministre, c'est ouvrir une crise politique.*

— Non ! Nous ne sommes plus sous la IVe République. Si tu ne fais rien, tu vas élargir la fracture gouvernants-gouvernés. Ils ont déjà tendance à croire que l'insécurité de l'emploi, ce n'est que pour eux, jamais pour les ministres.

Mettant fin à notre échange, le président s'était de nouveau tourné vers le secrétaire général :

— *A propos d'exemplarité, Dati, c'est insupportable ! On ne la voit plus qu'en robe longue dans les soirées parisiennes. Elle ferait bien de se méfier celle-là. Claude, il faut la rappeler à l'ordre...*

— Mais je ne fais que cela depuis dix mois, Monsieur le Président !

— *Il faut être plus ferme... Je sais bien que vous n'aimez pas cela. Enfin, c'est fou, pour avoir des nouvelles de mes ministres, je n'ai qu'à regarder* Match. *C'est le nouveau* Journal officiel. *Cette semaine, il y en avait quatre à la Biennale des antiquaires, quatre pour aller voir la pièce d'Attali. C'est grotesque !*

— C'est inadmissible ce que font certains ministres, Monsieur le Président.

— *Cette loi sur les OGM, quel foutoir ! Borloo est un couard, lui et Kosciusko ne font que des conneries... Tout cela n'est pas au niveau, pas au niveau du tout.*

— Il y a pire, Monsieur le Président. Kouchner s'est permis de vous désavouer sur la gratuité de scolarité pour les lycées et collèges des Français de l'étranger.

— *Il faut que les ministres appliquent ma politique. Il faut que les hauts fonctionnaires appliquent ma politique. Sinon qu'ils dégagent ! Qu'ils se méfient, qu'ils se méfient tous ! Ils veulent tous se protéger, est-ce que je me protège, moi ? Qu'est-ce que c'est que ces couilles molles...*

Quand elles ne visaient pas les ministres, les imprécations présidentielles ciblaient les collaborateurs de l'Elysée comme à l'occasion de la crise financière de l'automne 2008 :

— J'en ai assez de la technostructure qui me met devant le fait accompli, qui publie des communiqués, sans que je les aie toujours validés. Ils sont là pour appliquer ma politique et non l'inverse. Je veux qu'ils viennent au rapport, je veux voir tous les communiqués qui sortent sous le label Elysée. On doit me les montrer.

Victimes récurrentes de ce jeu de massacre et regroupées sous une formule non moins itérative, *« les sans-couilles qui constituent la cellule diplomatique »*, avec mention particulière pour leur chef et *« son col rigide »*. Plutôt que de s'en offusquer, le très flegmatique Jean-David Levitte avait pris le parti d'une dérision policée qui n'en faisait que davantage ressortir les limites assez vite atteintes de l'autorité du chef de l'Etat. A la veille d'un sommet international, alors que nous devisions dans le vestibule avant une réunion « stratégie », le sherpa et Xavier Musca se livrèrent devant moi à un étonnant numéro de duettistes au cours duquel ils prirent visiblement beaucoup de plaisir à évoquer leur prochain voyage dans l'Airbus présidentiel : « Ne vous inquiétez pas pour nous, nous avons l'habitude de servir de souffre-douleur. On a notre plan de vol : "dossiers nuls", "technocrates imbéciles", "diplomates qui ne comprennent rien à la politique"… L'avantage, c'est qu'on sait quand aura lieu l'atterrissage. »

Plus les hommes et les événements se montraient réfractaires, contrariant ou bousculant ses projets, plus Sarkozy s'enfonçait dans une autoanalyse à voix haute dont nous étions les otages mi-consentants mi-excédés. La relation du G8 qui se tint à Muskoka, au Canada, en juin 2010, se transforma ainsi en un exercice d'introspection sauvage où les questions politiques n'intervenaient que comme un arrière-texte additionnel, voire accessoire. *« James Jones, le conseiller d'Obama à la Sécurité nationale, m'a confié : "Quand Barack est* down, *il dit : 'Il me faudrait l'énergie de Sarkozy.' Je me suis dit, moi, que cette flatterie était destinée à me faire passer le reste. L'Argentin Kirchner et Cameron ont plaidé pour l'entrée de la Turquie dans l'Union européenne. J'ai expliqué vigoureusement pourquoi il n'en était pas question. Obama m'a demandé pourquoi il fallait toujours que je m'affronte avec quelqu'un, si ça remontait à mon enfance. Je lui ai répondu : "Vous, les Américains, vous ne pensez jamais aux autres. Tu ne te poses pas un instant la question inverse : 'Pourquoi y a-t-il toujours quelqu'un pour m'agresser ?'" »*

Le choc de deux faiblesses

L'interventionnisme tous azimuts de Nicolas Sarkozy, dont les médias aimaient d'autant plus à se repaître qu'il assouvissait l'un de leurs plus chers fantasmes, ne fut en fin de compte que la manifestation compulsive d'un activisme qui cherchait à s'imposer partout, faute d'être obéi nulle part. Si la chronique des relations entre le président de la République et son Premier ministre ne suivit pas irrésistiblement la même pente, ce fut en raison de la force coercitive des institutions, lesquelles remplirent leur rôle d'ultime garde-fou. Entre les deux hommes, dès le départ, aucun respect, aucune estime, pas même la complicité des combats menés sinon en commun, du moins côte à côte. Seul le corset de la Ve République, en assurant ce qu'il fallait de maintien et de distance pour sauver les apparences, empêcha que leur discordance ne donnât lieu au spectacle indécent d'un scandale public. Une fois encore, la règle se montra plus grande que les hommes, les protégeant contre leurs propres faiblesse et médiocrité.

Agrémenté en temps ordinaires du qualificatif assez peu mélioratif de « géopoliticien de la Sarthe », Fillon faisait l'objet de la part du chef de l'Etat d'un incessant pilonnage verbal, où ses défaillances, ses carences, sa prudence légendaire et même ses silences étaient épinglés en des termes crus à la rubrique « Courage, Fillon ! », dont le titulaire semblait prendre un malin plaisir à tenir la main courante. De séance en séance, la déploration allait *crescendo* : « *Minable ! Lamentable ! Pathétique !* » A l'entendre, Fillon était un mètre étalon de la couardise destiné à rejoindre, au sortir de Matignon, le bureau des poids et mesures du pavillon de Breteuil. Au fil des mois cependant, la sévérité de ces jugements portés en privé détonnait de plus en plus avec la tranquille assurance dont semblait faire montre celui qui en était la cible. L'homme qui, sans craindre le paradoxe, avait plaidé, dès son installation rue de Varenne, pour la disparition à terme de la fonction de Premier ministre au profit d'un vrai régime présidentiel ne manifestait plus guère d'inquiétude. A aucun des trois premiers remaniements, en mars 2008, juin 2009 et mars 2010, il ne fut question un seul instant de le remplacer.

Lui-même d'ailleurs ne demandait rien et ne cherchait à imposer personne, si ce n'était la subtile et distinguée Roselyne Bachelot qui le suivait comme un bagage de cabine. Ministre la plus impopulaire dont l'incompétence dispendieuse avait éclaboussé le gouvernement à l'occasion de sa gestion de la campagne de vaccination contre la grippe A (H1N1), l'ancienne députée du Maine-et-Loire arrachait des hauts cris à quelques-uns des membres de notre petit cénacle, chaque fois qu'était émise l'hypothèse de sa reconduction : « Où est la culture du résultat que nous avions promise aux Français ? Faut-il faire l'objet d'un rejet massif dans l'opinion pour bénéficier d'un sauf-conduit perpétuellement renouvelable ? » Ce à quoi, Sarkozy, en haussant une épaule après l'autre dans ce curieux mouvement de balancier où il semblait toujours chercher un improbable équilibre, répondait, l'air résigné : « *C'est la seule exigence de Fillon. Franchement, s'il n'y a que ça pour qu'il nous fiche la paix.* »

La morne cohabitation de ce couple exécutif si mal apparié, le ressentiment macéré, les aigreurs rancies dans quoi ils marinaient l'un et l'autre avaient fini paradoxalement par former du liant, celui des vieux ménages dont la détestation réciproque nourrit leur unique raison de vivre. Une atmosphère digne du *Chat* de Georges Simenon s'était installée, les enfermant dans une haine inexpiable. A ceci près qu'il n'y eut, en cinq ans, pas le moindre huis clos, pas le moindre tête-à-tête entre les deux hommes. Pourquoi chercher à dissiper les malentendus ? Du point de vue de Sarkozy, il n'y en avait pas.

Au printemps 2010, la question de la réforme des retraites, déjà différée à maintes reprises, vint contre toute attente perturber l'ordonnancement routinier de la vie commune de ces deux colocataires dont le bail semblait devoir se prolonger jusqu'à échéance. Candidat à sa propre succession, conscient d'une impopularité dont il interdisait même qu'on prononçât le mot devant lui, mais qui le taraudait, le président avait un scénario en tête. Il entendait conduire une réforme du système de retraites par répartition sur la base d'un projet subtilement dosé pour ne pas violenter le corps social – d'où le recours une fois de plus à Raymond Soubie, en qualité de grand architecte –, mais suffisamment significatif pour provoquer la résistance des syndicats et lui permettre de poser à l'homme d'Etat refusant de céder à la pression de la rue. Sortir victorieux de l'ordalie où avait tant de fois succombé Chirac, franchir le cercle de feu où la droite s'était si souvent brûlé les ailes lui paraissait être ce défi quasi prométhéen au terme duquel il pourrait enfin montrer aux Français qu'il était capable, lui Sarkozy, de se rédimer en dépit des sarcasmes dont on l'accablait.

La recette magique fut élaborée au seuil de l'été. Une sorte de moyen terme entre l'acte chirurgical que beaucoup estimaient indispensable et le soin cosmétique qui avait prévalu à l'automne 2007. Ce fut à peu près à la même période que, pour la première fois dans nos échanges, Nicolas Sarkozy laissa entrevoir, quoique par touches impressionnistes, l'hypothèse d'un changement à Matignon. Une enquête d'opinion, d'où il ressortait que les Français jugeaient le Premier ministre plus apte que le président à mener une telle réforme, avait fait l'effet d'une allumette en plein maquis corse.

Tout indiquait que Sarkozy, après avoir longtemps tergiversé, était sur le point d'engager une épreuve de force avec Fillon. A commencer par un nouvel incident qui, le 13 juin, déchaîna l'ire du président au vu des fuites qui s'étalaient dans la presse. Il était convaincu que Matignon avait orchestré en sous-main une campagne visant à faire accroire que le chef du gouvernement, favorable à un report de l'âge légal de la retraite à 63 ans, se distinguait par son audace du chef de l'Etat que la perspective de l'échéance électorale de 2012 rendait pusillanime. Au lendemain de la manifestation du 23 septembre dont l'ampleur attestait de la résistance à la réforme, le président me demanda de travailler sur les différents scénarios de remplacement du Premier ministre. Ma mission consistait à tester la popularité d'une demi-douzaine de personnalités réunissant les critères requis, ainsi que celle des ministres en titre, afin de pouvoir jauger leurs possibles évolutions tout au long de la crise.

Cet exercice de darwinisme politique dont je devais lui rendre compte exclusivement et confidentiellement allait le combler d'aise durant les six semaines que dura la confrontation avec la rue. Laisser entendre qu'une nouvelle étape politique s'ouvrirait après l'adoption de la réforme, accréditer l'idée selon laquelle le sort des membres du gouvernement se trouvait plus que jamais suspendu au seul bon vouloir du prince avaient pour Nicolas Sarkozy quelque chose d'infiniment voluptueux.

Remplacer le Premier ministre ? Il n'en fut jamais sérieusement question. D'abord parce que le nombre des candidats possibles s'était réduit comme peau de chagrin. Michèle Alliot-Marie était jugée *« incontrôlable »*, Christine Lagarde dépourvue de sens politique – *« Elle ne connaît pas les Français »* – et seulement capable de *« répercuter les demandes des marchés et du petit milieu financier »*. Xavier Darcos avait été injustement évincé à l'occasion du remaniement ministériel consécutif aux élections régionales de 2010 et Eric Woerth se trouvait empêtré dans le marécage de l'affaire Bettencourt où Sarkozy le regardait se débattre d'un œil froid d'entomologiste. Restait Jean-Louis Borloo en qui d'aucuns voyaient l'homme capable d'incarner le tournant social du quinquennat ou, à tout le moins, une figure du centrisme susceptible d'élargir la couverture du spectre électoral. L'intéressé n'y croyait guère et insista beaucoup pour me le faire savoir : « Il y a un jeu pervers entre Sarkozy et Fillon. J'ai remporté le prix de l'humour politique en disant, voici trois ans, que Nicolas Sarkozy était le premier à avoir compris qu'il fallait passer par l'Elysée pour avoir Matignon. Il est dans l'évitement et ne cesse de reculer la date du remaniement. Je parie qu'il optera finalement pour le statu quo », me confia-t-il, dans son bureau du ministère de l'Ecologie, le 8 septembre 2010.

En réalité, la scénographie imaginée par le président n'avait qu'un objet : contraindre Fillon à venir lui-même solliciter sa reconduction, le forcer à multiplier les déclarations publiques d'allégeance et, plus encore, à entonner un *Te Deum* médiatique à la gloire du chef de l'Etat. A chaque réunion dominicale, ce dernier manifestait une impatience qui cascadait des épaules jusqu'aux pieds agités d'une irrépressible trémulation : *« Je ne sais pas si Borloo sera à la hauteur, mais ce qui est sûr c'est que Fillon est en train de s'enterrer tout seul. Il ne dit rien, il ne fait rien. Pas le moindre mot, pas le moindre geste. Il aura bien cherché ce qui va lui tomber dessus. »* Pour lui signifier que ma complicité ne valait pas duplicité, je lui adressai le soir même une courte note : « Aucune logique d'opinion n'impose le remplacement de Fillon. Au contraire. A lui seul, il capitalise plus de soutiens chez les sympathisants de droite que l'ensemble de ses quatre challengers réunis. Dans ces conditions, il est à craindre que la dynamique née d'un changement de Premier ministre ne survive pas au-delà des trois ou quatre semaines suivant ce changement. En conclusion, il n'y a que dans la littérature épique où l'on s'autorise des prises de risques sans perspectives de gains. »

Le mouvement de protestation contre la réforme commença de s'essouffler avec l'irruption des lycéens dans la rue. En créant un relatif phénomène de pénurie et un début de perturbation dans les transports, les quelques jours d'occupation des raffineries par les militants syndicalistes lui portèrent le coup de grâce. A partir de là, le débat glissa de la question des retraites aux problèmes du maintien de l'ordre, du respect de la libre circulation des personnes et des risques de paralysie de l'économie. Dans les enquêtes d'opinion, les catégories populaires basculèrent d'une opposition sociale à un texte qu'elles jugeaient inique à un soutien politique de l'exécutif face au spectre du chaos. Les déclarations malencontreuses de Borloo, affirmant qu'il n'y avait aucun problème d'approvisionnement aux pompes au moment où les journaux télévisés montraient à satiété des images de longues files de véhicules à l'entrée des stations-service, achevèrent de mettre hors-jeu le ministre de l'Ecologie. Chacun, autour du feu de cheminée, dressa le constat de sa mort clinique. Quelqu'un y parvint mieux que les autres : « Quand, par hasard, on le comprend, c'est qu'il s'est mal exprimé. »

Ne restait plus à François Fillon qu'à se glisser dans les habits du Pompidou de Mai 68, ce qu'il fit pour une fois avec une certaine témérité. Le dimanche 17 octobre, au cours de son intervention au 20 heures de TF1, il déclara qu'il ne laisserait pas bloquer le pays, s'arrogeant implicitement le rôle de garant de l'autorité de l'Etat. Pour sortir de l'impasse dans laquelle il s'était lui-même enfermé, Sarkozy n'avait plus d'autre choix que de le reconduire au terme d'une séquence où la question du remplacement du Premier ministre avait été posée, sans que le président n'eût entre les mains la moindre alternative crédible. Il avait fini cependant par obtenir ce qui lui importait le plus : les fumigations dispensées à grands coups d'encensoir par un Fillon trop content de n'avoir à payer que d'une modeste oblation son maintien à Matignon jusqu'à la fin du quinquennat.

Chapitre V

Le temps des médiagogues

« La dissolution de l'autorité n'a pas conduit à la liberté, mais à de nouvelles formes de domination. »

Christopher Lasch.

Le 11 janvier 2015 restera dans l'histoire comme la plus grande démonstration de contrôle social jamais impulsée par le pouvoir politico-médiatique. Les trois jours précédents, le chœur des thrènes s'abstenant d'interroger causes et effets a martelé les mêmes mots d'ordre, « pas d'amalgame », « unité républicaine », comme si, face à la barbarie, il n'était d'autre urgence que de dicter aux Français leur conduite et de leur interdire toute pensée, forcément mauvaise. La sidération joue à plein. Choqués par les attentats contre *Charlie Hebdo* et l'Hyper Cacher de la porte de Vincennes, captifs de la vulgate sélective qu'en a construit l'information-spectacle, des centaines de milliers d'entre eux descendent dans la rue pour une sorte d'orgie émotionnelle à ciel ouvert. En lacrymocratie, les petits ruisseaux font les grandes rivières.

Si nombreuses apparaissent-elles, ces « foules sentimentales », dont les élans du cœur érigés en critère de vérité et d'authenticité premières constituent l'être collectif, ne parviennent pas, toutefois, à rassembler au-delà de certaines catégories. La France des inclus, des classes moyennes urbaines et des grandes métropoles universitaires en fournit les gros bataillons, quand la France périphérique des nouveaux pauvres et du vote protestataire s'en tient à l'écart[1]. Y a-t-il pour autant une France dressée contre la menace terroriste et une France qui lui serait indifférente ? Une France de la levée en masse pour la défense de la liberté d'expression et une France que cette question, du moins telle qu'elle a été formulée, ne concerne pas ?

En réalité, la création lexicale d'un fantasmatique « esprit du 11 janvier » par l'instance médiatique s'avère comme une tentative désespérée d'unifier sous un vocable générique, par-delà le besoin de cohésion né du traumatisme, l'écriture d'un « narratif de la réalité ». Autrement dit, la représentation de l'événement. Or, si ledit « esprit » doit passer à la postérité, ce sera moins à cause de l'attachement à des « valeurs républicaines » sonores et creuses qu'il était censé exprimer que comme révélateur de l'assujettissement de certaines populations au dispositif de domination créé par les nouvelles autorités symboliques. De ce point de vue, la cartographie des manifestations montre un net clivage entre une France des classes moyennes-supérieures diplômées, paradoxalement la plus perméable au récit médiatique, formation « ego-grégaire[2] » de ceux qui vivent en troupeau en affectant d'être libres – les « mutins de Panurge », si drôlement décrits par Philippe Muray –, et une France populaire profondément rétive à toute forme de mainmise sociale et de manipulation psychologique par médias interposés.

Tous les observateurs politiques s'accordent pour relever à quel point les attentats ont eu un effet d'aubaine pour un François Hollande au plus bas dans les sondages et profondément impopulaire, y compris dans son propre camp. Rares sont ceux, en revanche, qui s'attachent à reconnaître de quoi la manifestation du 11 janvier est le nom ou, si l'on préfère, le signe. Sur le reculoir depuis le début des années 2000, nonobstant la victoire contracyclique de 2012, la gauche vient brusquement de reprendre l'initiative sur le terrain des idées en imposant sa grille de lecture des événements : déconnexion entre l'immigration et l'islamisation, entre l'islam et l'islamisme, entre le djihadisme et le terrorisme, afin de dissoudre la question politico-religieuse dans les vapeurs d'une dogmatique économique et sociale, le tout sur fond d'une exaltation d'un « vivre ensemble » béatifique et d'un laïcisme intransigeant pourtant malmenés par les rappels à l'ordre du réel. La circularité de l'« information » a fait le reste en répercutant à satiété les mêmes poncifs et les mêmes slogans. Sans la moindre fausse note, les médias audiovisuels ont ainsi rempli le rôle qui leur est assigné en postdémocratie : tracer une ligne de démarcation entre la pensée proscrite et la pensée autorisée.

Rien, ce jour-là, n'illustra mieux ce retournement momentané de l'hégémonie idéologique au profit de la gauche, et la position de suiveur à laquelle était ramenée la droite, que le slalom pathétique de Nicolas Sarkozy pour se glisser au premier rang du défilé parmi les chefs de gouvernement et les chefs d'Etat, nageur remontant à contre-courant pour retrouver la source de sa trajectoire, autrement dit, l'œil des objectifs et des caméras seul apte désormais à conférer l'existence.

La fabrique du consentement

Depuis l'Antiquité grecque, est démagogue celui qui flatte et exploite les passions des masses. Dans la *Constitution des Athéniens*[3], Aristote souligne l'ambivalente relation qui le lie au *dèmos* dont il s'improvise tantôt le chef et s'instaure tantôt le tyran. De Pheidon d'Argos à Denys de Syracuse en passant par Pisistrate, les historiens retiennent la figure du tribun et du champion de la plèbe dont l'un des premiers actes est de procéder au bannissement des oligarques. Présenté autrefois comme le pire ennemi de la démocratie, le démagogue est désormais supplanté dans ce rôle par le médiagogue qui opère, quant à lui, un véritable détournement de la souveraineté du peuple en s'auto-instituant comme chambre d'appel du suffrage universel. Contrairement au démagogue, le médiagogue est l'agent exécutif des ploutocrates. Là où le premier exploite l'instinct et la flagrance du bon sens, le second instrumentalise l'émotion et les bons sentiments pour tenter d'imposer son point de vue à la majorité. Adrénaline et moraline sont les deux substances que sécrète la machine médiatique afin de produire de l'hébétude et fabriquer du consentement.

A l'ère de la communication, ainsi que l'avait pressenti Antonio Gramsci, la relation de domination ne repose plus, en effet, sur la propriété des moyens de production. Elle dépend de l'aliénation culturelle que le pouvoir est en mesure d'imposer *via* le réseau de représentations qui double le réel et détermine ce qu'on doit ou ne doit pas savoir et penser de la réalité. Si l'ancienne tyrannie que Platon décrit dans *La République* fait endosser au peuple la « livrée de la servitude la plus rude et la plus amère », elle s'arrête néanmoins au seuil de la conscience, circonscrite qu'elle est à l'asservissement des corps. Il en va autrement avec la dictature molle de la médiacratie qui, au-delà de la régulation des comportements, cherche à façonner le jugement et prétend à la maîtrise des esprits. Tout le travail des adeptes de l'« émancipation », qui ont converti la transgression permanente de l'héritage en impératif catégorique, aura ainsi consisté à troquer les chaînes de l'esclave contre les ficelles de la marionnette.

Au régime de la domination par la séduction, la postdémocratie substitue le despotisme de la manipulation grâce aux effets de l'assommoir publicitaire et de l'abrutissement spectaculaire. Plutôt qu'au peuple souverain dont l'humeur imprévisible et les opinions dissidentes tendent à s'exprimer de plus en plus au moyen du vote protestataire, le médiagogue préfère se connecter à l'audience qui est, selon le mot de Christian Salmon, « la forme spectrale du peuple absent[4] ». La transformation de l'assemblée des citoyens en parts de marché est achevée quand, sous le pouvoir de l'image crue et du sentiment exhibé, les efforts de compréhension se trouvent neutralisés au profit de l'émotion.

Alors que les classes dirigeantes ont plus que contribué, depuis mai 1968, à délégitimer la représentation transcendante des anciennes figures de l'autorité comme autant de formes surannées du contrôle social, elles n'ont pas pour autant renoncé à l'autorité en tant que fonctionnalité pratique et outil indispensable à l'induction du consentement, de l'obéissance, voire de la passivité chez les gouvernés. Celui qui reçoit sans filtre et sans recul l'énorme production médiatique mise au service de la déréalisation du réel dans la suite des attentats des 7 et 8 janvier 2015 finit immanquablement noyé. Ce torrent de passions emporte avec lui la moindre réflexion rationnelle sur la responsabilité des politiques, droite et gauche confondues, et empêche de formuler les questions qui fâchent : « Pourquoi et comment la France est-elle devenue le pays d'Europe qui abrite sur son sol le plus de djihadistes et d'islamistes ? », « Par qui et par quoi ont été introduits et cultivés les ferments d'une guerre des religions dont le pays avait conjuré le spectre depuis le XVIe siècle ? », « Comment prévenir et résoudre à l'avenir un tel danger autrement que par de simples mesures sécuritaires de circonstance ? ». Dans un tel système, l'ordre émotionnel qui en résulte s'avère d'un bien meilleur rapport que toutes les anciennes formes de domination. En médiacratie, ce sont les images qui gouvernent et décident de ce que nous devons penser et faire. On le verra encore avec l'instrumentalisation massive, à l'automne 2015, de la photo représentant le corps d'Aylan, l'enfant kurde échoué sur une plage de Turquie, qui eut pour effet de rabattre la question politique de l'accueil des réfugiés vers le domaine exclusif de la morale. C'est désormais la règle d'or des médiagogues : rien ne doit plus échapper à l'hégémonie du sentiment.

La tyrannie de l'émotion

En marge de l'artifice conceptuel du *storytelling,* la force de coercition émotionnelle qu'offre le médium audiovisuel aura été la grande découverte d'une nouvelle génération d'hommes politiques qui court de Clinton à Obama en passant par Berlusconi, Blair et Sarkozy. A des degrés divers et avec un succès inégal, tous ont choisi d'abandonner l'emploi ingrat de Créon pour rallier le camp des Antigone de pacotille. Tous ont troqué les attributs de l'autorité contre l'empathie immédiate et affective qui est systématiquement sollicitée par les animateurs de télévision, se rêvant à la fois le nombril du monde et les glandes lacrymales du genre humain.

Affaire de tempérament, de génération, de culture, ou simple prise en compte de la rétraction du périmètre politique ? Le fait est que les dirigeants occidentaux semblent, pour la plupart, avoir renoncé à une stratégie de puissance au profit d'un jeu d'influence où le pouvoir s'exerce de moins en moins dans l'espace de la souveraineté et de plus en plus dans l'univers de la communication, c'est-à-dire à l'intérieur même du système médiatique. Les formes de manipulation et d'assujettissement plus enveloppantes et plus insidieuses qui trouvent leur modèle inconscient dans l'emprise maternelle sont désormais jugées plus performantes et donc préférables aux anciennes formes patriarcales de la domination. Désormais, les agendas des politiques s'emplissent de ces innombrables moments compassionnels qui sont autant d'occasions de produire à leur bénéfice quelque émotion collective, cette nouvelle forme d'électricité sociale, le *mythos* contre le *logos,* dont ils se sont laissés convaincre qu'elle est la seule à même de rétablir le contact entre les gouvernants et les gouvernés.

Aujourd'hui, le souci du politique est de gommer ce qui le distingue du commun – l'*altitudo* qui, chez les anciens monarques, désignait à la fois l'élévation et la profondeur – et de souligner ce qui l'identifie à chacun et permet à quiconque de se reconnaître en lui. Autrement dit, de s'offrir non plus en exemple, mais en support.

Dans une société où ni la force de caractère ni la force d'âme ne sont plus portées au crédit de ceux qui en font montre, mais assimilées aux vertus les plus archaïques, le politique est tenu de s'abaisser pour s'humaniser et de s'étaler pour se signaler. Bref, de montrer sa faiblesse afin de remuer le cœur des foules.

Prodigue en soins infirmiers, pourvoyeuse attitrée de paroles réparatrices, dispensatrice de mieux-être, la démocratie compassionnelle, maternelle et maternante n'est pas pour autant l'apanage des femmes. Les hommes s'y déploient d'autant plus volontiers que la dissolution de l'autorité est allée de pair avec la destitution des valeurs viriles devenues autant de motifs de disqualification au regard des critères de la société médiatique. Une approche par trop masculine heurterait la nouvelle sensibilité dominante qui se nourrit de la fragilité des destinées individuelles, mais plus encore des désastres du devenir collectif. Exemplaire à cet égard est le retentissement que le petit écran confère aux catastrophes industrielles ou naturelles, lesquelles demeurent toutefois le plus souvent lointaines et propices à être oubliées aussi instantanément qu'elles ont ému. Il en va autrement des accidents ou attentats aériens qui dégagent un sentiment de proximité fatale et de fatalité durable en ce qu'ils frappent cette « armée de métier » qu'est le tourisme de masse et dont Michel Houellebecq[5] a montré qu'il constitue la mystique ultime et dérisoire de l'Occident moderne. Il y avait là un support particulièrement propice à l'extension illimitée du domaine de la lacrymocratie dont se sont immédiatement emparés les médiagogues.

Pionnier du genre, hussard néanmoins résolu à laisser parler le féminin en lui, manifestant d'emblée un art sûr et consommé de la consolation, Jacques Chirac donne à l'exercice ses premières lettres de noblesse à la suite du crash, le 3 janvier 2004, d'un Boeing 737 de la compagnie égyptienne Flash Airlines qui s'est abîmé dans la mer Rouge, au large de la station balnéaire de Charm el-Cheikh, en causant la mort de 148 personnes, dont 134 Français. Quelques jours plus tard, dans le pavillon d'honneur de l'aéroport d'Orly, on le voit, affairé et plein de componction, s'incliner devant les familles des victimes en partance pour les lieux du drame, escortées d'une nuée de psychologues, thérapeutes et experts du deuil qui, à la différence d'Isis, Nephtys et autres pleureuses divines de l'Egypte antique, n'ont pas pour tâche d'accompagner les morts vers leur dernière demeure, mais de réconforter les vivants.

Après quoi, l'usage s'imposera de transformer chaque nouveau drame du tourisme de masse en deuil national avec mise en berne des drapeaux et séance de déploration médiatique. Larmes qui affleurent, voix qui se nouent, mains qui se crispent, de l'émotion toujours plus ciblée et toujours plus d'émotions prosaïques : le seul enjeu est désormais de savoir qui saura faire montre du plus d'empathie devant la souffrance qu'illustrent alternativement le « direct » depuis la zone de la catastrophe et les images spectrales des proches. Les politiques sont montés dans l'ambulance, personne ne les en fera plus descendre. Fini les hommes de l'ultime recours, place aux hommes des premiers secours. La filiation entre François Hollande et Jacques Chirac que de nombreux indices, au-delà de leurs attaches corréziennes communes, avaient déjà laissé entrevoir éclatera à travers la transmission des rituels de cette nouvelle religion séculière. Ce sera comme un passage de faux témoins. Le disciple y dépassera le maître en déployant une stupéfiante théâtralité du vide, une impitoyable liturgie du néant semblable à ces marches blanches en hommage aux victimes des faits divers, poussant à l'extrême le délitement du politique qui se trouvait du coup doublement privé de sens, c'est-à-dire à la fois d'orientation et de signification.

Le vin des couillons

Pour n'avoir pas toujours à disposition des mélodrames collectifs portant leur lot de détresse humaine si riche en « moments fédérateurs », l'ingénierie de l'ordre émotionnel a entre-temps commencé à exploiter le gisement que lui offre l'égotopie de la nouvelle génération des hommes politiques. A court d'idéaux, fâchés avec les messianismes, incertains dans leurs convictions comme dans leur absence de convictions, animés par un frénétique besoin de paraître, compensant le manque de substance par une surabondance d'apparences, deux ou trois téméraires acceptent de se jeter dans le bain bouillonnant des confidences tous azimuts. Ils ouvrent les vannes pour un raz de marée d'états d'âme. Juchés sur leur « misérable petit tas de secrets », ils se croient à la tête d'un trésor immédiatement convertible en dividendes de popularité. Ils s'appliquent à confirmer, par le spectacle qu'ils donnent d'eux-mêmes, le diagnostic de Michel Foucault comme quoi « l'homme en Occident est devenu une bête d'aveu[6] ».

De Michel Rocard annonçant son divorce dans l'hebdomadaire *Le Point* en 1991 à Bertrand Delanoë déclarant son homosexualité à l'antenne de M6 lors du débat sur le Pacs en 1998, l'effeuillage de la vie privée, une fois amorcé, entre dans la logique des campagnes d'affichage dites de *teasing*. Chaque dévoilement en appelle un autre, chaque confidence réclame son dépassement et la surenchère des promesses. Il n'aura pas fallu longtemps pour que l'imaginaire marchand et l'obscénité publicitaire échauffent l'esprit des politiques et les amènent, dans une douce euphorie, à confondre impudeur et désinhibition, strip-tease et transparence.

D'une facture très différente aura été la prestation de Dominique Strauss-Kahn le 18 septembre 2011, sur le plateau du 20 heures de TF1, bien que se situant, elle aussi, dans le champ de la communication émotionnelle. Pour l'ancien président du FMI, il ne s'agit nullement, à cet instant, de susciter la compassion – comment pourrait-il prétendre au statut de victime après l'affaire du Sofitel ? –, mais de sacrifier à la cérémonie expiatoire qu'attendent de lui les médiagogues. L'acte de contrition auquel il consent du bout des lèvres, et avec un blasement qui transparaît à l'image, ne s'adresse pas aux Français, mais à la petite caste médiatico-politique qui l'a porté sur le pavois, encensant son expertise planétaire, brûlant chaque jour des bâtonnets d'encens en l'honneur de la nouvelle icône d'un mondialisme décontracté, l'ayant intronisé président sans attendre qu'il satisfasse aux formalités du suffrage universel.

La chute de la maison DSK a représenté une humiliation pour l'ensemble de la classe dirigeante. Tout ce que le système charrie de mensonges et d'impostures, de fausses valeurs et de vrais faussaires s'est trouvé ébranlé par l'explosion de cette baudruche gonflée à l'hélium cathodique. En matière de réparations symboliques, DSK fait le service minimum pour tenter de redonner un peu de lustre à la cléricature qui l'a magnifié de longs mois durant : il recycle, à peine retouchés, les éléments de langage et les constructions syntaxiques qui ont servi à Bill Clinton, le 17 août 1998, pour reconnaître devant des millions de téléspectateurs américains sa trouble relation avec Monica Lewinsky, stagiaire à la Maison Blanche. L'un et l'autre, l'un après l'autre, ont choisi de s'ébattre dans le champ de la moralité avec la grâce d'un pachyderme et une insincérité parfaitement convaincante. Pour en appeler à l'affectivité de leurs anciens laudateurs déçus, ces deux bêtes de sexe se sont transformées, le temps d'une brève et fuligineuse repentance, en bêtes d'aveux.

Le royaume conquérant des sentiments venant combler la faille creusée par l'empire mort des idéologies, il est cependant une poignée de réfractaires pour refuser d'endosser la défroque du *showman* et de se plier à l'indécence de l'*infotainment*. Un Lionel Jospin, par exemple, baptisé dans la Réforme, ancien éclaireur unioniste de France et soldat perdu du lambertisme, l'une des chapelles trotskistes, a longtemps conservé une certaine dignité, pourtant régulièrement dénoncée comme la marque d'une rigidité psychique et d'une raideur dogmatique. Jusqu'à ce qu'il abdique à son tour devant l'injonction médiatique lui commandant de « fendre l'armure ». Ce sera à l'université d'été du Parti socialiste à La Rochelle, le 26 août 2006, lorsque, revisitant sa défaite de 2002, la voix brisée par l'émotion, il goûtera au « vin des couillons », ces larmes qui, à en croire le poète, sont l'ivresse des faibles.

Pourquoi les Français respecteraient-ils des dirigeants qui pratiquent l'introspection en public, cèdent à ce que Cioran appelait la *self-pity*, l'apitoiement sur soi-même, alors que le devoir du « responsable » politique n'est pas de cultiver le souci de soi, mais d'avoir le souci du monde ? A quoi bon déplorer la désaffection croissante à l'égard du politique tant que la démocratie compassionnelle maintiendra les individus dans la sphère privée de la sentimentalité et de l'émotion au lieu de les faire accéder, en tant que citoyens, à l'espace public où l'on débat de l'intérêt général ? Le discrédit du politique résulte de ce qu'il est devenu médiatico-dépendant, étroitement tributaire d'un ordre qui ne pouvait que le subvertir dans la mesure même où les règles du bien gouverner et du bien communiquer sont par essence antinomiques. Communiquer c'est chercher à plaire, gouverner c'est le plus souvent contraindre. Communiquer c'est être dans l'instant, gouverner c'est prévoir, inscrire son action dans le temps long de l'histoire. Communiquer c'est paraître, gouverner c'est donner du sens. Empêtrée dans cette inextricable contradiction, la classe politique se révèle toujours plus impuissante à offrir une perspective autre que celle du « direct ».

Dire qu'à l'ensemble de ces mutations, le quinquennat de Nicolas Sarkozy opposa quelque velléité de résistance, serait pour le moins inexact.

Sarkozy, ingénieur en affects

Trop avisé des nouveaux codes de communication pour en laisser à d'autres les éventuels profits, le candidat Sarkozy avait toutes les qualités requises pour être le précurseur de la téléréalité politique en France. Les affres d'un *conjungo* tumultueux, autrement dit, les « folles rumeurs » autour de la liaison de sa deuxième épouse avec un publicitaire, le précipitèrent dans cet emploi. Ce fut ainsi qu'il ouvrit aux caméras de France 3 les portes du loft de sa vie privée, le 26 mai 2005, pour y relater les « difficultés » que rencontrait son couple, affirmer le caractère indestructible des liens qui l'unissaient à Cécilia et s'insurger contre des adversaires peu scrupuleux qui n'hésitaient pas à utiliser les pires procédés pour tenter de l'abattre. Pour une fois, le personnage central n'était pas Nicolas Sarkozy lui-même, mais la souffrance de Nicolas Sarkozy dont il espérait tirer, notamment auprès du public féminin, un surcroît d'humanité, voire un supplément d'âme. Et ce, en dépit des railleries du camp adverse à propos de l'usage public qu'il faisait de sa vie privée tout en réclamant « un peu de répit pour sa famille ».

En devenant président de la République, contrairement à ce que nous étions quelques-uns à secrètement espérer, il n'accéda pas au souci du monde, il s'accrocha aux tristes topiques des médias. Ce ne fut point la raison d'Etat qu'il prit sur ses épaules, mais l'insoutenable légèreté du sentiment. Jamais la politique ne fut pour lui autre chose qu'un flux où le *kairos* l'emportait sur le *chronos*, l'opportunisme sur le temps long. Tout son mandat allait ainsi se dérouler sous une double tension. Entre les attentes de la gouvernance médiatique et les exigences de l'ordre politique dont la finalité est irréductible à la réalisation de fins morales et, encore plus, à la satisfaction de la société du spectacle. Entre la sincérité de l'immédiat, une sorte de spontanéisme plus ou moins bien inspiré et le nécessaire recul que tout homme d'Etat doit interposer entre l'événement et les décisions qu'il est amené à prendre dans l'intérêt du pays.

Au début de l'année 2011, ces forces antagonistes, après s'être longtemps frottées, entrèrent en collision. Le 1er février, le corps démembré et lesté d'un parpaing de Laëtitia Perrais, une serveuse de 18 ans, fut retrouvé dans l'étang de Lavau-sur-Loire, près de Savenay, en Loire-Atlantique. La jeune fille avait été étranglée puis poignardée à quarante reprises avant d'être dépecée. L'émoi culmina quand on apprit que le meurtrier présumé, Tony Meilhon, était un multirécidiviste déjà quinze fois condamné, notamment pour viols. La mise à l'épreuve de deux ans et l'obligation de soins prescrite lors de son dernier jugement n'avaient fait l'objet d'aucun suivi sociojudiciaire, faute de magistrats et de personnel disponibles. L'information selon laquelle sept plaintes avaient été enregistrées depuis sa libération, dont une pour agression à caractère sexuel, sans qu'aucune suite n'eût été donnée, se répandit comme une traînée de poudre. A moins de quinze mois de l'échéance présidentielle, Sarkozy comprit d'instinct qu'une telle affaire offrait plus d'angles d'attaque qu'il n'en fallait à ses adversaires, du PS au Front national, pour mettre en difficulté l'exécutif. Confusément il sentait, même s'il se refusait à l'admettre, que le bilan en matière de sécurité publique n'était pas à la hauteur des engagements pris lors de la campagne de 2007. De même qu'il savait d'expérience que le propre de ce genre de crimes était d'inciter l'opinion, notamment les milieux populaires, à se tourner sans trop d'indulgence vers les pouvoirs publics pour leur demander des comptes.

En visite sur les chantiers navals de Saint-Nazaire, le 25 janvier, alors que Tony Meilhon avait été interpellé quelques jours plus tôt, il amorça une première contre-offensive qui ne servit qu'à souligner les limites de la communication présidentielle dont les procédés et les artifices apparaissaient désormais sous une lumière crue. Pour une majorité de Français, la fermeté du verbe sarkozyen n'entamait plus en rien l'âpreté du réel. Le mythe du meilleur « flic de France » avait vécu. Le 31 janvier, le « père d'accueil » de Laëtitia, qui s'était répandu entre colère et chagrin devant toutes les caméras de télévision en réclamant la création d'un fichier national, ainsi que la mise en place de « surveillances réelles et efficaces » pour les délinquants sexuels, fut reçu par le chef de l'Etat, sans que nul n'eût songé à prendre le moindre renseignement à son sujet. Six mois plus tard, les Français devaient découvrir que l'hôte d'un jour à l'Elysée, le tuteur éploré qui réclamait vengeance à cor et à cri, venait lui-même d'être mis en examen pour viol sur la personne de la sœur jumelle de Laëtitia. Une nouvelle fois à l'occasion de son allocution du 3 février devant des policiers et des gendarmes réunis au commissariat central d'Orléans, Nicolas Sarkozy fut contraint de recourir à l'escalade verbale pour tenter de conjurer le spectre de l'impuissance. Il pointa du doigt la défaillance de l'appareil judiciaire.

Menacés de sanction, mécontents de propos qu'ils considérèrent comme « stigmatisants », les magistrats nantais se prononcèrent à l'unanimité, moins une abstention, pour une « semaine de report d'audience ». Du jamais vu ou presque dans l'histoire de la justice! Ils se sentirent d'autant plus encouragés à le faire que le rapport de force avec l'exécutif avait sensiblement évolué en leur faveur depuis que le président avait dû renoncer à tout projet de réforme de l'autorité judiciaire. Si tentative de reprise en main il y avait eu, celle-ci n'était plus à l'ordre du jour. Au demeurant, les objectifs présidentiels étaient restés assez flous. Avait-il vraiment voulu réintroduire la souveraineté du peuple au sein d'une institution dont le fonctionnement et les pratiques avaient fait de ses membres, les juges, et à égalité avec les journalistes, la corporation la plus discréditée auprès des Français[7]? La loi du 11 août 2011 « sur la participation des citoyens au fonctionnement de la justice » et qui visait à l'introduction de jurés populaires au sein des tribunaux correctionnels avait représenté une initiative trop timide et trop tardive, quoique la gauche n'eût pas manqué de crier au « populisme pénal », pour qu'on pût y voir autre chose qu'une mesure électoraliste très en deçà de la « révolution judiciaire » annoncée à son de trompes au cours de la campagne de 2007.

L'affaire Laëtitia Perrais agit à la manière d'Asmodée, ce démon biblique qui regarde l'intérieur des maisons après en avoir soulevé le toit. Derrière la façade sécuritaire du sarkozysme, l'édifice menaçait ruine. Désemparé, le chef de l'Etat l'était au point d'envisager de se séparer de son ami de trente ans, Brice Hortefeux, dont l'échec était devenu patent au ministère de l'Intérieur. Ce qu'il ferait, effectivement, quelques jours plus tard, à l'occasion du remaniement du 27 février 2011. Le garde des Sceaux Michel Mercier serait quant à lui épargné, au nom des équilibres politiques au sein du gouvernement, bien que le président l'eût trouvé *« mauvais comme un cochon centriste »* pour avoir refusé de saisir le Conseil supérieur de la magistrature sur une éventuelle faute des juges nantais.

Cependant, les dysfonctionnements et les dysfonctionnaires n'expliquaient pas tout du regard critique que les Français portaient sur le bilan régalien de l'exécutif. Comme en bien des circonstances, Nicolas Sarkozy avait été son meilleur ennemi.

Chez lui, l'instinct pulsionnel du médiagogue court-circuitait trop souvent la part de cerveau dévolue au politique. Dans le même temps où il s'efforçait de retourner, sans trop de succès, la violence légitime de l'Etat contre les criminels et les délinquants, il manifesta sur un autre dossier une étonnante faiblesse qui déconcerta jusqu'à ses plus fidèles soutiens. Nul n'ignorait dans notre petit cercle que le président avait pris feu et flammes pour la cause de Florence Cassez, cette jeune Française condamnée à soixante ans de prison par la justice mexicaine en tant que complice d'un chef de gang ayant à son actif une dizaine d'enlèvements et un meurtre. Cet engouement resta longtemps sans répercussion dommageable sur les affaires diplomatiques. Jusqu'à ce que le président Felipe Calderón, aussi convaincu de la culpabilité de la Française et de son compagnon que soucieux de donner des gages à son opinion en matière de lutte contre le crime organisé, annonçât que Florence Cassez allait devoir purger l'intégralité de sa peine au Mexique, faute de garanties suffisantes pour son transfèrement en France.

Imperméable aux raisons supérieures qu'invoquait son homologue et interlocuteur, Sarkozy ne vit aucune contradiction entre la diatribe récurrente contre le laxisme des juges et de la justice, qu'il réservait à la scène intérieure, et la croisade, qu'il menait en faveur de « notre compatriote » sous l'oriflamme de l'indulgence par-delà les mers. Aucune différence non plus entre compassion et sentimentalisme, entre générosité et sensiblerie. « Je ne suis qu'au printemps, je veux voir la moisson » : le cas de la jeune et belle captive était, on le savait depuis André Chénier, un ventilateur à émois qui, sous couvert d'empathie universelle, discriminait entre les victimes avec férocité. Les larmes comme les grands vins avaient leurs cuvées réservées. Prendre la pose flatteuse de protecteur des femmes opprimées à travers le monde était médiatiquement un exercice à forte rentabilité. Le locataire de l'Elysée entendait d'autant moins laisser échapper une telle occurrence qu'elle lui permettait de faire un étalage compulsif des bons sentiments qui l'animaient. Sous son inspiration, la cause de Florence Cassez allait devenir pour l'appareil d'Etat mieux qu'une cause prioritaire : une cause sacrée.

Chercha-t-il à nous y rallier ou, simplement, nous voulut-il prendre comme témoins, lorsqu'il nous fit venir dans son bureau, le 27 mai 2010, pour assister à une conversation téléphonique avec sa protégée ?

— *Je te ferai libérer, ma petite Florence. Ce que je vais te dire, je le dirai à Calderón. Il faut qu'il le sache, je le dis pour ceux qui nous écoutent. Je te ferai libérer comme j'ai fait libérer les infirmières bulgares, Ingrid Betancourt et Clotilde Reiss*[8]. *Clotilde, c'est aussi une fille formidable... Elle veut s'inscrire à l'UMP. Je lui avais déconseillé de sortir quand elle était en résidence surveillée dans notre ambassade. Elle m'a écouté et, tu vois, j'ai réussi à la faire revenir. Toi aussi je vais te faire revenir, ma petite Florence.*

A l'autre bout du fil, la fille répondait par des « O.K. » d'une voix mécanique et lasse. Elle se plaignit du changement de directrice à la prison de Tepepan où elle était recluse, des difficultés qu'elle rencontrait désormais pour joindre sa famille.

— *Prépare ton* amparo[9]. *Si ta peine est révisée, je pourrai demander un transfèrement dans le cadre de la convention de Strasbourg.*

— Vous croyez que ça va marcher ?

— *Il faut que les Mexicains sachent que, si les choses ne s'améliorent pas, je vais faire l'aller et retour en avion. J'irai en parler à Calderón.*

— Oui, parce que le contact avec ma famille, pour moi, c'est vital.

— *Ne t'inquiète pas ! En attendant, je vais t'envoyer Damien. Il n'est pas mal, moins bien que moi, mais pas mal quand même. Je t'embrasse, ma petite Florence.*

— Moi aussi, Monsieur le Président.

Les instructions immédiatement lancées au jeune diplomate qui se tenait à l'écart de notre petit groupe préfiguraient la crise diplomatique à venir :

— *Avertissez notre ambassadeur au Mexique. Convoquez-moi l'ambassadeur mexicain au plus vite...*

Il fallut attendre l'arrêt de la plus haute juridiction, le 10 février 2011, pour que tous les ressorts du drame fussent bandés à l'extrême. La Cour avait conclu ce jour-là au rejet des moyens avancés par la défense. Les voies de recours étant épuisées en droit mexicain, la peine était donc confirmée. Aussitôt après avoir reçu pour la septième fois les parents de Florence Cassez, Sarkozy, sans aller jusqu'à annuler les manifestations prévues dans le cadre de l'année du Mexique, annonça le 14 février que chacune d'entre elles serait dédiée à la jeune Française et son sort évoqué chaque fois que nécessaire en présence des officiels partenaires. Encadré par les parents de la jeune femme, le chef de l'Etat fustigea dans une déclaration solennelle, depuis l'Elysée, l'attitude du gouvernement mexicain en des termes dont toute diplomatie semblait désormais bannie. Derrière ce trompe-l'œil, les chancelleries s'activèrent pour dénouer la crise à moindres frais. Dès le 15 février, on apprit que le dialogue entre les deux présidents allait être renoué.

Selon le rituel qu'il avait lui même établi entre nous et qui allait se prolonger pendant près de six ans, Nicolas Sarkozy ne terminait guère de journée sans m'astreindre à un débriefing téléphonique. C'était le moment privilégié où nous passions en revue les événements du jour nous efforçant de les remettre en perspective, le moment où la parole se libérait des servitudes qu'imposaient les réunions de cabinet, et du peu qui subsistait des contraintes protocolaires. De part et d'autre, les mots étaient sans apprêt. Ce soir-là, mon pessimisme avait quitté les eaux profondes du doute pour échouer sur les récifs de la désolation.

— *Alors, qu'est-ce que tu penses de tout cela ?*

— Je pense que les Français ne doivent rien y comprendre.

— *Ne rien comprendre à quoi ?*

— Il y a dix jours, tu les rameutais contre l'irresponsabilité des juges français en laissant entendre que leur légèreté avait coûté la vie à la jeune Laëtitia. Aujourd'hui, tu leur expliques que les juges mexicains sont d'abominables salauds et que leur gouvernement ne vaut pas mieux parce qu'ils se sont montrés trop répressifs dans une affaire qui est devenue pour eux le symbole de la lutte contre la criminalité. On gagnerait à être un peu plus cohérent.

— *La fermeté n'exclut pas un peu de générosité.*

— Tu connais mon point de vue. Les idées généreuses, ça n'existe pas. Les idées sont bonnes ou mauvaises, voilà tout.

— *Je me suis engagé lors de ma campagne à ce que la France soit toujours du côté des femmes opprimées dans le monde. Ce n'est pas rien tout de même !*

— Es-tu sûr qu'elle n'est pas coupable ? Il y a quand même des faits, des témoignages contre elle. Tes services ont bien un avis là-dessus ?

— *Tu voudrais qu'elle croupisse en prison pendant encore soixante ans, c'est ça ?*

— Je veux surtout que les Français ne te fassent pas payer cette ambivalence dans les urnes en 2012. Est-ce que tu tolérerais, toi, l'ingérence d'un chef d'Etat étranger dans une affaire qui touche à la sécurité des Français ? Ne me dis pas que tu ne t'es pas posé la question de savoir ce que tu aurais fait à la place de Calderón.

— *Moi, je crois au contraire que les Français seront sensibles au fait que leur président sache démontrer de l'humanité quand c'est nécessaire.*

Plus généralement, la question des otages était un point de friction périodique entre nous. « *Les Français pensent que je suis un homme bionique* », disait volontiers Sarkozy, qui n'aimait rien tant qu'apparaître en champion des missions impossibles et en chevalier des causes désespérées dont l'audace et les coups d'éclat forçaient le destin et subjuguaient les foules. Au palmarès présidentiel figuraient déjà quelques trophées spectaculaires : la libération des infirmières bulgares à l'été 2007 comme celle des Français détenus sur leur voilier au large de la Somalie en avril 2008, le rapatriement d'Ingrid Betancourt suivi de celui de Clotilde Reiss. Alors que le retour en France de l'ancienne otage des Farc avait donné lieu à un grand déploiement médiatique, avec accueil au pied de la passerelle par le couple présidentiel, effusions, congratulations, mains sur le cœur et sur l'épaule, discours ampoulé, mais à faible rayonnement, j'obtins, deux ans plus tard, que la visite de l'étudiante à l'Elysée, libérée au bout de dix mois de détention à Téhéran, ne fit l'objet d'aucune image, même furtive, en compagnie du président.

La sobriété me paraissait d'autant plus impérative que la France avait acquis dans l'intervalle une réputation d'excellent payeur auprès de tous les groupes terroristes de la planète pour lesquels l'enlèvement des Occidentaux, et singulièrement des Français, passait désormais pour l'une des activités les plus lucratives. Mettre en scène tout le prix qu'attachait le chef de l'Etat à la libération des otages, c'était en faire bondir la valeur marchande et encourager de nouvelles et sinistres vocations. Une phrase prononcée par Nicolas Sarkozy lors de son discours d'accueil à Ingrid Betancourt me semblait grosse de dangereuses potentialités : « *C'est un message d'espoir que vous soyez là. Il faut que tous ceux qui souffrent ou sont privés de liberté sachent que rien n'est inéluctable, qu'il y a une lumière au bout du chemin.* » A chaque nouvelle libération d'otages, le Quai d'Orsay nie farouchement toute transaction financière avec les ravisseurs et se drape dans un sentencieux mentir vrai aux plis parfaitement ajustés : « La France ne paie pas de rançon. » Les Français n'en croient rien et ils ont raison. Les rançons qui s'élèvent à des dizaines de millions d'euros sont prélevées tantôt sur les fonds spéciaux de la Direction générale de la sécurité extérieure, tantôt sur l'énorme réserve des fonds secrets mis à la disposition du président de la République en dehors de tout contrôle.

L'enlèvement, le 29 décembre 2009, en Afghanistan, d'Hervé Ghesquière et Stéphane Taponier par un groupe de talibans marqua un hiatus dans la communication de l'Elysée. Les rapports qui remontaient au président indiquaient que les deux journalistes de France 3 avaient enfreint les mises en garde de l'armée française leur enjoignant de ne pas se rendre dans la vallée de Kapisa où ils souhaitaient aller au contact des villageois. Assez peu porté à la mansuétude envers les représentants de la corporation – c'était l'époque où il se régalait de la phrase de Nietzsche : « Encore un siècle de journalisme, et tous les mots pueront » –, Nicolas Sarkozy s'emporta plus qu'à l'ordinaire contre l'« *irresponsabilité* » de certaines rédactions et les risques inconsidérés pris par les deux reporters, tandis que le général Jean-Louis Georgelin, chef d'état-major des armées, interrogé par Europe 1, estimait à plus de 10 millions d'euros les dépenses déjà engagées pour les rechercher. Ces propos furent jugés très sévèrement par la Sainte-Inquisition médiatique.

Lorsque les services de l'Etat obtinrent enfin, en juin 2011, la libération des deux journalistes, le consensus se fit autour de la table du salon vert en faveur d'un scénario minimaliste. Pas un moment, il ne fut question pour le président d'aller accueillir les ex-otages lors de leur arrivée à l'aéroport de Villacoublay. L'encre qui s'apprêtait à flétrir une indigne récupération politique gela dans les stylos. Il y eut cependant quelques éditorialistes pour s'étonner d'une discrétion qui ne pouvait traduire, selon eux, que la volonté de faire oublier la fâcheuse polémique qu'avaient suscitée les circonstances mêmes de l'enlèvement, d'autres pour dénoncer une tentative de « représidentialisation » dictée par le calendrier électoral. Les télévisons diffusèrent en boucle les images des héros du jour accueillis en liesse dans les locaux de France Télévisions après 547 jours de captivité et une campagne de mobilisation médiatique sans précédent, sans commune mesure avec le traitement réservé aux autres otages qui n'étaient pas membres de la corporation. Par son caractère tapageur, cette cérémonie d'autocélébration illustrait la privilégiature que les journalistes du service public, nouveaux seigneurs prélevant leur dîme sur les gueux de contribuables, s'accordaient à eux-mêmes.

Sous l'œil de ses employeurs et à la grande satisfaction de ses confrères, Hervé Ghesquière en profita pour faire la leçon au chef de l'Etat sans jamais le nommer. Non, lui et son camarade n'étaient pas partis « gravir la face Nord de l'Everest en tongs ». Non, ils n'avaient commis aucune imprudence et n'étaient pas davantage mus par la « recherche du scoop médiatique ». L'Etat qui venait de payer très chèrement leur libération était prié de faire profil bas. Contrairement à ses habitudes, Sarkozy accueillit cette provocation avec une placidité déconcertante. Il était encore sous le choc de l'agression qu'il venait de subir de la part d'un militant de gauche lors de son déplacement à Brax, en Haute-Garonne, quand, le vendredi 1er juillet, il me fut donné d'aborder devant lui la question de la libération des orages.

— Il faut que tu saches que le meeting improvisé autour de Ghesquière et Taponier, hier à France Télévisions, passe mal auprès des Français qui n'ont qu'une seule question aux lèvres : « Combien ça coûte ? » Combien coûte le « devoir d'information » invoqué par les journalistes, au nom d'impératifs que ne partagent absolument pas les téléspectateurs ? Le contraste entre l'extraordinaire couverture par les médias du retour des deux otages et l'indifférence glacée de ces mêmes médias envers les jeunes soldats français qui sont rapatriés d'Afghanistan entre quatre planches va avoir des effets ravageurs. C'est un véritable tract en faveur du vote Front national.

— *Arrête de te faire plaisir, s'il te plaît. Tu m'as habitué à autre chose…*

— Je ne me fais pas plaisir. Je te rapporte très exactement les verbatims qui remontent des enquêtes en cours. J'en ai tout un florilège à ta disposition si ça t'intéresse.

— *Qu'est-ce que je peux faire de plus ? On a géré cette affaire au centimètre près. On essaiera de le faire au millimètre la prochaine fois. Tu ne vas quand même pas me rendre responsable de ce que disent et font les médias ? J'en suis la première victime.*

— Il y a une chose très simple que tu pourrais faire : profiter du 14 Juillet pour te rendre à l'hôpital militaire de Percy. La rencontre avec nos soldats blessés en Afghanistan sera pour toi l'occasion de marquer la reconnaissance de la nation et dire à l'armée combien tu es fier de l'engagement de ses hommes, de leur sens du devoir et du sacrifice. Il y a tout un discours à mener sur l'armée en tant que dernier noyau de résistance d'un monde en ruine.

Le 14 juillet, le président se rendrait effectivement à Percy où il saurait trouver les mots dignes de sa fonction de chef des armées, après une visite surprise à nos troupes d'Afghanistan d'où il était revenu en rapatriant dans son avion personnel deux soldats de 20 ans blessés en opération. La veille de la fête nationale, cinq militaires français avaient été tués dans un attentat suicide.

Heurs et malheurs de la télégouvernance

Nicolas Sarkozy n'aura été, loin s'en faut, ni le premier président à tenter d'asseoir son pouvoir grâce à la « présence réelle » simulée par la télévision, ni le premier à comprendre que, si la notion de chef, fondée sur l'aptitude de certains hommes à jouer des ressorts émotionnels du groupe, a préexisté à la naissance des médias audiovisuels, ces mêmes médias confèrent au phénomène une puissance inédite.

Pour avoir saisi et aussitôt mis en œuvre les ressources qu'offre le médium audiovisuel alors en plein essor, John Fitzgerald Kennedy fait incontestablement figure de pionnier dans l'exploitation de cette nouvelle forme de gouvernance. Avec le plus jeune président élu des Etats-Unis, la politique n'est plus seulement une affaire de projet collectif, mais d'enjeu narratif. En moins de trois ans, la mobilisation et la collaboration active des grands médias américains entièrement acquis à sa cause vont faire de JFK une star planétaire en même temps qu'un modèle indépassable de leader charismatique. Il faudra, en revanche, attendre près de vingt ans pour que le grand récit de sa présidence apparaisse pour ce qu'il était : une pure fiction bâtie de toutes pièces au mépris des faits eux-mêmes. La publication des archives de la Maison Blanche, des rapports des commissions parlementaires, d'innombrables témoignages et enquêtes a progressivement mis en évidence la profonde discordance entre l'image de Kennedy telle qu'elle avait été construite pour être montrée au public et une réalité beaucoup moins avantageuse.

Le démocrate exemplaire, symbole et étendard des valeurs progressistes, n'avait été élu en 1960 que grâce à une fraude massive organisée par les hommes de main de la mafia. Le catholique pratiquant, le chevalier blanc du *New York Times* et du *Washington Post* n'avait pas cessé d'entretenir des liens étroits avec le parrain du Syndicat du crime de Chicago, Sam Giancana, au point de partager la même maîtresse, l'actrice Judith Campbell Exner. Le mari de la si délicieuse Jackie, le père du si charmant John-John, qu'une photo de *Look Magazine* avait immortalisé sous le bureau du président à la Maison Blanche pour illustrer le chromo d'une famille idéale, n'était en réalité qu'un homme entièrement gouverné par une libido tyrannique. Enfin, l'amant légendaire de Marilyn Monroe était aussi ce consommateur compulsif de call-girls, surinfecté en permanence par des maladies vénériennes, dont les frasques avaient mis à plusieurs reprises en danger la sécurité des Etats-Unis[10].

Rétrospectivement, le bilan de l'action politique n'apparaît guère plus reluisant. Dans l'exercice de ses fonctions, Kennedy avait été un président versatile, pusillanime, impuissant à contenir l'expansion soviétique, frôlant à deux reprises la guerre nucléaire et subissant finalement l'ascendant d'un Nikita Khrouchtchev au sommet de sa puissance et de sa roublardise qui l'avait contraint à des reculs incessants et à de multiples et secrètes concessions : échec du débarquement de la baie des cochons à Cuba en avril 1961, fiasco du sommet de Vienne en juin 1961, passivité devant la construction du mur de Berlin en août 1962, politique aventureuse au Vietnam, succès de façade dans la crise des missiles cubains en octobre 1962 payé au prix fort du retrait en catimini des missiles américains Jupiter de Turquie.

Bien qu'un regard plus critique ait été porté sur l'homme et sa politique à partir des années 1980, la popularité *post-mortem* de Kennedy se prolongea grâce à la persistance rétinienne des images fabriquées par les médias, à la mythologie entretenue par tous ceux qui espéraient recueillir tout ou partie de son capital symbolique et à l'interminable controverse autour de la disparition brutale du président américain enveloppée de lourds secrets.

Là où il n'y avait en somme qu'une monumentale imposture pompeusement magnifiée, toute une génération d'hommes politiques occidentaux ne voulut retenir que la brillance d'un magistère télégénique, la scintillance des images, l'irrésistible séduction des apparences, les nouveaux codes de communication qui enjolivaient si bien l'exercice du pouvoir qu'ils en dissimulaient la mécanique, en étouffaient les grincements. Les voies de l'Olympe n'étaient plus ce chemin abrupt réservé aux hommes d'exception, mais s'ouvraient aux hommes ordinaires. La conquête comme l'exercice du pouvoir n'exigeaient plus la pratique d'une ascèse, mais la possession d'une double identité facile à acquérir : une identité réelle et une identité narrative construite par et pour les médias. Tout l'enjeu consistait désormais à créer en politique ce que les publicitaires appelaient une *lovemark*, une marque qui jouait sur les ressorts affectifs et dont les consommateurs-citoyens ne pouvaient que s'éprendre. A partir des années 1980, les instituts de sondages commencèrent à interroger la population sur l'homme politique le plus séduisant ou celui avec qui on aimerait partir en vacances. Rémanence du mythe Kennedy, la notion selon laquelle la politique est une opération de séduction où l'on gouverne d'abord avec le corps a toujours été présente à l'esprit de Nicolas Sarkozy, y compris dans le choix de ses ministres. En témoigne ce soliloque à voix haute devant ses conseillers, le 21 juin 2007, au moment de la composition du deuxième gouvernement Fillon : *« Je sais bien que je suis le Tom Cruise du pauvre, mais enfin Gérard Larcher ministre, ce n'est pas possible : il est trop laid ! Tandis qu'avec Rachida et Rama, on va leur en mettre plein la vue ! »*

En inventant le gouvernement par la télévision, en consacrant l'abaissement de la chose publique au rang d'un artefact de la publicité, Kennedy s'est assuré une innombrable postérité dont les imitations plus ou moins réussies jalonnent l'histoire politique du dernier demi-siècle. La présidence de Bill Clinton, au cours de la décennie 1990-2000, en demeure incontestablement la version la plus élaborée et la plus connue. Elle fait irrémissiblement penser à la sentence oraculaire de Hegel complétée par Karl Marx dans *Le 18 Brumaire de Louis Bonaparte*[11] : « Les grands faits et les grands personnages se produisent pour ainsi dire deux fois. La première fois comme tragédie, la seconde comme farce. » Aussi le destin de Clinton, qui a fait de sa rencontre avec JFK à l'été 1963 le catalyseur de son entrée en politique, ne butera-t-il pas sur les balles d'un tueur à Dallas, mais sur les lèvres d'une stagiaire de la Maison Blanche. A la différence de Kennedy, ce sera de son vivant et durant son mandat qu'il devra faire face aux révélations sur ses liaisons extraconjugales. L'homme qui a promis que sa présidence serait la plus « éthique » de l'histoire des Etats-Unis est convaincu d'avoir menti au peuple américain. La médiagogie montre ses limites. Pour la première fois surtout se révèle à ciel ouvert l'abîme entre le personnage de fiction créé par les médias, le charmant et envoûtant joueur de saxophone, et l'incommode réalité que pointent les développements de l'affaire Monica Lewinsky. Pour la première fois, enfin, le public captif des grandes chaînes de télévision se trouve projeté dans les coulisses d'un théâtre d'ombres où la dissimulation va de pair avec la force de séduction, en constitue le fondement même. Où le seul enjeu est de construire une stratégie narrative gagnante, c'est-à-dire un récit crédible pour le bon peuple. Un récit où le message est le mensonge.

Hosanna Obama !

L'observateur qui, dans quelques décennies ou quelques siècles, découvrira les commentaires qui suivirent l'élection de Barack Obama le 4 novembre 2008, ne pourra se déprendre d'un sentiment d'étrangeté. Pour les médias du monde entier ou presque, ce jour-là fut jour de parousie. Un dieu de synthèse était sorti des alambics de l'empire du Bien. On s'attendait d'une minute à l'autre à ce qu'une voix annonçât qu'il avait marché sur les eaux et guéri un paralytique au cours d'une visite surprise dans le Bronx. Enfin, l'Amérique, terre de discrimination et de relégation, se rédimait, réparait ses crimes, retrouvait sa place à la tête de la civilisation. Les caméras filmaient en gros plan les visages des descendants d'esclaves baignés de larmes, instant miraculeux qui rachetait la souffrance des plantations, l'humiliation des chaînes et toutes les offenses commises envers tous les parias de l'histoire du Nouveau Monde.

En France, l'étonnant ne vint pas de la frénésie qui s'empara de la cohorte de ses thuriféraires improvisés égrenant leur chapelet de bondieuseries, ni de la transe extatique qui les conduisit à annoncer la venue d'un messie : « Cet homme peut changer le monde » (*L'Express*), « Le vrai génie de l'Amérique » (*Le Nouvel Observateur*), « L'Amérique entame sa rédemption » (*Marianne*), « L'avenir a changé de camp » (*Libération*). L'étonnant, ce fut la raison doctement exposée pour laquelle l'univers entier était prié de se réjouir de l'élection d'Obama et de s'incliner devant une sorte de métaphore des nouvelles identités composites propres à l'ère de la mondialisation. L'Amérique redevenait aimable dans le cœur des peuples parce qu'elle venait d'élire le premier président noir de son histoire, ou plus exactement métis. Le programme politique, la vision géostratégique, la structuration neuronale du président élu ? Ces pierres de touche à l'aulne desquelles on évaluait ordinairement les hommes d'Etat semblaient, dans ce cas précis, dépourvues du moindre intérêt. Tout comme était passé sous silence le fait qu'Obama devait au moins pour partie son élection au soutien de la haute finance et des grandes banques américaines, dont en premier lieu Goldman Sachs, ainsi qu'à l'appui inconditionnel du *Wall Street Journal* et des figures les plus en vue de l'élite mondialisée, de Bill Gates à Warren Buffett en passant par Georges Soros, qui lui avaient permis de réunir le plus gros budget de l'histoire des campagnes électorales américaines, soit quatre fois plus que son concurrent, le républicain John McCain.

Dans ces dithyrambes à jet continu, seule importait la couleur de peau de Barack Obama, fils d'un musulman kényan comme si, pour les champions de l'antiracisme, le taux de mélanine était le critère qui surplombait tous les autres, faisait de lui l'homme-miroir de l'univers, l'« homme-microcosme », comme disaient les philosophes de la Renaissance, c'est-à-dire l'homme qui possédant toutes les valeurs du cosmos s'impose en tant que résumé, synthèse et splendeur du monde. A croire que le nouveau président des Etats-Unis avait été choisi à peu près exclusivement en raison de ses origines. Ainsi se confirmait le déroutant paradoxe déjà illustré par les campagnes de SOS Racisme en France selon lequel l'antiracisme intégriste contribuait *nolens volens* à rétablir un essentialisme racial dans les sociétés occidentales d'où il avait pratiquement disparu. Sans que la moindre objection leur fût opposée, Rama Yade, l'un des emblèmes de la « diversité » nommée à ce titre par Sarkozy au secrétariat d'Etat aux Droits de l'homme, et le président du Cran, le Conseil représentatif des associations noires en France, s'abandonnèrent à une *Obamania* délirante faisant prévaloir une solidarité ethnique sur l'appartenance à la nation française, sorte de racisme à rebours où, au lieu de la société du mélange annoncée comme épiphanie de la mondialisation, l'identité se trouvait surcodée par la notion de « race ».

A l'Elysée, Nicolas Sarkozy était loin de partager la bigoterie médiatique. Notre réunion, le lendemain de l'élection d'Obama, fut morose. La cohabitation dans les rencontres officielles comme sur les photos de presse s'annonçait mal, dévalorisante du côté français. D'emblée, ce nouveau partenaire, qui culminait à 1,85 m avec sa démarche féline et ses costumes coupés Brooks Brothers, lui posait un problème de stature[12]. Il lui posait également un problème de statut. La nouvelle donne américaine remettait en cause le leadership que Nicolas Sarkozy avait réussi à imposer sur la scène internationale à la faveur de l'asthénie diplomatique d'un George Bush en fin de mandat. L'état de grâce planétaire qui entourait le nouveau président élu des Etats-Unis modifiait sensiblement le climat du G8 et du G20 et limitait du même coup les marges de manœuvre de la France. D'autant que l'entrée en fonction d'Obama allait coïncider à un mois près avec la fin de la présidence française de l'Union européenne. Dans un contexte où, de l'engagement des troupes en Afghanistan à la régulation du système financier, les sujets de débat, voire de désaccord, ne manquaient pas, l'expression du moindre *dissensus*, de la moindre divergence avec la politique américaine devenait plus délicate et ne pouvait revêtir, à court terme, que des inconvénients.

Néanmoins, les risques que comportait une attitude de suivisme me paraissaient bien supérieurs à tous les autres. D'abord au regard de la très grande majorité des Français pour qui, malgré une assez forte disparité dans les niveaux d'information, les Etats-Unis étaient clairement perçus comme l'épicentre de la crise financière et Obama comme le président d'un pays lourdement endetté, économiquement en récession et socialement en crise. Annoncé par Nicolas Sarkozy devant le congrès en novembre 2007, le retour de la France dans le commandement intégré de l'Otan était sur le point de devenir effectif[13]. N'allait-il pas repositionner Paris comme figurant au côté de Washington, et non plus en alternative au leadership américain? La prudence commandait donc de faire prévaloir une conception de l'alliance qui ne signifiait ni alignement ni vassalisation, au moment même où le statut d'hyperpuissance des Etats-Unis se voyait ébranlé en profondeur. En outre, la crise réactivait tous les vieux stéréotypes négatifs qui faisaient de l'Amérique le temple du Veau d'or, le pays de l'argent fou, de l'affairisme, de l'âpreté boutiquière épanouie en *libido dominandi* et surtout de la prédation à grande échelle, comme l'illustrait le scandale qui venait d'éclater le 12 décembre 2008, avec l'arrestation de l'escroc Bernard Madoff, l'un des principaux investisseurs en fonds de placement de Wall Street.

Les défauts de régulation qui avaient provoqué le krach des *subprimes* remontaient pour l'essentiel à l'administration Clinton. Or il apparut assez vite que la principale caractéristique du Conseil économique nommé par Obama était d'être composée par d'anciens membres de ladite administration, à laquelle on demandait en quelque sorte de penser contre elle-même, en imaginant les remèdes à la crise qu'elle avait provoquée. Aurait-on voulu ignorer qu'Obama était la créature des milieux financiers que l'évidence l'aurait rappelé au bout de quelques semaines : l'objectif du nouveau président des Etats-Unis était certes d'agir contre la crise, mais surtout d'éviter la remise en cause du modèle qui en était à l'origine. Ni fusion ni effusion, telle fut la position initiale du chef de l'Etat vivement encouragé sur ce point par Henri Guaino et par moi-même. Elle n'allait pas résister longtemps au tropisme de « Sarko l'Américain ».

Ce fut à l'occasion de la visite en France de Barack Obama, invité d'honneur des cérémonies de commémoration du 65e anniversaire du débarquement de Normandie, que les digues cédèrent. Pourtant, la Maison Blanche n'avait rien fait tout au long des préparatifs pour se rendre agréable à l'hôte de l'Elysée. La rétention d'information prévalut jusqu'à la dernière minute, aucune précision n'ayant été donnée quant à la manière dont Obama souhaitait s'occuper dans l'intervalle des cérémonies officielles. Au motif que les interventions des chefs d'Etat devaient avoir lieu dans le cimetière de Colleville-sur-Mer, territoire de 69 hectares cédé par la France aux Etats-Unis, qui surplombait la plage d'Omaha Beach, les Américains avaient exigé que les quatre intervenants prévus au programme, dont le président français, s'exprimassent derrière un pupitre blindé et orné de l'aigle américain. L'assaut que je livrai à ce sujet auprès de Nicolas Sarkozy, lors de notre réunion du 4 juin 2009, prit très vite l'allure d'un baroud d'honneur :

— Il est impensable qu'un président français prenne la parole sur le sol français derrière un pupitre portant l'emblème des Etats-Unis.

— *Il faudrait quatre pupitres et les Américains n'en veulent qu'un.*

— On se moque de ce que veulent les Américains. On n'est plus en 1944. Il faudrait que tu le leur fasses comprendre.

— *C'est un cimetière que nous leur avons concédé.*

— Les Français ne saisiront pas la nuance.

Il n'y eut, finalement, qu'un seul pupitre, une seule souveraineté symboliquement affichée ce jour-là dans la nécropole normande : celle de l'Amérique. L'unique requête, non négociable, du service du protocole de l'Elysée fut de demander l'installation d'une discrète structure destinée à surélever le président français durant le temps de son intervention.

Deux jours auparavant, dans un discours prononcé à l'université Al-Azhar du Caire, principal centre de formation des ulémas sunnites, Barack Obama avait pris la défense du voile islamique, critiquant le fait qu'un pays occidental – la France en l'occurrence – puisse s'arroger le droit, au nom de la laïcité, de dicter aux femmes musulmanes ce qu'elles devaient porter ou pas. Une admonestation que le chef de l'Etat feignit d'ignorer tant il était résolu à afficher la bonne entente franco-américaine et à récolter si possible quelques retombées de la popularité planétaire qui constituait la traîne de la comète Obama. Le président américain, lui, n'avait aucune envie de se montrer dans une proximité trop voyante avec son homologue français, raison pour laquelle il avait d'ailleurs demandé que la reine Elisabeth II, puis à défaut le prince Charles, figurât au nombre des invités.

Outre le déjeuner de travail programmé entre les deux hommes à la préfecture de Caen, Nicolas Sarkozy aurait voulu recevoir à l'Elysée la famille Obama au grand complet le samedi soir ou le dimanche. En guise de marque de considération, le couple Sarkozy n'eut le droit qu'à une matinée récréative et à un déjeuner en compagnie de Michelle Obama et de ses deux filles, alors que le président des Etats-Unis, ayant choisi de limiter sa visite au strict minimum, était déjà reparti pour Washington. L'inaltérable bonne humeur du chef de l'Etat parvint à transformer ce semi-camouflet en un moment de rare complicité, du moins si l'on devait en juger par le récit qu'il nous en fit vers la fin de l'après-midi de ce dimanche 6 juin :

— *Michelle Obama est restée jusqu'à 16 heures. Ce n'était pas du tout prévu, mais elle a voulu que Carla prenne sa guitare et chante... Les filles Obama sont très bien élevées, elles sont allées dans le parc jouer au foot avec les garçons. Après, on lui a fait ouvrir les magasins pour qu'elle puisse faire du shopping. Voilà un bon argument pour le travail dominical !*

En Barack Obama, Nicolas Sarkozy avait reconnu un maître ès séduction des médias tout en s'agaçant qu'il lui portât ombrage. Un courant alternatif, de la fascination à la répulsion et vice-versa, ne cesserait plus de circuler entre les deux hommes. A ce détail près que le président français se montrerait toujours plus désireux de s'afficher en compagnie de son homologue américain que ne le serait ce dernier. La persévérance de Sarkozy s'en trouverait récompensée à l'issue du G20 de Cannes. Ce 4 novembre 2011, Obama se prêta à une interview croisée avec son hôte retransmise sur TF1 et France 2, n'hésitant pas à louer le leadership et l'énergie de son homologue à moins de six mois de l'échéance présidentielle. Pas question d'évoquer les sujets de discorde, comme la taxation des transactions financières, juste des brassées d'éloges échangées par les deux partenaires s'autocongratulant pour leur gestion de la crise économique et l'intervention de l'Otan en Libye. En prime, les téléspectateurs suffisamment patients pour ne pas céder à la tentation du zapping se virent gratifiés du credo commun aux deux hommes : la vie, la liberté et la poursuite du bonheur. Toute la pharmacopée sédative de la mondialisation heureuse.

Chapitre VI

Figures de la soumission

> « Qui ne sait pas haïr passionnément n'a pas d'instinct politique. Si vous ne haïssez pas frénétiquement tous ceux qui ne vous suivent pas, vous perdez ceux qui vous restent. »
>
> Emil Cioran.

Si l'on admet avec Carl Schmitt que « la distinction spécifique du politique, c'est la discrimination de l'ami et de l'ennemi » et que « les sommets de la grande politique sont les moments où il y a perception nette et concrète de l'ennemi en tant que tel »[1], alors il faut convenir que la politique, et *a fortiori* la grande politique, n'existe plus en France et que la désaffection des Français à son endroit découle de la disparition de tout antagonisme réel. La nature conflictuelle inhérente aux relations collectives s'efface progressivement devant la convergence croissante de la droite et de la gauche au sein de cette zone grise où prévaut l'indifférenciation. Or la recherche du consensus à tout prix, qui peut séduire un temps une partie de l'opinion, finit immanquablement par être perçue comme impolitique.

Ce que notait déjà Ernst Jünger, dans une lettre à Schmitt de septembre 1972, alors que la République fédérale allemande s'apprêtait à reconduire le socialiste Willy Brandt à la Chancellerie : « A l'occasion de l'absurde combat électoral de ces derniers jours, il me saute aux yeux que les partis commencent à se ressembler de telle façon qu'il leur devient toujours plus difficile de se distinguer les uns des autres de manière crédible. Tous veulent "la démocratie", "la stabilité, le progrès" (deux termes incompatibles) ; tous veulent être "de gauche" avec des nuances minimes. Cette uniformisation correspond à celle de l'Est et de l'Ouest; Russes et Américains se ressemblent de plus en plus. Tous utilisent les mêmes injures, avec une prédilection pour "fasciste". On se sert toujours du même balai pour nettoyer l'aire. Elle sera bientôt vide[2]. »

Assurément, le rappel du lien entre polémologie et politologie a de quoi heurter les esprits contemporains, en particulier les libéraux pour qui l'art de gouverner se résume à la pacification des rapports sociaux par la neutralisation des dissentiments et, plus généralement, les adeptes de la « fin de l'histoire » selon lesquels la chute du mur de Berlin devait ouvrir sur un monde sans heurt. A leurs yeux, la désignation de l'ennemi en politique ne saurait être que le préliminaire de la guerre civile. Ce qui est faux, l'ennemi étant la figure de notre questionnement sur nous-mêmes, « notre propre remise en question personnifiée », écrit toujours Carl Schmitt. En cela, il est indispensable pour comprendre qui nous sommes et ce que nous voulons.

Malgré son amour proclamé du genre humain, la gauche dispose en ce domaine d'un net avantage psychologique. La matrice révolutionnaire dont elle est issue fait qu'il lui est impossible de vivre politiquement sans ennemi, d'accéder à la sphère publique autrement que par une polarisation exacerbée où l'ennemi se substitue à l'adversaire ou au concurrent. Si la Terreur et la guillotine ne sont plus que des réminiscences historiques, elles restent encore très présentes dans l'imaginaire du camp progressiste qui n'a pas son pareil pour organiser le meurtre symbolique et la lapidation médiatique de ses ennemis. Si le mépris habite historiquement la droite, la haine et la délation trouvent dans une gauche, pétrie de moralisme, un état d'intensité inconnu ailleurs. Longtemps, son sectarisme l'a protégée de la tentation du recentrage vers lequel l'entraînait l'affadissement de sa base sociologique. Aujourd'hui encore, c'est à travers l'épouvantail d'un « fascisme » fantasmé, figure d'une altérité radicale qu'il faut tantôt réduire, tantôt expulser de l'unité politique organique, que la gauche retrouve ce qui lui sert à la fois de serre-file, de dernier marqueur identitaire et de plus petit dénominateur commun. La mécanique des grands rassemblements « contre le racisme et l'antisémitisme » à la suite de la profanation du cimetière juif de Carpentras en mai 1990[3] ou des attentats de janvier 2015 vise ainsi à circonscrire l'ennemi intérieur pour mieux le rejeter à l'extérieur.

A l'autre bout, la droite de gouvernement n'a pas le sens de l'ennemi parce qu'elle n'a pas le sens du politique. Pour elle, la charge de la Cité relève du pragmatisme, d'une adaptation perpétuelle aux circonstances teintée de cynisme récurrent. Ce qui l'a fait sans cesse évoluer entre l'idéalisme du baiser Lamourette et le matérialisme du baiser de Judas.

L'ouverture, figure imposante

Avais-je jamais cru au gramscien que, sur mon conseil, le candidat Sarkozy se targua d'être devenu à l'occasion de son dernier entretien de campagne, en avril 2007, afin de signifier qu'il avait pris conscience de la place qu'il convenait d'accorder au travail culturel, à l'état des mœurs et à l'évolution des esprits comme éléments déterminants des changements politiques ? Avais-je jamais présumé que le président Sarkozy aurait la cohérence et la constance de batailler tout au long de son mandat pour imposer une conception du monde en rupture avec le désordre établi par la classe dominante ? Au fond, dans sa marche vers le pouvoir, il n'avait défié l'hégémonie idéologique du progressisme que sur la question de l'identité, critiquant ici les contre-effets de la repentance et des lois mémorielles, dénonçant là les conséquences déshumanisantes du transhumanisme. C'était peu et beaucoup à la fois. Surtout ce conservatisme sociétal érigé contre la bien-pensance n'excluait pas la revendication d'autres filiations et d'autres héritages.

A y regarder de près, le sarkozysme était un mélange d'influences successives et contradictoires qui me faisait irrésistiblement penser au caodaïsme vietnamien, cette religion syncrétique qui mêle à la fois le confucianisme, le taoïsme et le bouddhisme, sans oublier la statue de Jésus offerte à l'adoration des fidèles dans le Grand Temple de Tay Ninh soutenu par les dix-huit piliers-dragons. J'acquis assez vite la conviction que ce culte dont il était l'unique desservant, évolutif dans son contenu, susceptible d'être sans cesse amendé au gré des besoins, n'obéirait jamais qu'aux seules lois de l'utilitarisme. Aussi l'apostrophe présidentielle au lendemain de la formation du deuxième gouvernement Fillon ne me surprit-elle qu'à moitié : *« Il a de la gueule mon gouvernement, non ? »* De quoi était-il donc si fier, Sarkozy l'épatant ?

De la rupture ? Un tiers des membres retenus avaient appartenu au ministère Villepin et deux tiers étaient d'anciens ministres du second mandat de Jacques Chirac. De l'ouverture ? L'idée lui avait été soufflée par un mercenaire germanopratin auprès duquel Iago eût paru un modèle de loyauté. Aux premières prises de guerre qui lui valurent d'arborer les dépouilles opimes de Bernard Kouchner, Eric Besson et autres moindres seigneurs issus de la gauche était venu s'ajouter un dernier trophée en la personne de Fadela Amara, connue pour son activisme à l'enseigne de Ni Putes Ni Soumises.

L'ouverture était un mot qui jouissait alors d'un prestige considérable, essentiellement dû à la faveur que lui prodiguaient les médias et les élites nomades voyageant en classe affaires. Par opposition, le champ sémantique de la fermeture et de la peur, du confinement et du repli s'appliquait au spectre du peuple, exposé au populisme en raison de la crainte que lui inspiraient certains désagréments tels que la mondialisation, le libre-échangisme, le tout-financier, les courants d'air et les fluxions de poitrine. S'opposer à l'« ouverture » n'était donc pas une mince affaire. Je m'y risquai cependant au cours de l'un de ces échanges vespéraux qu'il affectionnait :

— Ce qui est commun à toutes les ouvertures, c'est leur façon d'échouer. On mécontente son camp sans pour autant désarmer celui d'en face. Souviens-toi du mirobolant Chaban malmené par sa propre majorité et rejeté par une partie du mouvement gaulliste qui lui fit payer cher la nomination systématique d'hommes de gauche comme Pierre Desgraupes à la direction de l'ORTF, Delors et Nora à Matignon. Souviens-toi de Giscard battu en 1981 par le Giscard de 1974, celui de l'ouverture à Jean-Jacques Servan-Schreiber et à Françoise Giroud que l'électorat de droite ne lui a jamais pardonnée[4].

— *Tu n'as pas pris la mesure de ce que je suis en train de faire. Si mon opération réussit, c'est le Parti socialiste que je neutralise pour vingt ans.*

— Ce serait peut-être le cas si tu parvenais à débaucher la génération montante, Valls, Montebourg et quelques autres. C'est le chaînon de la relève qu'il faut casser. Les chevaux de retour comme Lang ou Rocard, ça n'a aucun intérêt.

— *Figure-toi que j'y travaille et que je ne suis pas près de lâcher l'affaire. C'est quand même toi qui n'as pas cessé de prêcher la destruction symbolique de l'adversaire. A ton avis, qu'est-ce que je fais là ?*

— Plus tu te montres large et généreux dans l'affermage de nouveaux territoires à la gauche, plus tu dois être rigoureux dans la bataille idéologique. Plus tu affectes la recherche du dialogue, plus tu dois construire l'armement lourd de la bataille des idées.

— *Moi, je le dirai autrement : l'ouverture est le contrepoids indispensable à la fermeté politique. C'est ma triangulation à moi : il faut ouvrir à gauche pour aller plus loin à droite. Tu ne vas pas t'en plaindre, non ?*

Ce devait être un sujet récurrent d'accrochages entre nous. Etre capable de s'égarer au détour de n'importe quelle idée sans perdre de vue le chemin du retour est la marque des grands politiques. Le drame de Nicolas Sarkozy tenait à l'absence de point fixe, au manque de repères qui lui eussent permis d'enclencher la marche arrière et de revenir à la croisée des chemins, à l'endroit précis où il s'était trompé de route. Les issues ne manquaient pourtant pas pour sortir du labyrinthe de l'ouverture, s'extraire de ce piège politicien à la scénographie médiocre et usée jusqu'à la trame. Au lendemain des élections municipales de mars 2008, je lui proposai d'associer au gouvernement des personnalités couvrant le plus large éventail possible; en bref, l'idée d'une ouverture... à droite. J'avançai le nom de Philippe de Villiers, il en tenait pour l'ancien président de SOS Racisme Malek Boutih à qui il offrit en vain un poste ministériel. A chaque nouvelle tentative de débauchage, l'objectif était moins pour le chef de l'Etat de mesurer la force d'attraction de sa politique que d'obtenir un acte de soumission public à sa personne. L'idée d'une ouverture sociologique en direction de personnalités de la méritocratie populaire, auxquelles on eût fait appel pour des postes de commissaires ou de missionnaires afin d'échapper à l'endogamie du système, n'eut pas davantage l'heur de lui plaire.

Au début de l'année 2009, certains propos donnèrent à croire qu'une prise de conscience s'amorçait :

— *J'ai fait l'ouverture non pour en tirer un profit politique* [N.d.A. : soutenir le contraire eût été difficile], *mais pour éviter qu'une partie de l'opinion ne se crispe d'emblée dans un refus brutal.*

A la vérité, ce n'était là qu'une justification, destinée à apaiser les inquiétudes qui commençaient à sourdre de la base, mais très éloignée, cependant, de toute contrition. Chaque réunion dans le salon vert, le grand salon aux boiseries dorées qui accueillit le Conseil des ministres au temps du général de Gaulle, était agrémentée d'une longue tirade bénisseuse sur les vertus de la tolérance et le refus de tout sectarisme. Son discours devant le Conseil national de l'UMP, le 24 janvier, à la Mutualité, se présenta comme un véritable compendium de la pensée liquide qui, sur le coup, me fit l'effet d'une dangereuse lubie : « *Nous devons changer si nous voulons peser sur le monde du XXI*e *siècle. Nous devons changer nos idées, nos comportements, nos mentalités et nos habitudes. Nous ne devons pas rester immobiles. Nous ne pouvons pas rester repliés sur nous-mêmes. Nous devons être ouverts aux nouvelles idées, aux nouvelles propositions et ouverts à la critique de ceux qui n'ont jamais partagé nos combats* [...]. *L'ouverture, le respect de la diversité, l'intérêt pour la différence : nous devons désormais porter ces valeurs. Je le dis à mes amis, à vous tous qui êtes ma famille : le sectarisme nous est absolument interdit* [...]. *Le sectarisme est l'arme des faibles.* » Il y eut ainsi encore quelques semaines jusqu'au seuil de l'été où le président crût devoir nous gratifier de ces odes insipides, directement sorties d'un élevage de truismes. Rien de tout cela, évidemment, n'était innocent, surtout quand s'y mêlaient, en accompagnement contrapuntique, des variations sur la « *largeur d'esprit* », disposition propre aux esprits confus qui s'étalent au lieu de s'élever.

Deux gauches dont une droite

Tout était en place pour la grande méprise du dimanche 7 juin 2009, jour des élections européennes et nouvelle journée des Dupes qui allait décider du basculement du quinquennat. Comme à son habitude, le chef de l'Etat avait voulu attendre les résultats en compagnie du premier cercle de ses collaborateurs et conseillers bientôt élargi à François Fillon, auquel j'avais dû céder, à son arrivée, le siège que j'occupai face au président selon le rituel établi. La conversation, dans ces moments-là, tournait autour de sujets accessoires qui aidaient à tromper le temps. L'avant-veille, le vendredi 5 juin, à quelques heures de la fin de la campagne électorale officielle, la télévision publique avait diffusé *Home*, le film catastrophe de l'écologiste Yann Arthus-Bertrand et l'avait fait suivre d'un débat modestement intitulé : « Comment sauver la planète ? » La réponse n'était pas claire, mais l'impact sur les téléspectateurs ne faisait aucun doute.

— France 2 a programmé un film-tract. C'est ce qu'on appelle la neutralité du service public, glissai-je en aparté à mon voisin qui n'était autre que le Premier ministre.

— Oui, c'est proprement scandaleux !

Mais voilà que Nicolas Sarkozy se félicitait à voix haute de la diffusion du film, entonnant un panégyrique de la télévision publique.

— Remarquable ! intervint Fillon en une volte-face qui me secoua d'un long rire intérieur.

La performance des listes Europe-Ecologie menées par Daniel Cohn-Bendit, qui avec 16,2 % des voix talonnaient les listes socialistes, s'imposa comme l'événement de la soirée. Sur les plateaux, la mine réjouie des journalistes disait l'intense plaisir qu'ils avaient à célébrer le triomphe de l'ancien combattant de Mai 68, première des vaches sacrées médiatiques dominant d'une tête le reste du troupeau. Le score apparemment honorable des listes de la majorité gouvernementale (27, 8 %) passa à peu près inaperçu, sauf du chef de ladite majorité qui avait craint jusqu'au bout un désaveu spectaculaire, hanté qu'il était par le souvenir humiliant de sa déroute personnelle lors des élections européennes de 1999[5]. Personne, sur le moment, ne voulut voir la signification de ce scrutin marqué par une abstention record (près de 60 %) et une désaffection profonde de l'électorat populaire à l'égard d'une entité européenne jugée lointaine, oppressive, réduite au rôle de cheval de Troie de la mondialisation. A quoi s'ajoutait le ressentiment provoqué par le déni de démocratie qu'avait constitué la ratification par les Etats du traité de Lisbonne, le 13 décembre 2007.

Soulagé par ce qu'il avait décidé de considérer comme une victoire personnelle, le président spéculait déjà sur l'effet de serre que n'allait pas manquer de provoquer le nouveau rapport de force né de cette consultation. C'était comme s'il goûtait déjà aux douceurs émollientes de quelque consensus autour du développement durable, s'abandonnait à l'unanimisme languide d'un nouveau Grenelle de l'environnement, supputait par avance les bénéfices politiques et financiers d'une taxe carbone, cette nouvelle fiscalité écologiste par quoi l'Etat ambitionnait de se relégitimer dans la dernière fonction régalienne qu'il exerçait vraiment avec une efficacité certaine : celle d'asseoir et de lever l'impôt. Je sentis bien alors que ma présence troublait ce nirvana promis à l'extinction du feu de ce que Tocqueville avait appelé les « passions démocratiques ». Ce soir-là, j'avais la tête du principe de réalité qui, comme l'on sait, n'a pas toujours bonne mine. Je renvoyai à Nicolas Sarkozy l'image d'un avenir dont il ne voulait plus entendre parler, un avenir fait d'affrontements et d'épreuves, de plaies et de bosses, un avenir qui impliquait la prise de risques et l'enjeu illimité de sa propre personne. En me dévisageant, il lança à la cantonade :

— *Patrick fait la tête parce que les résultats, idéologiquement, ne lui plaisent pas. Souris ! Les résultats sont bons. Ce n'était pas la peine de t'habiller en noir.*

— Parlons-en des résultats. L'électorat populaire a fait la grève des urnes. Dix-neuf millions d'électeurs en moins, ça mérite qu'on s'interroge, non ? La France populaire qui avait voté pour toi en 2007 ne se sent plus concernée. Il faut remettre ses préoccupations au cœur de ton agenda politique. Il faut de toute urgence envoyer un signal fort à ceux qui constituent le réservoir décisif des prochains scrutins.

— *Il y a un fait politique majeur, que ça te plaise ou pas, le PS est amoché et je vais pouvoir élargir l'ouverture en direction des écologistes. C'est la force montante à gauche, il faut la désolidariser des socialistes.*

— L'écologie n'a jamais été une motivation de vote à la présidentielle.

— *Elle va le devenir.*

— Tu te trompes. On n'élit pas un président pour lutter contre le réchauffement climatique. Une élection présidentielle, ce n'est ni les mêmes acteurs, ni les mêmes enjeux, ni le même périmètre électoral. En 1992 déjà, les listes écologistes avaient dépassé les 16 % aux élections régionales pour finir à 7 % lors des législatives de 1993 et Voynet à 3 % à la présidentielle de 1995. Dans trois ans, il ne restera rien du vote d'aujourd'hui.

Le salon vert s'était peu à peu vidé de ses occupants, emportés par la douce euphorie d'un succès en trompe-l'œil. Ne restèrent bientôt plus qu'Henri Guaino et moi-même et sans avoir échangé le moindre mot, le même nom fatidique nous vint simultanément aux lèvres : « Giscard ! » Giscard, le chantre du « libéralisme avancé » qui avait accéléré le processus de décomposition de la société française, l'homme qui parlait de la France comme d'un « morceau du monde », le chef d'Etat qui s'exprima en anglais lors de sa première sortie internationale. Evoquer le spectre de VGE qui était pour nous l'abomination de la désolation n'avait évidemment rien de fortuit. De notre conversation, se

bien le cosmopolitisme broyeur d'identités que le chauvinisme à front de taureau.

De paroles prononcées sur un ton si solennel obligeaient le président élu, l'engageaient à s'acquitter auprès du peuple de France de ces rétributions symboliques dont une entreprise d'arrachement avait voulu le priver. Or, en guise de gage, la première initiative de Nicolas Sarkozy, à peine investi à l'Elysée, devait se révéler en tout point désastreuse. Elle consista à annoncer, lors d'une cérémonie au monument de la cascade du bois de Boulogne, le 16 mai 2007, que la lettre d'adieu à ses parents du jeune militant Guy Môquet, fusillé par les Allemands en août 1941, serait désormais lue dans tous les lycées à chaque rentrée scolaire. L'idée, qui consistait à braconner une fois de plus sur les terres mémorielles de la gauche, lui en avait été soufflée par un Henri Guaino viscéralement attaché à la mythologie communiste de la Résistance.

Elève au lycée Carnot dans le XVIIe arrondissement de Paris, Guy Môquet était le fils du député communiste du quartier des Epinettes, Prosper Môquet, arrêté en octobre 1939 et déchu de son mandat en même temps que cinquante-neuf autres de ses camarades siégeant à la Chambre en raison de leur soutien au pacte germano-soviétique et sous l'incrimination d'intelligence avec l'ennemi. Après avoir réclamé une « paix immédiate » avec l'Allemagne et organisé des actions de sabotage du matériel militaire français dans les usines d'armement, l'appareil clandestin du Parti communiste, alors dissous, lançait dès le mois de juillet 1940 un appel à la fraternisation avec les soldats du Reich, au nom de la lutte commune contre le grand capital et les trusts, tandis que des responsables du PC sollicitaient auprès des autorités nazies l'autorisation de faire reparaître *L'Humanité*. Ayant repris le flambeau du combat paternel, le jeune Guy Môquet déploya une intense activité militante, notamment dans la distribution de tracts dénonçant le caractère impérialiste de la guerre et plaidant, dans une France occupée, pour une « vraie collaboration internationale » et une « fraternité avec le peuple allemand ». Ce ne fut donc pas en tant que résistant qu'il fut arrêté par des policiers français, le 13 octobre 1940, au métro Gare de l'Est, mais comme militant obéissant aux consignes du Komintern.

Il fallut attendre l'invasion de l'URSS par l'armée allemande en juin 1941 pour que le PC basculât enfin dans la Résistance. En représailles de l'attentat perpétré en octobre 1941 par trois militants communistes contre un officier allemand à Nantes, le général von Stülpnagel, chef des forces d'occupation, fit exécuter cinquante otages, dont Guy Môquet qui ne figurait pourtant pas sur la liste des prisonniers proposés aux Allemands par les services du ministre de l'Intérieur du gouvernement de Vichy. D'emblée, le PC s'employa à faire de ce lycéen de 17 ans et des fusillés de Châteaubriant les figures centrales d'un dispositif légendaire destiné à faire oublier ses déplorables errements d'avant l'été 1941. Ce fut, on vient de le dire, au prix d'une falsification de l'histoire. Car si Guy Môquet tomba bien sous les balles d'un peloton d'exécution allemand dans la carrière de La Sablière en octobre 1941, l'auréole des suppliciés dans la fleur de l'âge qu'il y gagna n'avait pas, cependant, le pouvoir de transformer en héros et martyr de la Résistance celui qui, pour son malheur, avait agi en bon petit soldat du pacte hitléro-stalinien, abusé par la politique de trahison et de collaboration des dirigeants communistes de l'époque.

On ne pouvait donc imaginer choix plus malencontreux pour inaugurer l'œuvre de restauration et de réparation de la mémoire nationale à laquelle Sarkozy avait promis de s'atteler, une fois parvenu au pouvoir. A quoi bon vitupérer contre la francophobie de l'intelligentsia pour conforter finalement l'accumulation des mensonges historiques ? Malgré le soutien de Marie-George Buffet, la secrétaire nationale du PCF trop contente de voir avaliser la mystification qui avait permis au parti de repeindre son histoire aux couleurs de la France, l'opération tourna au fiasco. Comble de l'ironie, les syndicats d'enseignants dénoncèrent dans la volonté du président de la République une tentative d'« instrumentalisation politique de l'histoire », alors que la fiction d'un Guy Môquet résistant était déjà elle-même, depuis longtemps, l'archétype d'un mythe politiquement instrumentalisé. L'historien Jean-Pierre Azéma alla même jusqu'à parler de « caporalisation mémorielle ». Du fiasco, on bascula dans la farce quand le SNES, le syndicat majoritaire dans l'enseignement secondaire, en appela, le 3 octobre 2007, au « refus collectif » de lire la lettre qui figurait pourtant en bonne place parmi les reliques du martyrologe de la gauche et que les enseignants, en d'autres circonstances, se seraient fait un devoir de commenter, si n'avait été leur détestation profonde de celui qui le leur demandait.

Cependant Guy Môquet ne fut pas la première, ni la dernière station imaginée par Henri Guaino dans ce qui allait vite s'avérer être un véritable chemin de croix mémoriel. A la recherche de sa roche de Solutré, afin de s'accorder, sur le modèle de François Mitterrand, d'un lieu de pèlerinage annuel susceptible de fournir des images gratifiantes de sa personne, le candidat Sarkozy se rendit le 4 mai 2007, entre les deux tours de l'élection présidentielle, au plateau des Glières, « haut lieu de la Résistance intérieure » en Haute-Savoie, durant la Seconde Guerre mondiale, et y annonça son intention d'y revenir chaque année s'il était élu. L'histoire exerçant en France, comme pratique sociale, une fonction identitaire, pourquoi en effet ne pas placer la Résistance au centre du discours du futur président pour en faire, dans un registre agonistique, le symbole par excellence du combat libérateur et continuateur de la nation française, en réaction contre les ferments de dissolution qu'avait répandus la rhétorique mortifère de Chirac ? Cette fois, l'idée était pertinente, mais le choix du site et l'exécution furent calamiteux. L'absence d'un lieu central, indiscutable, susceptible de cristalliser la mémoire de la Résistance intérieure et de fixer célébrations et commémorations avait donné sa chance, dès l'immédiat après-guerre, au plateau des Glières, bien que les premiers écrits, des témoignages contradictoires et le défaut momentané d'archives disponibles eussent d'emblée contribué à obscurcir la réalité des faits. Puis, la mémoire se détachant de plus en plus de l'histoire, les visites de Charles de Gaulle en 1944 et 1960, celles de Vincent Auriol en 1947 et de François Mitterrand en 1994, sans oublier l'inauguration par André Malraux en 1973 d'un monument commémoratif, contribuèrent à entretenir la légende et à sacraliser le lieu, bloquant pour une longue période tout questionnement émanant de la recherche.

Après la première visite de mai 2007 qui suscita une contre-manifestation soutenue par trois « anciens combattants des Glières » protestant contre la « récupération d'un symbole historique dans une mise en scène détestable », Nicolas Sarkozy devait revenir sur les lieux en 2008, 2009 et 2010 sans jamais néanmoins prononcer la moindre allocution. Tout lui plaisait dans ce site, à commencer par le décor âpre et majestueux où, au pied de ce plateau du massif des Bornes, un panneau affichait emphatiquement une citation de Pierre Emmanuel : « Des hommes ont su mourir pour demeurer des hommes. » Son assiduité en fit le sanctuaire de la Résistance le plus visité par un chef d'Etat si l'on y ajoutait les déplacements de ses prédécesseurs. Symbole de la permanence de l'âme nationale pour les uns, allégorie du combat émancipateur des Forces françaises de l'intérieur pour les autres, le maquis des Glières, au lieu d'unir les Français dans le souvenir de la geste libératrice, devint l'objet d'un surréaliste affrontement mémoriel. D'autant plus surréaliste que la recherche historique était en train d'écorner sérieusement la version officielle des événements. Exploitant des archives inédites, la thèse de Claude Barbier mit au jour un récit factuel démythifié que des études éparses avaient déjà laissé entrevoir[7]. Plutôt qu'à une homérique bataille ayant opposé, le 26 mars 1944, 500 maquisards à trois bataillons de la Wehrmacht appuyés par des miliciens de Vichy, l'affaire se résumait à un « combat bref », un simple « accrochage », non pas sur le plateau lui-même, mais sur un côté de celui-ci. Plus question non plus de 121 morts, mais de deux maquisards tués et un autre blessé lors d'une reconnaissance offensive d'un détachement allemand de 30 à 50 hommes qui n'avait essuyé, de son côté, aucune perte. L'« épopée des Glières » s'effondrait dans un silence quasi sépulcral.

Tout comme j'avais exposé au président les raisons profondes de mon opposition à la célébration de Guy Môquet, j'avais signalé dès 2007 au candidat Sarkozy les risques qu'il y avait à faire des Glières une sorte de vitrine de la Résistance, alors que les travaux des historiens mettaient davantage l'accent, depuis le début des années 1990, sur l'enjeu symbolique et psychologique du lieu aux dépens de l'épisode militaire et du « combat acharné » dont ils n'avaient nulle part retrouvé de traces. Ainsi l'œuvre de réarmement moral promise face à l'offensive massive de dénigrement du passé national s'ouvrit-elle par la commémoration d'un « résistant » qui n'avait jamais résisté et d'une « bataille » qui n'avait jamais eu lieu. Au lieu de proposer aux Français des sujets de fierté légitime, des pages et des figures héroïques de ce qu'il était convenu d'appeler, depuis Michelet, le « roman national » où les deux France, celle des bleus et celle des blancs, enfin réconciliées se fondaient dans une mémoire commune, le chef de l'Etat opta pour deux impostures historiques en guise de pierres d'angle de son propre édifice mémoriel.

Un Panthéon décousu

Pressentant que l'orientation du quinquennat se jouait autour de ces quelques choix emblématiques, j'adressai, dès le 29 mai 2007, une note au président de la République le mettant en garde contre un traitement hémiplégique de l'histoire nationale. Je lui rappelai en substance que, si l'on voulait être fidèle à la dédicace de *La Rose et le Réséda*, le poème d'Aragon, il fallait honorer à la fois Guy Môquet et Gilbert Dru, Gabriel Péri et Honoré d'Estienne d'Orves, c'est-à-dire prendre au pied de la lettre les vers du poète communiste et commémorer conjointement : « Celui qui croyait au ciel et celui qui n'y croyait pas. » Je poursuivis en ces termes : « Il n'est pas sûr que l'exemple de Guy Môquet soit le plus édifiant que nous ayons à offrir aux jeunes Français. Un pays a certes besoin de mythes pour vivre, mais il est des moments où il a surtout besoin de vérité. Pour rétablir l'équilibre, il faudrait rendre hommage à la mémoire du lieutenant de vaisseau Honoré d'Estienne d'Orves, l'un des premiers résistants français à avoir été fusillé par les Allemands le 29 août 1941. Non dans un esprit partisan, mais par respect de la vérité historique, si dérangeante soit-elle pour certains. Tu dois être le président qui prend en compte tout le patrimoine de la nation, celui de la gauche comme celui de la droite, le président qui met un terme aux récits dissymétriques et mensongers sur l'une des périodes les plus troubles de notre histoire. » Une telle initiative m'apparaissait d'autant plus légitime que l'accaparement de la mémoire de la Résistance par la gauche continuait à occulter le fait que la plupart des premiers résistants de l'été 1940 appartenaient aux courants nationalistes, légitimistes et maurrassiens, à tel point que Malraux lui-même, lorsqu'on lui demanda pourquoi il n'avait pas rejoint Londres, s'était écrié : « Que vouliez-vous que j'aille faire auprès d'un général entouré d'officiers réactionnaires ? »

A la polémique suscitée par l'affaire Guy Môquet succéda une autre polémique consécutive à l'intervention du chef de l'Etat lors du dîner annuel du Crif, le Conseil représentatif des institutions juives de France, le 13 février 2008, au cours duquel il exprima le souhait que *« chaque année, à partir de la rentrée 2008, tous les enfants de CM2 se voient confier la mémoire d'un des 11 000 enfants français victimes de la Shoah »*. Le tollé soulevé par la proposition du président, jugée à la fois morbide et traumatisante pour de très jeunes élèves, fut tel que le mouvement de repli eut tout d'une capitulation en rase campagne. En pointe de cet activisme mémoriel, Emmanuelle Mignon, qui avait essuyé les foudres de Simone Veil et de presque toute la communauté juive après cette malencontreuse initiative, s'estimait avoir été victime d'un lâchage de la part de l'entourage présidentiel qui, certes, ne l'avait guère soutenue en la circonstance. Aussi accueillit-elle avec circonspection mon idée d'organiser une cérémonie en mémoire d'Honoré d'Estienne d'Orves au mont Valérien, sur les lieux mêmes où il avait été passé par les armes soixante-sept ans plus tôt : « On va avoir sur le dos une palanquée d'associations de résistants... Dans le contexte actuel, toutes les interventions du président déchaînent un torrent de critiques. Avec ton truc, c'est le déluge assuré ! »

Nicolas Sarkozy voulait des héros à proposer en modèles aux jeunes Français ? Cela tombait bien, j'en avais un sous la main, un vrai, auréolé de toute la geste propre à une espèce en voie de disparition. Issu d'une famille royaliste, descendant des généraux vendéens d'Autichamp et Suzannet, Honoré d'Estienne d'Orves avait été élevé dans la fidélité au drapeau blanc. Après avoir rejoint de Gaulle à Londres en septembre 1940, cet officier de marine organisa l'un des premiers réseaux de renseignement en France occupée, le réseau Nemrod. Arrêté puis jugé par une cour martiale de la Wehrmacht, il fut fusillé le 29 août 1941 au mont Valérien, malgré les requêtes répétées de l'Etat français pour obtenir sa grâce. Les lettres qu'il laissa à ses proches avant de mourir portent la marque d'une foi ardente et d'un patriotisme incandescent. On y respire à une altitude peu fréquentée en ces temps déraisonnables où l'horreur ne côtoyait pas toujours le sublime. A l'abbé Franz Stock, l'aumônier militaire allemand qui allait l'accompagner au supplice, il écrivit : « Je prie Dieu de donner à la France et à l'Allemagne une paix dans la justice comportant le rétablissement de la grandeur de mon pays. Et aussi que nos gouvernants fassent à Dieu la place qui Lui revient. Je remets mon âme entre les mains de Dieu et un peu entre les vôtres qui L'avez ces derniers temps représenté auprès de moi. » A sa femme Eliane : « Tu leur expliqueras ce que j'ai fait à ces petits, pour qu'ils sachent que leur Papa n'a eu qu'un but : la grandeur de la France et qu'il y a consacré sa vie. » Et dans une lettre-testament : « J'affirme solennellement que je n'ai agi que pour la France et la France seule... Je crois mériter l'honneur que l'on écrive sur ma tombe à côté de mon nom : "Mort pour la France"... N'ayez à cause de moi de haine pour personne. Chacun a fait son devoir pour sa propre patrie. » Habité du même calme surnaturel, il refusa qu'on lui bandât les yeux et, après avoir donné l'accolade au président du tribunal militaire qui avait tenu à être présent par respect pour le condamné, il fut le premier résistant à être passé par les armes.

A aucun moment, bien sûr, il ne fut question de faire lire dans les lycées la prose de l'officier catholique – le laïcisme ne goûtant guère les appels à l'insurrection évangélique –, mais, cédant à mon insistance, Nicolas Sarkozy accepta de présider une cérémonie d'hommage dans la clairière des fusillés du mont Valérien. Comme la visite en France du ministre-président de Rhénanie-du-Nord-Westphalie coïncidait avec le 60e anniversaire de la mort de l'abbé Franz Stock, celui-là même qui avait assisté jusqu'au poteau d'exécution la plupart des résistants français, il fut décidé d'associer à la journée de commémoration le souvenir de ce pionnier de la réconciliation franco-allemande. Pour faire bonne mesure, le cabinet du président ajouta un troisième nom : celui de Joseph Andrej Epstein, un militant communiste polonais, ancien des Brigades internationales devenu en 1943 le chef des FTP (Francs-tireurs partisans) de la région parisienne sous le nom de « colonel Gilles ». Par souci d'« équilibre », on avait donc poussé le scrupule jusqu'à mêler la première résistance, qui avait été animée du seul sentiment patriotique et n'avait eu pour objectif que la libération du territoire national, à la seconde, dont l'engagement était au moins tout autant dicté par la défense de la « patrie du socialisme », autrement dit, l'Union soviétique en guerre contre l'Allemagne nazie, que par la volonté de combattre au service de la France. « *Jeunes lycéens français et jeunes lycéens allemands,* devait s'exclamer le chef de l'Etat, lors de la cérémonie du 23 février 2008, *entendez-vous le message qu'ici, dans cette clairière, Honoré d'Estienne d'Orves, Joseph Epstein, Gabriel Péri, Missak Manouchian et tous les autres vous adressent ?* » C'était créer la fiction d'un message unique là où il y avait, nonobstant la convergence des destins individuels, pluralité de sens et divergence des motivations. C'était dissoudre la figure lumineuse d'Honoré d'Estienne d'Orves dans une célébration collective, noyer la spécificité et la grandeur de son sacrifice dans les eaux troubles de l'histoire officielle. C'était en fin de compte réactiver, sans aucun profit pour la mémoire nationale, la grande confusion à quoi avait donné lieu l'intermède Guy Môquet.

Voilà pourquoi, un mois plus tard, j'accueillis à mon tour avec circonspection le projet présidentiel de faire entrer au Panthéon une nouvelle personnalité emblématique de notre histoire. A cela s'ajoutait mon faible attrait pour un cérémonial de béatification laïque surinvesti par les intérêts partisans et idéologiques. La nation n'étant pas pour moi une sacralité de substitution, les pompes déployées en ce genre de circonstances, comme au demeurant toutes les liturgies séculières, avaient le don de m'indisposer par leur insigne pauvreté confinant à l'absurde, voire au grotesque.

Une première liste établie par trois membres du cabinet confirma mes pires craintes. On y trouvait les noms de Jean Zay, Georges Mandel, La Fayette, Molière, Marc Bloch, Olympe de Gouges, Descartes, Toussaint-Louverture et Colette. Cet inventaire à la Prévert m'inspira une courte note à Emmanuelle Mignon : « La liste des "panthéonisables" que tu m'as adressée est un remarquable précipité du conformisme ambiant. Olympe de Gouges ? Pourquoi pas Beauvoir tant qu'à faire ? Je suis d'ailleurs surpris de ne pas y voir figurer Boris Vian ! Trêve de plaisanterie ! Peut-être, si nous voulons vraiment honorer une figure d'union nationale, devrions-nous chercher ailleurs et nous inspirer du calendrier des commémorations ? En novembre, nous célébrerons le 90e anniversaire de l'armistice de 1918. Au moment où nous venons d'enterrer le dernier poilu, si je n'avais qu'un nom à proposer au président, ce serait celui de Péguy. D'abord parce que les différentes facettes de sa personnalité – du socialiste dreyfusard au grand croyant patriote – le rangent aussi bien dans le patrimoine de la gauche que dans celui de la droite et même, si tu veux mon avis, très au-dessus de l'un comme de l'autre. Ensuite parce que c'est un grand écrivain, un écrivain émeutier, un prophète du passé. Enfin parce que, tué d'une balle au front le 5 septembre 1914, alors qu'il exhortait sa compagnie à ne pas céder un pouce de terre française à l'ennemi, le lieutenant Péguy compte parmi les premiers morts de la Première Guerre mondiale. A mesure que je t'écris cela, je réalise toutes les raisons pour lesquelles cela ne se fera pas. En un sens, cela vaudra mieux pour lui. L'endroit est sombre et humide et, vérification faite, pas si bien fréquenté que cela. »

Finalement, la crypte du Panthéon resta fermée, Sarkozy *regnante*. Tout ce que j'obtins en guise d'hommage à Charles Péguy fut une furtive visite, le 11 novembre 2011, à Villeroy, où le président se recueillit devant la croix érigée à l'entrée du village en mémoire de l'auteur de *Notre jeunesse* tombé au champ d'honneur. « Heureux ceux qui sont morts pour la terre charnelle », avait-il écrit dans un vers prémonitoire un an avant la Grande Guerre. La « terre charnelle », malgré la présence de la petite-fille du poète, n'avait pu, ce jour-là, retenir Nicolas Sarkozy plus d'une quinzaine de minutes. Pour lui, une éternité.

Chapitre VII

J'attendais Gramsci, ce fut Kouchner

> « Il est permis de se demander, et même de demander aux autres, pourquoi un homme qui a vécu comme un cochon a le désir de ne pas mourir comme un chien. »
>
> Léon Bloy à propos des journalistes.

Le troisième mariage de Nicolas Sarkozy n'aurait pu être qu'une anecdote dans l'histoire de la République et la postérité se contenter d'en retenir qu'il fut le premier président à divorcer et à se remarier en cours de mandat, Gaston Doumergue n'ayant fait que régulariser une longue liaison quelques jours avant de quitter l'Elysée en juin 1931. Ce fut, au contraire, un événement qui changea le cours des choses. En épousant un ancien mannequin devenu une star du showbiz, le sixième président de la Ve République n'ignorait rien des retombées médiatiques qu'allait provoquer ce choix matrimonial. Il n'est pas sûr, en revanche, qu'il en eût évalué à un quelconque moment les conséquences politiques. Non pas, comme on pourrait le croire de prime abord, parce que Carla Bruni était dotée d'une conscience de gauche – cette chose-là n'engageait dans son cas que des « réflexes épidermiques », ainsi qu'elle en fera l'aveu dans une interview à *Libération* –, mais bien plutôt parce que tout dans sa manière de penser et d'agir, son mode vie et le choix de son entourage, son rapport à l'argent et au pouvoir et jusqu'à sa façon de voir les autres et de se regarder elle-même, tout en elle portait la marque d'une authentique conscience de classe.

Emblématiques avec les Agnelli de l'industrie turinoise, fondateurs de CEAT, une entreprise spécialisée dans les pneumatiques et les câbles électriques, les Bruni-Tedeschi avaient accumulé une solide fortune en trois générations, avant de quitter l'Italie au début des années 1970 par crainte des Brigades rouges, l'organisation terroriste d'extrême gauche alors très active dans la péninsule. Elevée dans les plus fastueuses demeures, comme le château de Castagneto Po, au milieu des antiquités, tapisseries et autres toiles des maîtres de la Renaissance, Carla Bruni ne semblait avoir connu que les affres, toutes psychologiques, d'une enfance de pauvre petite fille riche. Il y avait pire trauma existentiel. Tout comme pour sa demi-sœur Valeria qui en fit le sujet de son premier film, *Il est plus facile pour un chameau…*, dont le titre s'inspirait d'un verset de l'évangile de Matthieu[1], l'argent n'était pas pour elle un péché. Il pouvait être parfois un fardeau, voire une source de mauvaise conscience, mais représentait plus sûrement « de la liberté frappée », selon le mot de Dostoïevski.

Etait-ce cette dernière disposition, qui permettait à certaines catégories favorisées de condamner leurs propres privilèges sans jamais cesser d'en jouir, ou ce qu'il était convenu d'appeler le « syndrome Patty Hearst », du nom de la fille d'un magnat américain enlevée au milieu des années 1970 par un groupuscule avant-gardiste et finalement ralliée à ses ravisseurs, qui expliquait la fascination des sœurs Bruni pour la mouvance révolutionnaire italienne, pourtant à l'origine de leur exil ? En tout cas, ce fut en œuvrant de concert qu'elles parvinrent à convaincre Nicolas Sarkozy, en octobre 2008, de renoncer à faire appliquer le décret autorisant l'extradition de l'ancienne brigadiste Marina Petrella, réfugiée en France après sa condamnation par la justice italienne pour sa participation à des crimes commis durant les « années de plomb », dont l'assassinat, entre autres, d'un commissaire de police. Le président leur en fut d'autant plus reconnaissant que les deux sœurs lui offrirent là l'occasion de montrer qu'il n'était pas cet esprit dur au cœur sec, cette brute adepte de la « tolérance zéro » et du « tout répressif » qu'évoquaient les gazettes, mais une belle âme éprise d'humanité quand bien même cet élan ne consistait pas à s'attendrir sur les malheurs d'autrui, mais sur les sentiments que ces malheurs vous inspiraient. Nicolas Sarkozy avait tendu la main à une ancienne terroriste et, de surcroît, à une ancienne terroriste de gauche pour laquelle toutes les grandes consciences que le pays comptait s'étaient mobilisées. Double bénéfice domestique et moral. Fines mouches, les sœurs Bruni avaient tendu à Narcisse l'accessoire qu'il aimait le plus : un miroir.

Les très riches heures du carlisme

A la ville comme à la scène, Carla Bruni campait un personnage bien connu de la comédie humaine : la grande bourgeoise aux idées avancées. Le sujet avait beau relever de l'archétype, il n'en avait pas moins subi une certaine altération au fil du temps. La Pompadour s'était entichée de Voltaire et Diderot, Marie-Laure de Noailles des surréalistes, quand la comtesse Greffulhe, immortalisée par Proust sous les traits de la duchesse de Guermantes, ne put guère jeter son dévolu que sur Léon Blum qu'elle louangea avec force dithyrambes à l'époque du Front populaire. Avec le temps, les protégés des belles dames avaient changé de catégorie.

Par ses manières abruptes de patricienne, la nouvelle Première dame de France tranchait cependant dans cette galerie d'égéries imprégnées d'humanisme. Elle faisait plutôt mentir l'adage qui veut que "*Torinesi false e cortesi*", « les Turinoises soient fausses et courtoises ». Avec elle, c'était classe contre classe. L'un de ses mantras tenait dans la sentence nietzschéenne suivant laquelle : « Il faut protéger le fort du faible. » C'était là sa perle de culture qu'elle exhibait auprès de toutes sortes d'interlocuteurs jusqu'à la monter en collier. La raucité de sa voix en assourdissait la résonance, mais n'en diminuait pas l'âpreté. Le monde de Carla Bruni-Sarkozy ressemblait en bien des points à celui qu'avait décrit H.G. Wells dans *La Machine à explorer le temps*. Il se divisait en deux grandes tribus d'inégale importance à quoi se résumait la polarisation anthropologique fondamentale. Vivant seuls à la surface de la terre, les Eloïs descendants des classes dominantes étaient des êtres paisibles, oisifs et hédonistes qui devaient sans cesse se défendre contre les assauts répétés des Morlocks, créatures immondes et avatars dégénérés du prolétariat qui ne sortaient de leurs bas-fonds que pour venir terroriser leurs anciens maîtres. A ceci près que dans la vision de l'épouse du président, les antagonismes de classe étaient exempts de haine, si ce n'était de mépris du côté des dominants, et ne revêtaient pas ce caractère d'extrême brutalité.

Dans cette sociologie aux contours approximatifs, la catégorie la plus importante, du moins par sa récurrence, était celle des « ploucs » ou encore des « péquenots ». Il s'agissait d'une appellation générique qui, dans son esprit, recouvrait différentes populations, dont le dénominateur commun était de partager des goûts pathétiques, des mœurs archaïques, ainsi qu'un regrettable attachement à leurs racines. A l'intersection des inquiétants « petits Blancs » et des caricatures sorties de l'imaginaire bienveillant de la gauche, les « ploucs » ne pouvaient cependant être rangés dans la sous-catégorie définie par Philippe Muray sous le terme de « ploucs émissaires ». Car la ploucophobie de Mme Bruni n'était en rien vindicative. N'ayant pas eu à se déprendre du messianisme prolétarien, elle ne partageait pas cette détestation libératrice du peuple-classe comme du peuple-nation, ce racisme antipauvres si répandu parmi les élites progressistes. Elle était simplement navrée que tant de Français fussent restés tributaires de l'instinctuel, du pulsionnel, du tribal. Elle ne leur en voulait même pas d'être les surgeons d'une longue histoire un peu trop chrétienne, un peu trop patriotique à son goût. Non, ce qu'elle leur reprochait, c'était d'être laids.

Sur ce point, elle s'instituait la fidèle héritière de la bourgeoise du XIXe siècle pour qui, selon les automatismes mentaux si bien décrits par l'historien Louis Chevalier dans *Classes laborieuses et classes dangereuses*[2], les caractères physiques étaient considérés comme révélateurs des caractères moraux. Ce qui ramenait à des apparences corporelles ou à des détails anatomiques la totalité des faits sociaux et l'ensemble des représentations quotidiennes. Finalement, sur l'échelle des préjugés de classe, le pauvre apparaissait moins salaud qu'il n'était moche, moins abject que disgracié.

Ce fut autour de ce constat affligeant et affligé, mais non exempt d'une certaine mansuétude, que s'enroula notre conversation du 26 avril 2008. Le couple présidentiel m'avait convié à dîner dans la bibliothèque en forme d'hémicycle qui avait servi de décor aux portraits officiels de Charles de Gaulle puis de François Mitterrand et que Nicolas Sarkozy avait fait récemment aménager en salle à manger. Autour de la table, Bernard Kouchner alors ministre des Affaires étrangères et son épouse Christine Ockrent, le comédien Jean Reno et sa compagne, un ancien mannequin d'origine polonaise, affichaient la tranquille aisance de ceux que les lambris dorés n'impressionnaient plus. Le succès du film *Bienvenue chez les Ch'tis*, qui battait alors tous les records de fréquentation, confrontait à nouveau les élites au désolant spectacle de la France d'en bas. Une fois de plus, les Morlocks étaient parvenus à sortir de leurs cavernes et répandaient l'effroi. Rien, pourtant, dans cette pochade dégoulinante d'irénisme n'était susceptible de la rattacher à l'idéal passéiste et cocardier qui irritait si fort la critique de gauche. De surcroît, les deux rôles-titres étaient tenus par Kad Merad et Dany Boon, fiers de leurs origines kabyles, le second s'étant par ailleurs converti au judaïsme. Placée à ma gauche, Christine Ockrent se montra d'une grande virulence à l'occasion d'une tirade d'où le mot « débilité » se détachait à plusieurs reprises, sans que l'on sût exactement s'il s'appliquait au film, à ses interprètes ou à la population autochtone que les besoins du scénario avaient conduit à représenter, conformément à l'imagerie dominante, sous les traits d'une main-d'œuvre faiblement qualifiée, de traîne-patins passablement abrutis et de RMIstes alcooliques. « Heureusement qu'ils ont dans le cœur le soleil qu'ils n'ont pas dehors ! » s'était exclamée dans un rire cascadeur Carla Bruni qui, depuis une répétition pour le Sidaction chez l'immortel auteur des « Gens du Nord », n'ignorait plus rien du répertoire d'Enrico Macias. Habituée à être le centre du motif, l'épouse du président crut devoir enrichir sa contribution au débat : si les Français en général manifestaient une déplorable et fâcheuse tendance à l'entre-soi et au repliement frileux, c'était le huis clos de l'endogamie qu'il fallait, d'après elle, incriminer, ce « vieux sang pourri » qui ne se renouvelait pas et, pis encore, refusait de se renouveler. La régénération viendrait de l'apport de sang neuf des populations immigrées, évidence dont il ne fallait pas douter et que l'on devait acclimater, à toute force, dans la tête du retardé global qu'était le prolétaire hexagonal.

Comme tous les adeptes de la chimère mondialiste, l'ancien mannequin chevauchait hardiment l'oxymore de la diversité métissée. Cette monture, dialectiquement rétive et délicate à guider, avait un nom, le Brésil, le pays d'adoption de son père biologique, Maurizio Remmert. Ce Brésil qu'une gauche libertaire, éprise de brassage ethnique, avait érigé en terre d'élection du nouvel Adam et laboratoire de l'homme universel. Ce Brésil, nouvelle Babel de la religion multiculturaliste, où la démocratie n'avait plus tâche de garantir l'unité de la société, mais de s'instituer culte du mélange. Ce Brésil, tout de génie, fulgurance et chaos où elle-même devinait l'avenir radieux du monde, épiphanie glorieuse et terminale de l'espèce.

Malheur à celui qui lui ferait remarquer que le Brésil était l'un des pays les plus inégalitaires de la planète, qu'il était régi par un système de classes plus ossifié et plus rigide encore que celui de l'Angleterre victorienne où les pauvres étaient assignés à résidence et à perpétuité dans le ghetto des favelas et les riches dans leurs palais-forteresses gardés par des milices en armes. J'aggravai singulièrement mon cas en suggérant que le multiculturel était par essence multiconflictuel, que les sociétés hétérogènes étaient également les plus criminogènes. Plus rabat-joie que moi, il n'y avait que les chiffres accablants et têtus que j'égrenai comme autant de blasphèmes : le Brésil ne détenait-il pas le record mondial des homicides, 55 000 par an, 150 par jour, 30 pour 100 000 habitants? Et cette violence n'était-elle pas terriblement discriminatoire, élisant de préférence ses victimes parmi les jeunes, les défavorisés, les minorités?

Mes objections reçurent l'accueil que l'on réserve aux propos d'un cousin de province aliéné par d'antiques superstitions et végétant dans sa prison mentale. J'avais la faiblesse de croire et l'impudence de penser avec Barbey d'Aurevilly que « l'infini est central partout » et que, le particulier étant la voie d'accès la plus rapide à l'universel, nous étions perdants à abdiquer ce qui nous était spécifique. On eût pu me verbaliser pour pensée incorrecte, on ne retint finalement contre moi que la faute de goût. Ayant l'avantage du nombre, mes commensaux n'en furent que plus à l'aise pour faire prévaloir leur point de vue : touche pas à mon melting-pot! Advint ce qui devait arriver. Le comique involontaire des antiracistes procédait du fait que, tôt ou tard, ils finissaient par ne plus s'exprimer qu'en termes de races et de hiérarchies ethno-raciales, à l'aide de concepts ou de critères qu'ils considéraient comme entièrement dépourvus de sens. Ainsi, Carla Bruni, passionnée d'anatomie, en tenait pour un implacable déterminisme génétique. Lequel expliquait, à l'en croire, l'écrasante supériorité des Noirs dans la plupart des sports, à l'exception de la natation, en raison de « la trop grande masse musculaire des Africains par rapport à leur masse graisseuse » qui, censément, les empêchait d'être aussi performants que dans les autres disciplines. Hérésie contre quoi s'insurgea tout aussitôt Bernard Kouchner : « Les Africains n'ont pas de piscines! Donnez-leur des infrastructures et ils dépasseront les Blancs. Regardez les performances de Jesse Owens aux Jeux olympiques de 1936! Depuis les Noirs raflent tout. » Pour un peu, le *French Doctor* aurait volontiers retourné au profit des blacks le mot que Paul Valéry appliquait aux Européens au début du siècle dernier : « Supérieurs en tout! »

De la droite décomplexée à la gauche « sans gène »

Au moins ce dîner en ville, si déplaisant fût-il sous bien des aspects, avait eu le mérite de me donner à réfléchir sur le nouveau biotope présidentiel, la faune, la flore et la fonge qui allaient composer son écosystème affectif durant les quatre années à venir. Sur les idées qui risquaient d'y lever à la manière d'un champignon dont le mycélium aurait été réveillé par un changement de conditions climatiques. Comment ignorer désormais que les conseils que nous prodiguerions dans la journée au chef de l'Etat trouveraient, dans son intimité, un contrepoids qui en modifierait ou en neutraliserait les effets ?

Au demeurant, ce jeu de bascule avait connu une répétition générale à l'occasion du débat sur la loi relative à la maîtrise de l'immigration dans les dernières semaines de 2007. L'amendement déposé par le député UMP Thierry Mariani prévoyait le recours aux tests génétiques lors de la délivrance des visas de plus de trois mois au titre du regroupement familial, en cas de doute sérieux sur l'authenticité de l'acte civil fourni par le demandeur. Face à cette sortie de la droite décomplexée, la gauche « sans gène », mais sûre de son ADN idéologique, s'était rassemblée au Zénith, le 14 octobre, à l'appel de SOS Racisme, de *Charlie Hebdo* et de *Libération* pour ce qui fut qualifié par un officiant de « premier meeting d'opposition de l'ère Sarkozy ». Il n'y avait là que des consciences homologuées, la fine fleur du multiculturalisme, dont Isabelle Adjani, Josiane Balasko, Emmanuelle Béart, Bénabar, Bernard-Henri Lévy, Michel Piccoli ou encore Renaud. C'était le temps où Carla Bruni disputait à son ami Philippe Val le titre de premier indigné de l'an I du sarkozysme, ainsi qu'elle s'en était ouverte dans les pages du magazine *Elle*, avec des accents auxquels aucun homme de cœur ne pouvait rester insensible : « L'amendement Mariani, même édulcoré, me semble d'une telle violence ! [...] On crée une loi qui signe la suspicion de la France à l'égard de tous les migrants ; ils seraient tous des fraudeurs potentiels, avec un état civil bidon ! Je déteste le "tri" qu'implique l'immigration choisie [...]. La sélection des postulants rappelle de très mauvais souvenirs. Je suis une immigrée extrêmement privilégiée, mais une immigrée tout de même... Qu'est-ce qui serait arrivé si on avait imposé à mes parents des tests ADN[3] ? » A l'intérieur même du gouvernement, Fadela Amara faisait chorus avec l'opposition de gauche flétrissant d'un fuligineux « dégueulasse » ce qu'elle jugeait être ni plus ni moins qu'une « instrumentalisation politique de l'immigration ».

Il n'y avait pas six mois que Nicolas Sarkozy était au pouvoir que déjà le processus d'intimidation morale, qui venait ordinairement à bout des velléités réformistes de la droite en la matière, était en marche. Rien ne semblait plus devoir en arrêter le cours. Pas même la note que j'adressai au président : « Un rétropédalage serait d'autant plus absurde que le projet de loi bénéficie d'un fort soutien dans l'opinion, y compris sur la question des tests génétiques. Il t'exposerait, d'une part, à la critique d'un manque de cohérence et de fermeté par rapport à tes engagements de campagne et, d'autre part, à celle, plus dommageable encore, d'une incapacité à faire prévaloir l'autorité de l'Etat. Autrement dit, à un risque de pertes cumulées dans l'électorat de droite et chez les néoprolétaires. »

Pourtant, au lendemain du concert du Zénith auquel avait participé Carla Bruni, le chef de l'Etat avait fait montre d'un bel esprit de résistance en commentant ma note en petit comité :

— *Tu ne crois tout de même pas que je vais me laisser intimider par une bande de bobos et de zozos grotesques !*

Puis, on n'entendit plus parler de rien pendant de longues semaines. Le texte de loi s'était enlisé dans les sables mouvants du débat parlementaire jusqu'à ce qu'on signalât la disparition de l'amendement Mariani dans le vortex d'une commission sénatoriale. Adepte du grand écart idéologique où seule la sincérité est inoxydable, Nicolas Sarkozy avait initialement réagi à la polémique sur les tests génétiques en affirmant : *« Si vous me posez la question de savoir si ça me choque, la réponse est non ! »*, avant de revenir sur le sujet, deux ans plus tard, de manière tout aussi péremptoire : *« Les tests ADN, ça ne sert à rien. C'est stupide. »* Passant de la transgression à la soumission, l'évolution du chef de l'Etat fut sur ce point des plus spectaculaires, jusqu'à entrer en convergence avec le point de vue que sa nouvelle épouse développait auprès de tous ceux qui, dans l'entourage du président, étaient prêts à tendre une oreille complaisante. Il est vrai que le discours de Carla Bruni-Sarkozy avait pour lui l'avantage d'une certaine constance. Elle disait vouloir faire de la « mixité sociale » – cache-sexe sémantique destiné à camoufler une politique de discrimination ethnique en faveur des minorités homologuées – l'un de ses principaux combats, arguant que les élites étaient au premier chef responsables du blocage de la société française et que d'ailleurs les Français avaient élu à travers Sarkozy le « produit d'un métissage de plusieurs cultures ».

Evacuée au nom du réalisme électoral lors de la campagne de 2007, la discrimination positive revint en force dans les propos du président qui la décréta *« bonne pour tout le monde »* et digne de figurer parmi les objectifs prioritaires de son mandat, exigeant que tout soit mis en œuvre pour « accélérer puissamment l'expression de la diversité ethnique ». Comme à chaque fois qu'il changeait d'avis, Nicolas Sarkozy se mit à agir en zélote. Il afficha l'intransigeance des nouveaux croyants visités par une langue de feu. En avril 2008, il confia à Simone Veil le soin de présider une mission chargée de réfléchir à l'opportunité de modifier le préambule de la Constitution, afin d'« assurer le respect de la diversité » et de « rendre possibles de véritables politiques d'intégration ». C'était d'abord, en substance, vouloir faire sauter le verrou du principe d'égalité au profit d'une politique fondée sur des critères ethniques qui n'était rien d'autre qu'un passe-droit antirépublicain. C'était ensuite, en pratique, vouloir imposer à la société civile un système de castes, une ségrégation entre des Français de première et de seconde catégories, un peu à la manière de l'Algérie coloniale où la prééminence était accordée au dernier occupant qui se trouvait doté de prérogatives explicitement reconnues par la loi. C'était enfin, politiquement, vouloir graver dans les tables le dogme néolibéral qui légitimait le combat pour la diversité en présentant les inégalités comme la conséquence de l'intolérance plutôt que du système socioéconomique.

Aiguillonné par l'élection de Barack Obama à la Maison Blanche, Nicolas Sarkozy s'impatienta devant les retards et les embûches que rencontrait, à l'automne 2008, la mise en place d'une *affirmative action* à l'américaine. Suivant jour après jour les travaux du comité Veil et s'efforçant, sans trop de résultats, de les orienter dans la direction voulue au plus haut niveau de l'Etat, Emmanuelle Mignon manifestait le plus grand scepticisme. Elle en fit part au président dans une note en date du 17 novembre dont l'objectif principal n'était plus que d'amortir, autant que faire se pouvait, la déception qu'allait en éprouver son destinataire : « J'ai pris toutes les dispositions nécessaires, écrivait-elle, pour que le rapport qui est en train de s'élaborer soit le plus ouvert possible [...], mais je crains que cela ne suffise pas [...]. J'ai essayé d'organiser une fronde au sein du comité, en m'appuyant sur Richard Descoings et Claude Bébéar, dans le but de négocier au moins – si vous le souhaitiez – l'écriture d'une opinion dissidente dans le rapport du comité. En conclusion, le comité a sans doute raison de nous alerter sur les risques et le faux espoir d'une réforme constitutionnelle, mais, si on ne réforme pas la Constitution, alors il faut une autre réponse symboliquement forte et en pratique efficace. »

Quelle ambulancière mortifère, quelle anesthésiste de l'instinct vital avait donc charcuté son âme, l'asphyxiant, l'emplâtrant de pieux avis pour que Nicolas Sarkozy, profondément irrité par la fin de non-recevoir prévisible du comité Veil, se déchaînât devant nous, le 10 décembre suivant, en ces termes :

— *Eh bien, ils vont voir ce qu'ils vont voir… Je vais faire de la promotion sociale à outrance, non pas sur des critères ethniques, mais sociaux. Cela revient au même : il y a beaucoup de bronzés parmi les défavorisés. Je veux retrouver ma posture de campagne qui était antiélitiste et même populiste, je veux les faire rentrer dans les écoles, les administrations, les assemblées.*

J'objectai que le populisme dont il parlait ne concernait pas le même peuple que celui qui l'avait élu en mai 2007, qu'il ne fallait pas confondre la périphérie avec les « quartiers ». Cela le fit repartir de plus belle :

— *Je vais créer une commission d'évaluation de la diversité dans la vie politique qui sera chargée d'établir chaque année un rapport sur les efforts accomplis en la matière par les partis. On va examiner la possibilité de moduler le financement des partis en fonction des places accordées aux candidats issus des minorités comme pour les femmes. Pareil pour les administrations. Je vais secouer tout ça ! Je vais leur en faire bouffer, moi, de la diversité !*

Au mot près, le « manifeste pour l'égalité réelle », publié un mois auparavant dans le *Journal du dimanche*[4], sous l'égide de Yazid Sabeg, un repreneur d'affaires affilié au très libéral Institut Montaigne, ne disait pas autre chose. « Oui, nous le pouvons », proclamaient d'emblée les signataires du texte pour mieux souligner leur filiation avec leur inspirateur et réclamer que la France sache enfin tirer « la leçon de la victoire de Barack Obama » au moyen d'un « Grenelle » de la diversité, afin de forcer tous les employeurs, à commencer par l'Etat, à mettre en place « des politiques de promotion de la diversité fondées sur l'obligation de résultat ». Le manifeste expliquait par ailleurs qu'il n'y avait rien de plus urgent que d'« aider les élites à changer », noble tâche pour laquelle tant de distingués pétitionnaires, de Jean-François Copé à Christiane Taubira, proposaient leur concours désintéressé. Pour qui savait lire entre les lignes, il fallait changer les élites non pour remettre si peu que ce soit en cause leur statut d'élites, mais pour les rendre plus métissées, plus multiculturelles, plus féminines, mais jamais plus populaires. Le rêve américain en quelque sorte ! Le soutien apporté publiquement par Carla Bruni à ce manifeste n'avait échappé à personne. Et surtout pas à l'ex-publicitaire fantasque et mauvais esprit qu'était Jean-Michel Goudard, mon voisin de droite à la table du salon vert, qui, à la fin de la réunion, me glissa à l'oreille sur un ton désabusé : « Quand comprendras-tu que la dame qui a ses appartements là-haut a toujours raison et qu'il ne faut jamais aller contre ? »

Dans sa grande sagesse, le comité Veil écarta toute réécriture du préambule de la Constitution qui aurait permis d'instaurer une politique de discrimination positive sur des fondements ethniques. Ses conclusions étaient sans appel : une telle politique ne serait pas sans « effets pervers », entraînant « au mieux un affaiblissement du "vivre ensemble", au pire une montée des tensions et des ressentiments communautaires ». La réaction de Nicolas Sarkozy fut à la mesure de l'affront. Afin de donner le plus de retentissement à son propos, il choisit la très élitiste Ecole polytechnique à Palaiseau pour prononcer un discours en rupture totale avec les engagements de la campagne de 2007 : *« L'objectif, c'est relever le défi du métissage que nous adresse le XXI*[e] *siècle. Le défi du métissage, la France l'a toujours connu et, en relevant le défi du métissage, la France est fidèle à son histoire… La France a toujours été au cours des siècles métissée.* […] *Mesdames et Messieurs, c'est la dernière chance. Si ce volontarisme républicain ne fonctionnait pas, il faudra alors que la République passe à des méthodes plus contraignantes encore, mais nous n'avons pas le choix. La diversité, à la base du pays, doit se trouver illustrée par la diversité à la tête du pays. Ce n'est pas un choix. C'est une obligation. C'est un impératif. »*

Il n'était plus question de mettre en avant l'identité comme une exigence humaine fondamentale, mais tout au contraire de proposer à la France avec le métissage une identité non identitaire, la dissolution du tissu national dans un universalisme pluriethnique. Plus grave encore : il y avait là tous les présupposés de l'antiracisme, y compris l'idée historiquement fausse d'une France produit du métissage qu'exprimait le slogan « Nous sommes tous des immigrés », alors que l'immigration de masse était un phénomène plus que tardif et spécifique de notre temps. Ces mots sonnèrent à mes oreilles à peu près comme avait dû retentir à celles des huguenots l'abjuration solennelle d'Henri IV prononcée devant le portail de l'abbatiale de Saint-Denis en l'an de grâce 1593. La diversité n'était plus un processus d'acculturation à la marge librement consenti de part et d'autre, mais une obligation, c'est-à-dire un facteur de déculturation ou, si l'on préfère, d'insécurité culturelle[5] imposé d'en haut à une population de souche à laquelle, à aucun moment, on ne demandait son avis. Etait-ce donc là le prix à payer pour se débarrasser du « vieux sang pourri » qui répugnait tant à la Première dame de France ?

A peine nommé, le jour même du discours de Palaiseau, commissaire à la diversité et à l'égalité des chances, Yazid Sabeg se vit délivrer sa feuille de route par Carla Bruni-Sarkozy en personne : « Mon mari doit aller très loin dans la promotion de la diversité. » En couverture de sa livraison du 20 novembre, *Le Nouvel Observateur* avait publié un photomontage titré : « Le vrai gouvernement de la France. » Le président y apparaissait dominé par la haute silhouette pleine d'allant de l'ancien mannequin. J'y figurai dans le (relatif) purgatoire de l'arrière-plan en compagnie de Claude Guéant, Henri Guaino et Alain Minc. N'empêche : en dépit de sa mise en scène racoleuse, le cliché matérialisait de façon saisissante la place respective du politique et des affects dans la comédie du pouvoir sous l'ère Sarkozy. Aucune illusion n'était plus permise. Il y avait longtemps que j'avais fait mienne la stoïque maxime du regretté Roger Nimier : « Il faut savoir désespérer jusqu'au bout. »

Une solidarité de caste

Mes craintes étaient d'autant plus justifiées qu'une polémique survenue à l'automne 2009 allait faire apparaître le président et son entourage le plus proche sous des dehors propres à éloigner de lui tous ceux qui avaient cru qu'il serait, conformément à ses engagements, l'homme de la rupture avec l'idéologie soixante-huitarde du *no limit* et du « jouir sans entraves », passés de l'état de slogan publicitaire à celui de précepte condensant tout l'art de vivre des pseudo-élites. A ce psychodrame, il fallait une figure emblématique des années 1960-1970, ces années marquées par l'avènement de la soft idéologie du désir sur fond de libération sexuelle et de drogues dures. Ce fut celle du cinéaste Roman Polanski. Sous le coup d'un mandat d'arrêt international pour une affaire de crime sexuel, ce dernier avait été interpellé par la police suisse le 27 septembre 2009, alors qu'il se rendait au festival de Zurich afin d'y recevoir un prix pour l'ensemble de son œuvre. S'appuyant sur une convention signée avec la Suisse, les Etats-Unis réclamaient l'extradition de Polanski dans le cadre de la procédure ouverte contre lui en 1977 et à laquelle il s'était soustrait en quittant le territoire américain un an plus tard.

L'affaire était particulièrement sordide : il s'agissait d'un viol commis sur la personne d'une mineure de 13 ans, après que le cinéaste l'eut forcée à boire du champagne et à avaler un sédatif, à l'issue d'un *shooting* dans la propriété californienne de l'acteur Jack Nicholson à Los Angeles. Sitôt connue, l'arrestation de Polanski jeta l'intelligentsia dans l'une de ces transes qui l'agitaient chaque fois que l'un des siens se trouvait mis en cause. Elle donna de la voix avec ce lyrisme démesuré et caricatural qui fait rire de l'« exception française » dès qu'on sort de l'hexagone. Non pas pour instruire le procès des mœurs d'une époque où l'argent, le sexe et la drogue avaient composé le plus détonant des cocktails, où la glorification du caprice souverain, du désir « innocent », des déviances libératrices se mélangeait au capitalisme marchand sous l'enseigne avantageuse de la « révolution permanente », mais pour anathématiser la justice américaine comparée au régime tyrannique de la Corée du Nord sous prétexte qu'elle ne reconnaissait pas, elle non plus, la prescription de certains crimes.

Dans ce registre, Frédéric Mitterrand, le ministre de la Culture, manifesta une singulière maladresse. Il s'indigna du sort « épouvantable et injuste » qu'on faisait subir à un « homme de cinéma de réputation internationale ». Mettre ainsi l'accent sur le statut d'artiste de Polanski, n'était-ce pas laisser entendre que cette qualité lui conférait une sorte d'immunité, le plaçant au-dessus des lois ? N'était-ce pas attribuer à une petite caste une privilégiature qui la dispensait d'avoir à répondre de ses actes, fussent-ils simplement délictueux ou carrément criminels ? Or nul n'ignorait que Frédéric Mitterrand devait sa nomination, rue de Valois, à l'intervention d'une autre « artiste » en la personne de Carla Bruni. L'affaire avait été conclue à l'occasion du remaniement du gouvernement Fillon qui suivit les élections européennes en juin 2009. Un jour, alors qu'il hésitait entre plusieurs noms pour succéder à la courageuse Christine Albanel, affaiblie par la censure partielle de la loi Hadopi contre le piratage sur Internet et dont le seul tort était, à ses yeux, de ne pas assez courtiser les médias, Nicolas Sarkozy nous apostropha avec l'air extatique d'un enfant de Marie sortant de la grotte de Massabielle. Il avait enfin trouvé le ministre de la Culture qui saurait nimber sa présidence d'une aura flatteuse : Frédéric Mitterrand. Le nom à peine lâché, il en savourait déjà le pouvoir de séduction médiatique. Il venait d'inventer l'ouverture patrimoniale, une habile manœuvre assurément, qui tenait tout à la fois de la captation d'héritage politique, du détournement de patronyme et de l'usurpation du capital symbolique de la gauche. L'auteur de ce coup de génie n'était pas César, mais la femme de César, ce qu'il s'empressa de nous faire comprendre au cas, pourtant bien improbable, où certains d'entre nous auraient eu un doute :

— *Heureusement que j'ai auprès de moi quelqu'un qui sait ce qui plaît aux artistes !*

Dès lors la solidarité de Nicolas Sarkozy envers ce qu'il appelait lui-même les « cultureux » ne devait plus se démentir. « Impossible de gouverner contre eux », se rengorgerait-il chaque fois qu'on lui réclamerait un traitement de faveur sous les auspices de la subvention obligatoire. Pour sa première sortie en tant que protecteur moins des arts que des artistes, la créance qu'on lui demandait d'honorer s'avérait autrement lourde. Il s'agissait ni plus ni moins d'exonérer l'un d'entre eux des conséquences judiciaires d'une accusation pour crime de pédophilie. La polémique tombait d'autant plus mal qu'un pédophile récidiviste, auteur du viol et de l'assassinat d'un enfant de 5 ans, venait d'écrire, du fond de sa cellule, au chef de l'Etat pour réclamer une loi autorisant la castration chimique des délinquants sexuels de son espèce. Une mesure que le président avait déjà annoncée à plusieurs reprises en même temps que la création d'un hôpital fermé pour pédophiles à Lyon, sans pour autant faire sortir le projet des cartons.

En éclairant d'une lumière crue la disparité des traitements, le cas Polanski, tout différent qu'il fut, ne pouvait que révéler une nouvelle fracture entre le peuple et les élites. Insensible à mes mises en garde, le président ne voulut rien entendre : « *Je me refuse à parler de crime*, nous expliqua-t-il. *J'ai voulu savoir, j'ai regardé le dossier ; c'est glauquissime, mais la mère était présente sur place. Il faut resituer cette histoire dans le contexte de la Californie des années 1960 où tout le monde s'adonnait à la fumette. C'était le contexte de l'affaire Sharon Tate*[6]*. Si la Suisse nous livre Polanski, car après tout il a la double nationalité franco-polonaise, que ferons-nous ? Pour moi, c'est clair : la France n'extrade pas ses nationaux.* »

Circonstance aggravante, la réponse qu'il fit aux journalistes du *Figaro* dans une interview publiée le 15 octobre avait le redoutable inconvénient d'officialiser la dérive laxiste de celui qui s'était présenté comme le champion de la tolérance zéro : « *Je comprends que l'on soit choqué par la gravité des accusations contre Roman Polanski. Mais j'ajoute que ce n'est pas une bonne administration de la justice que de se prononcer trente-deux ans après l'affaire, alors que le présumé coupable a aujourd'hui 76 ans.* » En vain, j'avais plaidé jusqu'au bout pour qu'il rajoute un paragraphe qui me paraissait de nature à apaiser l'exaspération des Français où il aurait rappelé son attachement au principe d'une justice égale pour tous.

Tenir un discours ultrarépressif sur la criminalité sexuelle et donner par ailleurs le sentiment qu'on pouvait absoudre certains comportements, parce qu'ils étaient le fait d'une petite caste justiciable d'un régime particulier, un peu à la manière des pontifes, des flamines et autres vestales au temps de la Rome antique, relevaient non seulement de la gageure, mais d'une contradiction inextricable. La sanction fut immédiate. Les Français ne comprenaient pas que le président tournât le dos aux marqueurs idéologiques de sa campagne : la lutte contre la « culture de l'excuse » et la volonté de se faire, en outsider transgressif, le porte-parole des « petits » contre l'arrogance des élites identifiées au désordre des mœurs. Pas plus qu'ils n'admettaient que le plus haut magistrat de la République ignorât, voire méprisât, le ressentiment populaire à l'égard d'une justice à deux vitesses, d'une justice de classe. Dans les conversations, la comparaison était systématiquement faite entre des élites soucieuses de couvrir leurs excès, leurs dérives et leurs crimes par un système de protection mutuelle et les « inculpés d'Outreau », ces épaves du vieux prolétariat nordiste, condamnés et maintenus en prison au début des années 2000 par une justice sourde, aveugle et implacable pour des agressions sexuelles sur mineurs qu'ils n'avaient pas commises[7]. S'agissant d'une question qui portait autant sur les mentalités que sur l'appareil judiciaire, la ligne de démarcation ne passait pas entre la droite et la gauche, ni même entre une jeunesse réputée tolérante et des seniors crispés sur les vestiges de l'ancien ordre moral, mais bien entre catégories populaires et classes urbaines diplômées.

La complexité et la division s'introduisirent à l'intérieur de chaque camp lorsque, le 5 octobre 2009, Marine Le Pen accusa Frédéric Mitterrand, sur le plateau de « Mots croisés », de s'être livré au tourisme sexuel, notamment en Thaïlande, et implicitement à des actes de pédophilie, ainsi que celui-ci semblait en avoir fait l'aveu dans un « roman autobiographique », *La Mauvaise Vie*[8], publié en 2005. Ouvrant l'échappatoire des « fantasmes littéraires », le titre du livre servit de position de repli au ministre de la Culture qui nia farouchement avoir eu des rencontres sexuelles tarifées avec des mineurs, s'indigna de l'amalgame « digne de l'âge de pierre » entre homosexualité et pédophilie, tout en citant – incorrigible gaffeur ? – la fameuse formule d'André Gide, connu pour son amour immodéré des jeunes garçons, comme quoi : « On ne fait pas de bonne littérature avec de bons sentiments. » En défendant la cause de Polanski de façon trop véhémente et visiblement trop affective, Frédéric Mitterrand avait sans le vouloir ouvert la boîte de Pandore, amorcé le piège qui se refermait brusquement sur lui-même et sur son encombrante vie privée.

Il était loin le temps où toute une avant-garde progressiste fleurissant à l'ombre des mouvements alternatifs, de l'antipsychiatrie et du militantisme homosexuel se livrait à une apologie de la pédophilie et la présentait sans retenue comme une salutaire remise en cause des interdits. Loin aussi le temps où Daniel Cohn-Bendit, auteur en 1975 du *Grand Bazar*[9], et Tony Duvert, prix Médicis 1973 pour *Paysage de fantaisie*[10], pétitionnaient en compagnie de Sartre, Barthes, Deleuze, Guattari, Glucksmann, Kouchner, Lang et quelques autres pour réclamer la suppression des notions de majorité sexuelle ou d'abus sexuel sur mineur et revendiquaient avec le soutien militant du *Monde* et de *Libération* la reconnaissance des « sexualités périphériques ». A partir des années 1980, ce militantisme débridé allait être progressivement marginalisé avant même d'être rejeté par les acteurs politiques et médiatiques de la « révolution sexuelle ». A mesure que l'homosexualité bénéficiait d'une tolérance accrue de la part de la société française, la pédophilie faisait l'objet d'une condamnation de plus en plus virulente au point de revêtir désormais, sur l'échelle de la délinquance sexuelle, valeur de crime absolu. Comme si la normalisation des autres « sexualités périphériques » avait exigé le cantonnement d'une part maudite susceptible de cristalliser la vindicte sociale et la demande répressive à l'égard des comportements transgressifs.

Frédéric Mitterrand ne put, malgré ses véhémentes dénégations, échapper à la suspicion. Les coups les plus rudes lui furent portés par ceux qu'on n'attendait pas à pareille fête, c'est-à-dire quelques-unes des personnalités les plus en vue du lobby gay. Pour Christophe Girard, l'adjoint au maire de Paris qui s'était beaucoup démené pour être le ministre de la Culture de Sarkozy, l'affaire Mitterrand était « désastreuse » pour les homosexuels parce qu'elle réveillait « les homophobies, les caricatures et la haine de l'autre ». « C'est une histoire triste, émouvante, dérangeante, ajoutait-il en sortant de son carquois la flèche du Parthe, mais c'est l'histoire de Frédéric Mitterrand, une histoire personnelle. » Député de Paris, coauteur et rapporteur de la proposition de loi sur le Pacs en 1999, Patrick Bloche était encore plus féroce : « J'en veux beaucoup à Frédéric Mitterrand, déclara-t-il tout en se défendant de se poser en procureur. A travers sa vie ou sa supposée vie, il ramène les homos dix ans en arrière. J'en ai parlé avec des copains homos, ils sont épouvantés. Dans l'inconscient collectif revient à la surface l'homosexualité qui vit sa sexualité en cachette et finit dans la débauche, alors qu'on n'en est plus là depuis longtemps. »

En clair, l'auteur de *La Mauvaise Vie* était voué à la géhenne parce qu'il renvoyait l'image d'une homosexualité à l'ancienne qui officiait dans la clandestinité et la marginalité, l'instabilité et l'impulsivité, les amours gyrovagues et le nomadisme sexuel, les errances dans les mauvais lieux et les rituels tarifés de la prostitution masculine; une homosexualité non bourgeoise, non respectable, sujet romanesque plutôt qu'objet de marketing, qui répondait en tout point à cette élection-malédiction dont Proust disait à l'aube du siècle dernier, dans *Sodome et Gomorrhe*[11], qu'elle marquait à la fois de son signe les homosexuels et les juifs, allant jusqu'à établir un troublant parallèle entre les « deux races maudites » vouées à la discrimination et à l'opprobre.

A l'heure où les homosexuels aspiraient dans leur expression communautaire à une nouvelle forme de reconnaissance sociale à travers la légalisation du mariage entre personnes du même sexe, à l'heure où l'ego et ses satisfactions pulsionnelles n'étaient mis en avant par les *pride parades* que pour mieux être exploités à des fins commerciales, la médiatisation de la vie sexuelle de Frédéric Mitterrand ressuscitait, dans une lumière blafarde, un infra-monde que l'on avait proclamé forclos, une époque que l'on avait décrétée révolue où l'homosexualité étant considérée comme un « fléau social » au même titre que la prostitution ou l'alcoolisme, il n'y avait pas, il ne pouvait pas y avoir de gays heureux.

Agacé par les articles de la presse internationale, notamment ceux du *Daily Mail* et de *El Mundo* qui n'hésitaient pas à parler du « ministre pédophile de Sarkozy », irrité par le rappel incessant des liens qui faisaient de Frédéric Mitterrand le protégé de Carla Bruni, le président me missionna pour aller exposer au ministre les rudiments de la communication politique. Or il s'avéra dès notre premier entretien, en plein cœur de la tourmente, le 13 octobre, puis lors du déjeuner qui s'ensuivit rue de Valois que mon hôte avait un tout autre ordre du jour en tête. Comme je venais de publier *1940-1945, années érotiques*, une fresque consacrée aux mœurs sous l'Occupation, il m'interrogea longuement sur quelques points qui semblaient lui tenir particulièrement à cœur. Quelle était l'orientation sexuelle du cagoulard Jacques Corrèze, ancien collaborateur du fameux Eugène Schueller qui fut à la fois le fondateur de L'Oréal et le protecteur après-guerre de François Mitterrand ? Avait-il été, de retour du front russe après qu'il eut servi dans la LVF, l'amant d'Eugène Deloncle, l'ancien chef de la Cagoule dont Robert Mitterrand, le propre père de Frédéric, avait épousé la nièce en premières noces ? Ces correspondances plus ou moins souterraines, ces interférences plus ou moins occultes entre l'histoire familiale et les milieux d'extrême droite le passionnaient littéralement. Je lui livrai le peu que m'en avaient appris les archives policières, avant d'essuyer une nouvelle rafale de questions sur les innombrables mauvais lieux du gay Paris sous la botte allemande, du Select de Montparnasse à la brasserie Graff de la place Blanche chère à Jean Genet en passant par le bordel de garçons de La Madeleine que fréquentait assidûment l'écrivain Marcel Jouhandeau.

Au café, il me confia son admiration pour Gabriel Matzneff dont l'œuvre écrite et non écrite avait été pour partie consacrée au « vert paradis des amours enfantines » avec *Les Moins de Seize Ans*[12], comme le rappelait sans aucune vergogne le titre de l'un de ces romans. Puis il me fit part de l'estime en laquelle il tenait Dominique Venner, l'une des figures historiques de la nouvelle droite païenne et « ethno-différentialiste » qui devait se suicider devant le maître-autel de la cathédrale Notre-Dame de Paris en mai 2013. Un tel éclectisme politico-sexuel me laissa un moment sans voix.

Esprit vif, animé d'une curiosité sans fond, se livrant en fin connaisseur aux plaisirs de la conversation, mais parfois victime de son impétuosité quand ce n'était pas de sa candeur, Frédéric Mitterrand était l'une de ces exceptions à la règle si bien exposée par le moraliste Nicolás Gómez Dávila comme quoi : « La culture n'est pas tant la religion des athées que la religion des incultes[13]. » Quant au reste, tout ce qui n'entrait pas expressément dans le périmètre de sa fonction, c'est-à-dire la politique, ses préférences littéraires ou ses secrètes inclinations, il me paraissait préférable qu'il n'en parlât plus en public. Je le lui dis. Il en convint avec le sourire espiègle et juvénile de celui qui était bien décidé à n'en rien faire.

La mère de toutes les défaites

C'est, à n'en pas douter, sur le front des médias que la débâcle du sarkozysme aura été la plus rapide et la plus spectaculaire. Dans la relation de fascination-répulsion qu'il avait nouée avec les journalistes dès le début des années 2000, la volonté de s'imposer par un style, par la fabrication d'un récit autour de sa personne l'emporta très vite sur le souci de faire prévaloir un système de valeurs et de références à contre-courant de l'hégémonie culturelle de la gauche. Le rapport de force qu'il chercha d'emblée à établir avec les journalistes fut une affaire à la fois intrapersonnelle et interpersonnelle tant le narcissisme chez Sarkozy le disputait sans cesse aux considérations strictement politiques. Peu lui importait, au fond, d'asseoir un magistère idéologique, pourvu que les hommes et les femmes de l'instance médiatique lui fassent allégeance à la manière dont les vassaux, au temps de la féodalité, se plaçaient sous la mainbour du suzerain ou d'un grand feudataire par la cérémonie de l'hommage. Le système informel qu'il chercha à instaurer n'était pas sans rappeler ces contrats synallagmatiques engageant les deux parties par des obligations réciproques. Rien n'était écrit cependant, tout était implicite, mais en échange de la protection de l'Etat, des avantages et des privilèges concédés à certains médias ou journalistes par le biais de subventions, de nominations dans le secteur public ou de recommandations auprès des employeurs privés, le président entendait bien exercer un droit de ban auprès de ses obligés qui consistait moins à les juger, contraindre ou punir qu'à exiger d'eux la dîme de leurs éloges publics.

Le vote, en mars 2009, de la loi sur l'audiovisuel public qui dessaisissait le CSA de la charge de désigner les dirigeants des chaînes et radios du service public au profit du président de la République n'eut pas d'autre objet que de satisfaire ce besoin puéril de matérialiser le lien de subordination originel entre celui qui nommait et ceux qui étaient nommés. Un tel système présentait un double inconvénient : il entachait d'une forte suspicion l'indépendance des nouveaux promus, en même temps qu'il soulignait crûment le phénomène de cour auquel ils devaient leur faveur. Propulsés en mai 2009 à la tête de Radio France pour le premier, à la direction de France Inter pour le second, Jean-Luc Hees et Philippe Val ne se distinguaient guère *a priori* par leurs éminentes qualités professionnelles. Val, surtout, l'ancien directeur de *Charlie Hebdo* qui n'avait fréquenté les médias audiovisuels que comme gratteur de guitare et modeste chroniqueur dans les émissions du service public animées par Jean-Luc Hees. Converti aux bienfaits de la pensée (et de la pratique) libérale-libertaire après une longue phase gauchiste, il était d'abord un ami proche de Carla Bruni-Sarkozy avec qui il partageait bien des choses, dont le même goût pour les opinions courantes et la même propension à dérouler un ombilic hypertrophié.

Entre mauvaise foi et cynisme, la gauche empocha la mise, secrètement ravie qu'elle était de voir ses adversaires supposés reconduire avec éclat son *imperium* culturel, mais s'offrant néanmoins le plaisir de flétrir un « retour de la mainmise de l'Etat sur l'audiovisuel », comme au « bon vieux temps de l'ORTF d'Alain Peyrefitte ». Edwy Plenel lança un appel « pour la préservation absolue de l'intégrité du service public de l'audiovisuel », intégrité signifiant, dans son esprit, intégralement à gauche, car enfin qui pouvait citer un journaliste de droite officiant sur une radio du service public, un intellectuel du même métal vaticinant sur les ondes de France Culture ? Il se trouva même un éditorialiste de *Marianne* pour lancer sans rire un avertissement où le pompeux le disputait au grotesque : « Désormais, dès le lundi 5 janvier 2009, si rien n'est fait, le président de la République, Nicolas Sarkozy, exercera une emprise sans partage sur la quasi-totalité des chaînes de télévision et des stations de radio[14]. »

Le choix du ticket Hees-Val, si déroutant pour la base de l'UMP, donna lieu, le 4 mai 2009, à l'un de ces interminables plaidoyers *pro domo* dont Nicolas Sarkozy était coutumier, dès lors qu'il s'agissait d'habiller un caprice ou un emballement de son épouse en choix stratégique. Cette fois-là, l'explication fut un peu plus laborieuse qu'à l'habitude :

— *Oui, Val a une idéologie de gauche, il est anguleux, mais il est pour Israël et l'Alliance atlantique. Il a viré Siné après son papier antisémite contre mon fils*[15]. *Virer Siné, il fallait le faire ! Dans le procès des caricatures de Mahomet, je lui avais écrit pour le soutenir. Ça avait créé du liant entre nous. Du coup, il n'a pas été très dur à convaincre. Je lui ai dit : « Tu ne vas pas faire toute ta carrière à* Charlie Hebdo *! Vous allez voir : la gauche va être muselée. Les socialistes ne pourront rien dire. Ce sera difficile pour eux de dénoncer un choix partisan. »*

Le pari me parut si hasardeux que je ne pus m'empêcher d'en relever les limites :

— De toute façon, tu ne risques plus grand-chose. Il y a longtemps que France Inter est la propriété indivise de la gauche. Il sera difficile pour le service public de faire pire dans le registre de l'antisarkozysme primaire.

— *Tu me donnes combien de chances ?*

— C'est à pile ou face.

— *Ben, 50 %, ça fait beaucoup. Je prends !*

— Enfin, je voulais dire : pile, tu perds, et face, ils sont gagnants.

Nous ne reparlâmes plus du tandem Hees-Val jusqu'au 18 avril 2012, à quarante-huit heures du premier tour de l'élection présidentielle. Ebranlé par les mauvais vents qui soufflaient sur sa fin de campagne, le président s'était adonné à l'une de ces introspections à voix haute d'où il tirait immanquablement la réassurance qui lui permettait de tenir le choc.

— *Tout cela n'est pas si mal. Nous n'avons pas fait d'erreurs majeures, même avec les médias. Si on m'avait dit, il y a trois mois, que nous en arriverions là, j'aurais signé tout de suite.*

Dans un climat d'extrême tension hanté par le spectre d'une défaite imminente, ces propos lénifiants, déjà difficilement supportables en temps ordinaire, me firent bondir :

— Tu vas perdre ! Tu vas perdre parce que tu as livré, en toute connaissance de cause, des positions à l'ennemi. Ces types passent leur temps à te salir avec l'argent des contribuables. Tu devrais écouter France Inter ou France Info qui dressent chaque jour contre toi la guillotine de leurs mots sous la haute autorité de ton ami Val. Tu sais celui que tu as nommé…

— *Au moins, je me suis fait plaisir.*

A l'aune de ce critère, la politique revenait à échanger une furtive satisfaction immédiate contre des désagréments différés, mais durables. Le commerce des idées l'ayant mêlé à des gens qui y faisaient carrière, Nicolas Sarkozy ne comprenait pas que certains de ses interlocuteurs pussent s'y cramponner comme à une raison sociale puisque, pour lui, la pire des choses qui pouvait arriver aux idées n'était pas de s'avérer fausses sous le démenti des faits, mais plutôt d'être passées de mode. Ainsi l'agressivité d'un journal comme *Libération* à son encontre présentait à ses yeux une insurmontable difficulté cognitive. Après tout, le quotidien fondé par Sartre n'était-il pas devenu, au fil des ans, le lieu où se consommaient les noces oligarchiques de la finance et de la gauche libertaire, depuis l'arrivée comme actionnaires de Jérôme Seydoux, Gilbert Trigano et Antoine Riboud bientôt relayés par la prise de participation d'Edouard de Rothschild, le fils du fondateur de la section européenne de la Trilatérale ? Longtemps, Sarkozy se heurta à ce mystère : comment le croisement de Davos et de Saint-Germain-des-Prés pouvait-il accoucher d'un rejet aussi radical de sa personne ?

Arriva ce dimanche 16 mai 2010 où les ténèbres se dissipèrent enfin. Nous étions installés sur la terrasse des appartements présidentiels de l'Elysée formant un demi-cercle autour du chef de l'Etat lorsque Franck Louvrier, le chargé des relations avec la presse, annonça que Laurent Joffrin et Nathalie Collin, respectivement directeur de la rédaction et présidente du directoire de *Libération* sollicitaient un rendez-vous auprès du président de la République. Le journal avait besoin en urgence d'une avance de trésorerie d'au moins 3 millions d'euros pour pouvoir faire la paie de ses salariés à la fin du mois. Trois millions, c'était un peu moins du tiers de la somme globale que l'Etat versait chaque année au quotidien d'extrême gauche au titre des aides publiques à la presse.

A cette requête, le visage de Sarkozy s'illumina de cette lueur de candeur juvénile qui le rendait parfois si désarmant. Il en était sûr, il le pressentait depuis longtemps : il y avait à *Libé* des gens avec qui l'on pouvait parler pour peu que l'on se donnât la peine de dissiper les malentendus et de nouer un vrai dialogue, des gens compréhensifs, des cosmopolites, altermondialistes certes, mais mondialistes tout de même, des trublions idéalistes peut-être, mais finalement, sous leurs dehors de contestataires, des brise-glace utiles à l'expansion de l'économie de marché.

Sans doute y eût-il plus d'un lecteur de *Libération* pour se frotter les yeux en parcourant les premières pages du quotidien de la rue Béranger daté du 28 mai ? C'était Noël à la Pentecôte. Le titre du sujet leader avait déjà de quoi surprendre : « Réforme des retraites. Avantage Sarkozy. » Moins cependant que la signature pour le moins insolite d'Eric Woerth, le ministre du Travail chargé de la réforme, dont la prose occupait le rez-de-chaussée aménagé pour la circonstance en annexe de l'UMP. Pour ceux qui souffraient de quelque retard à la compréhension, l'éditorial de la page 3 concluait en titrant à « L'habileté retrouvée de Nicolas Sarkozy », avant d'expliquer sur deux colonnes comment « du débarquement de Darcos aux fuites sur l'âge de départ, Sarkozy [s'était] refait la main sur un dossier pourtant explosif ». A l'autre bout du fil, Sarkozy, depuis Genève où il était allé soutenir la candidature de la France pour l'organisation de l'Euro 2016, exultait. Je l'interrogeai pour la forme :

— Qu'est-ce que tu as fait à *Libé* pour qu'il se mette à concurrencer *Le Figaro* ?

— *Chut ! Je suis à la manœuvre.*

Une semaine plus tard, il m'interpellait sur le mode triomphant :

— *Tu as vu ?* Libé, *c'est réglé. Ils se comportent bien. Très bien même. Enfin… aussi bien que possible.*

La « manœuvre », comme bien l'on pense, ne déboucha ni sur un armistice durable, ni même sur une stabilisation du front. Il y avait déjà longtemps que *Libération* avait repris son pilonnage antisarkozyste quand la direction du quotidien se manifesta une nouvelle fois auprès de l'Elysée. Cette fois, la demande portait sur une avance de 2 millions d'euros. Elle tombait au pire moment. Après son déplacement désastreux à Bayonne dont toutes les télévisions avaient complaisamment relayé les images, le candidat nous avait réunis le 2 mars 2012, à la résidence de La Lanterne, pour débattre de la réorganisation de l'équipe de campagne. J'avais plaidé, d'emblée, pour une offensive ciblant la partialité des médias qui, à de rares exceptions près, faisaient ouvertement le jeu de François Hollande. L'échange qui s'ensuivit entre le président et son secrétaire général Xavier Musca ne fit que souligner cruellement l'impuissance d'hommes englués dans un système dont ils se savaient complices et semblaient parfois surpris de s'en découvrir victimes :

— Il va être difficile, Monsieur le Président, de ne pas donner satisfaction à la direction de *Libé*. Nous venons d'accorder l'avance que nous réclamait *L'Humanité*. Ils nous prennent pour leur banquier.

— *Raison de plus pour arrêter.*

— Comment le justifiera-t-on ?

— *Je m'en moque. Je viens d'être assiégé durant plus d'une heure dans un bar à Bayonne sans pouvoir sortir. Jeudi matin à France Inter, j'étais cerné par un mur de haine. Ça suffit ! Je veux crever le plafond de verre, raconter comment les choses se passent en coulisses, dénoncer le système, les combines des socialistes, la tartufferie de ces gens qui vous insultent en public et viennent par-derrière quémander des faveurs et tendre la sébile, le chantage permanent… Le terrorisme médiatique de la gauche, quoi !*

Du sang sur les murs

La colère présidentielle n'eut pas de suite. Pas plus que n'en avaient eu les innombrables menaces, fulminations, admonestations proférées à l'encontre des actionnaires ou directeurs de rédaction, patrons de radio ou de chaînes de télévision tout au long de son mandat. Le scénario était toujours le même : le président attendait que la réunion fût déjà bien avancée avant de demander qu'on le mît en communication téléphonique avec tel ou tel pontife des médias. Toutes serres ouvertes, il fondait alors sur sa proie. Sur François Pinault pour une couverture du *Point* titrée « Les psys et Sarkozy », sur Christophe Barbier pour la une de *L'Express* qui, sous une photo du couple exécutif, affichait en gros caractères « Pourquoi ils se détestent », et à bien d'autres encore pour une mauvaise manière ou pour l'ensemble de leur œuvre, il promit selon une formule familière qu'« il y allait avoir du sang sur les murs ».

Les murs restèrent immaculés et la résignation s'insinua insidieusement entre deux accès de rage, courtes périodes d'accalmie où Nicolas Sarkozy cherchait à se convaincre que les Français qui l'avaient élu en sauveur suprême l'apprécieraient encore plus en saint Sébastien criblé de flèches. La litanie de ses imprécations distillait un humour involontaire : « *Les journalistes sont intouchables, mais leurs injures me victimisent* », « *Plus ils me tapent dessus, plus ils me rendent populaire auprès des Français* ». « *Ils voudraient me faire perdre mon sang-froid,* disait-il en esquissant un salut nazi, *mais je ne veux pas être un petit Hitler.* » Sur les journalistes, il avait un point de vue d'autant plus arrêté qu'il les avait pour la plupart observé de près. Chacun eut droit à sa gerbe, liée avec un bel entrain, certains plus souvent qu'à leur tour. De Jean-Michel Apathie : « *C'est un militant de gauche bas de plafond et dépourvu du moindre talent. Il porte la haine sur son visage. Et dire qu'il a osé évoquer l'installation d'une baignoire dans mon nouvel avion. Pourquoi pas un court de tennis ou un four à pizza ?* » De Franz-Olivier Giesbert : « *C'est un pousse-mégots, un ramasse-crottes, spécialiste de l'abus de confiance. Cela fait vingt ans qu'il fait son petit commerce en trahissant les "off" de ses interlocuteurs. C'est un pervers qui a besoin de se créer un maître pour mieux le détruire. Il l'a fait avec Mitterrand, il l'a fait avec Chirac. Ça n'a pas marché avec moi.* » De Laurent Joffrin : « *Pourquoi se cache-t-il derrière un nom de station de métro ? Il s'appelle Mouchard. Pas Joffrin, Mouchard ! C'est un joli nom, Mouchard. Ça lui va bien. Surtout quand on dirige une entreprise de délation camouflée en entreprise de presse. On me dit que son père a été longtemps le financier de Le Pen. Je comprends qu'il ait beaucoup à se faire pardonner auprès de ses petits camarades.* » Des journalistes dits de droite : « *Nos amis n'ont aucun courage, ils finissent toujours par se coucher.* »

D'expérience, nous savions que ce déchaînement de violence verbale n'était que l'écume d'une tempête intérieure qui n'aurait aucune retombée. Pilonnant les positions présidentielles, les principaux éditorialistes des médias audiovisuels étaient devenus les chefs de pièce d'une offensive sans répit ; d'autant plus téméraires qu'ils se savaient assurés d'une totale impunité et qu'ils pouvaient ainsi se parer des plumes d'une « résistance » qui ne leur faisait pourtant courir aucun danger. Eric Zemmour n'était pas dans ce cas. Avoir du courage et être un esprit libre, telles étaient les deux branches de la croix que portait sans fléchir ce journaliste à qui ses confrères ne pardonnaient pas l'exubérance d'un talent incompatible avec le psittacisme du nouvel ordre moral. Un jour, le coruscant Zemmour, invité sur le plateau d'un vieux provocateur, livra un constat que nombre de policiers, pénalistes, sociologues et autres chercheurs patentés avaient fait avant lui, mais dans un colloque intime avec les statistiques. L'imprudent pointa en public, *horresco referens*, la surdélinquance des « quartiers » et des « jeunes issus de l'immigration », relevant au passage que « la plupart des trafiquants de drogue étaient noirs ou arabes ». Il fut aussitôt cloué au pilori au point d'être convoqué par la direction du *Figaro*, son employeur, pour un entretien préalable à son licenciement. A droite, on ne se bouscula pas pour prendre la défense de ce fâcheux dont le seul tort, dans un monde frappé de cécité volontaire, était de se conformer à la maxime de Charles Péguy : « Il faut toujours dire ce que l'on voit : surtout il faut toujours, ce qui est plus difficile, voir ce que l'on voit. » Seul ou presque, je m'employai à tenter de sauver le soldat Zemmour. Impuissant à museler ses véritables adversaires, Nicolas Sarkozy, habité d'une colère que rien ne semblait devoir arrêter, s'apprêtait à tourner le pouce vers le bas à la romaine pour signifier la mise à mort de l'insolent. Il paierait pour les autres, à la place des autres. L'épilogue se noua le 24 mars 2010, au lendemain des élections régionales.

— *Zemmour ne m'épargne pas dans ses chroniques de RTL. Pourquoi l'épargnerai-je ?*

— Parce qu'il ne faut pas confondre la critique et l'outrage.

— *Tous ces journalistes me crachent à la gueule, sans qu'ils ne leur arrivent jamais rien. Pour une fois que l'un d'entre eux va morfler.*

— Ce n'est pas toi, mais ta politique qu'il met en cause. Il n'éprouve aucune détestation de ta personne. Si tu veux braquer davantage ton électorat, livre-le à la curée. Ses confrères t'en sauront gré. Tu auras un martyr sur les bras. Et un martyr de droite, qui plus est ! Ce qui n'est peut-être pas la meilleure façon d'aborder l'échéance de 2012.

Eric Zemmour ne fut pas licencié. Les rapports que le chef de l'Etat entretint avec les médias furent à l'image du reste. Le grand paradoxe de Nicolas Sarkozy aura été d'exiger dans ce domaine comme dans d'autres un élargissement de ses pouvoirs pour en faire un usage contraire à ses propres intérêts et à ceux de son camp. Là s'est noué son drame intime : ne pas, ne jamais avoir été à la hauteur de la haine qu'il inspirait à ses ennemis.

Chapitre VIII

La droite, ce grand cadavre à la renverse

« Nous ne blâmons pas le capitalisme parce qu'il forme l'inégalité, mais pour favoriser l'ascension de types humains inférieurs. »

Nicolás Gómez Dávila.

Pendant deux siècles, la vie politique en France aura été marquée par ce que l'historien des idées Albert Thibaudet a nommé, entre les deux guerres, le « sinistrisme ». Ce néologisme lui a servi à décrire le remplacement progressif des partis de gauche par de nouveaux partis plus radicaux repoussant de la sorte, à tour de rôle, les formations plus anciennes vers la droite[1]. On aura ainsi vu le parti radical, lié aux origines de la IIIe République, migrer par paliers successifs de l'extrême gauche au centre, du fait de l'apparition de la SFIO puis du Parti communiste. Avec la Libération, qui marque la liquidation des dernières droites d'Ancien Régime, l'opposition de la droite et de la gauche ne renvoie plus, pour l'essentiel, qu'à un clivage intérieur à la grande famille de pensée issue du mouvement des Lumières et de la Révolution française. Jusqu'au début des années 1980, le sinistrisme n'est en somme que la traduction mécanique, en termes d'organisation de l'espace public, de la victoire idéologique de la gauche. Du travaillisme à la française de Jacques Chirac à la société libérale avancée de Valéry Giscard d'Estaing, la droite, qui refuse depuis au moins un siècle de s'appeler et de se définir comme telle, ne se présente plus devant les électeurs que revêtue des oripeaux empruntés à l'adversaire. En fait, du prêt-à-penser doctrinal au prêt-à-porter lexical, il n'y a alors pratiquement plus rien dont elle ne soit redevable à la gauche.

La donne change à la fin du XXe siècle. La tectonique des plaques ne joue plus dans le même sens. L'effondrement du bloc soviétique, en 1989, met un terme à la pression venue de la gauche révolutionnaire. A ce facteur conjoncturel s'ajoutent bientôt les phénomènes structurels engendrés par la globalisation. Les questions autour desquelles se réorganise le débat public balancent entre mondialisation et démondialisation, libre-échange et protection, gouvernance et souveraineté, diversité et identité, suppression et demande de frontières. Ou encore, sous le coup du 11 septembre 2001, entre l'avancée de la sécularisation et le retour du sacré que recouvre le « choc des civilisations[2] », pour reprendre la formule schématique du politologue américain Samuel Huntington.

Ces thématiques émergentes perturbent gravement, pour nombre d'entre elles, le logiciel interprétatif de la gauche. La dynamique, l'initiative, l'offensive intellectuelle ne viennent plus du camp progressiste, mais des milieux conservateurs et de la mouvance populiste. Un mouvement dextriste apparaît alors comme la réplique inversée du sinistrisme. Il exerce une pression de droite vers la gauche et entraîne le repositionnement des idéologies sur le spectre politique, notamment du libéralisme. Ainsi ce dernier, qui s'est un temps fixé à droite en raison de l'affrontement Est-Ouest durant la guerre froide, glisse vers le centre et la gauche, autrement dit, selon une trajectoire inverse de celle qu'il avait empruntée entre le XVIIIe siècle et le XXe siècle.

La crise financière de l'Etat-providence, qui le conduit à se retirer des activités qu'il s'était directement ou indirectement appropriées, enlève à la social-démocratie les outils de régulation et les garde-fous qui avaient conditionné son ralliement à l'économie de marché. Dès lors, l'assèchement des politiques de redistribution va transformer le compromis historique initialement passé avec le capitalisme en une capitulation en bonne et due forme. Le moment de cette reddition s'appelle New Labour dans le Royaume-Uni de Tony Blair, « social-libéralisme » en France. Mieux encore, toute une génération d'hommes de gauche va fonder sa légitimité en disputant à la droite le monopole de la compétence gestionnaire et de l'expertise économique au service de la mondialisation néolibérale, de Jacques Delors à la présidence de la Commission européenne à Dominique Strauss-Kahn en tant que directeur du FMI en passant par Pascal Lamy à la tête de l'Organisation mondiale du commerce. Sans oublier Emmanuel Macron, ancien cadre de la banque Rothschild qui opère depuis 2014 une habile synthèse entre une modernité tapageuse et la gauche de marché.

Le fait majeur de ces deux dernières décennies tient bien, ainsi que le soutient Jean-Claude Michéa, dans cette reconstitution de l'unité philosophique du libéralisme économique et du libéralisme culturel. Pour avoir dépassé leur opposition apparente, l'un et l'autre se redécouvrent les deux faces complémentaires d'un même mouvement historique ou, pour le dire avec les mots de l'auteur de *La Double Pensée,* comme « une totalité dialectique dont tous les moments – qu'ils soient économiques, politiques et culturels – sont inséparables[3] ». Ce retour du libéralisme vers sa source originelle s'accompagne d'un chassé-croisé sociologique. Tandis que la bourgeoisie néolibérale – les bobos du centre-ville –, enfin délivrée de la crainte du communisme par la chute de l'Empire soviétique, rallie massivement une gauche dont l'offre politique concilie désormais au mieux ses intérêts de classe et ses exigences en matière de libération des mœurs, les catégories populaires s'engagent dans un processus de désaffiliation qui les conduira à emprunter le chemin en sens inverse et à passer du vote socialiste ou communiste à un vote de droite ou populiste.

Grand bénéficiaire en 2007 de ce système de vases communicants, Nicolas Sarkozy appartenait pourtant par son histoire davantage à la famille libérale qu'au conservatisme émergent qui l'avait hissé jusqu'au pouvoir. L'ambiguïté s'avérait lourde d'un malentendu, le malentendu d'une méprise.

Le festin de Trimalcion

La malaventure du sarkozysme eût pu se résumer à un épisode ordinaire de l'éternelle incapacité que manifestait la droite de disputer le pouvoir intellectuel à la gauche et à un signe supplémentaire de cette aboulie congénitale qui, une fois qu'elle était élue, l'empêchait de remettre en cause les « avancées » sociétales et les « acquis culturels » de l'adversaire dont la dénonciation figurait pourtant au cœur de sa rhétorique électorale. Or le renoncement de Sarkozy fut beaucoup plus que cela, beaucoup plus que la défaillance morale d'un politicien uniquement préoccupé par la prise de bénéfice d'un aller et retour spéculatif. Il n'eut même pas pour lui, au moment où il intervint, l'excuse d'un rapport de force défavorable ou d'une opinion farouchement hostile, prétextes habituels au Munich idéologique permanent d'une droite toujours prête à passer les compromis qui la dispensaient de tout courage et la déliaient de ses engagements. L'ouverture mise en œuvre par le vainqueur de 2007, avec pour corollaire la consolidation de la droite en petite gauche de confort, fut d'abord et avant tout un choix contracyclique, fruit d'une approche partielle et finalement d'une incompréhension du mouvement de fond qui l'avait porté au pouvoir.

Si bien qu'à peine installé à l'Elysée, Nicolas Sarkozy céda à une politique de l'ostensible commune aux dirigeants libéraux de l'heure, à cette esthétique faite de kitsch et de tape-à-l'œil si étrangère à la culture profonde des Français, si peu conforme à l'attente des petites gens qui espéraient de lui qu'il incarnât autre chose que le matérialisme arrogant de l'hyperclasse mondialisée, dont l'hédonisme médiocre d'un Obama ou la débauche vulgaire d'un Berlusconi étaient les avatars.

L'époque, en effet, battait le rappel de Trimalcion, cette figure fictive du *Satyricon*[4] de Pétrone qui, depuis l'Antiquité romaine, avait servi de modèle aux évocations littéraires du parvenu. Esclave affranchi ayant réussi à force d'habileté et de persévérance, il campait un personnage de bonimenteur intarissable et de m'as-tu-vu incorrigible conviant à de fastueuses agapes courtisans et obligés dont les flatteries rassasiaient sa vanité. En roi de la fête, il se complaisait à imiter les grands, dont il empruntait les manières non pas pour se les approprier, mais comme insignes de sa promotion, s'évertuant à mimer le raffinement, l'esprit et la profondeur de pensée qu'il croyait être le *nec plus ultra* de l'intelligence, tandis que Fortunata, son épouse, experte en danses orientales, savait porter l'atmosphère de ces banquets à la frontière indécise entre la sensualité et l'incandescence. Fort d'une abondante postérité théâtrale, romanesque et cinématographique, Trimalcion s'avérait l'ancêtre en ligne directe du Bourgeois gentilhomme de Molière, du Turcaret de Lesage, du Monsieur Perrichon de Labiche ou, plus proches de nous, du Great Gatsby de Fitzgerald et du Citizen Kane de Welles. Toutes nuances requises et admises, c'était également le lointain aïeul de Nicolas Sarkozy, ce personnage en rien imaginaire vivant à cheval sur les XXe et XXIe siècles, mais pas sur les conventions qui avaient longtemps réglé l'exercice du pouvoir.

Qui, en effet, eût pu oublier que les premiers signes apparents, et qui par trop étaient apparus, de la présidence Sarkozy firent la fortune du bling-bling, cette onomatopée sortie du jargon hip-hop où elle désignait le goût immodéré des rappeurs pour le clinquant et la bimbeloterie? Au motif, toujours le même, que l'hypocrisie était la pire des tares sociales – *« Les Français savent bien que je ne vis pas comme eux »*, répétait-il chaque fois qu'on l'incitait à plus de sobriété –, le chef de l'Etat, tout à l'ivresse de sa spectaculaire ascension, accumula très vite les gestes qui allaient indissolublement l'associer à l'esbroufe. La réception au Fouquet's, la croisière au large de Malte, les vacances dans le New Hampshire, la décision de revaloriser sa rémunération, l'apparition de Carla Bruni à Disneyland, l'étalage de la montre Patek Philippe 3940G en or gris, cadeau de l'ancien mannequin que le président enamouré promena avec une candeur émerveillée sous les yeux des journalistes qui s'empressèrent de s'en faire l'écho, ne furent pas simplement des fautes de goût, mais bel et bien des fautes politiques dont rien, par la suite, ne devait parvenir à effacer la trace dans la mémoire des Français.

Esprit carré dans un corps rond, Patrick Ouart, le jovial conseiller pour les affaires judiciaires, disposait à ce sujet d'une théorie élaborée : « La violence du rejet que suscite son comportement a une explication, me glissa-t-il un jour sur le ton de la confidence. Il opère la jonction entre l'antisémitisme populaire à l'égard de l'homme d'argent et de l'antisémitisme bourgeois envers le parvenu. » Il aurait pu y ajouter la haine d'une certaine gauche anticapitaliste et antisioniste qui, effrayée par ce qui bouillonnait en son tréfonds, répugnait à mettre un nom sur le sentiment que lui inspirait le chef de l'Etat.

Un certain fatalisme s'était emparé de notre petite équipe doublement affligée par les débordements de l'*hybris* présidentielle et l'incapacité où nous nous trouvions de ne pouvoir la contenir. Il me souvient particulièrement d'une réunion de cabinet, le 5 février 2008, au cours de laquelle Emmanuelle Mignon, au comble de l'indignation, nous fit lecture d'un exercice grammatical que l'université de Nice-Sophia-Antipolis avait cru devoir soumettre à la sagacité de ses étudiants. Le texte à commenter était le suivant : « Nicolas Sarkozy ignore que l'étalage des richesses lui nuit auprès des Français. » Un silence sépulcral accueillit ce constat de bon sens qui désamorçait par avance toute velléité répressive, si bien qu'aucun d'entre nous ne songea à s'en indigner, ni à le contester le moins du monde.

Personne au demeurant ne pouvait plus douter que cet attrait manifeste pour les panoplies rutilantes définissait autant un style qu'une politique, une attitude devant la vie qu'une perception du monde où le « beau » l'emportait sur le vrai, le spectacle sur le réel, le toc sur l'authentique, pour peu qu'il épatât, jetât mille feux, troublât les sens, endormît la vigilance. Au publicitaire Jacques Séguéla revint le mérite d'illustrer avec le brio des faiseurs de slogan ce paradigme existentiel en déclarant que « si on n'a pas de Rolex à 50 ans, on a raté sa vie », paraphrase consumériste de la célèbre boutade du général Lasalle, héros oublié de l'Empire : « Tout hussard qui n'est pas mort à 30 ans est un jean-foutre. » En quelques mots, l'ami du président, l'homme qui avait été à l'origine de sa rencontre avec Carla Bruni, apportait une contribution décisive à l'ontologie du vide commune aux nouveaux Trimalcion qui, bien que se croyant à l'abri des entreprises de l'âme, n'en cherchaient pas moins désespérément à combattre le sentiment de leur finitude. Il révélait que, même riche, on pouvait être pauvre : il suffisait de réduire son être à son avoir sans plus de besoin que d'essentialiser les apparences.

Tel était bien le prisme déformant à travers lequel Nicolas Sarkozy appréhendait l'humanité. Pour lui, l'argent représentait non seulement l'unité de mesure de la performance sociale, mais encore l'étalon d'un système où la valeur nominale des individus supplantait leur valeur substantielle. En cela, il était bien l'homme de la modernité, celui qui affirmait la primauté de la quantité sur la qualité ou, plus exactement, la supériorité d'un monde où le *quale* n'était plus qu'une modification du *quantum*. Ce même monde dont Pierre Boutang avait précisé que « le dieu est devenu l'arithmétique, comme dit Sganarelle à Don Juan, où enfin le nommé Barème, qui a bel et bien existé et inventé les comptes de la nation, s'est imposé comme héros éponyme d'une modalité quantitative de la vie [5] ».

Ses modèles contemporains n'étaient ni chefs d'Etat, ni chefs de guerre, ni poètes, ni prêtres ou même savants; ils étaient acteurs, sportifs, artistes, *showmen* et *money makers*. Ils ne pratiquaient ni les vertus héroïques ni le sacrifice ou le don de soi. Ils avaient en commun le fait que leur singularité était chiffrable, que leur valeur s'appréciait exclusivement selon les normes de la logique marchande. Le répertoire du président s'enorgueillissait d'être à la fois un mixte de *Gala* et du CAC 40. Aussi Sarkozy parlait-il des amis dont il se sentait le plus fier moins en termes de personne qu'en termes de biens, moins sous le rapport de leur humanité que de leur patrimoine. Le multimilliardaire Paul Desmarais? « *Tu te rends compte : sa propriété au Canada a une superficie supérieure à celle de la Belgique !* » Le marchand d'art Guy Wildenstein? « *C'est du lourd. Il pèse 10 milliards de dollars. Il fait beaucoup pour moi aux Etats-Unis.* » Gérard Depardieu après un dîner avec l'interprète des *Valseuses* et l'actrice Fanny Ardant? « *Il m'a dit qu'il me soutiendrait en 2012. C'est du* bankable, *Depardieu. Ils peuvent toujours s'accrocher, les autres ringards avec leurs cachetons minables ! C'est lui l'acteur le mieux payé du cinéma français.* »

Le dieu lare de la table présidentielle n'était ni Jaurès ni Barrès, mais Hermès. Quand on y parlait look, *fashion* et *lifestyle*, c'était la marque de la boutique de luxe du faubourg Saint-Honoré qui faisait référence. Mais, dès qu'il était question du prix des choses, c'était l'autre Hermès qui animait les conversations, celui dont la mythologie grecque, si soucieuse de reproduire par des figures divines les petitesses humaines, avait fait de manière prémonitoire le génie du libéralisme, puisque le Trismégiste, le « trois fois grand », était à la fois le protecteur des marchands, celui des voleurs et… de la communication. Souvent les échanges y dépassaient l'imagination des meilleurs dialoguistes. Comme ce soir du 13 novembre 2007 où, cédant à l'insistance du chef de l'Etat, je pris place à sa table en compagnie d'Agnès Cromback, présidente du joaillier Tiffany-France, de Mathilde Agostinelli, directrice de la communication de Prada-France, de la chanteuse Mylène Farmer et de la garde des Sceaux Rachida Dati. Dire que je me sentis étranger à la conversation émerise une situation que j'étais loin d'entrevoir comme aussi embarrassante lorsque j'avais accepté l'invitation présidentielle. La récente visite officielle du président à Washington, accompagné d'une imposante délégation officielle, occupait encore tous les esprits. Pour des raisons de protocole et de sécurité, l'hôte de George Bush avait dû renoncer à arriver, comme il le souhaitait, au dîner à la Maison Blanche, entouré des trois femmes ministres de sa suite, Christine Lagarde, Rama Yade et Rachida Dati. Talonnant en solo Nicolas Sarkozy désormais célibataire, cette dernière n'en avait pas moins réussi une entrée spectaculaire en robe crème, de chez Dior, ornée d'une étole de fourrure noire.

Dati : — On vous a fait honneur, Monsieur le Président. Enfin, sauf Rama Yade. Elle ne sait pas se mettre en valeur. Je sais bien que ce n'est pas simple, parce qu'elle a un gros cul de black, mais elle pourrait faire un effort tout de même. Fadela, au moins, suit mes conseils. Elle est allée chez le coiffeur.

Le président : — *Je l'avais pourtant bien briefée sur ses tenues pour la réception de la Maison Blanche. Pas de minijupe, pas de couleurs criardes à l'africaine, mais une robe noire et sobre.*

Agostinelli : — J'aurais dû lui passer ça !

Le président, soupesant d'un geste de la main les boucles d'oreille que venait de lui tendre la dame de chez Prada : — *Ça coûte une blinde, ces trucs-là !*

Dati : — C'est celles à 18 000 euros, tu me les prêtes ?

Agostinelli : — C'est pas 18 000, mais 22 000 euros. Tu me prends pour qui ?

Avec l'arrivée de Carla Bruni à l'Elysée, de telles trivialités ne furent plus de mise. Aux anciennes amies de Cécilia, qu'elle avait requalifiées depuis son divorce de « pétasses fardées », la régalade et l'avidité de celles qui ont eu parfois à chichement compter. A l'héritière turinoise, l'aisance et le maintien de celles pour qui l'argent était un langage dont elles maîtrisaient depuis toujours la syntaxe. A ceci près, tout de même, que si la Première dame de France affectait un certain détachement à l'égard de ce qui était déjà en sa possession – biens, propriétés, fortune –, elle s'installait en revanche dans un lancinant lamento pour évoquer les désagréments qu'occasionnait le devoir de réserve lié à son nouveau statut, les contrats publicitaires « mirifiques » qui lui échappaient, les galas qui lui filaient entre les doigts, les tournées qui, tels des mirages, ne cessaient de reculer vers un improbable horizon. Crucifiante litanie comptable d'un manque à gagner que rien ne pourrait totalement combler quoi qu'il arrivât.

En juillet 2008, la sortie de son troisième album, *Comme si de rien n'était*, provoqua sous l'impulsion du président un grand moment d'enthousiasme collectif, comparable à ce qu'avait pu être l'arrivée du *Petit Livre rouge* de Mao dans les campagnes chinoises. Il fut à peine terni par la publication des chiffres du box-office, aussi exécrables que les sondages du chef de l'Etat, malgré l'énorme tapage médiatique dont bénéficia le produit. Tous les courtisans qui avaient feint de s'extasier à l'écoute de l'opus susurré eurent la délicatesse de les ignorer et de faire comme si de rien n'était – précisément.

Sarko l'Américain

Par quelle étrange transmutation l'avocat du peuple, le pourfendeur des élites, s'était-il métamorphosé de la sorte, aussitôt élu à la plus haute magistrature de l'Etat ? A vrai dire, de transfiguration, il n'y en eut point. L'exercice du pouvoir ne fit que mettre au jour les contradictions qui écartelaient l'homme public et l'homme privé, cette double postulation vers la France des humbles et vers l'internationale des riches, cette tension constante entre le chantre de l'identité nationale et le prédicateur du nouvel ordre cosmopolite, ce contraste entre la recherche de la proximité avec les gens d'en bas et un comportement caractéristique de l'hyperclasse mondialisée.

En prenant à contrepied le dessein présidentiel qui consistait à décomplexer les Français par rapport à l'argent, la crise financière, à partir de l'automne 2008, réveilla l'hydre de l'anticapitalisme qui, au pays de Zola et de Jaurès, de Proudhon et de Drumont, ne dormait jamais que d'un œil. Escapades dans les palaces de New York ou du Brésil, vacances dans la luxueuse propriété des Bruni-Tedeschi perchée sur le rocher du cap Nègre, présence aux obsèques du couturier Yves Saint Laurent, prophète d'un monde où l'on avait pour seule distinction que ce que l'on portait ou plutôt le prix de ce que l'on portait : la sémiologie du sarkozysme renvoyait de plus en plus à un mode de vie exclusivement réglé par la puissance de l'argent-roi, sésame sans conscience et sans frontières à un moment où l'actualité illustrait les ravages d'un capitalisme de casino menaçant de faire exploser la planète et, plus crûment encore, avec l'affaire Madoff les turpitudes de l'oligarchie.

Sans y prendre garde, le chef de l'Etat allait jusqu'à emprunter, les uns après les autres, les accessoires de la panoplie du ploutocrate telle que l'imagerie caricaturale de la presse pamphlétaire l'avait fixée depuis le XIXe siècle. Non content de fournir la cible, il offrait également les balles de ce jeu de massacre qui, en politique, était aussi un jeu de rôle. Au seuil de l'été 2010, alors que Christian Blanc, le secrétaire d'Etat au Grand Paris, se voyait reprocher l'achat de 12 000 euros de cigares aux frais du contribuable, Nicolas Sarkozy, répondant à l'interpellation d'un commerçant lors d'un déplacement en Aveyron, s'exclama : *« Moi, mes cigares, je me les paye ! »*

A notre grande confusion, le bobinot tourna en boucle sur les ondes de toutes les radios et télévisions. Il tournait encore lorsque le président, visiblement de bonne humeur après cette brève incursion dans la France du terroir, m'interrogea devant les autres conseillers sur l'état de l'opinion.

— Pourquoi as-tu dit que tu payais tes cigares?

— *J'ai dit ça, moi?*

— Personne, ou presque, ne savait jusqu'ici que tu fumais le cigare. Il n'était peut-être pas opportun que les Français en soient informés et que ce soit toi, en plus, qui leur donne l'information.

Sans jamais fixer mon regard, Sarkozy, piqué au vif, m'assena l'une de ces ripostes foudroyantes, déconcertantes dont il était coutumier et qui créait un profond malaise chez ses interlocuteurs :

— *Je ne veux pas entendre ça. Il faut m'épargner, me protéger, apprendre à me gérer. Les gens ont été extrêmement gentils avec moi. Vous ne pouvez pas savoir à quel point les gens sont gentils avec moi. Je reviens d'une visite épuisante à Rodez et c'est tout ce que vous trouvez à me dire?*

Jamais l'effondrement de la fonction symbolique ne me parut aussi évident que dans ces instants-là. La colère présidentielle ne retombait pas :

— *Je ne suis pas une 2 CV, je suis une Ferrari. Si vous ouvrez le capot pour regarder le moteur, il faut mettre des gants blancs… Je préfère rentrer chez moi et retrouver Carla.*

Il se leva, quitta la pièce, nous abandonnant comme bois flottés après une marée d'équinoxe.

— Il faut le comprendre, intervint Claude Guéant. C'est extrêmement dur. Le président aime partager au retour de ces déplacements. C'est un moment de détente.

— Il faut savoir, répliquai-je au secrétaire général. Soit nous sommes une cellule de soutien psychologique et je ne suis pas sûr, quant à moi, d'avoir les qualifications requises pour jouer les thérapeutes. Soit notre mission consiste à chercher les moyens de rétablir le lien avec les Français. Auquel cas, il est de notre devoir de tout lui dire, y compris les vérités les plus déplaisantes. Avec les formes certes, mais tout lui dire.

Le portable de Guéant se mit à vibrer.

— Oui, Monsieur le Président. Très bien, Monsieur le Président. Je comprends, Monsieur le Président. Nous étions précisément en train d'étudier le reformatage de ces réunions.

Le cigare après les Ray-Ban, l'aspiration à prendre place, coûte que coûte, dans la galerie des *rich and famous*, tout cela, portant au carré l'incongruité du personnage, avait fini par boucler Nicolas Sarkozy dans un emploi dont il ne mesura les effets délétères qu'une fois précipité dans la géhenne de l'impopularité. Trop tard ! La fameuse « identité nationale » qu'il avait cru pouvoir réduire à une opération de communication venait de le recracher comme un noyau de cerise, comme un corps étranger impropre à la digestion.

Il était vrai que, avec une constance qui n'eût d'égale que sa maladresse, il s'était échiné durant les deux premières années de son mandat à confirmer la suspicion qui entourait sa vision de l'ordre planétaire. Jamais homme politique français n'avait été aussi loin dans l'inféodation au modèle américain. De cette soumission, il faisait état à qui voulait l'entendre parmi ses interlocuteurs d'outre-Atlantique, comme s'il délivrait un pedigree, une immatriculation profonde qui était en quelque sorte le chiffre de son histoire personnelle, tant lui-même ne pouvait imaginer sa propre ascension autrement que comme le reflet d'une saga *made in USA*. A Allan Hubbard, le conseiller économique de George W. Bush :

— *On m'appelle « Sarko l'Américain ». Eux considèrent que c'est une insulte, mais je le prends comme un compliment.*

Auprès de Bush lui-même, qui n'en demandait pas tant :

— *Je vous promets que vous ne serez plus dépaysés quand vous viendrez en France. Je veux faire de la France une autre Amérique.*

Les câbles diplomatiques, publiés par WikiLeaks, révélèrent à quel point l'élection de Sarkozy avait été une divine surprise pour le département d'Etat à Washington. A longueur de dépêches, on y faisait l'éloge d'un homme dont on vantait l'atlantisme, le libéralisme, le communautarisme et l'attachement sincère aux « valeurs américaines ». On s'y félicitait qu'il y eût à l'Elysée « le président le plus proaméricain depuis la Seconde Guerre mondiale ». On y envisageait même la possibilité de le faire évoluer sur la question de l'adhésion de la Turquie à l'Union européenne. Ce à quoi il finit par obtempérer en supprimant la disposition introduite dans la Constitution par Jacques Chirac en février 2005 selon laquelle tout élargissement devait être automatiquement soumis à référendum par le président de la République.

Plus que les ricanements de la gauche et les saillies d'un Laurent Fabius se gaussant du « caniche de Bush », ce fut le réveil d'un antiaméricanisme de droite qui constitua le fait nouveau de l'ère Sarkozy. Un antiaméricanisme axé sur la quête d'un indispensable antidote contre l'économie de la cupidité et la prétention psychotique des Etats-Unis à exercer une domination sans partage. Tant qu'avait duré l'équilibre de la terreur nucléaire, tant que la guerre froide avait imposé son implacable logique bipolaire, la droite avait paru abdiquer le moindre esprit critique envers la Babel américaine par crainte de l'imposture jumelle, mais combien plus oppressive et inhumaine, qui se dressait à Moscou. Aucun de ses maîtres à penser, ou de ceux qui en tenaient lieu depuis 1945, à l'exception notable d'un de Gaulle, n'avait plus osé renvoyer dos à dos ces deux modalités concurrentes quoique cousines du matérialisme qu'étaient le marxisme et le capitalisme. Nul ne s'était risqué à mettre simultanément en cause l'hégémonie idéologique du premier et l'impérialisme économique du second. Le slogan « ni rouge ni yankee » avait été abandonné aux esprits exaltés et aux barbouilleurs de palissades.

Pourtant, auparavant, elle en avait fait couler de l'encre, la droite, elle en avait rempli des pages d'une verve inégalée et d'une férocité décapante pour dire le mépris que lui inspirait le Nouveau Continent. L'antiaméricanisme était alors un humanisme où se côtoyaient des esthètes, comme Baudelaire canardant de leurs « fusées » une société décrite comme la « barbarie éclairée au gaz », et des croyants tels que Claudel qui en appelaient à une révolte spirituelle contre une civilisation de salles de bains, de frigidaires et de chauffage central, d'autant plus insupportable dans sa prétention de vouloir incarner la jeunesse du monde qu'elle n'était à leurs yeux que la vieillesse de l'homme.

Erreur fatale : Nicolas Sarkozy n'eut de cesse de s'identifier au modèle américain, alors même que toute une partie de la droite s'effrayait d'un retour du capitalisme à sa sauvagerie primitive et redécouvrait, précisément, sous l'effet combiné de la mondialisation et de la crise financière, la prophétie d'un Bernanos pour qui « la société capitaliste était prédestinée dès sa naissance à devenir la civilisation totalitaire[6] », mais aussi celle de Marx qui faisait de la bourgeoisie la classe révolutionnaire par excellence, hantée par la déconstruction incessante de « tout ce qui avait solidité et permanence[7] ». Erreur non moins funeste : il opta pour la réintégration dans le commandement intégré de l'Otan au moment où les Français aspiraient massivement à ce que la France, dans la tradition de la politique d'indépendance nationale chère à de

Gaulle, se repositionnât en alternative au leadership américain et non en alliée docile de Washington.

Le sacré ou le marché ?

Dans son essai paru à la fin des années 1970[8], l'économiste américain Albert O. Hirschman opposait les périodes où prédominaient les intérêts à celles où excellaient les valeurs. La différence entre les deux, expliquait-il, tenait à ce que les intérêts étaient toujours négociables, alors que les valeurs ne l'étaient pas. En quelques pages magistrales, Hirschman livrait également la clé de l'antagonisme axiomatique entre le libéralisme et le traditionalisme ou, si l'on préfère, entre les modernes et les antimodernes.

Par bien des aspects, la présidence de Nicolas Sarkozy fut le point d'orgue – faudrait-il dire la consécration ? – d'une droite strictement identifiée à l'argent, d'une droite qui, au fil de l'histoire, avait subi une *reductio ad pecuniam* la rabattant au rang de syndic vétilleux des intérêts privés. Elle eût pu même reproduire la monarchie de Juillet tant son message normatif, « Travailler plus pour gagner plus », s'apparentait au célèbre « Enrichissez-vous par le travail et par l'épargne » lancé par Guizot, le principal ministre de Louis-Philippe, si la crise n'était venue contrarier ce dessein. En ce sens, et en première analyse, l'avènement du sarkozysme avait pu être interprété comme l'un de ces nombreux phénomènes qui accompagnaient la chute du religieux et substituaient la divinisation de la richesse, le culte du Veau d'or – ce « Dieu puant », disait Pierre Loti – à celui des idoles déchues. La suite devait montrer que la bonne compréhension de la période requérait une tout autre herméneutique. Il y alla d'un glissement de terrain silencieux, d'un mouvement asynchrone, imperceptible dans l'instant. Pendant que « Sarko l'Américain » exaltait sans distinction les mille et une formes de réussite, le peuple de droite vacillait sur ses bases.

Moins de six mois après la défaite du candidat de la « France forte », La Manif pour tous, levée en masse contre le mariage des homosexuels, dévoila l'amplitude de ce mouvement sismique en lui conférant un visage inattendu, jusque-là ignoré par les médias ou que l'on croyait appartenir à un autre âge. C'était celui des jeunes Veilleurs de la place Vendôme, modernes Antigone protestant silencieusement contre la violence d'Etat, les paumes ouvertes vers l'extérieur, dans la position des orantes. Finalement moins actionnaire que réactionnaire, plus préoccupée par la garde de l'être que par la société de l'avoir, une droite pour laquelle la loi Taubira ne consistait pas en une simple réforme du droit, mais en un profond bouleversement du mode d'organisation de la vie sociale, une droite entée sur un Bien plus précieux que les biens, sur le capital non pas bancaire, mais immatériel et intemporel, refaisait surface. Résurrection ou exhumation ? Surgissait-elle de l'histoire immédiate, cette droite-là, ou provenait-elle de la paléohistoire ? Fallait-il y voir un avatar de l'ancienne croisade du catholicisme intransigeant contre la modernité ou bien l'expression d'un invariant dans l'histoire du peuple ?

Force était de constater, pour qui voulait bien regarder d'un peu près la chronique du dernier demi-siècle, que les foules de droite, lorsqu'elles étaient descendues dans la rue, ne l'avaient jamais fait au nom d'intérêts catégoriels. Pas un de ces grands rassemblements populaires qui ne fût impulsé par un autre motif que la défense de principes et de valeurs non mercantiles. L'honneur de ce peuple voulait qu'il ne se mobilisât que pour de grandes causes. Ce fut le cas le 30 mai 1968, lorsque l'autorité de l'Etat, l'ordre public, la cohésion nationale lui parurent menacés. Ce fut le cas également le 23 juin 1984, lors du soulèvement contre le projet Savary d'instaurer un « grand service public de l'éducation » qui signifiait la mise à mort de l'école libre. Les manifestations des 13 janvier et 24 mars 2013 ne dérogèrent pas à la règle. Elles mirent en évidence une fracture profonde entre une droite conservatrice et une droite libérale, une droite qui défilait et une droite qui se défilait.

La droite qui défila dénonçait, à travers la loi Taubira, une entreprise de déstabilisation du socle anthropologique des valeurs traditionnelles. Elle pourfendait, par-delà leur apparente opposition inlassablement mise en scène, la complémentarité dialectique du capitalisme consumériste et du progressisme hédoniste qui visait à éradiquer, au nom de l'émancipation individuelle, les appartenances forgées par le temps et par l'histoire. Elle s'insurgeait contre la tyrannie de ce nouveau Mammon libéral-libertaire et proclamait en définitive le primat du sacré sur le marché.

La droite qui se défila s'enfonçait, quant à elle, dans le relativisme moral, ne voyant aucun inconvénient à sous-traiter à la gauche le volet sociétal du libéralisme et ses implications les plus insensées, comme la théorie des genres intégrée dans les programmes scolaires par Luc Chatel, le ministre de l'Education nationale de Sarkozy. Elle psalmodiait les sourates de l'économisme pour mieux se dissimuler et dissimuler aux Français que la crise financière n'était en fait que l'émanation de la crise morale, fruit amer d'une malsociété, excroissance maligne de l'incomplétude d'une société exclusivement matérialiste et marchande.

La droite qui défila alignait les gros bataillons de la piétaille électorale, mais la prohibition du mandat impératif dans notre démocratie parlementaire la rendait politiquement impuissante. La droite qui se défila était minoritaire, mais contrôlait, par le biais des appareils partisans, le processus de sélection du personnel politique censé représenter les électeurs. La droite qui défila avait pour elle un spectaculaire regain du militantisme tel qu'aucun parti n'en avait connu ces dernières décennies, les accents d'une révolte portée par une jeunesse aux antipodes d'un repli passéiste, la maîtrise des codes innovants du langage médiatique qui les faisaient se regrouper sous des oriflammes bleus et roses aux couleurs de layette. La droite qui se défila se débattait dans les convulsions d'une crise de leadership sans précédent qui vidait l'UMP de ses militants et la rendait exsangue.

Certes, le divorce remontait à loin, mais jamais, sans doute, n'avait-il revêtu une telle consistance et une telle évidence au regard des observateurs. Ni Sarkozy ni Fillon et aucun des ministres en vue des derniers gouvernements de droite, hormis Laurent Wauquiez, ne vinrent témoigner de leur solidarité avec les foules pacifiques de La Manif pour tous. Soucieux de récupérer au plus vite leur marge de manœuvre politique, ils s'empressèrent au contraire, sitôt la loi Taubira adoptée, de la déclarer intangible, impossible à abroger selon l'« effet cliquet » qui couvrait de sa dialectique toutes les lâchetés et toutes les abdications de la droite depuis un demi-siècle.

Pourtant, si la mobilisation de centaines de milliers de Français sur des questions sociétales, dont les dirigeants de l'UMP s'étaient longtemps complu à répéter qu'elles n'intéressaient personne, eut bien un sens, ce fut celui-ci : les idées de droite qui avaient été comprimées ou refoulées par le sinistrisme se redéployaient et gagnaient du terrain. Les concepts venus historiquement de la gauche, comme l'insécable libéralisme d'un Jean-Baptiste Say ou d'un Frédéric Bastiat, espoirs du progressisme en leurs temps, y retournaient, dégageant de l'espace politique pour des idées originellement de droite. Plus question de croire qu'à l'instar du cholestérol, il existait un bon libéralisme (l'économique) et un mauvais libéralisme (le politique et le sociétal), l'un et l'autre retrouvaient leur place dans la même catégorie du matérialisme mortifère.

Loin d'avoir réussi à décomplexer les Français vis-à-vis de l'argent, le sarkozysme essuyait en ressac un mouvement de fond qui, par-delà l'enjeu apparent, portait une révolte contre l'« horreur économique », moteur initial et ultime de la prétendue civilisation prométhéenne. Par-delà le rejet du mariage gay, s'exprimait un retour à la source de la plus ancienne des droites, celle qui donnait la main aux utopies du premier socialisme français en raison même de l'ancestrale condamnation de l'argent et de l'anathématisation du profit qui caractérisaient le christianisme depuis ses origines[9]. Sa référence n'était pas la main invisible du marché, mais le dieu miséricordieux et le pauvre évangélique de l'antichrématistique qui, des Pères grecs et latins fulminant contre l'opulence et la rente aux papes Pie IX, Léon XIII, Pie XI excommuniant l'accumulation des richesses en passant par un saint Thomas d'Aquin proscripteur de l'usure, ou un Charles Péguy contempteur de la « prostitution du monde moderne », avait fondé la doctrine sociale de l'Eglise catholique et, prolongeant Aristote, n'avait cessé d'opposer, aux pompes de l'économisme, la simplissime manière de subvenir à ses besoins et à ceux du foyer qu'était l'« économique ».

Voici qu'à la surprise quasi générale, l'affichage d'une droite bling-bling attachée à l'argent-chiffre et à l'argent-signe qui, pendant cinq ans, avait prêté le flanc à l'accusation de n'être qu'une force de conservation des privilèges des classes dominantes, insufflait par contrecoup un nouvel élan à la très ancienne tradition antilibérale de la droite, la tirant du coma historique prolongé dont elle semblait ne plus jamais devoir sortir. Ce n'était ni le puritanisme ni l'intégrisme qui constituaient l'arrière-texte de La Manif pour tous, mais l'affirmation sous-jacente de la supériorité de l'esprit sur la religion séculière de substitution fondée sur l'utilitarisme et la marchandise. Un populisme chrétien, renouvelant ou réactualisant les fondements théoriques du conservatisme, se réclamait d'un ensemble de valeurs qui empruntait à l'élévation aristocratique et à la décence commune : le sens du don et du contre-don, la gratuité, le holisme social, le primat du collectif sur l'individuel, la distinction vivante des fonctions plutôt que la différence morte des fortunes. Il s'inscrivait ainsi à la confluence historique de la pensée réactionnaire et de la pensée révolutionnaire dans leur commun refus de la domination absolue de la finance.

Pour la première fois, la gauche et les « forces progressistes », qui depuis Marx étaient censées s'opposer à la réification des êtres opérée par l'univers marchand, se retrouvaient ouvertement du côté du système de l'argent, à tout le moins dans ses implications sociétales. Moins de six mois après son élection, François Hollande, naguère l'ennemi autoproclamé de la finance, s'en faisait l'exécutant servile en cédant à l'idée centrale de la métaphysique capitaliste qui avait toujours été d'abolir tout ce qui dans les lois, les coutumes et les mœurs léguées par l'histoire pouvait entraver ou aliéner l'autonomie des individus. De ce point de vue, la loi Taubira en faveur du « mariage pour tous » parachevait l'évolution d'une gauche qui, depuis les années 1990, n'avait eu de cesse d'offrir de nouveaux territoires au marché en légitimant des courants ou des pratiques, tels le jeunisme, le féminisme, le sexualisme, l'hédonisme festif ou le communautarisme gay, dont l'une des principales caractéristiques objectives était de contribuer au développement des activités mercantiles. Elle se trouvait *in fine* dans l'étrange situation de devoir condamner les ravages économiques et sociaux inhérents au libéralisme tout en favorisant les conditions culturelles et anthropologiques d'une financiarisation sans limites.

Pour la première fois également, apparaissait au grand jour le clivage entre une droite spiritualiste essentiellement préoccupée par les valeurs, prioritairement soucieuse de circonscrire le pouvoir de l'argent à la sphère des échanges, et une droite matérialiste pour qui les intérêts étaient le véritable et quasiment l'unique moteur de toutes les actions humaines.

Moraliser le capitalisme ?

Champion de la France populaire ou ami des patrons du CAC 40, la question de savoir quel visage du Janus présidentiel finirait par l'emporter se posa dès les premiers jours du mandat de Nicolas Sarkozy. L'affaire Kerviel, qui éclata le 24 janvier 2008 avec l'annonce par la Société générale d'une fraude de 4,9 milliards d'euros imputée à l'activité d'un jeune trader, recelait tous les ingrédients de l'un de ces grands psychodrames à la jointure de la politique et de la métaphysique qu'affectionnait particulièrement l'opinion. Le scandale éclaboussait l'un des fleurons de l'établissement bancaire, ainsi que son P-DG Daniel Bouton, représentant archétypique d'une caste réputée pour professer une certaine arrogance et, s'agissant de ses propres émoluments, pour s'abstenir d'une quelconque modération. Cet ancien directeur de cabinet d'Alain Juppé au Budget, siégeant comme administrateur de nombreuses entreprises du CAC 40, considérait, en effet, à l'image de la génération des managers parvenue aux affaires dans les années 1980, que la rémunération devait être liée au statut, non pas à la performance, alors que la responsabilité en cas d'échec ou de mauvaises fortunes ne pouvait être, à la différence du salaire, que collective.

Adossé au soutien inconditionnel dont l'avait assuré le Conseil d'administration de la Société générale en refusant sa démission, Bouton, fidèle aux pratiques des « nouvelles élites », se mit à jongler, entre inconscience et impudence, avec les défausses. Il en ressortait que Kerviel avait profité de sa connaissance approfondie des procédures de contrôle pour dissimuler ses positions frauduleuses grâce à un montage sophistiqué de transactions fictives. Bref, que ce modeste opérateur du *front office* avait organisé « une entreprise dans l'entreprise », sans que personne n'eût conçu le moindre soupçon jusqu'au 19 janvier 2008. A l'opposé, l'explication avancée par le trader – « pas vu, pas pris ; vu, pris, pendu » –, qui attribuait quelque connivence à la direction, paraissait tellement vraisemblable au regard de la très grande majorité des Français, peu enclins à la mansuétude envers les banques et les banquiers, qu'elle n'avait même pas besoin d'être vraie.

Dès lors, il me parut indispensable que le président élu en 2007 sur la promesse d'un retour à la « culture de la responsabilité » s'en prît publiquement au système de défense immunitaire des élites, dont le cas Bouton était la scandaleuse illustration. Personne, autour de la table du salon vert, ne relaya mon point de vue, hormis Henri Guaino particulièrement remonté contre la communication gouvernementale « pleine d'hypertextes indéchiffrables » et les déclarations lénifiantes de Christine Lagarde, la ministre de l'Economie, toujours prompte à épouser la cause de l'oligarchie. Nicolas Sarkozy était d'autant moins porté à la clémence que le P-DG de la Société générale avait cru bon de le tenir à l'écart de la gestion de la crise et n'avait informé l'Elysée qu'au tout dernier moment, bien après qu'il en eut averti l'Autorité des marchés financiers et le gouverneur de la Banque de France. Ce fut donc un chef de l'Etat humilié qui, depuis New Delhi où il était en visite officielle, s'efforça de hausser la mire en ciblant pour la première fois le monde de la finance : « *Je n'aime pas porter de jugement personnel sur les gens*, commenta-t-il, *mais on est dans un système où, quand on a une forte rémunération qui est sans doute légitime, et qu'il y a un fort problème, on ne peut pas s'exonérer des responsabilités.* » La riposte de Bouton fut particulièrement maladroite, qui déclara renoncer à son salaire pour « au moins » six mois. Car, de deux choses l'une, ou bien sa prestation avait une valeur et son prix n'en était que plus justifié en période de crise, ou bien elle était sans valeur et le fait d'en suspendre le paiement valait demi-aveu d'avoir démérité et n'en faisait que davantage ressortir le coût exorbitant.

Le moment était venu de porter l'estocade. Non que l'Etat eût un droit quelconque à s'immiscer dans la gestion d'une banque privée, mais parce que seul l'Etat était le dépositaire et le garant de l'intérêt général. L'occasion était trop belle de réaffirmer de façon symbolique le primat du pouvoir politique sur la fonction économique. Demander la tête de Bouton équivalait à remettre en cause la doctrine selon laquelle la seconde s'était émancipée de la tutelle du premier, autrement dit, la doctrine libérale. A ma grande surprise, Nicolas Sarkozy accepta ma proposition sans barguigner et déclara, le 28 janvier, en marge d'un discours sur le campus d'Orsay, que l'affaire de la Société générale ne pouvait « *rester sans conséquence, s'agissant des responsabilités, y compris au plus haut niveau* ». Pas question toutefois, dans son esprit, de porter un coup au système, mais plutôt d'accomplir un rite propitiatoire en immolant sur l'autel de l'opinion l'un de ces banquiers dont la figure hantait depuis des lustres l'imaginaire vindicatif des contempteurs des « 200 familles » et de la ploutocratie. Assez fin manœuvrier et suffisamment aguerri aux rapports de force pour opérer à bon escient un retrait tactique, François Pérol, le secrétaire général adjoint de l'Elysée qu'une double solidarité de corps rapprochait pourtant de Daniel Bouton, tous deux ayant été inspecteurs des finances et associés-gérants chez Rothschild, le comprit si bien qu'il ne jugea pas utile de s'opposer ouvertement à un discours dont les « relents populistes » avaient pourtant tout pour lui déplaire.

Pour Nicolas Sarkozy, la crise financière mondiale dont l'acmé coïncida avec la présidence française de l'Union européenne, de juillet à décembre 2008, fut une constante oscillation entre les extrêmes. Il la vécut tantôt comme une aubaine, tantôt comme une fatalité, s'efforçant de donner une forme à cette masse flottante de contradictions et d'incohérences, de velléités et de raptus, de sursauts et de convulsions. Aubaine? La crise lui permit de mettre en valeur tout ce qui dans son tempérament – énergie, intuition, réactivité – lui conférait une réelle aptitude à exercer un leadership sur la scène internationale. Fatalité? La crise le confronta sans cesse à un questionnement de type aporétique : comment assigner des limites à un système qui, par définition, n'en connaissait aucune? Etait-il possible de moraliser le capitalisme et, singulièrement, le capitalisme financier pour qui « toujours plus » était le seul mot d'ordre? Pouvait-on rendre vertueux ce qui n'était, structurellement, ni producteur de sens ni *a fortiori* d'éthique?

Le discours que le président prononça à Toulon le 25 septembre 2008 afficha tous les signes du tableau clinique de la schizophrénie, attestant l'un après l'autre un paradoxal phénomène de dédoublement. Le tribun de la plèbe opposait avec pertinence le capitalisme des entrepreneurs, fondé sur les valeurs de l'effort et de la responsabilité, au capitalisme des spéculateurs, celui-là même qui était à l'origine de la crise du système financier international et qui, après avoir privatisé les profits en créant des risques nouveaux non maîtrisés pour produire de hauts rendements, réclamait la mutualisation des pertes *via* un renflouement par l'argent public. L'ami des puissants du Forum de Davos se reconnaissait dans la génération qui, avec l'ouverture des frontières, avait rêvé d'une *« mondialisation heureuse »*, mais dont le rêve s'était brisé sur *« le retour des fondamentalismes religieux, des nationalismes, des revendications identitaires »*. Le président de la « France du travail » s'engageait à encadrer *« avant la fin de l'année »* les modes de rémunération des dirigeants et des opérateurs financiers, allant jusqu'à promettre que ceux qui avaient conduit le système bancaire au bord de la faillite seraient sanctionnés *« au moins financièrement »*, car *« l'impunité serait immorale »*. L'interlocuteur d'Alain Minc et des hiérarques de la finance mettait, quant à lui, en garde contre *« l'anticapitalisme* [*qui*] *n'offre aucune solution à la crise actuelle »*.

Outre l'impasse dialectique à laquelle se heurtait la recherche d'une impossible synthèse entre les contraires, le discours de

Toulon péchait par une absence de vision globale. La crise du cens l'obsédait, la crise du sens lui échappait. Or l'incapacité du système à créer du lien et des valeurs qui fissent société était désormais patente. Chaque fois que j'avançai l'idée d'une réponse qui dépasserait le seul plan de l'économie, parce que la crise elle-même était celle de la société marchande et matérialiste et que les Français cherchaient des solutions en dehors de la mécanique économique, il me regardait comme si j'avais proféré quelque obscénité, persuadé qu'il était que les préoccupations de nos concitoyens se limitaient à ce que l'Etat intervînt pour assurer la sécurité et la continuité du système bancaire français et donc de leurs dépôts. Giscard n'avait pas dû toiser autrement Jean-Edern Hallier, lorsque l'écrivain, reprenant l'emploi tout littéraire de prophète du passé, s'était exclamé au nadir de son règne : « L'économiste ne peut résoudre la crise puisqu'il en est la cause : il l'a produite. Tout économiste est nul par principe, pire, meurtrier dangereux, et vous êtes, colin froid, plus que nul, ressortant votre œil glauque dessus les eaux. Plongez, je vous en prie[10]. »

De synthèse, au demeurant, il ne fut bientôt plus question, pas plus que de « nouvel équilibre » entre l'Etat et le marché. Mes philippiques contre la mainmise des intérêts privés sur la puissance publique agaçaient. Tout comme mes rappels historiques quant à la manière, certes un peu rude, mais terriblement efficace, dont le pouvoir royal avait su contenir les tentatives d'incursion des banques et des banquiers dans la sphère politique ; soit par l'arrestation ou l'assassinat de leurs débiteurs, tel Philippe le Bel avec les Templiers faisant au passage main basse sur leur or, soit en suspendant unilatéralement et définitivement les remboursements aux prêteurs, comme le décréta Edouard III d'Angleterre au XIVe siècle, provoquant du même coup la faillite des Bardi et des Peruzzi, les deux grands établissements florentins de l'époque. « Irresponsabilité, provocation, mauvais goût », murmurait-on à mon sujet dans les couloirs du Palais.

Au moment où les Etats s'endettaient dans des proportions considérables pour sauver le système international devenu insolvable, opérant le plus grand transfert de richesses de l'histoire du secteur public vers le secteur privé et se mettant ainsi sous la menace de voir les marchés et les agences de notation leur imposer leur loi, la question de la sanction politique des dérives de la finance me paraissait d'autant plus importante que les traders et les mirobolants concepteurs des produits dérivés avaient fait finalement beaucoup plus contre le capitalisme que l'écrasante production de Marx et de tous les marxistes réunis. Je ne cessai d'y revenir à chacune de nos réunions, rappelant au président qu'il avait lui-même attisé les attentes sur ce sujet. Sarkozy, qui se vantait d'être hypermnésique, n'aimait pas que d'autres le fussent à mauvais escient. Il me le fit savoir sans ambages et sèchement à l'issue de l'un de nos échanges le 21 novembre 2008 :

— *Ça va comme ça ! J'en ai trop fait avec les banquiers. Je ne veux pas avoir l'air de céder au populisme. Et puis, on en a besoin des banquiers. On a besoin qu'ils coopèrent pour le financement des entreprises.*

Lorsque, dans la touffeur de l'été 2009, BNP Paribas annonça avoir passé environ un milliard d'euros de provisions au titre de bonus pour les salariés de sa division de banque de financement et d'investissement, autrement dit, des traders et autres opérateurs de ce type, je sus que la partie était perdue. Rien ne pourrait plus dissiper, dans l'esprit des Français, l'idée que le fougueux orateur de Toulon avait un clone à l'Elysée qui tolérait l'exact inverse de tout ce à quoi il s'était solennellement engagé au plus fort de la crise. Accouplée à la précédente comme une sœur siamoise, l'information selon laquelle la BNP avait reçu 5,1 milliards de l'Etat dans le cadre du plan de soutien au secteur bancaire fut un rude coup pour le crédit, déjà bien entamé, du président de la République.

Mes notes tombaient comme feuilles mortes emportées par un automne précoce, l'automne d'un pouvoir dont nous étions quelques-uns à pressentir qu'il était entré en agonie. Le 26 août, j'écrivais : « Les Français, dans cette affaire, auront retenu deux choses. *Primo* : que les banques ont fait de l'argent pendant la crise, que ce sont leurs activités financières qui ont le plus profité des aides de l'Etat et que, si l'avenir est toujours incertain pour nombre d'entreprises et de salariés, l'horizon s'est considérablement dégagé pour les opérateurs financiers. *Deusio* : que les banquiers peuvent continuer à faire ce qu'ils veulent, pour ne pas dire n'importe quoi, puisqu'ils sont adossés à la garantie publique. Tout se passe comme si cette affaire confortait les Français dans l'idée qu'au jeu du néolibéralisme, les gagnants ne sont pas tant ceux qui prennent des risques que ceux qui parviennent à les faire couvrir par la puissance publique. Elle coïncide, en outre, avec une sensibilisation accrue de l'opinion aux effets de la crise sur les plus démunis et les plus vulnérables, ainsi qu'en témoigne le notable succès du livre d'Emmanuel Carrère, *D'autres vies que la mienne*[11]. Des initiatives que tu déciderais de prendre dans les semaines qui viennent dépendent pour une large part ton leadership et la crédibilité de ton discours lors du G20 de Pittsburgh. Tu ne peux pas prétendre te présenter en régulateur en chef de la finance face à Obama, sans avoir posé préalablement un acte lourd dans ton propre pays. »

Puis le 13 septembre : « Le fait notable tient dans l'évolution des attentes des Français quant à la réforme du système. Pour prendre le cas emblématique du secteur bancaire, il est clair que, pour l'opinion, les pratiques et les dirigeants font système. L'idée que ces derniers puissent œuvrer, de quelque manière que ce soit, à la réforme de pratiques dont ils ont largement profité et couvert toutes les dérives se heurte à un scepticisme massif. Le renvoi de Kerviel devant le tribunal correctionnel, rapproché du départ tardif de Bouton de son poste de P-DG de la Société générale lesté d'indemnités confortables, nourrit tout un discours véhément sur le "deux poids, deux mesures". Avec cette idée prégnante que ce serait une grave erreur d'aider aussi massivement le secteur bancaire sans en prendre le contrôle pour en changer les règles, mais aussi les dirigeants, en vertu du principe de bon sens énoncé par Michel Godet comme quoi "on ne laisse pas des pédophiles à la tête d'une colonie de vacances". Par-dessus tout, les Français craignent que le "jamais plus" ne se transforme au fil des mois en "tout comme avant" et que les financiers réduisent à la peau de chagrin les mesures de régulation que tu as annoncées dans ton discours de Toulon. »

De fait, la « taxe exceptionnelle » de 50 % sur les bonus des opérateurs de marché, créée en réaction au scandale de la BNP, ne s'appliqua que pour l'exercice 2010. L'idée d'encadrer par la loi les *« rémunérations extravagantes »* des dirigeants, en les indexant sur les performances économiques réelles de l'entreprise, fut abandonnée sans même avoir fait l'objet d'un débat public. L'oxymore du *« capitalisme moral »* inventé par Sarkozy à Toulon avait vécu l'espace d'un meeting, avant de rejoindre dans les limbes la longue théorie des mystifications oratoires. Au drame de la surpromesse financière qu'avait été le scandale des *subprimes*, s'ajoutait l'impasse de la surpromesse politique dont les séquelles allaient s'avérer indélébiles.

La droite contre le capital

C'est en pleine guerre froide que René Rémond rédige et publie son célèbre ouvrage *La Droite française de 1815 à nos jours*[12]. Il a alors le mérite de s'attacher à analyser l'itinéraire intellectuel et le corpus idéologique de tout un mouvement de pensée et d'action auquel il confère une unité inattendue, mais non sans le diviser en trois familles qui lui paraissent constitutives de son histoire : la droite légitimiste, la droite orléaniste et la droite bonapartiste. L'ordre catégoriel qu'il invente, et qui est promis à un bel avenir, achoppe cependant sur un préjugé essentiel : que des courants puissent être classés à droite suffit-il à en faire ontologiquement des forces de droite ? Ainsi que le démontreront par la suite les travaux de Stéphane Rials et de Frédéric Bluche[13], deux des trois droites répertoriées par Rémond n'ont en fait de droite que le nom. Elles ne sont de droite que par la position qu'elles occupent sur le spectre politique, ce qui en fait, tout au plus, des « droites situationnelles » qu'il convient de distinguer de la droite originelle. Tels sont les cas du bonapartisme et de l'orléanisme que les vicissitudes de l'histoire ont progressivement déportés vers la droite, mais qui ont été originellement des centres ; le premier par sa volonté de synthèse entre les idées révolutionnaires et conservatrices, le second au titre de son rejet des extrêmes républicains et légitimistes. Plus encore que la Révolution française, c'est le capitalisme qui constitue la pierre de touche de la droite. Expression politique de l'idéologie libérale, adhérant à sa logique individualiste et contractualiste, la mouvance orléaniste fait très rapidement cause commune avec la bourgeoisie capitaliste au point de s'identifier, une fois parvenue au pouvoir, par la voix d'un Guizot ou d'un Thiers, à la défense exclusive de ses intérêts. Le césarisme bonapartiste se montre, quant à lui, plus circonspect vis-à-vis de la mainmise capitaliste sur l'économie. Avec son essai *Extinction du paupérisme*[14], Louis-Napoléon Bonaparte est l'un des rares hommes politiques de son temps à s'intéresser à la question sociale sous un angle au demeurant plus socialiste. Symboliquement, le Second Empire s'emploiera à rehausser la valeur sociale du monde ouvrier, même si Napoléon III ne pourra mener jusqu'au bout ses projets réformistes. De manière générale, la droite bonapartiste et son épigone gaulliste, réactivant le colbertisme d'Ancien Régime, se distinguent ultérieurement en affirmant la nécessité d'une intervention de l'Etat dans l'économie, intervention qui exige pour être efficace des institutions stables et un pouvoir politique fort.

En amont de ces droites par déshérence, la droite réactionnaire, qu'on la nomme contre-révolutionnaire, légitimiste, traditionaliste ou qu'elle évolue sous la bannière du catholicisme social, s'inscrit d'emblée dans une opposition radicale, aussi philosophique que politique, au libéralisme et au capitalisme. Les choix fondamentaux en jeu sont la solidarité collective avant l'émancipation individuelle, la communauté naturelle plutôt que la sociabilité contractuelle, l'enracinement local contre le déracinement cosmopolite. Toute une littérature réactionnaire s'attache à dénoncer avec horreur les effets ravageurs de la mutation économique engendrée par la révolution industrielle, aussi bien l'exploitation du prolétariat que la dégradation morale corrélative de la bourgeoisie, les deux étant jugés contradictoires avec ce qu'exige l'« art politique », soit les conditions d'un ordre social juste.

En réaction contre la loi Le Chapelier votée en juin 1791 par l'Assemblée constituante qui, en proscrivant les organisations ouvrières, dont les corporations des métiers et le compagnonnage, a livré les classes laborieuses à la domination sans partage de la bourgeoisie manufacturière, les hommes de la droite légitimiste se font les ardents défenseurs de l'instauration des premières lois sociales. Plus qu'à sa force de travail, c'est à la souffrance du prolétariat que s'intéressent les hérauts de cette droite-là. En témoigne, entre autres, l'un des plus précoces et des plus prophétiques réquisitoires contre le libéralisme économique que prononce, le 22 décembre 1840, le député légitimiste Alban de Villeneuve-Bargemont[15] à l'occasion de la discussion d'un projet de loi sur le travail des enfants.

C'est l'époque où la droite catholique et royaliste voit dans la politique, selon la formule thomiste, une « forme supérieure de la charité », où le souci qu'elle a de la misère ouvrière la mène à prôner une politique du prochain qui se traduit par un combat acharné en faveur de la législation du travail. C'est l'époque où le chef d'atelier tisseur Pierre Charnier, fondateur de la Société de devoir mutuel, dont le nom même renvoie au mutuellisme proudhonien, et par ailleurs « défenseur du trône et de l'autel », prend la tête, en novembre 1831, de l'insurrection des canuts lyonnais contre les soyeux et leur politique de déflation salariale. C'est l'époque où l'avocat légitimiste Pierre-Antoine Berryer défend bénévolement, en août 1845, les ouvriers charpentiers de la Seine poursuivis pour une grève illégale. C'est l'époque où le comte de Chambord publie, en avril 1865, sa fameuse *Lettre publique sur la question ouvrière* dans laquelle il se prononce en faveur de la liberté d'association des ouvriers opprimés, affirme sans ambages que le « travailleur » a des « droits à l'intérêt public », assigne aux riches la « mission d'être ici-bas la Providence du pauvre », le tout au nom de « la royauté, patronne des classes ouvrières ». C'est l'époque où Albert de Mun résume le programme de la droite réactionnaire en ces termes : « L'éducation qui forme les enfants, l'organisation qui rapproche les intérêts, la législation qui protège la faiblesse[16]. » L'époque où les catholiques, à l'instar de Léon Bloy, érigent les pauvres en ordre mystique sans pour autant renoncer à les secourir en tant que catégorie socialement défavorisée, manifestant par là même une passion du peuple réel contre les abstractions universalistes de la gauche. L'époque, enfin, où ce pèlerin de l'absolu, en abonné du chamboule-tout et du jeu de massacre, peut écrire : « Fils obéissant de l'Eglise, je suis, néanmoins, en communion d'impatience avec tous les révoltés, tous les déçus, tous les inexaucés, tous les damnés de ce monde[17]. »

Au-delà d'inévitables dissensions aussi sporadiques qu'anecdotiques, une convergence souterraine réunit les antimodernes, qu'ils soient catholiques, contre-révolutionnaires ou proudhoniens. Elle s'exprime dans l'idée de société organique, de justice distributive et commutative et dans un même refus du peuple atomisé, livré à la domination absolue de la bourgeoise financière et industrielle. Si le courant libéral ne cesse, tout au long du XIXe siècle, d'accroître son emprise économique et sociale, il est loin d'exercer un magistère comparable sur le plan des idées à l'intérieur du camp des droites. Appuyé sur un dense maillage ecclésial à une époque où les mandements épiscopaux façonnent tout autant les consciences individuelles que les comportements électoraux, le catholicisme social en limite fortement l'influence. Plus que le syndicalisme ou le socialisme sous leurs différentes espèces, ce sont l'Eglise et les forces sociales et politiques précapitalistes qui forment le principal môle de résistance à l'expansion idéologique du libéralisme, du moins jusqu'au milieu du XXe siècle.

Cet antagonisme apparemment irréductible entre une droite spiritualiste et une droite matérialiste ne s'estompera véritablement qu'au lendemain de la Seconde Guerre mondiale, sous l'effet d'un clivage plus englobant né du face-à-face entre les pays du « monde libre » alliés des Etats-Unis et les démocraties populaires du bloc soviétique. En pointe dans la lutte contre l'*imperium* politique du communisme, mais partageant avec lui la même approche anthropologique qui prétend soumettre l'intégralité des conduites humaines à la poursuite rationnelle et exclusive d'un intérêt immédiat, se solidifie un courant atlantiste et libéral. Activement soutenu par la manne financière des agences d'Etat américaines et profitant du discrédit qui frappe la droite catholique arbitrairement assimilée à l'expérience de Vichy, il investit progressivement l'espace des droites alors tout entier assujetti au combat antimarxiste. Cette valorisation fonctionnelle lui vaut brevet de droite situationnelle, selon le même mécanisme qui a permis à l'orléanisme d'être classé à droite sans pour autant n'avoir jamais été de droite. Dès lors, ce que le langage ordinaire entend dans le mot de « droite » ne va plus cesser de correspondre à la définition qu'en donnera, un jour, François Mitterrand : « La droite n'a pas d'idées, elle n'a que des intérêts. »

Bien que réfutant toute filiation avec la droite originelle, le gaullisme en assume cependant l'héritage antilibéral dans une synthèse attractive du bonapartisme et du légitimisme, avec pour corollaire un élargissement de sa base électorale en direction des catégories populaires. Mais une fois refermée cette longue parenthèse, rien ne semble plus devoir s'opposer à la lente dérive idéologique de la droite de gouvernement. En 1974, l'élection surprise de Valéry Giscard d'Estaing, éliminant au premier tour un candidat qui n'a plus de gaulliste que le nom, marque l'avènement d'une famille de pensée tout entière acquise au libéralisme économique et culturel, autrement dit, au capitalisme comme « fait social total[18] », pour reprendre la terminologie forgée par Marcel Mauss. Encore plus révélatrice, la trajectoire qui conduit Jacques Chirac d'une position souverainiste lors des premières élections européennes de 1979 au vote en faveur du traité de Maastricht consacre la débâcle idéologique des néogaullistes face à la confédération libérale et européiste de l'UDF.

L'élection de Nicolas Sarkozy en 2007 aura incontestablement été perçue et interprétée comme un coup d'arrêt à ce qui s'était imposé jusque-là comme un inexorable processus. Encore aurait-il fallu transformer des virtualités latentes en une politique concrète.

Economique et métaphysique

L'erreur la plus préjudiciable du discours de Toulon n'aura pas été, comme cela a été maintes fois répété, de croire ou de vouloir faire croire que le capitalisme puisse relever d'une quelconque morale et, en conséquence, faire l'objet d'une « moralisation ». Elle est dans le fait de s'être trompé de grille d'analyse, dans l'entêtement à ignorer que, s'il n'y a pas en effet de science économique pure, l'économique, immanquablement, est moins le reflet d'une réflexion éthologique que d'une représentation métaphysique.

On peut discuter l'exactitude, dans le détail, de la thèse du sociologue allemand Max Weber selon laquelle l'esprit du capitalisme naît avec l'essor de la Réforme à partir du XVIe siècle. On peut la nuancer, comme le fait l'historien français Fernand Braudel, en mettant l'accent sur l'apport des grands centres urbains et bancaires italiens lors de la Renaissance. Il n'en reste pas moins que le développement du premier capitalisme s'est accompli par le transfert et l'adaptation d'un schéma religieux au monde profane et que le modèle wébérien[19], sur ce point, conserve toute sa pertinence.

A l'origine, il est bien un redéploiement des motivations de la sphère spirituelle vers la sphère temporelle : l'essor du capitalisme correspond à une laïcisation de l'ascétisme. Il entraîne sur le plan des comportements une propension à différer la satisfaction, à renoncer à l'avantage à court terme pour un bien plus éloigné, à passer de la préférence pour l'immédiat à la préférence pour le futur, de la même manière que le croyant réalise par la foi un investissement sur un au-delà du temps, un avenir promis à la vie éternelle.

Rien de plus injuste et de moins fondé, donc, que l'accusation de Feuerbach, reprise ultérieurement par Marx, qui voudrait que le christianisme ait été un empêchement à faire, une force mystifiante et démobilisatrice, une perversion de l'intelligence et une corruption de la volonté. Tout montre au contraire, comme l'écrit Pierre Chaunu, qu'« aucune tradition n'est historiquement plus porteuse d'action, c'est-à-dire de sacrifice du présent pour l'avenir, donc d'investissement, donc de progrès, que la tradition judéo-chrétienne[20] ». Le premier capitalisme n'a pas engendré les valeurs qui ont permis sa réussite, il les a héritées du monde précapitaliste et les a empruntées au fond anthropologique chrétien. De même n'a-t-il pu se développer et s'enraciner dans la durée que grâce à des types humains tels que le prêtre, le savant, le militaire, l'instituteur ou le magistrat qui n'étaient ni animés ni imprégnés de l'esprit du gain et maintenaient ainsi de larges secteurs d'activité hors de la logique marchande.

Il faut suivre l'économiste américain Bennett Harrison quand celui-ci parle de « capital impatient[21] » pour qualifier la nouvelle économie. Le mot d'ordre n'est plus à la durée, ni même à la vitesse, mais à l'accélération comme valeur optimum. La durée moyenne de possession d'une action sur le marché de New York est passée de huit ans en 1960 à moins d'un an en 2010. Une nouvelle temporalité s'impose, née de la rencontre entre l'instantanéité induite par les technologies de l'ère numérique et l'insatiable cupidité des opérateurs. Si bien que la spéculation, à l'instar d'un monstre robotisé, échappe à ses concepteurs et fonctionne en circuit autonome selon une unité de temps, la nanoseconde, totalement imperceptible à l'homme.

Par bien des aspects, l'instantanéisme du capitalisme financier renvoie aux attitudes culturelles et aux conduites sociales communes aux enfants et aux sectateurs de la gauche révolutionnaire. Depuis l'ouvrage du politologue américain Benjamin Barber, l'« *ethos* infantiliste[22] » du capitalisme n'a plus de mystère. Il tient dans le comportement qui substitue le présent atemporel à la temporalité, l'élan à la réflexion, les images aux mots, le facile au difficile, le plaisir au bonheur et, partant, l'égoïsme à l'altruisme, le droit à l'obligation, le narcissisme à la sociabilité. En dernière analyse, on dira qu'il se fonde sur le rejet de toute ascèse, de toute discipline personnelle semblable en cela aux programmes miracles des charlatans qui promettent la perte de poids sans régime et un corps d'athlète sans le moindre exercice.

Moins explorée, mais tout aussi évidente, est l'étroite parenté qui relie la logique du marché et la *praxis* des révolutionnaires. Face à une droite continuiste qui s'appuie sur une tradition qui, bien qu'elle évolue, n'instaure pas de coupure dans le temps, mais en assume au contraire la permanence, la gauche révolutionnaire est l'ennemie du temps qui, à chaque génération, reproduit les inégalités. Quand les révolutionnaires entrent en scène, c'est, à la manière des traders et autres opérateurs financiers, pour saper par leur action le fil homogène de l'histoire : « Avant et après moi le déluge ! », tel pourrait être le slogan commun à leurs interventions. Rappelant que la Révolution française avait supprimé le calendrier grégorien au profit d'un calendrier républicain, le philosophe allemand Walter Benjamin rapporte que, lors de la révolution avortée de juillet 1830, « on vit en plusieurs endroits de Paris, au même moment et sans concertation, des gens tirer sur les horloges[23] ».

Le théorème de Pasolini

Effet de loupe qui en grossit les traits, la crise de 2008, que Nicolas Sarkozy aura chevauchée plus qu'il ne l'aura jugulée, montre sur quels abîmes ouvre la financiarisation de l'économie et les vertiges du temps aboli. A quelles aberrations conduit un système qui, en définitive, repose beaucoup moins sur une création réelle de valeur par le travail vivant que sur une capitalisation anticipée de la valeur non encore créée. A quelles pertes pharamineuses aboutit, à travers l'effondrement du crédit hypothécaire et la faillite retentissante de quelques grandes banques, la crise du marché des produits dérivés, ces paris spéculatifs sur une hypothétique croissance dont le volume représente, pour cette même année, une somme plus de vingt fois supérieure à celle du PIB mondial.

Si le capitalisme a pu trouver, à un moment déterminé de son évolution, la force motrice de son développement dans une synergie dialectique où les vertus étaient récompensées dans ce monde comme dans l'autre, c'est à l'imaginaire libertaire de l'individualisme hédoniste que le néocapitalisme a eu recours pour poser les bases culturelles et anthropologiques de l'expansion illimitée du principe marchand. L'apport de Mai 68 aura été, à cet égard, décisif. Par l'une de ces habituelles ruses de la raison chères à Hegel, le vrai sens de l'histoire sera dissimulé jusqu'au bout aux protagonistes qui occupent l'avant-scène de la révolte étudiante, mais ne voient rien de la pièce qu'ils sont en train de jouer, s'agitant, à l'image de Daniel Cohn-Bendit, le « divin rouquin », comme des acteurs enivrés par leur logomachie et leur verbigération. Plus que les formes traditionnelles des luttes sociales et du combat politique en l'efficacité desquelles ils ne croient pas, les « enragés » s'attachent à mettre en avant la force subversive de la libération du désir. Contrairement à la prophétie de Raoul Vaneigem et des penseurs de l'Internationale situationniste, ce ne sera pas la société marchande qui cédera sous les coups des « guerriers du plaisir à outrance[24] », mais l'idéologie du désir qui servira l'expansion du marché. Sous couvert d'une contestation radicale du système, le modèle culturel de libération des mœurs porté par le mouvement se révélera infiniment mieux adapté aux exigences structurelles du capitalisme de consommation que l'encadrement normatif des sociétés traditionnelles. Sous les pavés, il n'y avait pas la plage, mais Paris Plages.

Croyant combattre l'ordre capitaliste, les acteurs de Mai lui offrent une nouvelle jeunesse. « Il est interdit d'interdire », « Jouir sans entraves », « Vivre sans temps mort », « Prenez vos désirs pour des réalités », « Tout et tout de suite » sont autant de slogans promis à devenir les Tables de la Loi du nouvel ordre marchand. De ce point de vue, 1968 apparaît rétrospectivement moins une leçon inaugurale que la première étape du dressage de l'individu à une forme inédite d'esclavage. Car, en sens inverse, le capitalisme consumériste a su utiliser l'énergie destructrice des contestataires pour délégitimer et démanteler toutes les digues institutionnelles et civilisationnelles susceptibles de faire obstacle à son expansion. Il a réussi l'exploit, au nom de l'autonomisation des jeunes, de créer des comportements collectifs ajustés à ses besoins. Là est le coup de génie, dans le détournement de la force vitale propre au premier âge de la conscience sociale : convertir la rage improductive de l'adolescent œdipien en une « attitude » directement exploitable par le marché, l'instrumentaliser comme débouché pour ses produits et, ruse suprême, faire en sorte que les jeunes vivent leur soumission non pas comme une aliénation, mais, au contraire, comme la modalité socialement la plus valorisante d'une « révolte » sans concession et d'une émancipation sans frein. Bref, faire de ceux qui se rêvent en rebelles émules de James Dean et autres « maudits » les idiots utiles de la révolution consumériste.

Il faudra le recul du temps pour comprendre que la jeunesse a été dans l'affaire, comme le dira Milan Kundera, la « collaboratrice inconsciente du capital », une collaboratrice intégrée par fusion-absorption suivant le schéma de croissance externe chère au capitalisme depuis ses origines. Au final, la révolte d'une jeunesse refusant toutes les médiations pour devenir sa propre référence et sa propre fin illustrera parfaitement le mot terrible de Napoléon : « Dans les révolutions, il y a deux sortes de gens : ceux qui les font et ceux qui en profitent. »

Si l'on ne doit retenir qu'un nom parmi ceux qui ont pris tout de suite conscience de la nature du phénomène, s'impose sans conteste celui de Pier Paolo Pasolini, cinéaste d'une provocante radicalité, marxiste et communiste hétérodoxe mis au ban du parti, chrétien et pédéraste blasphématoire réfutant avec véhémence toute normalisation de la foi et de l'homosexualité, critique impitoyable de l'« esprit de 1968 » assimilé à une révolte de la petite bourgeoisie conformiste. Cet observateur avisé des mutations de la société italienne de l'après-guerre fut l'un des premiers à avancer l'idée selon laquelle le nouvel ordre économique ne produit pas seulement des besoins artificiels, mais une nouvelle humanité et une culture nouvelle en modifiant anthropologiquement les hommes.

Il n'a de cesse, chaque fois qu'une tribune lui est offerte, de dénoncer l'« idéologie hédoniste néolaïque » de la société de consommation qui, sous la triple action niveleuse et uniformisatrice de l'école, de la télévision et de la publicité, fabrique en série des « automates laids et stupides, adorateurs de fétiches ». Visionnaire au pays des aveugles, il peste avec la même virulence contre le Parti communiste italien, acharné à combattre les fascismes fossiles au nom d'un antifascisme archéologique et incapable de discerner le fascisme qui vient sous le masque de la culture de masse, cette fièvre consumériste qui n'est, selon lui, rien d'autre qu'une « fièvre d'obéissance à un ordre non énoncé ».

Face à ce « génocide culturel » qui anéantit cyniquement les cultures antérieures, il faut un esprit aussi paradoxal que celui de Pasolini pour pressentir que le contrepoids, dans l'avenir, au néocapitalisme débridé ne relèvera pas du communisme, mais de ce qui reste de substrat du christianisme. Tant et si bien que ce n'est ni vers la direction du PCI, ni vers ses camarades de *Lotta continua* que l'auteur de *Il canto popolare* se tourne quand il imagine ce que pourrait être le futur môle de résistance. C'est à l'Eglise qu'il s'adresse dans un texte fulgurant où il décrit avec une acuité pénétrante le néocapitalisme comme un processus de décivilisation, porteur d'un projet posthumaniste impliquant une véritable mutation anthropologique : « En reprenant une lutte qui d'ailleurs est dans sa tradition (la lutte de la papauté contre l'empire), mais pas pour la conquête du pouvoir, l'Eglise pourrait être le guide grandiose, mais non autoritaire, de tous ceux qui refusent [c'est un marxiste qui parle, et justement en qualité de marxiste] le nouveau pouvoir de la consommation, qui est complètement irréligieux, totalitaire, violent, faussement tolérant, et même, plus répressif que jamais, corrupteur, dégradant (jamais plus qu'aujourd'hui n'a eu de sens l'affirmation de Marx selon laquelle le capital transforme la dignité humaine en marchandise d'échange). C'est donc ce refus que l'Eglise pourrait symboliser, en retournant à ses origines, c'est-à-dire à l'opposition et à la révolte. Faire cela ou accepter un pouvoir qui ne veut plus d'elle, ou alors se suicider[25]. »

Avec la financiarisation du capitalisme, la mentalité économique que stigmatise Pasolini a si bien progressé qu'elle a fini par étendre la logique de la marchandise à la sphère non marchande des activités humaines. Pour ce faire, elle s'attaque à tout ce qui peu ou prou forme un écran entre le désir de l'individu isolé et le marché unifié qui aspire désormais à organiser la totalité de son existence. « L'économie transforme le monde, constate Guy Debord, mais le transforme seulement en monde de l'économie. » En ce sens, le néolibéralisme est bien une forme économique du totalitarisme, tout comme le nazisme et le communisme en ont été au XXe siècle les formes politiques. Comme eux, il a pour projet l'utopie d'un « homme nouveau », qu'il soit le produit d'une manipulation psychologique ou biologique, d'un reformatage médiatico-publicitaire ou d'une expérimentation en laboratoire. Car, pour bien fonctionner, l'économie de la cupidité a besoin d'une nouvelle humanité exclusivement mue par le désir du consommateur et la raison du technicien. C'est pourquoi elle s'attache à produire en série cet *homo oeconomicus* libéré de toute appartenance ou attache symbolique et, demain, émancipé des limites physiologiques qui fixaient jusqu'ici sa condition.

La droite française n'a pas pris le chemin de Pasolini. Aujourd'hui encore, elle veut croire que le libéralisme n'est qu'un mode d'organisation de l'économie. Le meilleur et le plus efficace, celui dont on peut attendre croissance, emplois, création et partage de richesses. A aucun moment, elle n'a voulu prendre en compte les conséquences que pouvait avoir sur les rapports sociaux tout autant que sur les comportements individuels le passage du libéralisme restreint au libéralisme généralisé, principale caractéristique du monde contemporain. Pas plus qu'elle n'a voulu voir qu'en changeant de nature, le capitalisme s'emploie à liquider toutes les valeurs altruistes et sacrificielles, qu'elles soient commandées par la foi en une autre vie ou par des finalités profanes, pour laisser place à la tyrannie des désirs instables. C'est donc un enjeu de civilisation que porte le débat sur le libéralisme et la mondialisation.

Ayant répudié le sacré et consenti à l'abaissement du politique au niveau de la gouvernance économique, la droite vénère un marché, nouvel état de nature, qui détruit les valeurs et les institutions dont elle s'était attribué historiquement la garde. Si, pour des raisons de pure opportunité électorale, elle peut encore demain s'opposer, au moins momentanément, à la légalisation de la Gestation pour autrui (GPA), de la Procréation médicalement assistée (PMA), voire de l'euthanasie, elle est, en revanche, philosophiquement incapable de réfuter ce qui en est à l'origine, c'est-à-dire l'extension du principe marchand à la sphère sociale et privée. Incapable d'appréhender cette défaite de l'humain dans l'homme qu'engendre le libéralisme au nom de la dynamique des nouveaux droits subjectifs. Incapable de comprendre qu'avec l'avènement de l'économisme comme réenchantement du monde, « quelque chose d'humain est fini », selon le beau mot de Pasolini. Incapable de saisir toutes les raisons qu'il y a de refuser de l'accepter. Tant que la droite continuera d'adhérer à ce présupposé du libéralisme qui fait de la société une collection d'individus n'obéissant qu'aux lois mécaniques de la rationalité et de la poursuite de leur seul intérêt, tant qu'elle ne renouera pas, dans une fidélité inventive à ses racines, avec l'idée qu'une société ne peut reposer exclusivement sur le contrat, c'est-à-dire sur le calcul, mais sur l'adhésion à un projet qui fait d'elle une communauté, rien ne pourra la repositionner au service du bien commun et lui valoir un retour de confiance du peuple. Rien ne lui rendra sa raison d'être au regard des Français et au regard de l'histoire.

Toutes incompréhensions et incapacités, tous abandons et renoncements auxquels aura malheureusement conclu le quinquennat de Nicolas Sarkozy en dépit ou plutôt à cause d'une énergie débordante, mais irréfléchie, qui aura ajouté désillusion et désespérance au vertige d'un peuple qui se sera senti abandonné, puis trompé.

Chapitre IX

La révolte identitaire

« Les patries sont toujours défendues par les gueux et livrées par les riches. »

Charles Péguy.

Longtemps, la question identitaire est restée cantonnée dans un angle mort de la vie politique française, hors du champ de vision des commentateurs, experts et autres politologues. De solides conventions et autant de robustes préjugés voulaient qu'on n'en parlât point. Toutes les identités subsidiaires, voire parodiques, étaient recevables, sauf l'identité nationale. On était, d'ailleurs, d'autant moins tenté d'en parler que droite et gauche, libéraux et socialistes, partageaient l'idée d'une prévalence de l'économique dans la compréhension de la société et des comportements électoraux ou, pour reprendre le vieux schéma marxiste, d'un lien hiérarchique entre infrastructure et superstructure. L'obsession économiciste empêchait de concevoir qu'il pût y avoir, au sein de la population autochtone confrontée à une immigration de masse, une quelconque préoccupation identitaire et, plus encore, que la question identitaire et la question sociale avaient fini par s'emboîter dans une même problématique. Aucun traumatisme n'était décelable, aucun, en tout cas, qui ne puisse être traité par la gestion technocratique des déterminants économiques ou par l'amélioration de la conjoncture.

Elites et classes dirigeantes qui avaient fait porter le poids de la mondialisation aux plus démunis, à travers l'ouverture des frontières, le libre-échangisme, la dérégulation des marchés, les délocalisations industrielles et l'immigration de masse, se refusèrent à en considérer les effets dans l'évolution de l'imaginaire collectif des Français. Le lien entre insécurité économique, insécurité sociale et insécurité culturelle, que les catégories populaires découvraient dans leur être intime sous la forme d'une réalité quotidienne génératrice d'un trouble profond, resta ignoré de ces mêmes élites quand il ne fut pas décrété tabou. Cette cécité volontaire devait leur interdire de se poser la question que l'économiste Bernard Maris, esprit libre et véritablement iconoclaste, formula dans son dernier ouvrage *Et si on aimait la France*, publié après sa mort tragique lors de l'attentat du 7 janvier 2015 : « Pourquoi, après trente ans de chômage de masse, la question sociale n'est-elle plus le moteur du vote ouvrier ou populaire? Pourquoi la question culturelle l'a-t-elle remplacée[1] ? »

Frappée d'interdit, la réponse, pourtant connue de la très grande majorité de Français, est de celles qu'on s'évertue d'assigner à résidence dans le sépulcre de l'indicible qui a pris dans notre pays la dimension d'une nécropole, tant se sont élargis les domaines où la liberté d'expression n'a plus cours et devient justiciable de lois toujours plus répressives. Poser la question de l'insécurité culturelle revient immanquablement à s'interroger sur le rôle de l'immigration dans la destruction de l'identité nationale. C'est ce questionnement que la classe politique a refoulé tant qu'elle a pu. Jusqu'à ce que les faits la rattrapent et viennent illustrer la cristallisation d'une crise collective identitaire comme unité de sensibilité du pays.

Un clivage ethno-culturel

Le fait majeur de ces vingt dernières années, celui qui a le plus affecté la société française et imprégné les esprits, est sans conteste la propagation de l'idéologie multiculturaliste venue des Etats-Unis. Pour les adeptes d'une société diversitaire, l'idée d'une identité collective et culturelle de la nation plongeant ses racines dans une continuité historique, une tradition, un héritage commun se doit d'être répudiée au profit de la logique contractualiste d'inspiration libérale. Selon celle-ci, le corps social n'a pas d'identité propre transcendant le simple agrégat des citoyens, mais uniquement une identité faite de la juxtaposition des identités particulières présentes à un moment donné sur le territoire d'un Etat. Au nom de l'égalité entre ces différents segments, toute exigence d'assimilation des immigrés est désormais considérée comme moralement infondée, voire dénoncée comme une violence symbolique à l'encontre des cultures minoritaires.

L'« intégration » qui y a été substituée se présente comme un processus à double sens, un compromis réciproque entre les pratiques exogènes des étrangers et la tradition intérieure des autochtones, quand il n'est pas demandé à l'hôte seul de modifier ses habitudes pour faciliter l'inclusion desdites cultures. Autrement dit, de permettre à chacun de conserver son identité au sein de la non-identité française. A une France réduite à une « vue de l'esprit », à une « création artificielle », à une « communauté politique imaginée[2] », il n'est plus laissé d'autre choix que celui d'un décentrement identitaire.

L'abandon du vieux modèle assimilationniste qui faisait des « Français de souche » les référents culturels à imiter provoque des conséquences en cascade : érosion de l'estime de soi, de la sûreté morale, de la confiance collective, du sentiment d'unité et de fierté nationale. La crise identitaire débute avec la prise de conscience d'une liquidation progressive de tous ces indicateurs du Bonheur national brut, de tous ces éléments pourvoyeurs de satisfaction et de bien-être, de tous ces services formant un capital immatériel que l'économie ne sait ni créer ni produire, mais auquel les Français tiennent comme à la prunelle de leurs yeux. Dans la grande panne des idéaux et le désert d'espérances collectives, la révolte identitaire exprime d'abord l'attachement des plus modestes à une identité-mode de vie.

Contrairement au portrait complaisamment répandu par les médias d'une « France obsidionale », d'une « France blafarde », d'une « France moisie » animée par un racisme instinctif, tripal et tribal, les enquêtes réalisées sur le sujet montrent qu'il s'agit moins d'un rejet de l'« autre » en raison de sa différence, moins d'une hypothétique « altérophobie », pour reprendre la terminologie en vogue, que d'un refus d'une dépossession de soi, d'une révolte sourde et désespérée devant la perspective de devenir autre chez soi, étranger sur son propre sol, et de se découvrir un jour minoritaire dans un environnement autrefois familier, mais dont on aurait progressivement perdu la maîtrise.

Cette révolte est ressentie comme d'autant plus légitime que le choix en faveur d'une immigration de masse, qui a pour effet de désintégrer le capital structurel et le cadre d'accueil, a été fait hors de tout contrôle par une classe politique, droite et gauche confondues, qui, sur ce point comme sur tant d'autres, aura cherché à s'émanciper par tous les moyens du suffrage populaire. C'est ce processus, entre contournement et impéritie, que décrit le philosophe Marcel Gauchet quand il observe que le peuple a été placé sans la moindre consultation devant une « transformation fondamentale de la société française », laquelle présente « cette particularité intéressante d'avoir totalement échappé, de bout en bout, au débat et à la décision démocratique, soit au titre de l'impuissance de l'Etat devant une réalité plus forte que lui, en un temps où son impotence se fait par ailleurs cruellement sentir, soit au titre du choix imposé au pays par l'oligarchie économico-politique[3] ».

Seul à réfuter à l'époque le sophisme de l'économisme, le Front national est également le seul à saisir la triple dimension de l'inquiétude identitaire qui s'est emparée de ce que Christophe Guilluy va bientôt désigner sous le vocable de « France périphérique[4] » : préservation d'un mode de vie, refus du déclin collectif et du déclassement individuel. Le FN prospère en tant que réponse politique à l'insécurité culturelle propagée par l'intensification des flux migratoires, c'est-à-dire en tant qu'affirmation, par les Français les plus modestes, d'une croyance qui place l'enracinement dans un *habitus* et l'attachement à une patrie, petite ou grande, au-dessus de l'économie. Ainsi, ne pas prendre la juste mesure de ce tournant revient à abandonner aux populismes d'hier et de demain le monopole de la nation.

Des conteurs et des contours

Au fil des ans, plus j'étudiais les comportements électoraux, plus il me paraissait évident que le clivage traditionnel, structuré par les questions économiques et sociales, était en train de s'effacer pour laisser place à un nouveau clivage autour de la question identitaire. Un clivage que délimitait, comme discriminant du vote, le souci de préserver coûte que coûte des frontières culturelles. Cette certitude, confortée par des milliers de verbatims recueillis dans le cadre d'études qualitatives auprès de l'électorat populaire, fondait ma modeste science. Charriant pêle-mêle pleurs et peurs, l'interminable déploration montant des « classes moyennes inférieures » et des vestiges de ce qui composait jadis la classe ouvrière ne devait plus jamais quitter mon esprit. On leur avait volé leur France ou on menaçait de le faire.

A ceux qui, parmi les élus, voulurent bien m'écouter, je rappelai qu'il ne s'agissait là que du développement d'un phénomène ancien que dénonçait déjà Georges Marchais, en janvier 1981, dans une lettre au recteur de la Grande Mosquée de Paris, Hamza Boubakeur, quand il expliquait pourquoi l'arrêt de l'immigration relevait bel et bien, selon lui, de la protection des travailleurs et non de préjugés racistes. Les éminents représentants de la droite dite républicaine à qui il m'était donné d'en faire part ne voulaient rien entendre. Pour eux, la qualité de vie ne pouvait englober autre chose que l'emploi et le pouvoir d'achat à l'exclusion de tous les biens immatériels. L'extrême pauvreté anthropologique d'une pensée étroitement matérialiste les condamnait à ignorer de quoi était faite la vraie misère des hommes.

Il y eut une exception dans le lot : Nicolas Sarkozy. On connaît la suite : la campagne de 2007 fut donc conçue autour d'un discours protecteur destiné à replacer la France populaire au cœur du roman national. La polarisation ethnico-identitaire du vote valida mon analyse en structurant le clivage autour des thématiques socioculturelles. Les banlieues multiculturelles se reconnurent dans la candidature de Royal, tandis que la France périphérique des insécurisés plébiscita Sarkozy.

Lui-même pouvait bien célébrer en une théorie de phrases creuses la victoire de la démocratie, lancer un appel à l'humanisme et à la tolérance, faire reluire les vertus du changement, se mirer dans les regards des Français qui convergèrent à partir de 20 heures vers le vainqueur en majesté, se vautrer dans cette affectivité qui dégradait les meilleurs de ses sentiments, rien ne m'importait davantage que les quelques mots que le président prononça au soir de son élection, le 6 mai 2007, place de la Concorde : *« Je veux remettre à l'honneur la nation et l'identité nationale. Je veux rendre aux Français la fierté d'être français. Je veux en finir avec la repentance qui est une forme de haine de soi, et la concurrence des mémoires qui nourrit la haine des autres. »*

Comment faire reculer la francophobie, cette pathologie mentale qui s'était emparée de l'intelligentsia et répandait à travers les médias sa détestation de la maison natale ? Comment lutter contre l'entreprise de taxidermie idéologique qui consistait à entretenir des périls révolus et des menaces imaginaires (le « ventre fécond de la bête immonde »), à ne mettre en scène que la face sombre de notre histoire (le procès récurrent de Vichy et des guerres coloniales promus révélateurs de l'âme nationale) pour mieux établir l'essence criminelle de la France et la convaincre de son ignominie, à faire du passé le lieu de rendez-vous de tous les forfaits et de toutes les forfaitures ? Que faire pour redonner aux Français la fierté de s'inscrire dans ce grand poème lyrique, dans ce trésor d'intelligence et d'héroïsme qu'était leur histoire à travers, selon la célèbre formule de Renan, « le souvenir des grandes choses faites ensemble » ? Quelles initiatives, quelles responsabilités incombaient à l'Etat non seulement pour maintenir le « désir de vivre ensemble », mais surtout pour entretenir cette « volonté de continuer à faire valoir l'héritage qu'on a reçu indivis », qui, toujours selon Renan, constituaient l'âme et le principe spirituel de la nation ?

Les attaques contre l'identité centrale minée, déniée, frappée d'irréalité, refoulée au profit d'identités minoritaires et diasporiques avaient plongé les Français dans un état d'angoisse proche de celui que décrivait Bernanos au lendemain de la Seconde Guerre mondiale : « Je comprends mieux chaque jour que sans aimer mon pays mieux qu'un autre, je ne puis supporter l'idée d'avoir perdu l'image que je m'étais formée de lui dans mon enfance. Je ne proposerai d'ailleurs cette souffrance en exemple à personne. Elle doit ressembler un peu à celle d'un chien qui ne sent pas très bien ce qui lui manque, mais cherche partout son maître mort et va crever sur sa tombe[5]. » Le devoir du président nouvellement élu était d'aider les Français à retrouver ce qui, entre eux, faisait communauté, ce qui formait ce commun partagé dont ils avaient su tirer le meilleur de leur histoire. Bref, à ne pas être ces chiens perdus au cou desquels la mondialisation s'efforçait de passer un rutilant collier.

Au Palais, on me soupçonnait des pires arrière-pensées. On n'avait pas tort. J'étais depuis toujours un adepte de la mythohistoire, celle qui recourait aux symboles pour reconfigurer les esprits. J'avais acquis très tôt la certitude que « chanter à la nation la romance de sa grandeur », selon la formule gaullienne, était, avec la langue, le ciment le plus fort de l'unité nationale et le ressort de sa résilience. Ces valeurs affectives du sacré, expulsées de la vie courante et mises en quelque sorte à la disposition du pays à la fin du XIXe siècle, je les avais héritées de mon enfance. Au récit paternel s'était juxtaposé celui des livres qui exerçaient alors pleinement leur fonction d'initiation à l'univers vrai de la légende. Il y avait ainsi au domicile familial un exemplaire de la *Petite histoire de France* de Jacques Bainville illustrée par Job que notre fratrie se repassait de main en main. La fascination joua à plein. J'ai encore en tête les vignettes en couleurs qui sautaient au visage comme autant d'enluminures, autant d'images ennoblies d'un passé mythifié : Vercingétorix se rendant à César, Clovis et le vase de Soissons, Charles Martel à Poitiers, Charlemagne l'empereur à la barbe fleurie, Roland à Roncevaux, Saint Louis rendant la justice, Jeanne d'Arc délivrant Orléans, Louis XI et le cardinal La Balue enchaîné dans sa cage, François Ier armé chevalier, Henri IV à la bataille d'Ivry, le Roi-Soleil jusqu'à l'holocauste paysan et aristocratique de la guerre 1914-1918 qui constituait l'épilogue provisoire de cette grande saga épique. A l'inverse des mots forgés par les chroniqueurs, les images de l'histoire correspondaient presque toujours à une réalité. Procédant de l'instinct populaire, elles avaient emprunté la voie d'une tradition orale dont il fallait bien reconnaître qu'elle avait été plus souvent fidèle à la vérité historique que les écrits. S'y ajoutait ce frémissement d'émotion, de caractère à la fois esthétique et sentimental, propre à façonner une sensibilité et la plupart de nos perceptions futures.

Les grandes figures de l'histoire de France, telles que je les avais découvertes à travers ce prodigieux imagier, furent pour moi le premier réservoir de sens. Elles me firent appréhender ce qui séparait le pouvoir par incarnation du pouvoir par délégation, le gouvernement personnel avec son empirisme et sa flexibilité du gouvernement impersonnel lesté de ses verbeuses délibérations et de ses dogmes pesants. Trouvant de surcroît meilleure mine à Saint Louis qu'à Danton, à Philippe Auguste qu'à Robespierre, il m'apparut que ce qui pouvait arriver de plus beau à une idée était de s'incarner et de devenir par là un principe vivant d'organisation communautaire. Pour autant, le texte de Bainville s'inscrivait dans une conception héroïque de l'histoire-narration assez proche de celle de Michelet qui avait cherché de son côté à mettre en valeur l'âme des faits. Et il n'y avait pas lieu de les séparer. L'histoire savante n'y trouvait pas toujours son compte, mais la mémoire collective d'un peuple s'y enflammait à chaque page.

Des murailles du château fort médiéval aux tranchées de Verdun en passant par les travaux de Vauban, les manuels de nos maîtres ne manquaient jamais de rappeler aux écoliers que nous étions l'importance accordée au rempart, au fossé, à la fortification et le rôle de la frontière – frontière à établir ou frontière à défendre – dans la construction de la nation française. Une nation qui, pour reprendre le mot de Régis Debray, avait besoin pour exister « de contours et de conteurs », de *limes* et d'un grand récit.

Ces contours et ces conteurs, j'étais convaincu que des millions de Français aspiraient à en faire des outils de résistance à l'heure où la mondialisation faisait planer la menace d'annihiler les hommes « nés quelque part ». J'étais persuadé que, pas davantage que Bernanos, ils ne supportaient l'idée de perdre l'image qu'ils s'étaient formée de la France dans leur enfance en dépit de la vulgate qui dénonçait dans le sentiment national une construction artificielle, comme s'il n'y avait d'autre naturel en histoire que de l'artificiel qui avait duré, comme si, pour reprendre le mot de l'historien Maurice Agulhon, la durée n'était pas la seule matière de l'histoire.

Animés par une crainte phobique de tout ce qu'était supposé réveiller l'idée même d'identité nationale, certains milieux universitaires, composés d'historiens sans lecteurs et de chercheurs acharnés à déconstruire une « francité mythique », crièrent aussitôt à l'instrumentalisation à des fins partisanes. Certes, ils étaient bien placés pour savoir que l'histoire n'était pas une enquête neutre, qu'elle était au cœur de la construction de la légitimité politique. Tout juste concédèrent-ils, dans leur arrogance corporatiste, qu'il puisse y avoir un « musée de l'Histoire en France » dont la France fournirait le cadre, mais n'occuperait pas le tableau. Pour résister à une telle campagne, il aurait fallu toute l'autorité d'une génération hélas disparue : les Pierre Chaunu, Raoul Girardet, Philippe Ariès, François Bluche, Jacques Heers, ces maîtres qui m'avaient transmis la passion de l'histoire et envers lesquels j'avais contracté une dette inextinguible. Amère résultante de son extrême pauvreté intellectuelle et du monopole culturel abandonné à la gauche depuis un demi-siècle, la droite dite de gouvernement ne disposait pratiquement plus d'intellectuels organiques capables de soutenir son point de vue. La subtilité, l'inventivité, l'opiniâtreté de Christine Albanel puis de Jean-François Hebert, le haut fonctionnaire chargé de la mise en œuvre du projet officiellement annoncé par le chef de l'Etat le 13 janvier 2009, n'y purent rien.

D'accommodement en renoncement, de compromis en compromission, il ne resta bientôt plus grand-chose du projet initial. Une fois posé que la connaissance de l'histoire n'impliquait « ni vision passéiste, ni repli sur soi », la voie était ouverte pour faire de la « Maison de l'histoire de France » non la grande fresque d'un destin collectif, mais le réceptacle d'histoires multiples qui, loin de se limiter à l'identité domestique, laisserait une large place à toutes les appartenances et à toutes les orientations, pourvu qu'elles témoignent de la sacro-sainte « diversité ». Plus question de célébrer les figures lumineuses du passé, mais d'ériger, au contraire, une sorte de monument au masochisme national dont l'ambition devait être finalement, comme le résumera Alain Finkielkraut, de « rendre toutes les facettes de notre histoire accessible : ses ombres et ses lumières, ses grands noms et ses inconnus, ses passages oubliés comme ses chemins de traverse[6] ». Ce serait un lieu « où le passé vivrait au contact de la modernité, ouvert aux débats, aux invitations, aux rencontres ». Une maison de tolérance qui n'aurait rien pour autant d'une maison close. Comme souvent durant ces cinq années, dérision et déréliction se donnèrent la main pour enterrer les promesses du sarkozysme électoral.

« Non requiescat in pace »

Chaque fois que j'eus à m'ouvrir auprès du président du scepticisme que m'inspirait à ce sujet la politique gouvernementale, celui-ci, invariablement, me répondait : *« Tu ne peux pas dire que je néglige la question de l'identité nationale, je lui ai affecté un ministère et j'y ai nommé mon meilleur ami. C'est un symbole fort, non ? »*

L'ami, c'était Brice Hortefeux et l'énoncé même de ce nom était censé mettre un terme à mes interrogations : *« Tu n'as qu'à voir avec lui les initiatives qu'il convient de prendre. »* Dans tous les postes qu'il occupa durant le mandat de Nicolas Sarkozy, Hortefeux mit une grande persévérance à ne rien faire. Il fit de l'absence même de traces la marque distinctive de son passage à la tête des administrations qui lui furent confiées et ce, dans une ligne si parfaitement épurée qu'on finissait par se demander si l'esthétique en était volontaire. Son inertie s'accompagnait d'une gentillesse benoîte et ronde et d'une bonhomie souriante qui forçaient la sympathie. Avec lui, j'appris à calibrer mes demandes, à ne rien solliciter qui ne dépassât un périmètre de compétences réduit à la peau de chagrin ou qui n'effarouchât une bonne volonté aussi prompte à se manifester qu'à battre en retraite.

Je n'obtins, à vrai dire, de franc succès qu'avec la question de la profanation des cimetières et des lieux de culte. La contagion s'en était répandue de façon fulgurante depuis plusieurs années au point que, en 2009, lorsque Hortefeux fut nommé au ministère de l'Intérieur, un lieu sacré était vandalisé tous les deux jours. La très grande majorité de ces profanations affectait des églises et des sépultures chrétiennes, ainsi que le révélait une note de la Direction de la gendarmerie nationale. Cependant les pouvoirs publics n'exprimaient leur indignation et leur solidarité envers les communautés concernées que dans les cas où il s'agissait d'exactions perpétrées contre des tombes juives ou musulmanes. Par une étrange discrimination que personne n'osait expliquer, ils restaient muets chaque fois qu'une croix était brisée, une chapelle saccagée, un oratoire souillé. Or, comme à beaucoup de Français, cette disparité de traitement me paraissait l'une des formes les plus pernicieuses que revêtait la négation des racines chrétiennes de notre pays. Et comme un signe supplémentaire de la disgrâce frappant ceux qui perpétuaient visiblement cette évidence.

Aussi loin que je pouvais remonter, j'avais toujours eu le culte des morts. J'avais toujours pensé qu'ils jouaient un rôle prépondérant dans l'existence collective des peuples et dans la vie individuelle des hommes, qu'ils étaient les créateurs des mobiles inconscients de leur conduite car, pour le dire avec les mots de Chateaubriand, « les vivants ne peuvent rien apprendre aux morts ; les morts, au contraire, instruisent les vivants[7] ». Rien ne m'émouvait davantage que cette présence réelle qui nous rattachait à la mémoire de la terre en une version séculière de la communion des saints nous liant au ciel. J'en avais reçu l'essentiel : ce capital immatériel qui faisait de nous d'éternels débiteurs insolvables et, de toute vie lucide, un socle d'action de grâces à l'égard de ceux qui nous avaient devancés. C'était pourquoi je restais, en ce XXIe siècle commençant, un adepte de la civilisation par la dette, celle qui fait de l'être un obligé de l'ancêtre, celle qui nous élève du statut de « fils des morts », selon Barrès, habités par la *pietas* et la *fides*, au rang de « pères des morts », comme l'entendait Péguy, gardiens de leurs tombeaux en rien muets, à suivre Alexandre Vialatte : « Classez vos morts [...] Rangez-les dans leurs tombes comme dans une bibliothèque. Ceux qui sont lus, ceux qui restent à lire[8]. »

En ce début de millénaire, les morts étaient assaillis de toutes parts. Ils ne dormaient plus que d'un œil. Ils n'avaient plus l'éternité pour eux, pas même celle des concessions dites abusivement perpétuelles. Les gisants se découvraient soumis à la précarité, réduits au statut d'intérimaires d'un repos qui n'avait plus rien de paisible. La rationalité marchande, celle qui faisait commerce de tout, aidée par le zèle intempestif de certains maires, s'employait à imposer un peu partout la rotation forcée des sépultures au nom d'une logique sacrilège de rentabilité. « Les morts, les pauvres morts, ont de grandes douleurs », disait Baudelaire, qui n'imaginait pas cependant leurs tourments à venir, fruits moins de l'impermanence des choses que de l'impiété des générations futures. *Exeunt* donc les pauvres morts, le long cortège des ancêtres voués non plus à la réduction de leurs squelettes, mais à la dispersion de leurs ossements dans une quelconque fosse commune ou aux flammes de quelque incinérateur conforme à la rationalisation des politiques urbaines.

Comment expliquer à la nouvelle classe dirigeante, à ces déracinés se proclamant fils de personne, à ces adeptes du patronyme flottant ou extensible, qu'un pays n'est pas seulement la propriété de ceux qui y vivent, mais aussi de ceux qui y ont vécu, aimé, souffert, travaillé, allant jusqu'à faire le sacrifice de leur vie pour le transmettre tel qu'ils l'avaient reçu ? Comment faire comprendre à ces bobos, si proches des bonobos par leur sexualité agénésique, que 65 millions de vivants n'ont pas plus de droits sur une terre, et certainement pas celui de l'aliéner ou d'en disposer à leur guise, que les myriades d'êtres humains qui les ont précédés sur ce même sol ? En Chine, le capitalisme d'Etat procédait à une répétition générale. Plus de 2 millions de tombes avaient été arasées au bulldozer à Zhoukou, une ville de la province du Henan, afin de transformer l'espace ainsi libéré officiellement en terres arables et, en fait, après le versement de pots-de-vin aux cadres du parti communiste, en projets immobiliers ou industriels.

Ce fut dans ce contexte d'insécurité mortuaire que s'amplifia en France la vague de profanations des lieux sacrés. L'Alsace s'était malheureusement distinguée par une longue série d'actes de vandalisme à l'encontre de sépultures juives. Au début juillet 2010, la découverte d'une vingtaine de tombes profanées dans le carré musulman du cimetière de Robertsau provoqua la venue du ministre de l'Intérieur, en charge des cultes, à Strasbourg. Consternation, indignation, condamnation, le triptyque de l'impuissance publique déroula comme à l'accoutumée son flot de bonnes paroles. A ce détail près que, soucieux de donner des gages à la communauté musulmane après qu'il eut été poursuivi par le MRAP sous l'incrimination d'« injures raciales », Hortefeux crut devoir dénoncer sur place une agression à caractère raciste et islamophobe qu'aucun indice, cependant, n'étayait, plaidant à l'instar du Premier ministre en faveur d'« une inscription sereine de l'islam dans le paysage national ».

En septembre de la même année, le saccage de près de cinquante tombes catholiques au cimetière de Frontenay-Rohan-Rohan, dans les Deux-Sèvres, allait-il être accueilli par le silence assourdissant qui entourait d'ordinaire les profanations touchant les sites chrétiens ? Profitant de l'émotion suscitée par les événements de Strasbourg, je fis valoir auprès du ministre le sentiment d'iniquité que pouvaient éprouver en pareilles circonstances les catholiques de France auxquels on apportait ainsi, presque chaque jour, la démonstration que tous les actes antireligieux étaient condamnables, à l'exception de ceux dont ils étaient accablés. Il en tint, cette fois, si bien compte que cet « homme sans empreinte » réagit avec la vigueur d'un néocroisé soucieux de laisser sa marque. Il fulmina un communiqué pour exprimer sa solidarité à l'égard des croyants dont il disait partager la tristesse, rendit publiques des statistiques qui ne laissaient aucun doute sur la véritable nature du phénomène[9]. Des instructions s'envolèrent de la place Beauvau, intimant aux préfets de faire montre de vigilance et de sévérité. La mission parlementaire de prévention et de lutte contre les profanations, créée en juin 2010, fut priée d'activer ses travaux et de prendre en compte la spécificité essentiellement antichrétienne de ces actes de vandalisme. Cependant, le ministre ne daigna pas se rendre sur les lieux pour présider une grande cérémonie de recueillement, comme il l'avait fait à Strasbourg. « Ne pas trop en faire, surtout ne pas trop en faire », s'étaient exclamés en chœur les membres de son cabinet.

Un ministère du verbe

Le 15 janvier 2009, Eric Besson succéda à Brice Hortefeux au poste de ministre de l'Immigration, de l'Intégration, de l'Identité nationale et du... Développement solidaire. Que pouvait-on attendre de cet ancien député socialiste, rallié à Sarkozy au lendemain du premier tour de la présidentielle, sinon qu'il reprît le flambeau de l'inaction obligeamment transmis par son prédécesseur ? J'étais donc sans illusion, lorsque je me rendis le 4 mars à l'hôtel de Rothelin-Charolais, édifié par Philippe d'Orléans au début du XVIIIe siècle, pour répondre à l'invitation qui m'avait été faite par le nouveau ministre. Non sans brio, Eric Besson entreprit de me convaincre qu'il était l'homme de la situation. Dès son entrée en fonction, n'avait-il pas proposé au président de modifier l'intitulé de son ministère en plaçant en première l'appellation « identité nationale » pour mieux signifier les priorités qui étaient les siennes ? Vaguement inquiet à l'idée d'un tel coup d'éclat, Sarkozy l'en avait dissuadé par un « *Ça va être surinterprété* » qui ne souffrait aucune réplique.

Par quel cheminement obscur, par quel caprice du destin ce pupille de la nation, fils d'un pilote instructeur de l'armée de l'air mort en vol trois mois avant sa naissance, s'était-il retrouvé au PS chez les entrepreneurs en démolition de l'Etat-nation ? Le patriotisme était chez lui une plante vivace, robuste et de bonne souche : « Petit, quand on me disait que mon père était mort pour la France, me confia-t-il, j'avais les larmes aux yeux, je me sentais traversé par une intense émotion et habité, en même temps, par une grande dignité. » En quelques mots simples, l'ancien élève du lycée Lyautey de Casablanca me dit son admiration pour le maréchal éponyme au pedigree lourdement chargé d'aristocrate monarchiste et catholique, auteur et promoteur du *Rôle social de l'officier*.

En rajoutait-il pour me complaire ? Ce n'était pas impossible, encore que sans importance. Le regard qu'il portait sur le PS, bien que d'une extrême lucidité, faisait sa part à la cruauté et à la désillusion. Comme j'évoquais devant lui les mânes des socialistes patriotes du temps de la SFIO, ces socialistes d'avant la gauche, les Robert Lacoste, Max Lejeune et consorts, il leva les yeux au ciel : « La patrie est un mot qui n'a plus cours chez eux. Il ringardise aussitôt celui qui l'emploie. Mitterrand aura été le dernier à s'y risquer. Mais les plus dangereux ne sont pas forcément ceux auxquels on pense. Les plus étrangers à l'âme, à l'essence de la nation ne se trouvent pas toujours à gauche de la gauche, mais parmi les européistes. François Hollande en est le prototype. C'est lui qui a conseillé à Ségolène Royal de ne pas décorer la salle de la Mutualité avec des drapeaux tricolores, le jour de son intronisation en décembre 2006. »

Autre chose nous rapprochait, une commune admiration pour Alexandre Vialatte, le génial et prophétique auteur de l'*Antiquité du grand chosier*, dont Ferny Besson, la grand-mère du ministre, avait plus que contribué à faire connaître l'œuvre. Vialatte, ce prince qui avait cultivé mieux que quiconque l'art d'être profond avec légèreté pour nous rappeler à notre humaine condition : « L'Homme n'est que poussière, On voit par là l'importance du plumeau. » L'ombre tutélaire d'« Alexandre le Grand[10] », si elle protégea nos rapports de tout formalisme, n'éclipsa jamais, cependant, les problèmes de l'heure. Alerté par de mauvais sondages, j'adressai au président une note en date du 13 septembre 2009, soit neuf mois après l'entrée en fonction d'Eric Besson : « A la limite, l'annonce faite par Besson, hier, de suspendre l'application de la loi sur les tests ADN me paraît devoir être moins électoralement dommageable que notre carence totale en ce qui concerne la politique identitaire. Besson est un ministre de l'Immigration. Point final. Il n'est en rien un ministre de l'Identité nationale, c'est-à-dire un ministre dont l'action doit viser, entre autres, à restaurer notre potentiel et notre capacité à assimiler les populations immigrées de la première et de la seconde génération. Il ne sert à rien de faire une loi contre la burka si nous ne sommes plus capables de proposer un contre-modèle suffisamment attractif. »

La réponse vint presque deux mois plus tard. Elle fut tacticienne et électoraliste, moins une sédation des angoisses nationales qu'un excitant des fièvres partisanes dans le contexte des élections régionales qui approchaient à grands pas : *« Nous allons organiser un grand débat sur l'identité nationale. »* J'avais déjà avancé, dans nos conversations privées, quelques objections devant cette idée incongrue ; je les reformulai sitôt que le chef de l'Etat l'eût exprimée au cours de l'un de nos « comités stratégiques ».

— Tu n'as pas été élu pour organiser des débats, mais parce que, sur ce sujet comme sur d'autres, tu as proposé aux Français des réponses et un projet à mettre en œuvre. On ne fait pas de débat sur l'identité nationale à un moment où la nation ne sait justement plus ce qu'elle est, sauf pour avouer qu'on ne le sait plus non plus nous-mêmes !

— Ne fais pas semblant de ne pas comprendre. Débattre, c'est faire bouger les esprits et les lignes. C'est acclimater certaines idées pour mieux préparer le terrain.

A quoi bon prolonger cet échange que coiffait le bonnet noir du doute ? Le débat aurait lieu de toute façon, puisque le président, croyant ressusciter de façon factice un clivage qui lui serait profitable, en avait décidé ainsi. Il était tout aussi clair que Nicolas Sarkozy avait la ferme intention de n'en tirer aucune conséquence pratique, ni aucune initiative susceptible de rendre aux Français la fierté d'être français. Mais de ce chalut promené sur le fond d'eux-mêmes, ne pouvait-on pas faire remonter à la surface des trésors enfouis, la confiance en ce qu'ils étaient en même temps que la conscience de ce qu'ils avaient été ? Après tout, ce débat aurait peut-être son utilité, à condition qu'il fût conclusif et qu'il débouchât sur une charte de l'identité nationale dont l'objet serait de répondre clairement à la question : « Qu'est-ce qu'être français ? » ou en d'autres termes : « Quelles sont les valeurs et quels sont les éléments constitutifs de l'identité nationale ? » A condition également qu'il fît apparaître en quoi celle-ci était le produit d'une dialectique entre son être historique et les sollicitations d'éléments extérieurs.

Le risque était évidemment que le débat se déplaçât sur le terrain quasi exclusif de l'immigration et que la question de l'identité nationale fût réduite à la menace que faisait peser sur elle la présence grandissante d'un islam en voie de radicalisation. Mais au moins serait-ce là l'occasion de porter un coup d'arrêt à la machine à produire des mensonges, des paralogismes, des mythes historiographiques qui, depuis des années, tournait à plein régime dans la plupart des médias. De renverser, par exemple, ce souverain poncif qui voulait que la France eût toujours été une terre d'immigration, alors qu'entre la chute de l'Empire romain et le milieu du XIXe siècle, le socle de la population française était resté pratiquement identique pendant près de quinze cents ans en l'absence de flux migratoires quantitativement significatifs. Même l'apport des « grandes invasions » à partir du Ve siècle, bien que décisif par son impact politique dans la constitution de l'identité du pays et jusque dans la formation de son nom, demeura numériquement très faible en termes de peuplement et ce furent les Francs qui subirent, en définitive, l'assimilation gallo-romaine[11]. L'arrivée d'une immigration européenne, entre 1850 et 1950, ne modifia pas sensiblement la donne. Si bien que le démographe Jacques Dupâquier a pu à juste titre écrire que la France est restée ethniquement homogène jusque dans les années 1970. Ce ne fut qu'à partir de la seconde moitié du XXe siècle que l'immigration devint un phénomène de masse ethniquement différencié et culturellement exogène avec l'arrivée des forts contingents en provenance du Maghreb et de l'Afrique subsaharienne.

Puisque l'air du temps était au démontage des idées reçues, l'heure n'était-elle pas venue de rappeler que, nécessitant un effort asymétrique de part et d'autre, l'assimilation n'était jamais ni un pari gagné d'avance, ni une libéralité distribuée sans aucune contrepartie ? Le mythe de l'intégration réussie des Italiens et des Polonais n'avait-il pas longtemps masqué le fait que seule une minorité d'entre eux, rassemblant les éléments les plus assimilables, avait fait souche ? Pourtant les conclusions des travaux de l'historien Pierre Milza[12] étaient formelles : sur les quelque 3,5 millions de migrants italiens qui avaient pris entre 1870 et 1940 le chemin de la France, près des deux tiers, en dépit de tous les facteurs de proximité entre peuples latins, n'avaient pas pu ou n'avaient pas voulu s'intégrer définitivement, choisissant, pour les uns, le retour dans leur pays natal, pour les autres, une nouvelle terre d'immigration.

Devant tant de contrevérités, tant de contresens fabriqués pour conditionner les esprits et faire accroire aux Français qu'ils n'étaient pas un peuple, qu'ils ne l'avaient jamais été, mais qu'ils représentaient tout au plus « le produit d'un travail millénaire de métissage », qu'ils étaient tous plus ou moins des immigrés pour peu que l'on remontât quelques générations en arrière, n'était-il pas temps de rappeler également que le pouvoir assimilateur du melting-pot français s'était toujours exercé de façon très sélective ? Que, tout au long de son histoire, la France, prétendue « terre d'accueil », avait mis bien plus de constance à refouler qu'à accueillir ceux qui frappaient à sa porte ? Enfin, ne fallait-il pas profiter de l'occurrence pour redéfinir le pacte national et le pacte social, montrer le lien direct qui reliait l'un à l'autre, expliquer en quoi et pourquoi l'Etat-nation, avec ses frontières assurant l'unité interne et la pacification des rapports entre les citoyens, était la condition politique, géographique, juridique de l'Etat-providence, le cadre naturel, forcément délimité, sans lequel il ne pouvait y avoir de solidarité, faute de ressources financières, entre les individus et les générations ?

Nicolas Sarkozy en décida autrement par l'étrange mécanisme, si fréquent chez lui, qui le faisait partir d'une authentique audace créatrice et l'amenait, tel un peintre brusquement en manque d'inspiration, à recouvrir ce premier mouvement d'un repentir qui allait jusqu'à masquer presque entièrement l'intention initiale. La lettre de mission que le président de la République adressa à Eric Besson me fit l'effet d'un hors-sujet consternant : « Notre nation est métissée, pouvait-on y lire. L'immigration constitue une source d'enrichissement permanent de notre identité nationale. » Quant au commentaire du ministre qui s'ensuivit, il constituait ni plus ni moins qu'une capitulation sans conditions devant la religion multiculturaliste : il n'y avait pas de « Français de souche », il n'y avait qu'une France du mélange. En clair, le métissage était présenté comme une identité non identitaire qui devait permettre à tous de partager un « grand récit national modernisé ». L'objectif n'était plus, si les mots avaient un sens, d'ouvrir ou d'enrichir la culture française, mais de la remplacer.

Pris de panique à l'idée de ce qui pouvait sortir du débat, le ministre s'échina à tout mettre en œuvre pour tenter de le canaliser. On créa un site Internet spécialement dédié, dont on espérait qu'il favorisât l'expression des jeunes, réputés plus ouverts et plus tolérants que les seniors ou les personnes issues des catégories socialement défavorisées. Peine perdue. Ce fut une déferlante de contributions qui exprimaient un rejet massif de l'immigration et faisaient éclater au grand jour l'absurdité d'un système qui fabriquait de l'hétérogène tout en prétendant créer du « vivre ensemble ». Toutes ou presque, malgré les efforts du modérateur qui ne savait plus où donner du ciseau, mettaient en évidence l'absence de monde commun et donc de bien commun, l'implacable corrélation entre société multiculturelle et société multiconflictuelle se nourrissant de l'importation à domicile dudit « choc des civilisations ».

De tous les thèmes proposés à la réflexion des internautes, ce fut celui de « l'apport de l'immigration à l'identité française » qui déchaîna le plus de passions. Nul ne remettait en cause ce dont le patrimoine national était redevable aux étrangers qui, à titre individuel, de Lully à Apollinaire en passant par Alexandre Dumas, avaient contribué à l'enrichir, mais la plupart, en revanche, pointaient l'immigration de masse, et singulièrement l'influence croissante de l'islam, comme le principal agent destructeur de l'identité française. Les témoignages les plus virulents, les plus émouvants aussi, émanaient des parents d'élèves « souchiens », dont les enfants se retrouvaient dans des classes comptant jusqu'à 80 %

d'étrangers et où la transmission de la langue, de l'histoire et de la culture françaises était, de fait, devenue impossible. L'épisode biblique de la tour de Babel était souvent cité comme l'exemple même d'une situation où la pluralité des langues entraînait l'incapacité d'avoir un projet commun et, finalement, le chaos. Chacun témoignait à sa manière d'une assimilation à l'envers à travers un processus de défrancisation générale ressenti comme une dépossession personnelle.

Des réunions publiques s'éleva, formulée parfois sans trop d'apprêts, la revendication d'un droit du peuple à parler sa langue natale, à vivre dans le milieu naturel qui avait toujours été le sien, selon les mœurs, les coutumes et les croyances qui formaient son tissu identitaire. Pour les vigiles du nouvel ordre multiculturel, c'en était trop. On décréta que ce n'était pas le problème qui devait faire débat, mais que c'était, au contraire, le débat qui faisait problème. On surenchérit dans l'indignation et la polyphonie pétitionnaire. SOS Racisme et *Libération* réclamaient la fin des réunions publiques, ponctuée d'un comminatoire : « Arrêtez le débat, Monsieur le Président ! » Mediapart proclamait fièrement : « Nous ne débattrons pas. » Pas question d'invoquer l'« expression légitime du peuple », l'excès de liberté devenait la source de tous les maux. Contre la parole déviante, contre la parole délinquante, il y avait des lois qui ne demandaient qu'à servir aussi bien qu'à sévir. Que faisait donc la police ?

Dans leur combat acharné contre la réalité et ses émissaires aussitôt transformés en boucs émissaires, les signataires ne prétendaient pas opposer une conception de l'identité nationale à une autre. Ils niaient purement et simplement l'idée même que pût exister une identité française et ne voyaient pas par conséquent l'utilité d'en débattre. Envisager, comme le fit le grand historien Fernand Braudel dans *L'Identité de La France*, « le rôle grandissant, et à plus d'un titre, angoissant de l'immigration étrangère, dans l'équilibre présent et plus encore à venir de la population française », s'inquiéter avec lui du fait que « l'immigration pose à la France une sorte de problème "colonial", cette fois planté à l'intérieur d'elle-même »[13], se refuser à entériner le mythe d'une très ancienne tradition d'accueil d'où découlerait une sorte d'obligation morale ne pouvaient qu'être le fruit d'une pensée nauséabonde.

Du haut de son magistère, le sociologue Emmanuel Todd fit entendre la voix de sa conscience. On trembla : « Sarkozy se gargarise du mot “peuple”, déclara-t-il dans un entretien au *Monde*, mais ce qu'il propose aux Français, parce qu'il n'arrive pas à résoudre les problèmes économiques, c'est la haine de l'autre[14]. » Un peu plus loin, il donnait libre cours à sa fulgurante prescience, à partir d'un ensemble de données biaisées qui enluminaient un optimisme de commande et une vision quasi fusionnelle du « vivre ensemble » : « La réalité de la France est qu'elle est en train de réussir son processus d'intégration. Les populations d'origine musulmane de France sont globalement les plus laïcisées et les plus intégrées d'Europe, grâce à un taux élevé de mariages mixtes[15]. Pour, moi, le signe de cet apaisement est précisément l'effondrement du Front national. »

Inaugurant un procès qui devait devenir récurrent avec exposition au pilori en place de Grève, c'est-à-dire sur les chaînes d'information continue, je fus démasqué par les fins limiers des médias comme l'instigateur clandestin, le deus ex machina de ce « débat honteux » qui rappelait les « heures les plus sombres de notre histoire ». La *reductio ad hitlerum*, cette arme réputée létale du débat public, n'épargna pas non plus Eric Besson, en dépit des innombrables gages qu'il avait cru devoir donner à l'idéologie diversitaire. A la limite, il se serait accommodé du sort que lui avaient réservé ses anciens amis du PS, bien que ces derniers l'eussent affublé de la défroque d'un Laval et d'un Déat, si certains ministres du gouvernement n'avaient pas cru devoir relayer sournoisement cette campagne.

Délétère, venimeuse, l'idée commença en effet à circuler dans les rangs de la majorité comme quoi le débat sur l'identité nationale avait eu pour conséquence de relégitimer le Front national et de contribuer à la reconstitution au moins partielle du vote frontiste. Personne, au demeurant, ne poussa l'audace jusqu'à se demander si ce n'était pas, *a contrario*, l'absence de mesures conclusives fortes au débat sur l'identité qui, en secrétant de la frustration, n'avait pas, par contrecoup, fabriqué un vote de protestation identitaire.

D'autant qu'au moment même où le débat était lancé sur la place publique, Luc Chatel, ancien directeur des ressources humaines de chez L'Oréal promu ministre de l'Education nationale par Nicolas Sarkozy, annonçait le 19 novembre, dans le cadre de la réforme des lycées, la suppression de l'enseignement de l'histoire-géographie en classe de terminale scientifique. Alors qu'il entendait fixer la France dans la conscience des citoyens comme une réalité culturelle substantielle, le gouvernement ne se donnait même plus la peine d'entretenir l'illusion de son attachement à ce « riche legs de souvenirs », dont Ernest Renan avait fait l'une des deux composantes de la nation en tant que « principe spirituel ». Pour cette droite-là, comme pour la gauche multiculturaliste, les choses étaient claires et consonaient entre elles : plus un peuple avait d'histoire, moins il avait d'avenir.

La mobilisation des lieux et des mémoires

Alors que la France était sommée de ne plus être la patrie de personne pour devenir la patrie de tout le monde, il me semblait ne pas y avoir tâche plus urgente pour un président de la République que de faire en sorte que les Français pussent se retrouver dans le sentiment qu'ils avaient de leur singularité. L'économie n'offrait que peu de marges de manœuvre ? Sa financiarisation menaçait les modes et les conditions de vie ? Face au changement synonyme de désagrégation pour les catégories populaires, le chef de l'Etat serait d'autant mieux écouté qu'il incarnerait un monde de sens hérité, précieux et fragile, un monde de stabilité et de permanence. Si notre balance commerciale était déficitaire, du moins notre balance mythologique affichait-elle un excédent sans guère d'équivalent dans l'histoire des nations. La culture et le patrimoine exprimaient l'identité française là où la politique et l'économie, du fait du déclassement de la France, n'avaient plus de faculté d'expression. Pourquoi laisser dormir ce capital communautaire incomparable ? Pourquoi condamner les Français à ne plus se sentir investis de ces appartenances qui les arrimaient à une identité collective englobante que sur les stades et lors des grandes compétitions sportives ? Pourquoi les vouer à ne plus éprouver de fierté légitime qu'à l'occasion des jeux du cirque ?

L'idée que je soumis à Nicolas Sarkozy, en janvier 2008, répondait à la définition que Napoléon donnait de la guerre : un art simple et tout d'exécution. Puisque, le 31 décembre précédent, le président avait revendiqué dans ses vœux aux Français une *« politique de civilisation »*, une *« politique qui touche à l'essentiel, à notre façon d'être dans la société et dans le monde, à notre culture, à notre identité »*, n'était-il pas congruent de se montrer dans un *continuum* historique sur des sites évocateurs d'une temporalité autre que celle de l'affrontement politicien, mais tous en prise directe avec l'actualité culturelle ou commémorative ? Honorer le patrimoine non comme nostalgie, mais comme signe d'un enracinement porteur d'avenir ne pouvait être qu'un facteur de cohésion et d'unité tel qu'aucun autre secteur de l'activité gouvernementale n'était capable d'en produire.

Ma première proposition consistait à profiter de l'inauguration de l'Historial de Gaulle aux Invalides pour créer une journée de célébration placée sous le triple parrainage de Louis XIV, Napoléon Ier et de l'homme du 18 Juin. La symbolique politique et militaire du lieu était de nature à parler à la plupart des Français. Construit par le Roi-Soleil, l'hôtel des Invalides était une création emblématique du « bon Etat » : deux années d'étude, deux ans pour la construction, un prodige de maîtrise d'ouvrage qui méritait d'être montré en exemple à tous les serviteurs actuels de la chose publique. En outre, l'état-major s'y était installé lors de la Première Guerre mondiale, peu de temps avant que, dans la nuit du 6 au 7 septembre 1914, l'esplanade ne servit de point de départ aux fameux taxis de la Marne. En cette année du 90e anniversaire de l'armistice de 1918, tout convergeait vers ce lieu pour y délivrer un message d'« énergie nationale », selon l'expression du vrai maître de De Gaulle que fut Barrès – et non pas, selon une idée aussi fausse que répandue, Maurras.

Ma seconde proposition visait à une double prise de revers. Il s'agissait d'associer Napoléon III, à l'occasion des célébrations du 200e anniversaire de sa naissance, et François Mitterrand par le biais de leur passion commune pour les Gaulois et Vercingétorix. Pour ce faire, un site s'imposait dans le Morvan : le magnifique musée de la Civilisation celtique que Mitterrand avait fait construire autour des fouilles de Bibracte, la plus complète des cités gauloises parvenues jusqu'à nous. Mais surtout une ville chargée de sens, puisque ce fut là que Vercingétorix se fit proclamer chef de la Gaule coalisée. L'intérêt d'une telle commémoration était d'associer deux chefs d'Etat qui, à un moment de leur vie, avaient éprouvé le besoin de se relier au roman des origines, conscients qu'ils étaient, selon la formule du général de Gaulle, que « la France venait du fond des âges » et que la moitié des villages français existaient déjà à la préhistoire. Napoléon III était à l'origine du « culte » autour de Vercingétorix et on lui devait le début des fouilles à Gergovie. François Mitterrand, quant à lui, s'était pris d'une telle passion pour les Eduens, les ancêtres des fondateurs de la ville gallo-romaine d'Autun, qu'il envisagea, un moment, de se faire enterrer au mont Beuvray, au-dessus de l'oppidum de Bibracte, à l'emplacement même où Vercingétorix s'était fait adouber pour lutter contre les Romains. En termes de commun partagé, les Gaulois avaient bonne presse dans la mémoire des Français. C'était là, à l'heure du communautarisme, l'occasion de célébrer la plus ancienne et malgré tout la plus nombreuse (pour combien de temps encore ?) des tribus vivant sur le sol national.

La troisième célébration était destinée à marquer la clôture de l'année Vauban que le président avait inaugurée en septembre 2007 par une visite de l'exposition que la Cité de l'architecture et du patrimoine avait consacrée au maréchal de France. En outre, la session de l'Unesco, réunie à Québec le 10 juillet 2008, devait se prononcer pour savoir si elle retenait la candidature des quatorze sites construits par Vauban sur la liste du patrimoine mondial. Un engagement présidentiel serait sans nul doute apprécié de tous ceux qui s'étaient passionnés pour la figure du « roi de guerre », le génial vainqueur du siège de Maastricht en l'an 1673, à travers les nombreux événements qui avaient jalonné la commémoration de sa mémoire. La publication des *Oisivetés de Monsieur de Vauban*[16] – une version inédite de vingt-neuf mémoires constituant un témoignage exceptionnel sur la France de Louis XIV – achevait, par ailleurs, la redécouverte d'un serviteur de l'Etat en tout point exemplaire. Inventeur du pré carré et de la défense intelligente du territoire, bâtisseur de la « frontière de fer » qui a durablement protégé le royaume, bourreau de travail et inlassable réformateur : autant de facettes d'une personnalité dont l'œuvre n'était pas sans entrer en résonance avec les problématiques de l'heure. Les sites ne manquaient pas pour lui rendre hommage, y compris la citadelle de Lille au pied de laquelle Martine Aubry avait voulu édifier le nouveau grand stade de football de la métropole nordiste, projet heureusement retoqué par le Conseil d'Etat.

La lecture de ma note laissa Nicolas Sarkozy interloqué. Le soustraire à la tyrannie de l'immédiat lui apparaissait comme une perte de temps coupable, une errance superflue.

— *Pourquoi veux-tu me faire faire tout ça ? Tu ne crois pas qu'il y a d'autres priorités ?*

— Sûrement, Nicolas, sûrement ! Mais il y a l'éphémère de l'agenda médiatique et l'éphémère intemporel. L'histoire, c'est de l'éphémère qui dure.

— *On attend de moi que je sois dans l'action, pas l'inauguration des chrysanthèmes.*

— Un bon président est celui qui s'inscrit dans les trois dimensions : le passé, le présent et l'avenir. Le rejet du passé est suicidaire. Le passé contient la totalité du matériau avec lequel se construit l'avenir.

Pendant trois ans, je n'entendis plus parler de mon programme de célébration des gloires nationales. Mais je savais qu'il suffisait d'attendre pour que ma fonction de voyagiste de l'histoire rencontre, un jour ou l'autre, l'intérêt de mon interlocuteur. Ce fut ce qui arriva en janvier 2011, au milieu du gué, entre deux échéances électorales. Les régionales avaient été calamiteuses, l'horizon de la présidentielle paraissait pour le moins encombré. La demande identitaire s'exprimait de façon d'autant plus forte que les promesses du candidat de 2007 l'avaient attisée, sans que le président ne se fût employé, une fois élu, à la satisfaire autrement que par de micro-initiatives sporadiques. Le périple que j'imaginai alors combinait l'hommage à quelques grandes figures de notre histoire, la reconnaissance publique des racines chrétiennes de la France, la mise en valeur de la protection du patrimoine avec la commémoration du 800e anniversaire de Notre-Dame de Reims, afin de faire ressortir l'audace du plan de relance gouvernemental qui avait ouvert 47 chantiers de restauration sur les 86 cathédrales que comptait le pays, les visites à la France du futur, le Centre Pompidou à Metz, le chantier du Louvre à Lens, sans oublier la célébration de la France du savoir-vivre et du savoir-faire au moment où le « repas gastronomique à la française » et la dentelle d'Alençon venaient d'être admis au patrimoine immatériel mondial de l'Unesco.

« Je veux la France du vrai, du bien et du beau », tel devait être, dans mon esprit, le message subliminal du « grand tour » présidentiel. Faire de la formule platonicienne la devise de la France identitaire, c'était simple, antitechno, antipub et pouvait se décliner sous tous les aspects possibles. Cette fois, Nicolas Sarkozy en convint sans difficulté et même avec une certaine impatience, comme s'il s'agissait là d'une évidence devant laquelle on n'avait que trop longtemps tergiversé. Personne, autour de la table du salon vert, ne se trompa sur la portée de l'accord que le président venait de formuler dans le huis clos de notre cénacle. Cela équivalait à m'accorder un droit de préemption sur la campagne de 2012. Une telle perspective, comme bien l'on pense, en révulsa plus d'un et j'eus la confirmation que le front intérieur serait le premier à s'animer, lorsque je découvris, quelques jours plus tard, le contenu de ma note confidentielle au président dévoilé dans un article du *Figaro* qui détaillait les principales étapes du tour de France que j'avais concocté pour le futur candidat. L'organisateur de la fuite espérait sans doute qu'une fois privé de son effet de surprise, le programme perdrait tout ou partie de son attrait. Il n'en fut rien.

Le choix du Puy-en-Velay, haut lieu du catholicisme et de la langue d'Oc, comme point de départ de la grande boucle, qui devait illustrer la geste d'un président allant à la rencontre de l'histoire, se fit avec d'autant plus de facilité que le jeune ministre des Affaires européennes, Laurent Wauquiez, avait repris la ville au PS lors des élections municipales de 2008 et qu'il incarnait une droite nationale et sociale, soucieuse à la fois d'enracinement et de modernité. Ville étape sur le chemin de Compostelle, Le Puy s'était transformé en un lieu de pèlerinage après que Saint Louis, au retour de la septième croisade, lui avait fait don d'une statue de la Vierge noire qui avait été brûlée par les représentants du pouvoir révolutionnaire à la Pentecôte de 1794. L'évocation du culte marial et de l'histoire de la cathédrale romane du Puy se prêtant assez peu aux citations de Jean Jaurès et de Léon Blum, il avait été décidé que la plume d'un brillant agrégé d'histoire, Camille Pascal, qui venait tout juste d'arriver à l'Elysée en qualité de conseiller chargé des médias, se substituerait pour la circonstance à celle d'Henri Guaino.

Je n'y voyais, pour ma part, que des avantages. Un Cévenol converti au catholicisme qui lisait les « prophètes du passé », citait Barbey d'Aurevilly, s'était passionné pour Marie-Louise O'Murphy, l'une des « petites maîtresses » de Louis XV ayant très jeune servi de modèle à François Boucher pour *La Jeune Fille allongée*, voilà qui détonnait dans un paysage peuplé d'énarques conformistes et d'arrivistes calamistrés. Nous ne nous étions pas encore rencontrés qu'il accepta d'emblée la suggestion que je lui fis par téléphone d'inclure dans les vœux aux autorités religieuses le premier des discours présidentiels dont la rédaction lui avait été confiée, un message de soutien et de solidarité avec Asia

Bibi, cette jeune chrétienne pakistanaise condamnée à mort pour blasphème envers l'islam, en fait pour avoir « souillé » en tant qu' « impure » l'eau du puits de son village.

La plume supplétive avait du talent et de solides convictions qui, au regard des critères évangéliques, ne le rangeaient pas précisément dans la catégorie des tièdes. Deux choses insupportables pour Henri Guaino qui, arguant, avec toute l'autorité de la plume titulaire, d'atteintes à la laïcité, s'empressa de caviarder l'ode à la chrétienté qu'avait composée Camille Pascal à mon instigation. Même amputé, même mutilé, le discours du Puy-en-Velay conservait de beaux restes. Le lyrisme et le vitalisme de Sarkozy surent si bien les accommoder que cette intervention du 3 mars 2011 eut un retentissement qui dépassa de très loin l'accueil ordinairement réservé aux déplacements présidentiels dans la France profonde. Déployées sous le bouclier de Claude Lévi-Strauss – « L'identité n'est pas une pathologie » –, les paroles du chef de l'Etat sonnèrent comme un défi : « *La chrétienté nous a laissé un magnifique héritage de civilisation et de culture* [...]. *Si cet "héritage indivis" – je reprends les mots de Renan – nous assigne pour mission de conserver et de transmettre notre patrimoine, il nous demande aussi de l'assumer, ce patrimoine, de l'assumer moralement et de l'assumer politiquement* [...]. *Assumer notre héritage, c'est tout simplement reconnaître ce que l'on est, savoir d'où l'on vient. Protéger notre patrimoine, c'est protéger l'héritage de la France et c'est résister, mes chers compatriotes, à la dictature du présent, à la dictature de l'immédiat et, oserais-je le dire, à la dictature de l'interchangeable où tout se vaut, où rien ne se mérite plus, où tout à la même valeur.* » Que ces propos aient fait mouche, nul ne pouvait en douter au vu des réactions qui émanèrent des deux pôles antagonistes de la vie politique française. Avec sa fougue coutumière, Jean-Luc Mélenchon, ravi de l'aubaine, dénonça le « retour des vieilleries cléricales ». Moins inspirée, Marine Le Pen se borna à condamner une « opération électoraliste ». Ces deux-là furent en tout cas les premiers et peut-être les seuls à comprendre qu'on venait d'assister là au lever de rideau de la campagne présidentielle de 2012.

A neuf mois de distance, les célébrations du 600e anniversaire de la naissance de Jeanne d'Arc nous offrirent la dernière étape idéale pour clore avec éclat le pèlerinage présidentiel. Au regard des Français, la figure de la Pucelle incarnait le symbole non pas d'une identité qui se cherchait, mais d'une identité qui s'était trouvée. Elle représentait l'une des preuves certaines de l'existence, au moment de la guerre de Cent Ans, d'une conscience nationale dépassant le cercle étroit des lettrés et des clercs, ainsi que le meilleur témoignage de la pénétration de ce sentiment national dans la paysannerie, au plus profond du peuple français. Il m'avait fallu essuyer le tir de barrage habituel avant d'en faire adopter l'idée par Nicolas Sarkozy. La Jeanne que nous devions commémorer, c'était la femme de guerre qui avait allumé la petite flamme de la résistance populaire. Résistance contre les élites politiques qui, déjà, regardaient la souveraineté comme une charge trop encombrante dont il était préférable de se débarrasser en la transférant à l'Angleterre. Résistance contre les Bourguignons, ceux qui collaboraient avec l'occupant anglais et qu'elle appelait les « Français reniés » par opposition aux « bons Français ». Résistance contre les élites économiques et commerciales qui, à l'exception de Jacques Cœur, considéraient qu'Henri VI était une franchise bien plus rentable que le blason défraîchi du petit roi de Bourges. Résistance, enfin, contre les hommes d'Eglise qui finiraient par la convaincre d'hérésie avant de l'envoyer au bûcher.

Rien ne manqua au programme de notre périple du 6 janvier 2012 à Domrémy et à Vaucouleurs. Pas même la chorale municipale qui, mue par un bel entrain champêtre, interpréta la « Marche lorraine » avec « ses sabots, don daine, avec ses sabots ». Comme pour le discours du Puy, la lutte d'influence entre conseillers s'était concentrée sur la bande-son qui devait expliciter les images du déplacement. La plume inspirée de Camille Pascal avait campé Jeanne sous les traits de l'héroïne identitaire par excellence, incarnant les racines chrétiennes de la France et rassemblant en sa personne toutes les vertus de l'âme française. Guaino s'était empressé de réduire cette Jeanne-là en cendres, pour la faire renaître en messagère d'un idéal universel. A quelques nuances près, c'était le débat de 1912 entre Barrès et Jaurès autour de la « sainte de la patrie » qui resurgissait entre nous. Le premier reprochait au second son rejet de tout « ce qui tient en haleine la capacité d'enthousiasme des masses dans une direction patriotique ». Le second récusait l'idée d'une fête nationale de Jeanne d'Arc, officiellement pour ne pas livrer la Pucelle « aux marchands de vin », en réalité par crainte d'une récupération cléricale de l'événement et par méfiance envers l'Eglise catholique. Pour Guaino, comme pour tous ceux qui faisaient de la République un sacré de substitution, le lien entre chrétienté et francité n'était pas central. A la dernière minute, j'obtins de Sarkozy qu'il réintégrât certains passages du texte de Camille Pascal et notamment sa péroraison : « *Jeanne d'Arc n'est pas seulement, comme l'écrivait André Malraux, "le corps brûlé de la chevalerie". Jeanne d'Arc est surtout, et pour toujours, l'un des plus beaux visages de la France.* »

Dans le Falcon qui nous emmenait à tire-d'aile vers les cieux de « l'Alouette[17] », le chef de l'Etat dont la culture johannique se limitait jusque-là au film muet de Dreyer, *La Passion de Jeanne d'Arc*, s'était imprégné du récit que lui avaient fait Colette Beaune et Philippe Contamine, les deux historiens de notre délégation. Il en ressortit transfiguré et n'attendait que l'occasion de montrer à quel point il était entré dans un colloque intime avec la pucelle transgressive de Domrémy. L'occasion se présenta dans la salle des fêtes de la mairie de Vaucouleurs. Elle avait la bonne mine des quelques dizaines d'écoliers de la commune qui avaient été rassemblés là, sous le célèbre tableau de Scherrer représentant le départ de Jeanne, pour une leçon d'histoire de France qu'ils ne seraient pas près d'oublier. Négligeant toute prudence, habité par son sujet au point d'en oublier qu'il était le président d'une République laïque, Sarkozy se lança dans une improvisation que n'eût pas désavouée Guibert de Nogent, l'auteur de *Gesta Dei per Francos* qui, dans sa relation de la première croisade, s'était fait le chantre d'une conception providentialiste de l'histoire de France : « *Jeanne, ce n'est pas une légende, c'est une histoire vraie comme les historiens viennent de vous l'expliquer. Et ce qui est extraordinaire dans cette histoire, c'est la dimension du sacré, de la transcendance. Les voix que Jeanne entend ne s'adressent pas à son for intérieur, elles lui intiment de prendre la tête d'une aventure collective. Ce n'est pas un miracle religieux qu'elle va accomplir, mais un miracle politique. C'est rare, les miracles politiques ! Croyez-moi, je sais de quoi je parle. Ce qui est inouï dans notre histoire, c'est ça : c'est que la France est née de la rencontre de l'Eglise et de la monarchie.* »

Un ange passa, suivi de toute une cohorte céleste. C'était une réunion à huis clos ; pas le moindre journaliste dans la salle. Le président était en état de grâce. Le décor de la campagne était enfin planté. A travers la figure de Jeanne, la question de l'identité était posée. Ce n'était pas une question politique parmi d'autres. C'était *la* question politique qui prévalait sur toutes les autres.

Chapitre X

La guerre d'Algérie n'est pas terminée

> « Il faut craindre celui qui se hait lui-même car nous serons les victimes de sa colère et de sa vengeance. Ayons donc soin de l'induire à l'amour de lui-même. »
>
> Friedrich Nietzsche.

Dans *Les chênes qu'on abat*, Malraux dit du général de Gaulle qu'il « avait dressé à bout de bras le cadavre de la France, en faisant croire au monde qu'elle était vivante[1] ». Une fois installé à l'Elysée, Jacques Chirac, lui, se presse de l'enterrer. La suppression qu'il acte, à la demande de son homologue algérien, Abdelaziz Bouteflika, de l'article 4 de la loi du 23 février 2005 sur les rapatriés, portant sur « le rôle positif de la présence française outre-mer, notamment en Afrique du Nord », restera sans doute l'un des plus forts symboles de la soumission idéologique d'un président de la République au camp de la repentance. Notre passé colonial ne passe pas, ne veut pas passer ? A la tête d'un vieux pays psychologiquement fragilisé et moralement désarmé, Chirac se déclare favorable aux lois mémorielles. Il affirme que la France se doit d'assumer toute son histoire, mais s'empresse de démontrer qu'il n'est prêt à n'en retenir que la face sombre, jamais le versant lumineux. Dans le même temps où il se refuse à évoquer les aspects positifs de la colonisation au motif qu'il ne revient pas à la loi de dire l'histoire, il fixe la journée de commémoration de l'esclavage en tant que crime contre l'humanité au 10 mai, date d'adoption de la loi Taubira qui aspire à précisément réécrire l'histoire.

L'hypermnésie vaut pour nos crimes, l'amnésie pour ceux des autres. Le cogito cède la place à l'*imperium* du sentiment, ou plutôt des mauvais sentiments sur soi-même. Le pays ne sait plus se mettre en scène qu'en tant que coupable. Dans l'œil du monde, plus rien ne passe de ce qui l'a fait rayonner. Pas même la persistance rétinienne de sa grandeur passée. Le crépuscule de ses douze années de règne en forme de déni peut-il laisser espérer la fin de ce malaise consenti ?

De la francophobie

Ce virus de la francophobie qui avait transformé presque tout notre passé en passif, Nicolas Sarkozy en avait perçu et dénoncé les effets dévastateurs sur les populations immigrées. Entretenir la culpabilité coloniale à longueur de récits, d'émissions, de films, de reconstitutions historiques biaisées avait été sans conteste le plus sûr moyen d'enfermer les jeunes de l'immigration dans une culture de l'excuse qui les dispensait du moindre effort, tout en attisant en permanence un racisme à rebours qui ne demandait qu'à sourdre. Parce qu'il légitimait tous les communautarismes, l'acharnement à vouloir franciser le mal et l'abjection, à faire de nous les dépositaires de l'ignominie et du crime était devenu, en l'espace d'une génération, le principal obstacle à l'assimilation. Qui voudrait se fondre dans une nation dont les propres élites ne cessaient de proclamer la malfaisance devant l'histoire ? Qui pourrait avoir encore envie de devenir citoyen d'un pays qui ne s'aimait pas[2] ?

Loin de se dissiper avec le temps, le souvenir de la guerre d'Algérie fournissait la matière d'un interminable procès contre la France, tisonnant les braises mal éteintes d'un conflit qui fut aussi une guerre civile franco-française. Pour les procureurs intarissables de nos tares coloniales, elle n'était pas terminée et ne serait jamais terminée. L'enjeu mémoriel masquait en réalité un enjeu politique. Il s'agissait, à travers cette entreprise de culpabilisation collective, de faire accepter une immigration de peuplement comme la juste réparation des crimes du colonialisme due aux peuples anciennement assujettis. A terme, le but était de liquider ce qui pouvait rester de la légitimité historique de la communauté politique. Le candidat Sarkozy n'ignorait rien de tout cela, ni le caractère radioactif du sujet, ni son arrière-plan idéologique.

Ce fut la raison pour laquelle il accepta sans difficulté l'idée d'une rupture spectaculaire avec l'historiographie pénitentielle dans laquelle avait baigné la présidence chiraquienne. Si l'on voulait de nouveau faire aimer la France, il n'y avait pas d'autre chemin que celui d'un retour à l'estime de soi.

J'étais d'autant plus sensible à cette question que le drame algérien avait été la grande affaire de mon enfance. A l'âge où l'on a la tête épique, s'il est impensable qu'on tombe amoureux d'une courbe de croissance, il arrive fréquemment qu'on suive la première utopie qui passe pour peu qu'elle ait l'âpre beauté et la puissance d'attraction d'un nouveau lointain. Or la promesse d'une plus grande France, « de Dunkerque à Tamanrasset », loin d'être une cause médiocre, avait tout pour séduire ceux qui éprouvaient le besoin métaphysique d'échapper à soi-même et rêvaient de rompre avec les mornes dimanches de PMU, le culte miteux de l'automobile et les piètres tribulations de « La famille Duraton » sur Radio-Luxembourg.

Assez vite cependant, il apparut que, ce grand rêve collectif qui eût pu sortir la France de sa torpeur en lui redonnant le goût de l'action et de l'aventure, de moins en moins de Français en partageaient l'ivresse. A commencer par les appelés du contingent qui vivaient dans l'attente fébrile de la « quille », symbole du retour tant désiré dans leur foyer. Le 15 mars 1962, dans un contexte de folie meurtrière, six inspecteurs des Centres sociaux éducatifs furent abattus par un commando de l'OAS. Le 19 mars, un message du ministre de l'Education nationale, Lucien Paye, enjoignait à tous les élèves de métropole de respecter une minute de silence en hommage à ces victimes. Pourquoi honorer ces morts-là plutôt que d'autres, alors que, depuis 1954, on ne comptait plus les instituteurs assassinés par le FLN, sans qu'aucune autorité n'ait songé un seul instant à en prendre à témoin les lycéens de France pour exiger d'eux la même déférence ? Cette tentative d'embrigadement des consciences me déplut. Du haut de mes 13 ans, je voulais bien verser toutes les larmes de mon corps, mais pas celles qu'on prétendait m'extorquer au terme d'un tri sélectif. Bras croisés sur ma chaise, j'avais refusé de me lever et de m'associer au remuement grégaire de mes camarades bientôt suivi d'un silence pesant sous le regard torve du professeur d'anglais qui, déjà, soupesait les désagréments qu'allait immanquablement lui valoir la présence d'un jeune séditieux dans sa classe.

L'insoumis que je m'imaginais être dut rapidement en rabattre lorsque, convoqué par le censeur du lycée Pasteur où j'étais scolarisé en classe de 4e, ce dernier prit prétexte de mon jeune âge pour m'épargner toute sanction disciplinaire, cependant que le bras séculier de l'administration s'abattait impitoyablement sur les « activistes » des premières et des terminales qui n'avaient pas su résister, eux non plus, à la tentation d'un facile baroud. Trop petit pour être considéré comme un acteur de l'histoire en marche, même au titre de modeste supplétif, on me consignait dans l'immaturité et l'insignifiance. C'était pour le moins humiliant. Il ne me restait plus qu'à observer le spectacle des adultes pris au piège des soubresauts de l'agonie de l'Algérie française. Le 26 mars, une manifestation de soutien des pieds-noirs à la population retranchée dans Bab el-Oued se heurta à un tir de barrage des soldats du 4e régiment de tirailleurs algériens et de gardes mobiles métropolitains postés rue d'Isly. La guerre d'Algérie s'achevait par le plus grand massacre d'une foule désarmée que la France eût connu depuis 1945 : 46 morts et 150 blessés. Cette fois, les adultes qui, autour de moi, avaient exprimé une semaine auparavant leur chagrin devant la sépulture des victimes de l'OAS, s'abstinrent de tout épanchement. Trois mois plus tard, le massacre des harkis perpétré par l'ALN ne fut pas davantage homologué par la lacrymocratie naissante dont les règles subtiles commençaient à s'élaborer dans l'alambic des grandes consciences. J'en conçus un vif dégoût pour tous les professionnels de la compassion à éclipses, leurs bons sentiments « humanitaires », leur chantage émotionnel et leur pathos moralisateur. Pour moi, la politique serait désormais cette lecture de prévoyance prolongée par une relecture de vérification.

Celui qui ne rend pas une place

Toute une partie de la droite, y compris d'anciens et fervents gaullistes, vécut le déroulement de la tragédie algérienne comme un symptôme majeur de la déplétion française. Pour cette France-là, la geste qui avait naguère permis au Général de s'élever au-dessus de l'« intendance » et de la « petite cuisine » du régime des partis s'était abîmée dans les convulsions de la décolonisation. Bayard était tombé de son cheval et le bon roi Henri avait perdu son panache blanc. Le mythe de Gaulle, en tant qu'imaginaire d'un moment historique, se vidait de sa glorieuse substance. Les plus lucides comprirent qu'au-delà de la question de l'indépendance de l'Algérie, c'étaient les fondements d'une certaine conception politico-historique de la nation qui se trouvaient ébranlés.

Fils d'officier et historien de la société militaire, Raoul Girardet[3], avec le petit groupe d'intellectuels regroupés autour de *La Nation française*, fut l'un des premiers à identifier, à travers l'affaire algérienne et les conditions mêmes de son dénouement, les signes précurseurs d'une crise de l'identité française. Jamais cet ancien résistant ne pardonna à de Gaulle la volte-face de sa politique qui eut pour conséquence de jeter des centaines de jeunes officiers – le meilleur de l'armée française – dans une révolte dont la dimension dépassa de loin les soubresauts d'un patriotisme meurtri. Nul mieux que lui n'a su décrire le drame de ces militaires qui, ayant choisi de ne pas vivre selon le seul critère de l'intérêt personnel, se heurtèrent à une société civile emportée par l'appétit général de bien-être et une frénésie de consommation ; une société pour laquelle la misère algérienne et sa démographie galopante étaient en passe de devenir le plus encombrant des fardeaux.

La crise de la décolonisation révéla le paradoxe de leur état, les lourdes servitudes de la condition militaire brusquement sevrée de grandeur. Par-delà le respect de la parole donnée aux troupes supplétives autochtones, indépendamment des considérations géostratégiques qui pouvaient plaider pour la sauvegarde de la présence française en Algérie et au Sahara, le soulèvement des « soldats perdus » traduisit le refus opposé par un corps pétri de l'esprit de sacrifice au nouvel ordre économique et au primat des seules valeurs matérialistes dans une société désormais exclusivement tournée vers la recherche du confort et les loisirs. L'abandon de l'Algérie n'avait-il pas été décidé au nom d'une logique boutiquière qu'encensait Raymond Cartier dans ses éditoriaux de *Paris-Match*, martelés comme autant d'inscriptions dans le Grand livre comptable de l'« intérêt national[4] » ? De Gaulle n'en fit-il pas lui-même l'aveu lorsqu'il s'exclama le 11 avril 1961 : « La décolonisation est notre intérêt et, par conséquent, notre politique. Pourquoi resterions-nous accrochés à ces dominations coûteuses, sanglantes et sans issue, alors que notre pays est à renouveler de fond en comble ? »

Au demeurant, les officiers qui entrèrent en rébellion contre le Général lui en voulurent presque autant de la promesse reniée d'une plus grande France que d'avoir couvert de son autorité la liquidation des antiques valeurs de leur ordre. Ils ne comprirent pas davantage que l'homme du 18 Juin ait pu accepter d'abaisser la France jusqu'à négocier les calamiteux accords d'Evian avec un ennemi qui avait été militairement vaincu sur le terrain. Pardessus tout, ils n'acceptèrent pas qu'en cédant à l'opinion qui réclamait à tout prix la paix en Algérie, celui qui avait tant exalté l'amour sacrificiel que l'on devait à la patrie pût délibérément mettre fin à la soumission des corps individuels au corps collectif et à l'ordre politique, sous l'égide de l'Etat-nation. Avec l'Algérie française disparaissait un monde où l'Etat avait le pouvoir de prélever l'« impôt du sang » au service d'une entité transcendante. Le sang versé ne le serait plus désormais qu'accidentellement et au nom de la privatisation de l'existence.

Entre 1954 et 1962, l'hécatombe automobile fit 81 367 morts, soit trois fois et demie plus de victimes que la guerre d'Algérie parmi les soldats du contingent durant la même période. Plus qu'une ultime convulsion du vieux monde colonial, l'épisode algérien marqua la transition entre un monde qui avait érigé la nation en absolu et la modernité libérale qui aspirait à faire de la conservation de soi le premier et l'unique souci de l'individu raisonnable. Le fossé qui se creusa alors entre une grande partie de l'armée et la société françaises fut tel qu'à partir de 1961 il n'y eut plus entre eux de langage commun. Si on excepte évidemment les pelotons d'exécution peu réputés pour leur sens du dialogue, mais que la fureur primitive d'une guerre franco-française et l'impavidité d'un vieux général qui ne connaissait pas la clémence avaient ramenés à l'ordre du jour. Du petit matin, surtout.

Hantés par le souvenir de son ami, le capitaine André Zwilig, tué au combat, en novembre 1958, sur une pente de Grande Kabylie, les écrits de Girardet confessaient des fidélités plus fortes que le bonheur et la vie, des fidélités venues du fond des âges et devenues à peu près incompréhensibles pour le plus grand nombre. J'y découvris, à travers l'exploration de certaines vérités dérangeantes, la complexité de l'histoire et le vertige d'un certain romantisme politique qui transformèrent un honorable universitaire en réfractaire puis en proscrit. Au détour d'une phrase, quand la rupture entre la France et l'Algérie fut consommée, il y avait cette interrogation aux accents prophétiques : « La France de l'hexagone sera-t-elle autre chose que celle du vide moral et idéologique ? » La blessure algérienne ne devait pas se refermer de sitôt. Pour les uns, il fallait y voir un enchaînement où se révélait l'essence criminelle de l'identité française, pour les autres, la première secousse d'un mouvement qui allait provoquer l'affaissement du socle sur lequel reposait la nation historique.

Deux ans après Mai 68, Raoul Girardet accepta de diriger mes travaux sur les ressorts idéologiques de cette guerre qui n'avait jamais voulu dire son nom. L'amitié vint par surcroît. Elle nous suivit pendant un demi-siècle jusqu'à la salle des fêtes de l'Elysée où, un jour de septembre 2007, Nicolas Sarkozy me remit les insignes de chevalier de la Légion d'honneur. Croisant son regard pétillant de malice, je me souvins alors que le très respectable professeur de l'Institut d'études politiques qu'il était redevenu avait longtemps gardé dans son portefeuille une petite fiche en carton sur laquelle il avait retranscrit cette phrase de Péguy : « Celui qui défend la France est toujours celui qui défend le royaume de France. Celui qui ne rend pas une place peut être tant républicain qu'il voudra et tant laïque qu'il voudra. J'accorde même qu'il soit libre-penseur. Il n'en sera pas moins petit-cousin de Jeanne d'Arc. Et celui qui rend une place, quand même aurait-il toutes les vertus, ne sera jamais qu'un salaud. »

En finir avec la repentance

L'une des premières visites d'Etat de Nicolas Sarkozy fut, dans les premiers jours de décembre 2007, pour l'Algérie. L'arbitrage auquel il avait commencé à se livrer entre les engagements du candidat, les contraintes de la *realpolitik* et les gages qu'exigeait une politique d'ouverture laissait augurer du pire. Le pire se présenta à peine eut-il foulé le sol d'Alger : « *Oui, le système colonial,* lâcha-t-il, *a été profondément injuste, contraire aux trois mots fondateurs de notre République : liberté, égalité, fraternité.* » La version originale du texte, finalement escamotée, était sensiblement différente : « Le respect de la mémoire, c'est de reconnaître ce que le système colonial avait d'injuste, mais aussi le labeur de ceux qui ont construit sur cette terre et dont certains entretenaient des relations fraternelles avec leurs voisins musulmans. » Comme souvent, l'improvisation s'était révélée désastreuse.

En France, les associations de rapatriés m'accablèrent aussitôt de leurs doléances. Toutes disaient à peu près la même chose : pour faire la leçon à Jules Ferry, qu'avait-on eu besoin d'aller chercher un Sarkozy, alors que Chirac et consorts faisaient déjà très bien l'affaire ? Il était vrai que les autorités algériennes n'avaient pas lésiné sur l'intimidation pour amener le chef de l'Etat sur un chemin de pénitence. Peu avant son arrivée, le ministre en charge des moudjahidines[5] l'avait accusé d'être « inféodé au lobby juif », tandis qu'on lui signifiait, par ailleurs, l'impossibilité d'une quelconque réconciliation entre l'Algérie et la France tant que celle-ci n'aurait pas reconnu publiquement les « crimes » de la période coloniale, un leitmotiv martelé à longueur de colonnes par la presse locale. Céda-t-il à ces pressions qui l'invitaient à battre sa coulpe au nom de la France ou bien prêta-t-il l'oreille à la demande insistante de Bernard Kouchner, le ministre des Affaires étrangères qui aurait voulu le voir ouvrir avec éclat une nouvelle ère dans les relations franco-algériennes ? Quoi qu'il en fût, le discours de Constantine, prononcé le 5 décembre, eut ce goût de cendres devenu si insupportable aux Français. Il fut encore et toujours question du système colonial qui *« ne pouvait être vécu autrement que comme une entreprise d'asservissement et d'exploitation »* et, fait nouveau, le président français rendit un hommage parfaitement symétrique aux victimes des deux camps : *« Je n'oublie ni ceux qui sont tombés les armes à la main pour que le peuple algérien soit de nouveau un peuple libre, ni les victimes d'une répression aveugle et brutale, ni ceux qui ont été tués dans les attentats, ni ceux qui ont dû tout abandonner. »*

A deux reprises dans la journée du 5, Sarkozy s'inquiéta auprès de moi des retombées dans l'hexagone. Je le sentis à la fois soucieux d'atténuer la portée de ses propos et surpris qu'ils aient eu autant d'impact.

— *Comment sont les images ?*

— Les images ne sont pas bonnes. Et je ne te parle pas du son.

— *Pourquoi tu me parles du son ?*

— Il ne fallait pas t'écarter du texte initial. Tu en as trop fait. Imagine ce que les harkis doivent penser ce soir. Si l'on te suit, nous leur aurions demandé de sacrifier leur vie et leurs biens pour défendre un système essentiellement pervers ? Ils auront été, n'en doute pas, ravis de l'apprendre. Deux fois bernés et cocus dans une même vie, ça commence à faire beaucoup.

— *J'ai dit aussi que nous avions un devoir de réparation et une dette morale envers eux.*

— Oui, mais tu les as mis sur le même plan que les autres victimes de la guerre. Non, Nicolas, ce ne sont pas des victimes comme les autres. Elles doivent nous être plus chères que les autres.

— *En tout cas, je n'ai pas présenté les excuses que les Algériens me réclamaient.*

— Tu n'as pas présenté d'excuses, mais tu es entré en contrition.

— *Tu exagères ! Je ne me suis pas agenouillé quand même !*

— Le problème, c'est que tu en as fait à la fois trop et pas assez. Trop pour les rapatriés qui crient au retour de la repentance. Pas assez pour ceux auxquels tu as demandé l'aman. A genoux, puis à plat ventre, puis baiser la babouche : ce n'est jamais suffisant.

L'Algérie disparut de nos conversations jusqu'à ce que l'effervescence des « printemps arabes », deux ans plus tard, ne vînt confronter le président à la dramaturgie d'une intervention militaire. Sur le papier, l'objectif officiel de la guerre de Libye était la mise en œuvre de la résolution 1973 du Conseil de sécurité des Nations unies qui permettait de prendre toutes les mesures jugées nécessaires pour protéger les populations civiles. En réalité, il s'agissait d'utiliser la force armée pour renverser le chef de l'Etat libyen, le colonel Kadhafi.

Les motivations profondes de l'engagement de Nicolas Sarkozy, l'énergie qu'il déploya et qui le poussa à réclamer l'initiative de l'opération donnèrent lieu à bien des supputations. Volonté, que l'on savait commune à la plupart des présidents de la Ve République, d'aller chercher sur la scène internationale des gratifications que la politique intérieure lui mesurait de plus en plus chichement ? Baroud pour « représidentialiser » son image en apparaissant à la fois comme un chef de guerre et un chef d'Etat capable de s'inscrire dans l'histoire ? Espoir d'un redéploiement stratégique dans le monde arabe afin d'ériger la France, selon une logomachie qu'il affectionnait, en « défenseur des opprimés », après que les révoltes populaires en Tunisie et en Egypte eurent plongé notre diplomatie dans le plus grand désarroi ? Chacune de ces hypothèses contenait une part de vérité.

J'étais pour ma part persuadé que, en rompant l'équilibre entre les tribus qui composaient la société libyenne, l'intervention menée par la coalition occidentale ne pouvait déboucher que sur le chaos, l'avancée de l'islam radical et, en prime, si l'on pouvait dire, l'apparition de flux migratoires incontrôlés, toutes menaces que le dictateur mégalomane était, malgré toutes ses tares, parvenu jusqu'à présent à juguler. Personne, dans l'entourage du président, n'envisagea un seul instant que la chute de Benghazi pût, un jour, ouvrir la route maritime de Lampedusa à des milliers de migrants abusés par des passeurs sans scrupules et embarqués pour des traversées meurtrières.

Pour rien au monde cependant Nicolas Sarkozy n'eût abdiqué le rôle que lui avait concocté Bernard-Henri Lévy en qualité d'homme de liaison avec la rébellion libyenne et en l'exhortant à agir contre le « mal absolu ». C'était « sa » guerre, celle qui accouplait calcul personnel et posture médiatique, et il aurait été parfaitement illusoire de vouloir le faire évoluer en sens contraire quand bien même les arguments ne manquaient pas en faveur d'une plus grande prudence.

Parce qu'il répondait à ses secrètes attentes, le mythe du « printemps arabe » s'était répandu comme une traînée de poudre dans la classe dirigeante. En proie à la fièvre de l'histoire en marche, nul n'avait songé à s'interroger sur la provenance de l'expression, empruntée au titre du livre que l'historien collaborationniste Jacques Benoist-Méchin, connu par ailleurs pour ses positions arabophiles, avait publié en 1959[6]. Le point d'orgue en était un entretien avec le président égyptien Gamal Abdel Nasser dans lequel le raïs, porté à la tête du pays trois auparavant, exposait son projet d'une société façonnée par la science et la technique, laïque et rationaliste, où la religion – il le disait expressément – serait cantonnée à la sphère domestique. En somme, d'une société à l'occidentale, plus ou moins débarrassée de l'islam. Voici qu'un demi-siècle plus tard, la même utopie s'emparait de nouveau des têtes folles et des têtes molles.

Le 22 août 2011, sitôt connu le succès de l'opération « Sirène » menée par les rebelles en coordination avec l'Otan, le président voulut à toute force me faire partager son enthousiasme au cours d'un long échange téléphonique, plus long encore qu'à l'ordinaire. Il s'était tellement fait le héraut de la croisade anti-Kadhafi et s'était à ce point persuadé que tout le mérite lui en revenait qu'il envisageait d'organiser, quasiment séance tenante, une cérémonie aux Invalides pour célébrer la victoire de nos armes en Libye après l'intervention réussie des forces françaises en Côte d'Ivoire au mois d'avril précédent.

— *L'armée française victorieuse, ce n'était plus arrivé depuis longtemps. Tu ne crois pas qu'il faudrait marquer le coup, non ?*

Je lui objectai que, quitte à marquer le coup, il valait mieux donner le maximum d'ampleur à cette manifestation et, par conséquent, prendre le temps de mettre sur pied des solennités qui imprégneraient durablement les esprits. Mon idée était de faire du 11 novembre une journée d'hommage à tous les morts pour la France. Depuis que Lazare Ponticelli, le dernier poilu, avait disparu en 2008, la Grande Guerre n'appartenait plus à la « mémoire vivante », mais à l'histoire. Il y avait donc un risque réel de voir cette cérémonie se fossiliser et perdre très rapidement sa signification. La commémoration n'était plus un acte politique, ce qu'elle avait été pour les trois générations directement en contact avec le conflit, mais une célébration historique qui faisait désormais davantage appel à la raison qu'à l'émotion, à l'imagination qu'à la mémoire.

Dédier le 11 novembre à tous les soldats morts pour la France et à l'armée m'apparaissait un moyen de maintenir cette journée « vivante » dans le cœur des Français, non pas en escamotant l'exemplarité du sacrifice de Verdun, mais en lui redonnant un sens directement perceptible par les nouvelles générations qui n'avaient connu aucun conflit.

Il y avait un autre avantage à agir de la sorte : élargir la portée des cérémonies du 11 novembre, c'était également et peut-être surtout dans mon esprit signifier que les soldats morts à l'occasion des conflits « coloniaux » (Madagascar, Indochine, Suez, Algérie) ou qui avaient perdu la vie au cours de ces dernières années dans le cadre des opérations extérieures étaient bien morts pour la France et, cela, au même titre que ceux qui étaient tombés pour défendre le territoire national. C'était en finir, au moins symboliquement, avec la repentance et la culpabilité. C'était aussi envelopper dans les plis du même drapeau la cause des anciens combattants de la guerre d'Algérie, soit un million d'hommes qui, faute d'avoir trouvé sur le moment un sens à leur engagement, étaient tout disposés à revisiter leur propre histoire pour peu qu'on l'éclairât autrement.

Les champs de braises

Un président sortant qui s'apprêtait à solliciter un nouveau mandat ne pouvait rester insensible à un tel projet. L'idée, effectivement, lui plut et il chargea son chef de cabinet, Guillaume Lambert, d'en mener à bien la réalisation. Camille Pascal proposa que la cérémonie fût centrée sur l'Arc de triomphe pour la différencier du défilé du 14 Juillet, la tombe du Soldat inconnu devant être l'épicentre de l'événement. Il était prévu, en outre, que le président passât en revue les troupes déployées sur la place de l'Etoile avant de procéder à une remise de décorations. En tête de la liste des personnalités à honorer ce jour-là, j'avais inscrit le nom d'Hélie de Saint Marc qui me semblait s'imposer comme une évidence.

Héros de la Résistance, déporté à Buchenwald, profondément traumatisé par la « blessure jaune » que lui infligea l'abandon des partisans vietnamiens sur ordre du haut commandement français, officier putschiste en avril 1961 par respect de la parole donnée aux harkis et pour ne pas avoir voulu revivre la terrible épreuve indochinoise, condamné enfin à dix ans de réclusion criminelle par fidélité à une certaine politique de l'honneur dont Bernanos disait qu'elle valait mieux que toutes les autres, Saint Marc avait porté au plus haut les valeurs aristocratiques de l'armée. A l'heure où la modernité entendait parachever son travail de démolition des « passions belliqueuses » en se fondant sur la double récusation de l'idée de salut et de la vertu héroïque, l'ordre chevaleresque dont il se réclamait, les combats qu'il n'avait cessé de mener à contre-courant des molles tentations du bien-être, une vie partagée entre action et méditation, entre le don de soi et le sacrifice pour autrui en faisaient le digne héritier d'un Ernest Psichari, l'auteur du *Voyage du centurion*[7] au début du siècle dernier et le désignaient depuis le succès retentissant de ses livres, *Les Champs de braises* et *Les Sentinelles du soir*[8], comme la figure de proue de la grande fratrie informelle des antimodernes.

Honorer Hélie Denoix de Saint Marc, c'était aussi marquer la continuité entre sa première et sa seconde résistance, le lien qui unissait spirituellement le jeune rebelle de 1941 et l'officier insurgé de 1961 qui entra dans Alger à la tête du 1er régiment étranger de parachutistes. La perspective en était insupportable à beaucoup, notamment à ceux qui voulaient voir le gaullisme comme un bloc indissociable et la personne du Général comme un météorite dont la composition serait restée inchangée tout au long de sa trajectoire. Ceux-là s'obstinaient à ne voir dans Saint Marc que le « soldat perdu » qui avait osé défier leur grand homme au faîte de sa gloire, répétant à satiété qu'« un militaire, c'était fait pour obéir », comme si de Gaulle lui-même, en s'envolant pour Londres le 17 juin 1940, n'avait pas érigé la désobéissance en devoir sacré en certaines circonstances.

S'il entrevoyait bien le bénéfice électoral que pouvait lui valoir un tel geste, Nicolas Sarkozy n'entendait prendre dans cette affaire qu'un risque calculé. Il écarta la date du 11 novembre qui aurait fait « s'enflammer la polémique » pour m'annoncer aussitôt qu'il avait fixé au 28 novembre la prise d'armes au cours de laquelle il remettrait personnellement les insignes de grand-croix de la Légion d'honneur à l'ancien béret vert. Le ton avait beau être bravache comme à l'accoutumée, la décision n'en témoignait pas moins d'un réel courage politique. D'autant qu'il avait dû essuyer, dans l'intervalle, un feu nourri d'objections et de mises en garde parfois assorties de prophéties défaitistes.

Comme il devait me le confier par la suite lorsqu'il me convia dans ses bureaux de la rue de Solferino pour « une explication entre quatre yeux », le général Jean-Louis Georgelin, grand chancelier de l'ordre national de la Légion d'honneur, s'était heurté à une vive opposition de la part de certains de ses dignitaires que rebutait l'idée de faire accéder l'ex-commandant putschiste à la dignité de grand-croix. Certains arguèrent même du fait que le président de la République, par ailleurs grand maître de l'ordre, avait dépassé le contingent qui lui était alloué par l'usage pour tenter de bloquer la procédure de nomination. Le grand chancelier en était sincèrement marri : « Comprenez-moi bien, Monsieur le Conseiller, je me réjouis de ce qui arrive à Denoix de Saint Marc. C'est un immense soldat. Mon père avait d'ailleurs disposé sa photo sur son bureau. C'est vous dire que j'ai appris très tôt à l'admirer. C'est une grande joie pour l'armée française, mais vous vous doutiez bien que cette promotion allait irriter l'épiderme de certains membres du Conseil qui ne partagent pas notre jugement. Il aurait mieux valu que vous, ou quelqu'un du cabinet, m'avertissiez en amont afin que je puisse préparer le terrain et désamorcer les oppositions. Ce qui est vrai à la guerre doit l'être pour la politique : il faut toujours se préoccuper en premier des questions de transmission. »

Quelque chose d'impalpable, d'intemporel flottait dans la cour des Invalides, ce matin du 28 novembre 2011, lorsque Nicolas Sarkozy s'avança en direction des récipiendaires alignés comme à la parade. A l'appel de son nom, Saint Marc se leva de son fauteuil d'infirme, toujours coiffé de son béret vert, son regard couleur de lagon planté dans celui du chef de l'Etat. En retrait, fascinés comme s'ils assistaient à une session de rattrapage de l'histoire, il y avait là toute la fine fleur de l'armée française, à commencer par le général Benoît Puga, le héros de Kolwezi devenu chef d'état-major particulier du président de la République, qui vint me féliciter à l'issue de la cérémonie.

Etaient également présents Gérard Longuet, le ministre de la Défense, Jeannette Bougrab, la secrétaire d'Etat à la Jeunesse, fille du caporal Lakhdar Bougrab, petite-fille d'un harki tombé pendant la guerre d'Algérie, frêle silhouette d'une moderne Antigone, âme rebelle et cœur fidèle. Il y avait là aussi quelques visages connus, d'anciens soldats, des écrivains, des historiens, des journalistes, des avocats, tous réunis par une certaine idée de la France. Ils étaient venus pour rendre hommage à celui qui avait suivi l'honneur, l'honneur qui marche droit quand la conscience zigzague.

Lorsque je la présentai au vieux soldat de 91 ans, Jeannette s'agenouilla, lui prit la main et l'embrassa avant de fondre en larmes : « Merci, mon commandant. Merci pour nous. Merci pour nos pères. Merci pour nos frères. Merci d'avoir sauvé l'honneur de la France. » Une fois que le président eut quitté les lieux, le général Bruno Dary, gouverneur militaire de Paris, prononça les paroles que les réprouvés de l'« Algérie française » attendaient depuis cinquante ans : « Parmi ceux qui se réjouissent, il y a ceux qui, un jour dans leur vie, ont dit "non", fatigués des scènes d'horreur, des années d'occupation et des humiliations répétées [...]. Avant de conclure, vous me permettrez de citer ce général qui, au cours d'un des procès qui suivit la tragédie algérienne, déclara : "Choisissant la discipline, j'ai également choisi de partager avec la Nation française la honte d'un abandon ! Et pour ceux qui, n'ayant pu supporter cette honte, se sont révoltés contre elle, l'Histoire dira peut-être que leur crime est moins grand que le nôtre !" Aujourd'hui, cinquante ans plus tard, à travers l'honneur qui vous est fait, il semble que l'Histoire soit sur le point de rendre son verdict. Il va bientôt faire nuit et chacun de ceux qui sont là, qui vous estiment et qui vous aiment a envie de fredonner cette rengaine, désormais entrée dans l'histoire : "Non, rien de rien ! Non je ne regrette rien." » Une voix de basse dans la salle entonna le chant de marche du 1er REP : « O Légionnaires, le combat qui commence/Met dans nos âmes enthousiasme et vaillance. » D'un seul élan, 600 voix viriles firent vibrer les lustres, tandis qu'à la tribune Gérard Longuet s'époumonait comme un jeune sous-lieutenant.

Honneur aux harkis

Nous n'étions cependant pas quittes avec la guerre d'Algérie. Elle nous rattrapa une dernière fois de façon inopinée, à quinze jours du premier tour de l'élection présidentielle, lorsque François Hollande, après Marine Le Pen, s'engagea, le 6 avril 2012, à reconnaître publiquement les responsabilités des gouvernements français dans l'abandon des harkis s'il était élu à la présidence de la République. Pour Sarkozy, les prises de position de ses compétiteurs sur ce dossier risquaient d'agir comme le révélateur d'une promesse non tenue : celle qu'il avait faite, cinq ans auparavant, le 31 mars 2007 à Nice, lors d'une rencontre avec les représentants de la communauté des « Français musulmans rapatriés ». Ce n'était pas faute pourtant de le lui avoir rappelé tout au long de son mandat, mais il avait fini par ranger cette dette-là – une dette morale, il est vrai – dans la catégorie de celles dont on pouvait sans trop de dommages repousser l'échéance. Adoptée en catimini, la loi du 7 mars 2012 pénalisant les insultes aux harkis ou à la mémoire des harkis n'avait en rien apaisé les esprits. Voilà, qu'ayant attendu le moment le plus critique, les associations de rapatriés présentaient leur créance et prétendaient y ajouter des pénalités de retard en exigeant que la responsabilité de la République fût reconnue non à travers les « exécuteurs de basses œuvres », mais en la personne du général de Gaulle. Il n'en était évidemment pas question, malgré toute l'aversion que Nicolas Sarkozy portait, depuis toujours, au fondateur de la Ve République.

J'obtins néanmoins de faire inscrire sur l'agenda présidentiel la date du samedi 14 avril pour une visite au camp de Rivesaltes, un « centre d'hébergement » où, entre l'été 1962 et la fin de l'année 1964, plus de dix mille de ces Français musulmans rapatriés avaient été regroupés dans une situation plus proche de l'internement administratif que du secours humanitaire. Avec l'annonce, le 11 avril, de la mort d'Ahmed Ben Bella, le chef historique de la rébellion algérienne et premier président de l'Algérie indépendante, les relations entre la France et l'Algérie se tendirent brusquement. Un débat sans aménité excessive m'opposa dans la journée du 12 aux autres collaborateurs du président, quand ce dernier nous donna lecture de la lettre de condoléances à l'Etat algérien qu'avait préparée une plume du Quai d'Orsay afin d'être soumise à sa signature. Il y était question du « valeureux combattant du mont Cassin » que fut l'adjudant Ben Bella au cours de la Seconde Guerre mondiale, mais aussi de l'« ardent patriote algérien » – ce qui, du point de vue français, n'était peut-être pas le terme le mieux approprié. En l'état, le texte était inacceptable, sauf à déchaîner l'ire de tous les rapatriés d'Algérie dont nous nous employions, par ailleurs à reconquérir les bonnes grâces. Le cabinet d'Alain Juppé insistait beaucoup pour obtenir, toutes affaires cessantes, la signature présidentielle. Non sans quelque hésitation, le chef de l'Etat arbitra en partie en ma faveur : il mit fin à un échange qui tournait à l'aigre en déclarant qu'il ne signerait une nouvelle version de la lettre qu'après son déplacement au camp de Rivesaltes.

Ce n'était pas la première fois que l'Elysée se voyait obligé de refréner le zèle qui transformait parfois le ministère des Affaires étrangères en porte-parole docile et diligent des exigences du gouvernement algérien. Depuis de long mois, le musée de l'Armée de l'Hôtel national des Invalides préparait une exposition sur la présence militaire française en Algérie de 1830 à 1962. Le projet, dans sa phase préparatoire, avait reçu la caution d'historiens français et algériens représentatifs de toutes les sensibilités. En vain, le Quai d'Orsay avait tenté de faire annuler l'exposition. Il avait été, cependant, convenu de la reporter au lendemain de l'élection présidentielle pour ne pas froisser les autorités algériennes. Dans les premiers jours d'avril, toute la chaîne diplomatique, du cabinet ministériel au sherpa du président, Jean-David Levitte, en passant par notre ambassadeur à Alger, Colin de Verdière, revint à la charge pour réclamer une annulation pure et simple de ce qui pouvait être perçu comme une « ode au colonialisme » insupportable pour les Algériens en ces temps de commémoration du cinquantenaire de leur indépendance. Alerté par la hiérarchie militaire, j'usai de ma force de dissuasion auprès du chef de l'Etat *via* une note dans laquelle j'attirai son attention sur l'incohérence qu'il y aurait à céder au moment même où nous cherchions à rallier l'électorat pied-noir. La logique électorale l'emporta, ainsi que l'agacement provoqué par les intrusions du Quai dans le domaine réservé du président de la République.

Au soir du vendredi 13 avril, la tension atteignit son paroxysme. La presse algérienne avait relevé le « silence troublant de la France officielle » dans le deuil qui la frappait, l'attribuant directement, en plein cœur de la campagne présidentielle française, à une volonté de ne pas heurter la communauté des rapatriés. Le ton, comme souvent lorsqu'il était question de l'ancien colonisateur, était acrimonieux. De retour d'un meeting en Corse, Nicolas Sarkozy nous avait réunis pour un dîner dans le salon des Ambassadeurs. Sur la cheminée, le pendule en bronze ciselé et doré figurait une allégorie sinistrement prémonitoire : la chute de Phaéton. Le fils d'Hélios y était représenté tombant du ciel après avoir perdu le contrôle du char solaire et entraînant dans sa chute ses quatre chevaux au milieu des nuées et des éclairs.

— *Je suis à 150 % dans la campagne et vous, vous n'êtes pas mobilisés. Vous vous défoulez sur moi de vos inquiétudes. Vous ne me protégez pas. Vous ne me sécurisez pas.*

En dépit de leurs indéniables mérites, ni le montrachet-marquis-de-laguiche 1997 ni le château-léoville-poyferré-saint-julien 1996 accompagnant une cassolette d'œufs brouillés à la truffe et un minitournedos de bœuf gratiné n'eurent celui de parvenir ce soir-là à détendre l'atmosphère. D'autant qu'avec le café arriva sur la table le texte du discours que le président devait prononcer le lendemain, à Perpignan, à l'occasion de la remise des insignes de grand officier de la Légion d'honneur au général François Meyer, un ancien lieutenant de spahis qui, après le cessez-le-feu en Algérie, n'avait pas hésité à violer les instructions officielles pour organiser le rapatriement de quelque 350 harkis. Une fois encore Camille Pascal avait tenu la plume sans s'embarrasser de circonlocutions. Les choses étaient dites clairement quant à la « révolution fellagha qui prétendait défendre la liberté des Algériens ». L'évocation ne fut pas du goût de l'hôte des lieux : *« Epargnez-moi ça ! Je ne veux pas refaire la guerre d'Algérie. Nous n'étions pas chez nous. On ne peut pas condamner la lutte contre l'indépendance… C'était une lutte de libération. »*

A l'instigation du président, la mention des charniers contenant les corps des harkis suppliciés par l'Armée de libération nationale passa également à la trappe, victime d'un réalisme jugé trop provocateur à l'égard de l'Etat algérien. On voulait bien se reconnaître une responsabilité dans l'abandon des harkis, mais absolument aucune dans les massacres qui s'étaient ensuivis. De même que fut escamoté, à la demande quasi générale, le nom de Louis Joxe, le ministre des Affaires algériennes du général de Gaulle et, comme tel, l'auteur de la fameuse directive du 12 mai 1962 menaçant de sanction les officiers français qui prendraient l'initiative de rapatrier clandestinement des harkis et ordonnant le renvoi en Algérie des « supplétifs » débarqués en métropole, ce qui équivalait à les condamner à une mort certaine. On craignait que les socialistes et notamment Pierre Joxe, le fils du signataire de cette terrible circulaire, ne soulevassent une polémique qui nuirait à la solennité du moment.

— Si j'ai bien compris, me risquai-je, le président va aller demain reconnaître la responsabilité de la République dans l'abandon des harkis sans jamais mentionner quel en fut le prix, ni citer le nom de celui qui le couvrit de son autorité. Résumons : nous sommes en présence d'un crime sans cadavre ni criminel.

Le silence qui accueillit mon propos fut, c'était le cas de le dire, sépulcral.

Lorsque nous arrivâmes le lendemain au camp de Rivesaltes, vaste étendue de garrigue couverte par les vestiges d'une trentaine de baraques et balayée par la tramontane, les représentants des associations de harkis se montrèrent partagés entre satisfaction – « Il n'est jamais trop tard pour bien faire » – et regret – « Pourquoi a-t-il attendu près de cinq ans pour tenir sa promesse ? » –, pointant non sans malice le caractère électoraliste de la démarche. Pour rejoindre les porte-drapeaux des associations et un détachement de la musique de la Légion étrangère, nous dûmes emprunter un méchant chemin de terre, précédés d'un essaim tourbillonnant de photographes et de cameramen. Vedette du jour, Jeannette Bougrab escortait le président-candidat dont la progression ne s'effectua pas sans difficulté. Ni sans énervement :

— *Non mais, c'est qu'elle me marcherait sur les pieds, celle-là !*

A la préfecture de Perpignan, un simple slogan sur fond bleu derrière la tribune – « Honneur aux harkis » –, affichant le programme du jour, eut pour effet de ramener un peu de dignité dans les rangs. Après avoir décoré le général Meyer qualifié de soldat d'exception, Nicolas Sarkozy prononça enfin les mots que l'on n'espérait plus : *« L'Algérie était devenue indépendante au terme d'une guerre qui avait duré près de huit ans. C'était le choix de l'Histoire, ce n'était pas le choix des harkis. La France se devait de les protéger de l'Histoire. Elle ne l'a pas fait. Elle porte désormais cette responsabilité devant l'Histoire. C'est cette responsabilité que je suis venu reconnaître, ici à Perpignan, au nom de la République française. »* Pleine d'anciens combattants en tenue d'apparat, la salle pleurait à chaudes larmes, cravatée par l'émotion. Devant moi un très vieux harki, courbé sur sa canne, la poitrine constellée de décorations, tremblait de la tête aux pieds comme saisi, une dernière fois, par les convulsions de l'histoire. Peu lui chalait à ce moment-là nos pauvres joutes électorales, nos pantomimes de bateleurs d'estrades.

— *Très belle cérémonie, très émouvante,* devait me confier Nicolas Sarkozy, aussitôt terminée sa vibrante allocution. *Pourquoi ne l'a-t-on pas faite plus tôt ?*

Pourtant, notre dette envers les harkis n'avait été qu'incomplètement honorée. Livrer ses propres soldats à l'ennemi après les avoir désarmés n'était pas un « abandon », mais un crime d'Etat. Un crime d'autant plus impardonnable qu'il fut commis sans l'excuse d'un pays dévasté, vaincu et soumis à une occupation étrangère. Le président avait tourné autour de cette ignominie sans trouver le courage de l'appeler par son nom. Au moins en avait-il pris conscience puisqu'il éprouva, dès le lendemain, le besoin de prolonger devant nous sa méditation à voix haute :

— *Cette directive Joxe, quelle belle saloperie ! On parle de crime contre l'humanité pour moins que ça. C'est pour ça que je n'ai jamais été gaulliste... Et puis faire guillotiner Bastien-Thiry !*

— Fusillé, rectifiai-je, Bastien-Thiry a été fusillé le 11 mars 1963 au fort d'Ivry.

— *Oui, fusillé. Pour un grand homme, il avait des côtés vraiment petits, mesquins...*

— Des imperfections, concéda Henri Guaino d'une voix blanche.

Une autre guerre franco-française, mimée celle-là, mais tout aussi détestable, se jouait sur le tapis de l'élection. Les dés roulaient. Malheur à celui dont la main avait tremblé en les lançant. Au soir du 6 mai 2012, une marée de drapeaux algériens et marocains déferla sur la place de la Bastille pour saluer l'élection de François Hollande à la présidence de la République. Selon un sondage « sortie d'urnes », 93 % des Français musulmans avaient voté au second tour pour le candidat socialiste. Soit un peu plus d'un million d'électeurs. C'était, à peu de chose près, le nombre de voix qui séparait François Hollande de Nicolas Sarkozy. Pour la première fois dans l'histoire de la République, un vote ethnico-religieux avait pesé de façon décisive dans l'issue du scrutin présidentiel. A peine cinq mois après son élection, le nouveau président publia un communiqué par lequel il amorça une nouvelle séquence de repentance officielle : « Le 17 octobre 1961, pouvait-on y lire, des Algériens qui manifestaient pour le droit à l'indépendance ont été tués lors d'une sanglante répression. La République reconnaît avec lucidité ses faits. Cinquante et un ans après cette tragédie, je rends hommage à la mémoire des victimes. » A la différence de son prédécesseur, François Hollande, sitôt élu, avait tenu à honorer sa dette.

CHAPITRE XI

Le retour du religieux

> « Le culte de l'humanité substitue à cette religion de l'Homme dont la plus haute expression qui nous divinise [...] ce sacrifice de l'Homme à l'Humanité, de l'Humanité au Progrès, pour aboutir ridiculement au sacrifice du Progrès lui-même à la dictature de l'Economique, forme bourgeoise de la Révolution. »
>
> Georges Bernanos.

C'est la nouvelle religion. Celle qui, dans sa prétention écrasante à la scientificité, ne parle que le langage des statistiques. Celle qui, quantitative, aspire à combler la soif d'infini qui est en nous par la promesse d'un vague développement durable. Celle qui, instrumentale, s'acharne à faire du jugement par le résultat le critère prédominant dans l'entière vie sociale. Gérer, investir, capitaliser, finance, challenge, plus-value : ces mots ont insidieusement colonisé jusqu'à notre vocabulaire le plus usuel. Compétitivité, flexibilité, mobilité : ces concepts ont envahi le débat politique au point de le subvertir et d'en chasser toute vision non utilitariste du monde et de l'existence. Croissance, emploi, pouvoir d'achat : prisonniers de ce triangle carcéral, les politiques ont cherché à convertir la parole publique en expertise, à enfermer le débat dans une logique comptable, à faire de la croissance du PNB un impératif moral au risque de subir chaque jour un peu plus le cruel démenti des faits.

Cette croyance sans transcendance a un nom que nul ne peut plus ignorer : « *It's the economy, stupid!* » La formule dont Bill Clinton usa contre George Bush père lors de la campagne présidentielle américaine de 1992[1] aura connu, si on peut dire, une immense fortune. En français, le vocable d'économisme est sans doute celui qui rend le mieux compte de la prétention à l'omniscience et à l'omnipotence de cette envahissante discipline promue idéologie dominante. Le code de l'Alliance nouvelle se résume en une formule : avoir plus pour être plus. Il se décline aussi sous forme de slogan. « Parce que vous le valez bien » : l'attrape-cœur publicitaire est un vade-mecum pour le royaume de la fausse nécessité immédiate, effaçant celui d'un au-delà devenu hypothétique pour ne pas dire improbable. Ainsi se répand l'illusion qui fait des facteurs économiques à la fois le principe de causalité et la solution des problèmes. Ainsi se diffuse l'idée qui veut que l'économie fasse société. Ainsi s'accomplit le remplacement de la fonction souveraine par la fonction économique.

Pour rétablir la politique dans ses prérogatives, il n'est pas de tâche plus urgente que de renverser l'idole. Le chantier est immense. Déraisonnable ? Utopique ? Pas tant que cela. L'histoire, et son cortège de faits têtus, forme la plus efficace des entreprises de démolition. D'elle seule, il faut attendre ce que Serge Latouche appelle la « décolonisation de l'imaginaire[2] ». Un questionnement iconoclaste commence à faire son chemin. Et si les indicateurs économiques, dont la *doxa* fait si grand cas, ne racontaient qu'une infime partie de l'aventure humaine ? Et si la montée inexorable depuis trente ans du vote populiste et de l'abstention n'était pas autre chose, pour les millions de Français qui y ont recours, que l'expertise de leur propre vie et la soupape de leur propre colère ? A savoir que la société de consommation n'est pas seulement celle du mal-être, mais aussi celle du manque-à-être. Insensiblement, l'accumulation des crises, depuis les années 1970, a modifié les perspectives et rectifié les focales. L'incrédulité a laissé place au doute, les écoutilles se sont ouvertes, les murs porteurs se sont mis à trembler.

La faiblesse de l'anthropologie matérialiste a fini par rencontrer le scepticisme croissant de bien des esprits venus des horizons les plus divers. Toute une province réfractaire s'est levée malgré la vigilance des gardes-chiourmes. Les signaux sont venus de partout, et nous avons été quelques-uns à les reconnaître. De l'autre côté de la barricade, Bernard Maris, l'oncle Bernard de *Charlie Hebdo*, se mit à m'adresser de discrets messages de connivence, s'attirant les moqueries de la petite bande qui l'entourait. Au grand dam de ses anciens amis, il confessera sa vraie foi, celle qu'il ne parvenait déjà plus à tenir secrète de son vivant, dans *Et si on aimait la France* : « Sortir de l'économie, proclamera-t-il dans ce livre devenu par la force des choses un livre-testament, impliquerait aujourd'hui le courage d'être réactionnaire, de prendre avec des pincettes l'idée de progrès, d'être stoïque et non cynique[3]. »

L'« homo oeconomicus » est soluble dans les urnes

Il aura fallu quarante-cinq mille ans pour que le marché supplante le sacré. Dépouillé de ses oripeaux symboliques par les philosophies du soupçon, l'*homo oeconomicus* a pris la relève historique de l'*homo religiosus*[4] définitivement disqualifié pour manque d'appétence consumériste. Qu'ils soient de droite ou de gauche, nos dirigeants ne connaissent plus, pour la plupart, que cette variété de l'espèce humaine. Libéraux et socialistes convergent pour former deux hypostases apparemment antinomiques, mais en réalité complémentaires de la primauté de l'économique. Ils ne sont ni les auteurs ni les responsables de cette reconfiguration anthropologique. Elle leur a été enseignée à Sciences-Po ou à l'ENA dans la couveuse des élites où ne peuvent éclore que des « hommes unidimensionnels », dont Herbert Marcuse disait qu'ils étaient le produit de l'« uniformisation techno-économique[5] ». Ils n'ont, pour comprendre les Français, d'autre logiciel que celui-là.

A l'écart de la politique qui n'est plus pour eux que le domaine de la folie des hommes, le support des « passions démocratiques » aux effets funestes si bien décrits par Tocqueville, l'économique est leur unique terrain de jeu. A lui le sérieux, le concret des choses, les clés de l'avenir. A lui la solidité d'un monde concret immédiatement transposable en projections, en équations, en courbes ou en diagrammes. A lui le magistère sur les sciences humaines aux dépens de l'anthropologie, de l'histoire ou de la sociologie. A lui la fabrique d'une humanité parfaitement prévisible puisque réduite à cette axiomatique de l'intérêt définie comme l'unique infrastructure psychologique et morale qui sous-tend l'activité des hommes : « *Interest will not lie* », comme n'ont cessé de répéter les penseurs libéraux depuis le XVIIIe siècle.

Or, loin de lui offrir une vision panoptique, le prisme du tout-économique borne le regard de la classe politique dès lors qu'il s'agit d'appréhender et de comprendre les comportements humains en général et les comportements électoraux en particulier. N'en déplaise à ces monistes adeptes de la substance unique, la politique ne saurait être réduite à la pure administration des choses ou à une simple transaction d'intérêts. Elle comporte, fort heureusement, une part essentielle de transcendance collective. Avant d'être un agent économique, producteur et consommateur, l'électeur est d'abord un citoyen dont les choix obéissent à d'autres motivations que celles qu'imposent la rationalité instrumentale et le principe d'utilité. Pour le dire avec les mots de Marx, le suffrage ne se forme pas dans les « eaux glacées du calcul égoïste ». Il y baigne parfois, mais s'en extrait le plus souvent.

L'histoire électorale est, sur ce point, parfaitement probante. Il suffit d'examiner le résultat des scrutins majeurs en Europe depuis vingt ans pour s'apercevoir que le score des candidats sortants n'est absolument pas corrélé avec l'évolution du taux de chômage, ni avec la courbe de la croissance. Le cimetière des grands battus du suffrage universel est rempli de candidats au bilan économique flatteur. Inversement, que de piètres gestionnaires sont sortis régénérés du bain électoral ! En 1997, le conservateur britannique John Major s'effondre lors des élections législatives devant le travailliste Tony Blair, alors qu'il peut se targuer d'une croissance en hausse sensible et de l'un des plus bas taux de chômage en Europe, presque deux fois inférieur à celui de la France et de l'Allemagne. En 2002, le chancelier Gerhard Schröder l'emporte à la surprise générale contre la coalition CDU-CSU, malgré une croissance en berne et un chômage en forte progression. Cas d'école par excellence, le « séisme » du 21 avril 2002 n'est cependant pas parvenu à déciller les yeux des commentateurs patentés de la vie politique. Si l'économie doit être considérée comme la cause première de l'Histoire qui détermine le métabolisme des peuples, comment se peut-il que Lionel Jospin soit éliminé dès le premier tour de l'élection présidentielle, alors qu'il affiche un bilan positif en matière d'emploi et trois années de croissance à un niveau que l'on n'a plus connu depuis la fin des années 1980 ?

Dix ans plus tard, Nicolas Sarkozy, qui s'est présenté comme le défenseur le plus acharné de la filière nucléaire et des emplois directs ou indirects en découlant, ne comprend pas pourquoi il a davantage reculé, par rapport à 2007, dans les cantons abritant une centrale que dans le reste de la France, à commencer par celui d'Ensisheim où se trouve Fessenheim explicitement promise à la fermeture par le candidat socialiste en cas de victoire[6]. Il est d'autant moins disposé à le comprendre qu'il demeure persuadé, à l'image de ses pairs, que l'emploi constitue, à coup sûr, l'un des ressorts du vote.

En dépit de ces données convergentes, la classe politique, quant à elle, ne veut toujours rien savoir. Elle s'accroche aux schémas les moins opératoires comme à l'alpha et l'oméga de l'analyse électorale. Oscillant entre cécité et aveuglement, François Hollande est allé jusqu'à conditionner une nouvelle candidature en 2017 à un recul du chômage : « Si le chômage ne baisse pas d'ici 2017, a-t-il confié en avril 2014, je n'ai aucune raison d'être candidat, ou aucune chance d'être réélu[7]. » Victime du même tropisme, l'ancien Premier ministre Jean-Pierre Raffarin, au lendemain des élections régionales de 2015, a cru pouvoir établir une étroite corrélation entre la dynamique électorale frontiste et la progression du chômage : « La racine du mal, c'est le chômage. Faisons baisser le chômage, on fera baisser le Front national. » Tant pis si des pays à faible taux de chômage, comme la Suisse, le Danemark ou la Suède, connaissent néanmoins de fortes poussées populistes, alors que des pays à fort chômage, comme l'Espagne et le Portugal, sont épargnés par la montée de l'extrême droite.

Cette absence de discernement se manifeste également dans la lecture qui est faite des sondages récurrents sur les « priorités des Français » et qui incline à les voir là où elles ne sont pas. Car si la conjoncture économique, l'emploi ou le pouvoir d'achat sont autant de facteurs qui peuvent infléchir dans un sens ou dans un autre la cote de popularité des dirigeants politiques, ces questions n'interviennent que très accessoirement dans la construction du vote. La raison en est pourtant simple à appréhender : depuis une vingtaine d'années, les Français éprouvent le sentiment diffus, mais croissant que la mondialisation a, dans le domaine de l'économie, considérablement restreint les marges de manœuvre du politique. A quoi s'ajoute la perception d'une perte de souveraineté, d'un dessaisissement progressif des gouvernements nationaux au profit des instances non démocratiques de l'Union européenne. Rien d'étonnant donc à ce que le peuple ait naturellement tendance à exonérer l'exécutif de sa part de responsabilité dans la sphère de l'économie, alors qu'il le considère pleinement en charge de ce qui relève de sa sphère régalienne : identité, immigration, sécurité, justice, école, mais aussi dépenses publiques, redistribution, protection sociale, fiscalité. Là se situe le biais cognitif inhérent à ces enquêtes : interrogés, les sondés placent invariablement l'emploi, le pouvoir d'achat et la santé en tête de leurs préoccupations, les déclarant « tout à fait prioritaires ». Or ces items ont en commun de ne prêter à aucune discussion. Ils sont purement théoriques, au sens où leur négativité n'existe pas : personne ne peut être favorable à l'accroissement du chômage, à une dégradation du pouvoir d'achat ou à une détérioration du système de santé. En revanche, les priorités affichées par la suite comme la lutte contre l'immigration clandestine, la sécurité ou la diminution de la dette publique sont sous-tendues par des débats qui renvoient à de vrais clivages. Il est donc normal qu'elles se présentent en apparence comme « moins prioritaires », alors qu'elles le sont plus dans la réalité. Sauf pour la classe dirigeante déterminée à ne voir que la confirmation de ses a priori les plus réducteurs.

A gauche, la génération de Mai 68, qui s'était pourtant juré de ne jamais tomber amoureuse d'une courbe de croissance, aura été la première à céder aux vertiges du tout-économique. A droite, la ligne de pente était déjà tracée pour des hommes qui, tributaires d'une pensée asthénique, convaincus de l'insubstantialité de l'histoire, ne se présentent plus que sous le label du parti de l'économie, non pas de l'économie-puissance telle que pouvait la concevoir de Gaulle en tant qu'instrument de la grandeur de la France au service de son rayonnement, mais de l'économie-expertise, c'est-à-dire de l'efficacité gestionnaire. Sans prendre garde au fait que la gauche libérale lui dispute désormais, non sans quelque succès, le ruban bleu de la bonne gouvernance dont les dernières incarnations, à défaut d'un nouveau Barre ou d'un nouveau Pinay, se nomment DSK ou Macron.

Un monde qui fait le malin

L'économisme adore les projections et la prospective. Il est, par excellence, l'empire des experts. Des experts qui se trompent plus souvent qu'à leur tour tiennent pour négligeable que les faits leur donnent tort, mais s'obstinent à vaticiner du haut de leur pyramide de chiffres. Ultime avatar de la modernité, cette idéologie lui emprunte la morne arrogance d'un monde qui, pour reprendre la formule de Péguy, aime à faire le malin : « Le monde des intelligents, des avancés, de ceux qui savent, de ceux à qui on n'en remonte pas, de ceux à qui on n'en fait pas accroire. Le monde de ceux à qui on n'a plus rien à apprendre. [...] *C'est-à-dire* : le monde de ceux qui ne croient à rien, pas même à l'athéisme, qui ne se dévouent, qui ne se sacrifient à rien. *Exactement* : le monde de ceux qui n'ont pas de mystique. Et qui s'en vantent[8]. »

Malin? Le mot a pour lui de recouvrir le présomptueux et le mauvais, l'ambitieux et le méchant. Mais il arrive aussi aux malins de glisser, à leur insu, du savoir au croire, comme le note Alain Besançon qui établit une féconde distinction entre « ceux qui savent qu'ils croient » et « ceux qui croient qu'ils savent »[9]. A cette aune, les tenants de l'économisme relèvent sans conteste de la seconde catégorie qui considère le sacré comme une étape et non pas comme une structure de la conscience humaine. Aussi s'irritent-ils volontiers de toute résurgence susceptible de troubler l'*ordo oeconomicus*. Comme tous les croyants qui s'ignorent, ils se révèlent les meilleurs allumeurs de bûchers.

A la fin du siècle dernier, une opinion largement répandue au sein des sociétés occidentales veut que l'humanité soit enfin sortie de l'âge du religieux, délivrée des ténèbres de l'obscurantisme et des aliénations archaïques. L'avènement du tout-économique ne relève plus d'un vœu, mais d'un constat : « Le récit de la marchandise, observe Dany-Robert Dufour, s'infiltre dans les espaces culturels laissés libres par le déclin du récit religieux. [...] L'église ou le temple se sont vidés au profit du centre commercial, nouveau lieu de culte[10]. » Mais voici que des oubliettes de l'histoire survient l'imprévu tant redouté. De l'avis de tous les observateurs, l'année 1979 marque un coup d'arrêt à ce processus de sécularisation que l'on a cru jusque-là irréversible. Elle ouvre un nouveau cycle caractérisé, à en croire Régis Debray, par « la fin de la politique comme religion » et « le retour des religions comme politique ». La césure se produit à la fois au Moyen-Orient et dans la vieille Europe : l'arrivée au pouvoir en Iran de l'ayatollah Khomeiny signe le retour d'un islam politique dans la sphère publique, tandis que la visite triomphale de Jean-Paul II en Pologne préfigure la victoire de la géopolitique vaticane sur l'Empire soviétique plus que jamais en butte aux forces de l'esprit, divisions pourtant non homologuées par Staline qui, selon un mot fameux, les tenait pour négligeables.

Annonçant le deuxième choc pétrolier, la chute du Chah amorce le premier krach de l'économisme. Le nouvel horizon de l'humanité s'alourdit de nuages menaçants. Le dieu Economie à qui l'on a délégué le soin de fixer les nouvelles modalités de la

« vie bonne » commence à vaciller sur ses bases. La perte de prestige est immédiate, quand le réel malmène la prophétie et que les causes profondes des événements deviennent trop étrangères aux catégories mentales comme au système de refoulement et de défense de ceux qui les commentent et ne trouvent plus du coup les mots pour dire les choses. C'est ce qui advient lorsque, à cheval sur le nouveau siècle, la foi jeune et conquérante d'un islamisme barbu bouscule, un peu partout, le nihilisme asthmatique d'un Occident chenu. Imprégnés par la culture économiste et la philosophie des droits de l'homme, les gouvernements français se découvrent inaptes à penser les conséquences que peut revêtir un nouvel afflux d'immigrés de mœurs musulmanes, dont les représentations nous sont fondamentalement étrangères, sur notre forme de vie sociale et culturelle, ainsi que sur notre régime politique. Aucun d'entre eux ne sait ou ne veut voir que l'expansion de l'islam en France constitue un fait de première importance, tout comme ils ignorent ou mésestiment le retour de l'islam comme agent historique majeur sur la scène internationale.

A droite, les plus inaccessibles à l'idée même d'un retour du fait religieux sont les libéraux. De mes conversations avec Alain Madelin au début des années 2000, je ressors régulièrement abasourdi par les propos du président de Démocratie libérale, me demandant parfois par quel processus d'éviscération spirituelle il en est arrivé, comme tant d'autres, à évacuer le substrat anthropologique d'une partie notable de l'humanité. A l'entendre, le marché sera, dans la décennie à venir, la grande machine à intégrer sans douleur et sans drame les populations immigrées. Il excipe de l'attrait que les marques exercent sur les jeunes des cités pour en inférer qu'ils n'auront bientôt plus d'autre identité que celle que leur conférera le *branding*. Ils seront ce qu'ils achèteront : des hommes-logos. Des logotypes. C'est une génération Benetton, Calvin Klein ou Nike qui, à n'en pas douter, sortira d'entre les barres des HLM sitôt que la « main invisible » en aura fini avec les derniers vestiges des croyances et superstitions.

Ni les uns ni les autres, laïques ou libéraux, ne paraissent en mesure de comprendre que, à la différence de l'argent et des idoles modernes, trop vides, trop débiles, trop dénuées d'éléments suffisamment nourriciers pour faire société, la force de l'islam, comme de toute religion vivante, est de créer du lien, de produire des normes et des valeurs qui donnent sens à la vie du croyant, quand l'existence du *gaouri*, *kâfir* et autre infidèle en ressort dépourvue.

A la recherche d'un islam désislamisé

Les historiens qui chercheront plus tard à démêler les fils de la politique de Nicolas Sarkozy à l'égard de l'islam risquent d'être sans cesse confrontés à la lancinante question de savoir s'ils ont tiré le bon. Il leur faudra distinguer selon les périodes, selon les lieux (d'où parlait-il?) et selon ses interlocuteurs (à qui s'adressait-il?) : « Français de souche », musulmans de France ou dirigeants des Etats de l'ensemble arabo-musulman? Accordons-lui cependant une relative cohérence durant les quatre années où il occupa le ministère de l'Intérieur et au cours desquelles il reprit à son compte l'entreprise initiée par ses prédécesseurs, de Joxe à Chevènement en passant par Pasqua et Debré, qui visait à faire passer le culte musulman sous les fourches caudines de la place Beauvau et qu'il se proposa d'achever à seule fin de démontrer qu'il était meilleur qu'eux.

Sarkozy s'abreuvait alors des quelques idées fausses et angéliques dont se repaissait la vulgate des grands médias. Pour estomper les rugueuses apparences de l'islam *en* France, il se laissa durablement bercer par la chimère d'un islam *de* France à la consonance plus flatteuse, mais à la réalité pour le moins vaporeuse. Sa prétention à vouloir faire émerger un islam amputé de son exigence à régler la vie publique, un islam pour ainsi dire « désislamisé », était un travers commun à tous ceux qui, comme lui, considéraient à tort tous les phénomènes religieux à l'identique, à tous ceux qui voulaient ignorer que l'islam était un système global liant de façon insécable la loi religieuse et la loi civile.

De l'installation du Conseil français du culte musulman, qui fut créé en 2003 pour susciter une représentation un tant soit peu unifiée de l'islam à même de prendre en charge les problèmes liés à son exercice, à la prise de position en faveur du droit de vote des étrangers, Nicolas Sarkozy semblait, à l'époque, résolument favorable à une évolution communautariste de la société française sur le modèle anglo-saxon. L'objectif poursuivi était double. D'une part, convaincre l'opinion française qu'il n'y avait pas incompatibilité entre l'islam et la République. D'autre part, organiser sur le plan institutionnel les minorités ethniques et confessionnelles afin de leur donner une expression politique propre à leur identité présumée. En d'autres termes, instaurer *via* l'islam un contrôle social sur les populations à risque. Cette sous-traitance ethnico-religieuse de la question des cités était beaucoup moins innovante qu'il n'y paraissait. Elle se situait dans l'exact prolongement de la politique des bureaux arabes mise en place en Algérie par le maréchal Bugeaud à partir de 1844. On misait sur des élites dont l'autorité était valorisée par la puissance publique afin d'encadrer les populations locales. A ceci près que la bureaucratie issue des mosquées et des bleds, les grands frères de SOS Racisme, les animateurs sociaux des quartiers remplaçaient les grands caïds de l'ère coloniale et que la manne abondante des subventions publiques déversée sur les associations se substituait au bakchich qui servit autrefois à circonvenir aghas et bachagas, dans l'espoir de susciter une représentation de l'islam entièrement phagocytée par les pouvoirs publics et conforme à ce qu'on eût voulu qu'il fût. « L'islam de France, l'islam modéré, l'islam des Lumières », susceptible de réformer l'islam fondamentaliste du monde arabe dont rêvait Sarkozy après Chirac, allait se révéler d'abord et surtout un islam corrompu qui vivrait plus de l'islam que pour l'islam[11].

Dans ce trouble jeu, la Grande Mosquée de Paris était depuis longtemps le centre d'une lutte d'influence politico-policière entre l'Etat français et l'Etat algérien. Naviguant de l'un à l'autre au gré de ce qu'ils estimaient être leur intérêt du moment, les Boubakeur père et fils, des notables algériens cooptés à l'origine par la France, s'étaient succédé au poste de recteur depuis 1957 au prix toutefois d'une interruption de dix ans. Premier de la dynastie, Hamza avait été installé à la tête de l'institution en pleine guerre d'Algérie en raison des sentiments profrançais que lui prêtaient le président du Conseil Guy Mollet et surtout le gouverneur général de l'Algérie, le socialiste patriote Robert Lacoste. Devenu recteur en 1992 contre l'avis de son propre père, Dalil, s'il était tout aussi ondoyant, ne s'embarrassait guère, quant à lui, de spiritualité. Autant le père avait bénéficié de son vivant d'une réputation de maître soufi et de fin théologien à qui l'on attribuait l'une des traductions les plus populaires du Coran, autant le fils apparaissait comme détaché de la pratique religieuse. Diplômé de médecine, il n'avait étudié ni l'arabe ni les sciences islamiques. La rumeur, parmi certains de ses coreligionnaires, allait jusqu'à dire qu'il serait amateur de bons vins et peu enclin à une stricte observance des préceptes du ramadan.

Les attentats du 11 septembre 2001 à New York le propulsèrent sur le devant de la scène médiatique, au moment où l'on était en demande d'un représentant de l'« islam tolérant et modéré », pour faire contrepoids à l'image de fanatisme barbare désormais propagée par Ben Laden et les djihadistes d'Al-Qaïda. Présenté et se présentant lui-même sur tous les plateaux comme un « rempart contre l'intégrisme », Dalil Boubakeur alias BBK s'empara de l'emploi avec la faconde et la rondeur pateline d'un habile Méditerranéen. Ephémère militant socialiste à l'époque où le gouvernement Barre avait décidé de supprimer les subventions que l'Etat accordait jusque-là sans contrôle à l'institut de la Grande Mosquée, il était devenu entre-temps l'enfant chéri de la droite postgaulliste.

Ce fut naturellement vers lui que se tourna Sarkozy lors de la création du Conseil français du culte musulman (CFCM). Le démiurge de la place Beauvau le voyait bien président à vie de cette nouvelle instance, mitonnant dans l'arrière-cuisine de petits compromis dont la laïcité n'aurait pas trop à souffrir. Il le convoqua donc un matin d'octobre 2002. L'échange qui s'ensuivit me fut rapporté en septembre 2010 par Sarkozy lui-même avec des mots indélébiles :

— *Dalil, je vais avoir besoin de toi.*

— Pour quoi faire ?

— *Je vais avoir besoin de toi pour représenter la communauté.*

— Tu sais que je suis très malade *(Il porte la main à son cœur)*.

— *Il me faut quelqu'un de confiance pour présider le Conseil du culte. Je ne vois que toi pour bien faire le job.*

— Tu sais que je suis très fatigué *(Il dodeline de la tête)*.

— *Combien ?*

— Tu sais que je ne les supporte plus, ces Arabes, que je les déteste. Je ne peux plus les voir en peinture.

— *Combien, Dalil ?*

— Avec les musulmans, c'est pire. Toutes leurs histoires me sortent par les yeux. Ça fait plus de soixante ans que je les subis. Il faut me comprendre : j'ai été élevé dans une mosquée. Je n'ai jamais pu en sortir.

De la fréquentation des Boubakeur et autres « modérés » cultivés en serre pour les besoins de la monstration médiatique, Sarkozy avait tiré la conclusion que la question du financement des mosquées était le problème central. Il s'était convaincu que l'islamisme était un produit d'importation extrinsèque au tempérament et aux mœurs des musulmans de France. Les soustraire à la tutelle des Etats tels que l'Algérie, le Maroc, la Turquie, mais aussi l'Arabie saoudite ou les Emirats en les aidant à prendre leur indépendance, mettre fin à la pratique des imams envoyés et rémunérés par les nations d'origine ou aux financements apportés par les pays prosélytes, telle était, pensait-il, la seule politique qui valût. *« Faites-moi de bons musulmans, j'en ferai de bons citoyens »*, répétait-il aux représentants de la communauté qui défilaient place Beauvau. Comme la quasi-totalité de la classe politique française, il avait acquis la certitude qu'il était possible d'être parfaitement musulman en respectant dans l'ordre public la loi civile et dans l'ordre privé la loi religieuse, ignorant ou feignant d'ignorer l'impératif théologico-politique qui inclinait tout croyant se voulant pleinement musulman à ambitionner la substitution de la seconde à la première.

Ce qui l'intéressait, c'était moins l'enseignement intérieur d'une religion que sa forme extérieure, en tant qu'instrument de coercition et moyen de contrôle social. L'histoire du CFCM fut ainsi celle d'un pari perdu. En lieu et place de l'« islam modéré » sur lequel avait misé Sarkozy, ce fut un islam fondamentaliste qui, à l'instar du monde arabo-musulman, imposa son hégémonie. Elle se traduisit chez nous par la propagation de l'Union des organisations islamiques de France (UOIF), inspirée des Frères musulmans, et la prolifération des groupes salafistes. Peu à peu, les rapports qui s'accumulaient sur le bureau du nouveau président eurent pour effet de lever le voile sur l'impéritie de la stratégie néocoloniale de l'ex-ministre de l'Intérieur. En préfet méticuleux qu'il était resté, Claude Guéant ne lui cachait rien de la radicalisation qui se produisait alors parmi les jeunes des cités, lesquels étaient en rupture avec leurs parents comme avec la société occidentale. Au lieu de la sécularisation espérée, ce fut à un réinvestissement massif de l'islam par les nouvelles générations auquel on assista durant le quinquennat de Nicolas Sarkozy. Les informations qui remontaient à l'Elysée, et dont il arrivait au secrétaire général de m'entretenir, étaient plus alarmantes les unes que les autres. Dans les banlieues, le durcissement identitaire de l'islam était tangible, qu'il prît la forme d'un renforcement du contrôle des modes de vie par les imams ou celle d'une domination de l'endogamie religieuse.

Dans les enclaves soumises à l'endoctrinement islamiste, la solidarité confessionnelle conjuguée au rejet de la France primait sur toute autre appartenance. A tel point que l'ami du président, Dalil Boubakeur, n'hésitait plus à évoquer publiquement « l'aboulie des Européens face à cet islam hostile » et à affirmer que les islamistes étaient désormais majoritaires parmi les néophytes : « Les jeunes qui se convertissent à l'islam, déclara-t-il dans un entretien au *Figaro*, sont d'ores et déjà et pour beaucoup des fondamentalistes, qu'ils le sachent ou non[12]. » Ce qui revenait habilement à se défausser. Face à ce phénomène de radicalisation et au dynamisme de ce qui se faisait de pire au nom du Coran, les enquêtes d'opinion attestaient de l'inquiétude croissante des Français qui les conduirait à percevoir de plus en plus l'islam comme une force conquérante et l'islamisation comme un processus de colonisation culturelle et de dénaturation de leur identité propre. Entre 2010 et 2012, la dégradation de l'image de l'islam et des musulmans mesurée par l'Ifop était aussi alarmante que spectaculaire[13], tout comme l'étaient les principaux traits qui émergeaient de l'enquête : « refus de s'intégrer », « rejet des valeurs occidentales », « fanatisme », « soumission ».

La prise de conscience n'avait jamais été aussi forte. Une modification s'était opérée dans les perceptions des Français depuis les années 1980-1990 : la question de l'immigration ne se posait plus seulement selon une problématique économique et sociale, mais de façon de plus en plus prégnante à travers le prisme de l'islamisation et de son impact sur la société française. Si bien qu'un esprit aussi éloigné de toute forme d'excès, comme l'était Jacques Julliard, pouvait alors résumer la situation en ces termes : « En suscitant une mobilité de la main-d'œuvre et des flux migratoires massifs, le néolibéralisme a mis en place les conditions de heurts civilisationnels et de guerres de religions à l'échelle de continents entiers. C'est lui, et non les idéologues d'extrême gauche, qui a imposé un métissage accéléré auquel les populations autochtones de la vieille Europe ne sont pas préparées[14]. »

Sarkozy et l'imam caché

L'islam relevait d'une double problématique. Il posait au chef de l'Etat une question de politique intérieure et une question de politique extérieure, un problème domestique et un enjeu diplomatique. Le passage d'un plan à un autre constituait un exercice périlleux qui requérait de ne jamais perdre de vue une idée simple : les musulmans étaient à la fois nos concitoyens et des membres de l'*Oumma*, c'est-à-dire les sujets de la grande communauté des croyants en Allah et son Prophète. Se profilait le choc d'un multiculturalisme que les Français, dans leur très grande majorité, n'étaient pas disposés à accepter. Les intégrer dans la société française nécessitait-il, selon l'expression en usage au Québec, des « accommodements raisonnables » de la part de notre Etat laïque ? Inversement, les maintenir en marge ne revenait-il pas à accroître leur dépendance envers le monde arabo-musulman en proie à toutes sortes de turbulences ? Face à la poussée de l'islam qui revêtait en France des formes diverses, les unes pacifiques et les autres beaucoup moins, la politique de Nicolas Sarkozy oscilla entre deux pôles opposés au point d'épouser la définition et le mouvement que le dictionnaire donne du ludion : un objet creux et rempli d'air soumis par des pressions successives à un incessant va-et-vient.

Une première saynète édifiante se joua le 30 novembre 2009, au lendemain de la « votation » qui avait vu les Suisses rejeter à 57,5 % la construction de minarets sur leur territoire. La partitocratie était sortie profondément choquée de ce sombre dimanche. Elle entrevoyait le pire, faisait chorus avec Daniel Cohn-Bendit qui redoublait d'alarmisme et n'en finissait pas d'énumérer les représailles auxquels les impudents Helvètes s'étaient exposés, à commencer par les sanctions des capitaux arabes à l'égard des banques suisses. De surcroît, il ne fallait pas en douter, ce vote stigmatisant et discriminatoire ne pouvait que servir de terreau à un islam radicalisé, à un repli communautaire, à une ghettoïsation explosive, alors que, comme s'en désolait *Le Monde*, rien n'était fait pour aider « les modérés à faire sereinement accepter l'islam pour ce qu'il est : la deuxième religion d'Europe ».

Les Suisses, eux, pensaient avoir parfaitement saisi quelle était la nature de l'enjeu soumis à leur vote. Plus forte que celle du voile, la symbolique du minaret, même muet, même dépourvu du muezzin lançant l'appel à la prière, s'inscrivait dans une logique d'occupation de l'espace urbain et de marquage du territoire. La représentation qui en ressortait, par ailleurs conforme à celle de la tradition musulmane, était celle d'une tour de guet, bannière plus qu'ornement. Ces minarets de la discorde, Sarkozy le sentit sur-le-champ, risquaient d'étendre leur ombre portée un peu partout en France. Plus de 200 projets d'édification de mosquées n'avaient-ils pas été recensés pour la seule année 2009 par le Bureau central des cultes au ministère de l'Intérieur? Nonobstant la question spécifique des minarets déjà existants, quatre en Suisse, dix en France, coiffant les mosquées dites « cathédrales », c'était le problème de la visibilité de l'islam dans les sociétés occidentales qui se trouvait à nouveau posé. Une fois encore, un discours combinant comme à l'ordinaire culpabilisation et intimidation s'était déployé pour délégitimer toute résistance populaire. Ce matraquage médiatique avait eu le don d'irriter le chef de l'Etat :

— *J'ai horreur qu'on prenne les électeurs suisses pour des minus,* s'exclama-t-il dans le huis clos de son bureau. *Les médias nous avaient déjà fait le coup avec les partisans du « non » à la Constitution européenne en les décrivant comme des moins que rien, des zombies. C'est une des raisons qui m'aurait poussé à voter « non », si je n'avais pas été politiquement obligé de me prononcer pour le « oui ». Car les Français peuvent avoir une opinion tranchée, mais vouloir, en même temps, que le président de la République incarne une tout autre position. C'est incroyable, cette histoire de minarets! Personne, chez nous, ne pourrait supporter l'appel du muezzin pas plus que les gens normaux ne supportent que le bedeau sonne les cloches à 5 heures du matin.*

— Puis-je te faire observer, lui répliquai-je, qu'il n'y a plus de bedeaux, que les cloches sont actionnées par un dispositif mécanique ou électrique et que l'hypothèse que tu évoques est, par ailleurs, hautement improbable?

Martyre du crayon bicouleur soumis à la rotation que lui imposaient les phalanges présidentielles.

— *Ne me provoque pas! Tu sais très bien ce que je veux dire. C'est aux étrangers de s'adapter aux lois et aux mœurs françaises. Je n'ai pas voulu répondre à l'invitation de l'Institut Montaigne, car cela m'aurait amené à verbaliser les choses trop crûment. Je préfère prendre du recul et publier une tribune libre dans la presse sur le sujet.*

Une semaine plus tard, effectivement, le chef de l'Etat signait dans *Le Monde* un article qui, à l'image de son titre, « *Respecter ceux qui arrivent, respecter ceux qui accueillent*[15] », cherchait à camper un juste milieu. Certes, le mépris des élites à l'égard de la souffrance des peuples y était dénoncé dès les premières lignes, mais la suite, qui faisait du métissage des cultures l'antidote au communautarisme, était plus confuse : « *Le métissage, c'est la volonté de vivre ensemble. Le communautarisme, c'est le choix de vivre séparément.* » Cultivé comme une plante aux effets hallucinogènes, le paradoxe y était développé jusqu'à l'absurde : « *Le métissage*, concluait-il, *ce n'est pas la négation des identités.* » Je me souviens avoir écrit en marge de la version qui m'avait été communiquée : « Leur négation, peut-être pas, mais leur dissolution, à coup sûr ! » Le message apparut si alambiqué qu'il suscita finalement peu de commentaires.

Dans sa quête d'un islam idéal, susceptible de souscrire au pacte républicain, Sarkozy persistait à ignorer le fait que le monde musulman lui-même refusait de réformer, si peu que ce fût, ses mœurs au nom de ce « vivre ensemble » que l'Etat appelait unilatéralement de ses vœux. Pour la première fois, le président me fit alors confidence des conversations qu'il avait eues à ce sujet avec l'émir du Qatar :

— *Tu voudrais me confiner dans la sphère de la politique intérieure. C'est beaucoup plus compliqué que cela. La politique arabe de la France, ça existe. Il y a une tradition. Nous avons des intérêts à défendre dans cette région du monde. Je dois en tenir compte dans ma politique vis-à-vis de l'islam de France.*

C'était le même homme qui, le 9 juin 2007, au retour du G8 réuni à Heiligendamm, nous avait expliqué : « *J'ai au moins un point d'accord avec Poutine. Il ne veut pas se laisser marcher sur les pieds par les musulmans et moi non plus !* »

Pourtant, à partir de 2009, l'ombre de l'émir du Qatar, plus ou moins enveloppante, plus ou moins suggestive, ne cessa de planer sur nos débats chaque fois qu'il était question de l'islam. Ce serait dorénavant l'imam caché, l'hologramme, le tiers inclus clandestin de nos échanges.

Ondoyant, fluctuant, versatile là où il eût fallu rigueur, constance et cohérence, Nicolas Sarkozy s'appliquait chaque jour à faire la démonstration que, tel qu'en lui-même, le pouvoir ne le changeait pas. A sa décharge, la vérité oblige à dire que François Fillon mena dans les deux dernières années du quinquennat un jeu particulièrement pervers dont l'objectif, à peine dissimulé, était de mettre le président en difficulté sur un terrain médiatiquement mouvant et électoralement sensible. Il y eut d'abord l'inauguration par le Premier ministre de la mosquée Al-Ihsan à Argenteuil, le 28 juin 2010. Depuis que le président Gaston Doumergue avait inauguré la Grande Mosquée de Paris, le 16 juillet 1926, aucun représentant de l'Etat ne s'était avisé de reproduire un tel geste. Pourtant réputé pour sa prudence, François Fillon, qui s'était surtout jusque-là affiché en tant que familier de l'abbaye bénédictine de Solesmes chère à son cœur d'élu de la Sarthe, se fendit pour la circonstance d'un éloge de l'islam de France, « un islam de paix et de dialogue [...] où l'on vit sa foi dans le respect des principes de la République », qui lui valut d'être salué par les applaudissements et les youyous de l'assistance. La gauche se félicita à haute voix d'une initiative qui, bien qu'isolée, avait selon elle le mérite de donner des gages aux Français musulmans blessés par les « dérapages islamophobes » du débat sur l'identité nationale.

— *Pauvre type, minable... Tant qu'il y est, il n'a qu'à venir mercredi au Conseil des ministres en babouches et avec un tapis de prière !*

Le président ne décoléra pas pendant deux jours. Inconséquence ou maladresse, une visite dans une mosquée de banlieue à l'occasion de la rupture du ramadan fut subrepticement inscrite à son agenda à la date du 2 septembre suivant. C'était l'époque où, dans le petit salon de l'appartement du conseiller de permanence, nous nous réunissions avec Claude Guéant pour passer au crible les déplacements et les sorties publics du chef de l'Etat. J'avais beau être habitué aux bévues des technos, à leur absence totale de sens politique, à leur ignorance abyssale de la vie des Français, je réalisai, ce jour-là, à quel point l'énarchie pouvait être synonyme d'autisme et de conformisme.

Il y eut d'autres accrochages, de méchantes petites embuscades dont je fus la cible par ministres interposés. Faute de pouvoir s'en prendre directement au président, un voltigeur, toujours le même, tirait deux ou trois coups d'escopette dans ma direction avant de regagner les fourrés de Matignon. *Le Canard enchaîné*, toujours mal informé, disait que le Premier ministre voulait ma peau. Je n'en croyais rien tant il s'y prenait mal. Début décembre 2011, alors que les mouvements islamistes se profilaient derrière les « printemps arabes », Jeannette Bougrab, la secrétaire d'Etat à la Jeunesse, assenait quelques vérités dérangeantes dans un entretien au *Parisien* : « Je ne connais pas d'islamisme modéré [...]. Il n'y a pas de charia light[16]. » Aussitôt, la dangereuse iconoclaste fut convoquée pour être tancée d'importance par Jean-Paul Faugère, le directeur de cabinet de Fillon, qui ne lui reprocha rien moins que d'avoir nui par ses propos à la politique étrangère de la France, allant jusqu'à l'accuser de « haute trahison ». Avant d'ajouter, énigmatique : « Je sais bien que vous êtes manipulée par la main. » De « la main », il avait déjà été question de la part de ce même Faugère lorsque, six mois auparavant, en mai 2011, il avait mandé Laurent Wauquiez, le ministre des Affaires européennes, pour le menacer d'être exclu du gouvernement au motif que cet esprit frondeur avait remis en cause l'autorité du Premier ministre en dénonçant les « dérives de l'assistanat » et en prônant la création d'un « service social » de cinq heures par semaine pour les allocataires du RSA.

— La main qui vous dirige causera votre perte, lui avait-il soufflé en baissant la voix comme pour envelopper les mots de la sombre cape des conspirateurs.

La main, c'était moi. En haut fonctionnaire lettré et timoré, Faugère était à la fois un adepte de la métonymie et un usager du parapluie. Le spectre de la créature maléfique avait été évoqué, sans que mon nom, toutefois, ne fût prononcé. On n'était jamais assez prudent. Ni Laurent Wauquiez ni Jeannette Bougrab ne furent évincés du gouvernement malgré les rodomontades de Matignon. Les trublions eurent droit à un coup de fil du président qu'on avait connu plus acrimonieux dans les remontrances. Déstabiliser le Premier ministre n'était pas une faute en soi aux yeux du chef de l'Etat, mais une prérogative dont il entendait être le seul à user, eu égard au grand entraînement qui était le sien dans cette discipline.

Le débat sur l'islam était une pochette-surprise. Il en sortait souvent des propos insolites et des situations incongrues. Il confrontait une classe politique presque entièrement sécularisée à des concepts pour lesquels elle n'était pas philosophiquement équipée ou alors de façon très rudimentaire. Il l'obligeait à se colleter avec les forces rétives d'un irrationnel à l'état brut qui la déconcertait. L'expansion de l'islam dans un pays comme la France qui, depuis la Révolution, avait entrepris de juguler l'expression du fait religieux dans la vie sociale, son influence sur le jeu politique et son emprise sur l'existence des individus montrait qu'il fallait pour le moins suspendre le postulat selon lequel la religion était destinée à s'effacer des sociétés postmodernes. Elle invitait à un grand remue-méninges tous ceux, notamment à gauche, qui s'étaient acharnés à considérer la religion comme un archaïsme, une illusion sans avenir.

Depuis la fin des années 1980 et l'affaire des collégiennes musulmanes de Creil, la question du voile revenait périodiquement nourrir les controverses. En avril 2010, la polémique enfla autour d'une automobiliste nantaise verbalisée pour avoir conduit revêtue d'un niqab qui masquait presque entièrement son visage à l'exception des yeux. D'autant que le mari multiplia les apparitions publiques aux côtés de la frêle jeune femme, qu'il dominait de toute sa haute stature, brandissant d'un geste accusateur le procès-verbal comme preuve accablante d'une « stigmatisation de l'islam ». Lies Hebbadj, puisque tel était son nom, n'avait pas vraiment une tête de victime. Vêtu à la pakistanaise d'un *kamis*, la tête recouverte d'une calotte et d'un turban, ce prospère commerçant de Rezé-les-Nantes était connu pour son appartenance au mouvement Tabligh, une société de prédication dont la modération n'était pas la qualité dominante.

L'homme, qui avait obtenu la nationalité française grâce à un mariage contracté en 1999, était suspecté d'avoir quatre compagnes officieuses et une douzaine d'enfants répartis dans une sorte de gynécée entre trois maisons contiguës d'un quartier pavillonnaire, tandis que la touche finale à ce tableau voulait que lesdites femmes bénéficiassent, toutes quatre, de l'allocation de parent isolé. Autant de détails urticants qui firent que, bientôt, toute la France ne parla plus que du mari des femmes au niqab.

Sur la terrasse des jardins de l'Elysée où il aimait à nous réunir, Nicolas Sarkozy avait son plan en tête. C'était toujours le même. Faire voter dans l'urgence un nouveau texte de loi destiné à montrer la détermination du gouvernement à agir. Agiter l'opinion. Puis laisser reposer à feu doux en attendant que les polémiques retombent. Le stratagème était usé jusqu'à la corde, mais le président – faute d'imagination ? – feignait encore de croire à son efficacité. Il supportait de moins en moins que je le détrompasse sur ce point comme sur les autres.

— Notre problème, c'est que les Français estiment que l'Etat n'est pas performant.

— *Qu'est-ce qui te permet de dire cela ?*

— La Belgique a réussi à adopter une loi antiburqa sans gouvernement.

— *Nous sommes dans une République parlementaire. Il y a des procédures à respecter, ne t'en déplaise. Où est le temps perdu ? Tout sera bouclé le 16 mai.*

En réalité, la loi interdisant la dissimulation du visage dans l'espace public ne fut promulguée que le 11 octobre 2010 et n'entra en application qu'à compter du 11 avril 2011. Nouvelles, en revanche, étaient les réflexions que lui inspirait l'affaire du niqab. Voilà maintenant qu'il évoluait dans une idéosphère où l'axiome principal n'était plus la France, mais la liberté individuelle menacée par une religion d'importation. La dissimulation du visage comme négation d'une sociabilité élémentaire et soustraction de la personne à la communauté nationale lui paraissait, somme toute, moins importante que le manquement à l'égalité entre les sexes. Bref, c'était à l'islam antiféministe qu'il réserverait désormais sa vindicte. A l'instar de l'entourage de son épouse qui prônait, dans l'abstraction, le droit de l'immigré à sa « différence culturelle » pour le lui dénier sitôt que celle-ci heurtait l'individualisme libertaire. On voulait bien aimer l'Autre, mais à condition qu'il renonçât à son altérité. Cette fois, le bon génie qatari avait déserté la lampe merveilleuse d'Aladin pour faire place à la danse des sept voiles, figure allégorique de l'ascendant de Salomé sur le roi Hérode. Au moment de prendre congé, ayant percé mon scepticisme, le président me lança à voix haute, afin que nul ne l'ignorât : *« Tu sais, je suis très à l'aise avec ce que je fais… Et Carla aussi est très à l'aise. »*

La stupéfaction se lut sur tous les visages. Ainsi donc, la Première dame était sollicitée – en vertu de quoi ? – pour apposer son *nihil obstat* sur les grandes décisions présidentielles. Et le chef de l'Etat avait tenu absolument à nous le faire savoir.

En comparaison, le débat sur l'étiquetage halal le plongea dans un embarras autrement profond. Le coup fut porté en pleine campagne présidentielle par une Marine Le Pen très sûre de son fait, lorsqu'elle affirma, le 18 février 2012, que l'ensemble de la viande distribuée en Ile-de-France provenait exclusivement d'animaux abattus selon la *dhabiha*, la méthode conforme à la loi islamique prescrivant l'égorgement sans étourdissement préalable. Après avoir démenti, dans un premier temps, l'information divulguée par la candidate du FN, les organisations professionnelles durent admettre que, pour simplifier la chaîne et réduire les coûts, les grands opérateurs du marché s'étaient engagés dans une généralisation de cette pratique rituelle.

De la conjonction entre les règles musulmanes et les consignes de la rentabilité, il ressortait que la majorité des consommateurs étaient obligés de manger halal sans le vouloir et sans même le savoir, outre le fait qu'on faisait supporter à l'ensemble des Français – là aussi dans l'ignorance la plus complète – les coûts supplémentaires induits par ce type d'abattage, ainsi qu'un impôt religieux reversé aux imams par les entreprises de certification halal. Hourvari chez les préposés au cadrage de la pensée qui crièrent au hors-sujet : comment, dans un pays qui comptait 3 millions de chômeurs, osait-on venir polluer le débat avec « ce genre de questions qui n'intéressaient pas les électeurs » ? « Un faux problème », plaida de son côté Alain Juppé. Comme si, dans une France où la cuisine était un art, la transparence un dogme et la traçabilité une religion, il devenait soudainement inconvenant que le citoyen voulût savoir ce qu'il y avait dans son assiette.

En présence de ce cas type d'assimilation à l'envers, Nicolas Sarkozy n'avait le choix qu'entre se contredire et s'affaiblir. La vérité oblige à dire qu'il parvint à faire les deux en un laps de temps record. Se contredire ? Sa position sur le sujet avait déjà évolué à plusieurs reprises. En 2006, il avait promis à la Fondation Brigitte-Bardot et aux organisations de protection animale de supprimer la dérogation qui permettait d'égorger l'animal encore conscient, alors que le droit commun exigeait qu'il fût étourdi au préalable. Non seulement cette promesse n'avait pas été tenue, mais, à Bruxelles, le gouvernement français s'était opposé à l'adoption de la norme autrichienne qui imposait ledit étourdissement. De même que, sous la pression conjointe des autorités juives et musulmanes alliées pour la circonstance, il fit expurger du « Règlement européen d'information des consommateurs sur les denrées alimentaires », publié le 25 octobre 2011, l'obligation d'étiquetage des viandes en fonction de leur mode d'abattage. Fidèle à la ligne qu'il avait suivie sans discontinuer depuis son élection, le président-candidat, en visite le 21 février 2012 au pavillon de la boucherie de Rungis, choisit dans un premier temps de démentir le propos de Marine Le Pen et de balayer d'un revers de main *« une polémique qui n'avait pas lieu d'être »*.

D'instinct, il sentit vite cependant que, si l'affaire ne faisait qu'irriter les papilles délicates des arbitres du bon goût, les Français, quant à eux, risquaient d'en faire tout un plat. L'enquête Ifop-*Paris-Match* confirma que, contrairement à ce que psalmodiait la classe politique, le sujet de la viande halal était bel et bien servi à toutes les sauces dans les conversations privées des Français[17]. Je n'eus pas à argumenter davantage. Prenant allègrement le contrepied de ses positions antérieures, il se déclara favorable à l'étiquetage de la viande en fonction de la méthode d'abattage, lors de son meeting du 3 mars à Bordeaux. Pour faire presque aussitôt marche arrière, trois jours plus tard, au cours de l'émission politique phare de France 2, « Des paroles et des actes », en se prononçant cette fois-ci pour un étiquetage sur la base du seul volontariat. Ce qui revenait à vider la mesure de toute substance. L'explication de cette volte-face donnée par les médias fit, à l'époque, la part belle à l'action de certains groupes de pression soucieux de préserver un système dans lequel l'absence d'étiquetage permettait de faire financer les filières rituelles par l'ensemble des consommateurs. La rente du halal, bien supérieure à la taxe casher, et les flux financiers qu'elle nourrissait étaient un sujet tabou dont la seule évocation suscitait chez les notables musulmans des réactions d'une rare violence.

Au-delà de l'enjeu économique, certes considérable pour les bénéficiaires des largesses d'une République qui ne savait se montrer rigoureusement laïque qu'à l'égard de l'Eglise, l'ultime retournement de Sarkozy resta cependant pour moi un mystère. Qui l'avait décidé à changer d'avis ? Comment et pourquoi ? Autant de questions qui, sur le moment, ne trouvèrent pas de réponse. Une chose était sûre en tout cas : à peine mise en œuvre, la stratégie qui consistait à émettre de la fausse monnaie électorale gagée sur les promesses du candidat afin de renflouer le déficit du bilan présidentiel avait fait long feu.

Les métamorphoses du tueur aux yeux bleus

S'il y a un point sur lequel la vulgate progressiste est formelle, c'est bien celui-là : l'âge religieux aura été celui du bellicisme et les conflits armés n'y auront jamais été que la continuation de la théologie par d'autres moyens. Qu'importe que les guerres de religions, du moins en Occident, aient moins résulté de l'affrontement des confessions que de l'affirmation de l'Etat moderne qui les a utilisées pour se construire au même titre qu'il instrumentalisa les passions économiques et sociales, la cause est, depuis longtemps, entendue : *Theos* et *Polemos* marchent de concert pour le plus grand malheur de l'humanité. L'oraison du plus fort est toujours la meilleure. De cela, on ne discute pas. Fort bien ! Mais alors comment concilier ce grand récit avec les leçons de l'abominable XXe siècle dont on aura surtout retenu qu'en s'offrant à l'antichristianisme, il restera probablement dans l'histoire comme le champion toutes catégories en matière d'hécatombes et le plus gros pourvoyeur de charniers ? De Staline à Pol Pot en passant par Hitler et Mao Tsé-toung, les guerres des grandes idéologies athées auront fait plus de 100 millions de morts sans en appeler au Dieu de la Bible.

Etrangement, les pourfendeurs de la violence religieuse, hypermnésiques dès qu'il s'agit des crimes supposés de l'Eglise, répugnent à admettre que l'islam puisse être guerrier et conquérant. Le transfert sur ce nouveau sujet historique du messianisme révolutionnaire, jadis dévolu à la classe ouvrière puis aux pays du tiers-monde, lui vaut absolution plénière pour les aspects les plus sombres de ses écrits sacrés et de sa chronique multiséculaire. La religion des dominés étant l'instrument politique que les pauvres se sont trouvé pour mener le combat de l'émancipation, on les tiendra pour négligeables ou, pour une fois, on s'échinera à les contextualiser. On occultera les innombrables versets du Coran qui recommandent de tuer les infidèles. On repeindra en métaphores les autres sourates qui retentissent d'appels au meurtre ou sont consacrées à l'exaltation du combat et du supplice. On passera sur le fait que, dans son action, le prophète Mahomet fut d'abord un chef de guerre qui dirigea personnellement vingt-sept campagnes militaires et en décida trente-huit autres.

Pour tous ceux qui habitaient le ciel irénique d'un islam « de paix, de tolérance et d'amour », les tueries de l'islamiste franco-algérien Mohamed Merah furent un moment dérangeant qui allait préluder à bien d'autres encore plus insupportables. Le 11 mars 2012, le maréchal des logis-chef Imad Ibn Ziaten, un Français d'origine marocaine du 1er régiment du train parachutiste, était abattu à bout portant sur un parking dans la banlieue de Toulouse. Le 15 mars, à Montauban, Abel Chennouf, un Français d'origine algérienne et de confession catholique, et Mohamed Legouad, un Français d'origine algérienne également et de confession musulmane, tombaient à leur tour sous les balles du tueur en scooter, non loin de la caserne où leur unité, le 17e régiment du génie parachutiste, était cantonnée. Plus tard, certains commentateurs, pour la plupart étrangers, feront observer que les gestes meurtriers de Merah, commis la veille du 50e anniversaire des accords d'Evian, semblaient avoir été dictés par une logique interne propre à la mémoire collective de la guerre d'Algérie comme une sorte d'« antimémorial[18] », selon la formule de l'historien anglais Andrew Hussey. Les meurtres de soldats d'origine algérienne portant l'uniforme de l'armée française ne faisaient-ils pas écho au massacre des harkis ? Ne reproduisaient-ils pas, un demi-siècle après, à la manière d'un *copycat*, l'atroce rituel expiatoire qui avait marqué l'avènement de l'Algérie indépendante ? La tuerie de Toulouse n'avait-elle pas eu lieu le 19 mars, cinquante ans, jour pour jour après la mise en œuvre du cessez-le-feu à Alger ? La tentation était grande, en tout cas, de rapprocher le djihad qui, plus que la lutte contre l'impérialisme français, avait été le cœur battant de la révolte algérienne et de ce qui se jouait dorénavant sur le territoire national.

A force de tenir la France en joue à travers les souvenirs douloureux du drame algérien, l'islamisme avait trouvé un fou d'Allah qui était aussi un fou de la gâchette pour ouvrir le feu. Il récidiva le 19 mars, faisant quatre nouvelles victimes, dont trois enfants, dans l'école juive Ozar Hatorah de Toulouse. De retour d'une visite éclair sur les lieux, le chef de l'Etat nous convoqua dans l'après-midi pour une réunion de crise. Ou plus exactement de crises, tant Nicolas Sarkozy lui-même écumait de rage. Il venait d'apprendre par les chaînes d'information que l'arme ayant servi lors de la tuerie à l'école était la même que celle qui avait été utilisée, la semaine précédente, pour l'assassinat des militaires. Trémulations, imprécations, vociférations en firent, à cet instant précis, une réincarnation probante d'Arès, le dieu grec de la guerre. Jamais je n'avais eu à observer chez lui une telle explosion de fureur, si ce n'était peut-être au cours de cet après-midi de juillet 2010, où il réalisa qu'on avait omis de lui transmettre la déposition de la comptable de Liliane Bettencourt, suggérant un financement occulte de sa campagne de 2007.

« Je suis le président de la République et je suis la personne la plus mal informée de France. Je suis le président de la République et j'ai été le dernier à apprendre que le fou dangereux qui se balade en liberté a déjà tué et peut récidiver d'un moment à l'autre. C'est gravissime, vous m'entendez ? C'est gravissime. Je suis le président de la République et mon conseiller pour les affaires de police n'a pas cru devoir me mettre au courant des résultats de l'expertise balistique. Et vous appelez cela l'Etat ? Mais quand cela va se savoir, je vais être la risée du monde entier… Vous voulez m'ensevelir sous le ridicule, c'est ça ? »

Pas une fois durant cette longue diatribe, son regard ne s'était fixé sur l'objet de son ire, Christian Frémont, son directeur de cabinet, dont la tête dodelinait déjà dans l'attente du coup de grâce qui tardait à venir. A quel titre le poste avait-il échu en juillet 2008 à cet homme de gauche, ancien directeur de cabinet des ministres socialistes Philippe Marchand et Paul Quilès, ancien maître des stages à l'ENA de François Hollande avec lequel il continuait d'entretenir, comme Jean-Pierre Jouyet du reste, une relation des plus amicales ? Quel critère avait bien pu présider à son recrutement ? L'ouverture ? Je soupçonnais Sarkozy de ne l'avoir lui-même jamais très bien su. Aucune affinité particulière ne liait les deux hommes et l'incongruité de ce choix éclatait ainsi, soudain, au grand jour.

Dans l'ignorance où nous étions alors de la véritable identité du tueur, les spéculations allaient bon train. Les hommes autour de la table étaient tous représentatifs des élites dirigeantes : par peur, par autosuggestion ou par exténuation intellectuelle, ils se refusaient depuis toujours à reconnaître la nature violente et belliqueuse d'un certain islam. La piste privilégiée, dans les conversations, était celle du criminel d'« ultradroite », d'un « loup néonazi », d'un Anders Breivik à la française en oubliant au passage le militantisme prosioniste du terroriste norvégien. La première version de l'allocution que devait prononcer le président s'en ressentait fortement. A tel point qu'il me fallut batailler pour obtenir la suppression de certains passages : « C'est toujours la même tentative d'instrumentalisation politique de la part de la gauche. Rappelle-toi l'attentat contre la synagogue de la rue Copernic en 1980 et la profanation du cimetière de Carpentras en 1990. L'extrême droite n'y était pour rien. La vérité importe peu dans ce genre d'affaires. Ce qui compte, c'est de mettre en branle le front antifasciste comme machine à fabriquer du vote socialiste. On n'est peut-être pas obligé de retomber dans le même piège à chaque fois. »

Sarkozy acquiesça. Son tempérament ne l'inclinait pas au suicide. Ni individuel ni collectif. En moins de sept minutes, sans notes et sans maquillage, il annonça aux Français qu'il suspendait pour quarante-huit heures sa participation à la campagne électorale. Majestueuse antiphrase à l'abri de laquelle il allait pouvoir déployer, en toute impunité, dans les habits du président, une nouvelle « séquence » de communication à l'enseigne de l'unité nationale. Une fois retombé son légitime courroux, il n'avait pas fallu plus de temps au chef de l'Etat pour saisir à quel point les événements, aussi dramatiques fussent-ils, pouvaient servir l'intérêt politique et la scénarisation médiatique du candidat.

Pendant ce temps-là, les *profilers* improvisés des médias s'en donnèrent à cœur joie. Ils rivalisèrent dans le détail pour dresser un portrait-robot du tueur. Le crime avait désormais un visage et ce visage une couleur de peau. L'heure était à la traque des « pyromanes de l'identitaire » coupables d'avoir entretenu un « climat de haine » et, par extension, armé le bras du monstre. Avec une acuité confondante, France 2 avait repéré « un Blanc aux yeux bleus », France Inter « des yeux bleus sur un visage blanc », M6 « un homme de type caucasien ou européen ». Suivait le gros du peloton d'où se détachèrent Bernard-Henry Lévy, Dominique Sopo, le président de SOS Racisme, Alain Jacubowicz, le président de la Licra, *Le Canard enchaîné*, *Charlie Hebdo* dans une échappée qui laissa loin derrière tous les autres spécialistes de l'exercice.

Moins de vingt-quatre plus tard, dans la nuit du 20 au 21 mars, la fiction grossièrement élaborée par une partie de la classe médiatico-politique s'effondrait. Le « tueur au scooter » n'avait pas les yeux bleus. C'était un Franco-Algérien de 23 ans nommé Mohamed Merah. Ce n'était pas littéralement un « tueur fou » ou un « néonazi meurtrier », mais un soldat du djihad qui avait effectué plusieurs stages au Pakistan et en Afghanistan et qui revendiquait par ailleurs son affiliation à Al-Qaïda. Sans aucun embarras, ni le moindre scrupule, les mêmes spécialistes, qui, la veille encore, défilaient sur les plateaux pour mettre en avant une approche holiste des crimes de Montauban et de Toulouse en les reliant à un climat de haine et de xénophobie imputable à la droite et à l'extrême droite, en tenaient désormais pour une explication purement individualiste : Merah n'était qu'un « loup solitaire », un assassin isolé, un petit voyou dont la sanglante dérive ne renvoyait à rien d'autre que lui. Aussitôt, deux mots d'ordre tournèrent en boucle sur toutes les ondes : « Pas d'amalgame », « Pas de stigmatisation ». Passée la sidération des premières heures, tout devait être fait pour conforter l'idée, mise à mal par les événements, d'un islam de France que Dalil Boubakeur, toujours en service commandé, s'appliquait cette fois à décrire comme étant « à 99 % pacifique, citoyen et responsable ».

Comme la plupart des dirigeants politiques, Nicolas Sarkozy se berçait volontiers de l'idée selon laquelle le schéma qui avait fondé sa fortune politique était invariablement modélisable et indéfiniment reproductible. Voici que l'actualité venait lui prêter main-forte. S'il avait connu les mots de « divine surprise », nul doute qu'il les aurait employés. Abusé par une interprétation biaisée des événements, il voulut croire que l'affaire Merah allait lui permettre de réactiver les thèmes qui avaient fait son succès en 2007 : sécurité, lutte contre la délinquance et l'« immigration subie ». Il se trompait. L'équipe de François Hollande exploita habilement les carences des services de police révélées par l'enquête. Un signalement du cas Merah, en raison de son « potentiel de dangerosité élevé », était remonté en juin 2011 de la Direction régionale du renseignement intérieur de Toulouse à la plus haute hiérarchie parisienne sans susciter la moindre réaction. En définitive, l'exécution de Merah par les hommes du Raid dans la matinée du 22 mars fut moins perçue comme une démonstration de force que comme le dénouement d'un épisode révélateur de l'impuissance de l'Etat face au terrorisme islamiste.

Un jeune exalté qui, dès l'âge de 18 ans, posait en tenue religieuse traditionnelle devant le Coran, un couteau de boucher à la main, avait pu tuer à trois reprises en l'espace d'une semaine, alors qu'il était censé faire l'objet d'une surveillance de la part des services de police. Pour qui s'en tenait aux faits, les tueries de Montauban et de Toulouse n'étaient pas du ressort de la seule fatalité. Elles révélaient au grand jour l'incurie des pouvoirs publics, leur incapacité à prendre la mesure des nouvelles formes de guérilla urbaine que portait le djihad. Pour qui réfléchissait plus avant, elles confrontaient une société hédoniste et coupée de toute transcendance à l'étrangeté d'une cause dont les « martyrs », disposant de leur vie par le sacrifice qu'ils en faisaient, disposaient du même coup, comme bon leur semblait, de la vie d'autrui. C'était là la principale qualité que Ben Laden, le chef d'Al-Qaïda, attribuait à ses soldats, la qualité qui fondait leur supériorité sur les mécréants qui récusaient Allah. Avant d'être abattu par les forces de police, Mohamed Merah n'avait pas dit autre chose : « Moi, la mort, je l'aime, comme vous, vous aimez la vie. »

La droite n'était pas prête à relever ce défi qui nécessitait moins de forces physiques que métaphysiques. Par la voix du candidat Sarkozy, elle s'obstinait à répondre en termes de sécurité, de moyens et d'effectifs à une question que le cas Merah posait de façon explicite en termes de civilisation. L'islamisme n'avait même pas besoin d'avoir recours à la *taqiya*, cet art de la dissimulation et du camouflage face à l'ennemi prôné par le Coran, d'elles-mêmes les élites françaises se voilaient la face.

Pourtant, en réclamant que le corps de Mohamed Merah fût « rapatrié » en Algérie pour y « être enterré au côté de ses ancêtres », la famille du djihadiste mettait en lumière une pratique courante chez les binationaux franco-musulmans. L'inhumation en terre d'islam, ou à défaut dans un carré musulman d'un cimetière français, signait de façon éclatante l'appartenance à l'*Oumma*, la grande communauté des croyants, une nation séparée du reste des hommes et transcendant toutes les autres nations. Pour nombre d'entre eux, c'était aussi une manière de signifier que la citoyenneté française n'était qu'une affaire de tampon administratif et que la France avait vocation à n'être qu'un simple lieu de résidence, une sorte de terrain vague ou, pis, de devenir une terre de conquête. Elevé dans une famille qui haïssait son pays d'adoption comme beaucoup d'Algériens, Mohamed Merah venait d'attester à sa manière, certes radicale, terrifiante, du retour du refoulé colonial sur notre territoire. Sa mère l'avait confirmé brutalement, ainsi que rapporté par l'enquête de police : « Mon fils a mis la France à genoux. Je suis fière de ce que mon fils vient d'accomplir ! »

« On ne touche pas à cette question-là », trancha le chef de l'Etat lorsque je venais d'évoquer devant lui le cas de ces binationaux à l'allégeance unique. J'avais prononcé des mots défendus, manqué à la prudence cauteleuse qui devait envelopper ce genre de sujet. S'enfonçant dans la brèche, Henri Guaino tenta de reprendre la main sur une campagne qui lui échappait depuis le début. « C'est indécent », lâcha-t-il à propos de la « Lettre aux Français » que Nicolas Sarkozy s'apprêtait à publier dans la presse. Il s'insurgea contre la place accordée aux drames de Montauban et de Toulouse y subodorant sans doute la trace de ma néfaste influence. Nul n'avait pourtant tenu la main du candidat, tout à son idée de rééditer les campagnes sécuritaires de 2002 et de 2007, passant par profit et perte le fait que la droite et lui-même en première ligne étaient, depuis dix ans, seuls en charge de l'ordre public et de la protection des Français. Désastreux effet de parallaxe qui empêchait le président de juger lucidement son propre bilan et celui du ministre de l'Intérieur qu'il avait été.

A cette erreur stratégique s'ajouta une faute tactique. La première lui incombait, la seconde doit m'être entièrement imputée. La gauche ayant pointé les défaillances des services de renseignement, l'occasion était trop belle de la prendre dans les rets de ses contradictions. Lancer un vaste coup de filet dans la mouvance islamiste l'obligerait à se solidariser ou à se déjuger, à se soumettre ou à se démettre. Difficile de critiquer l'opportunisme de mesures répressives quand on venait soi-même de mettre en cause l'efficacité de la police. Toujours avide de mouvement, Nicolas Sarkozy valida l'opération que je lui suggérai. Claude Guéant, à la tête du ministère de l'Intérieur, et Frédéric Péchenard, à la Direction générale de la police nationale, l'exécutèrent avec célérité et brio. On m'en sut gré.

— J'aime bien quand vous nous faites travailler ainsi. On en redemande, me confia sur le mode laconique le second flic de France.

Dans la matinée du 30 mars, les images des policiers procédant à l'arrestation des membres de Forsane Alizza, un groupuscule extrémiste dissous quelques semaines auparavant pour incitation à la lutte armée, comblèrent d'abord nos espérances. En même temps que des millions de Français, nous découvrîmes sur les écrans l'interpellation de cet « émir » nantais, barbu à souhait, le visage dissimulé derrière de grosses lunettes de ski, parfait épouvantail propre à rabattre en rangs serrés les électeurs migrants vers la volière du sarkozysme. Il nous fallut vite déchanter. Les descentes de police dans les milieux salafistes avaient mis au jour tout un inframonde dont les Français ignoraient jusque-là sinon l'existence du moins le mode de vie. On apprit dans la foulée que Mohamed Achamlane, le chef de ces « Cavaliers de la fierté » autoproclamés, ainsi que la plupart des dix-neuf personnes interpellées en sa compagnie bénéficiaient du Revenu de solidarité active (RSA) et d'autres aides qui constituaient l'essentiel de leurs revenus. De même que circula l'information selon laquelle le loyer du logement de Merah, dans le quartier de Côte pavée à Toulouse, avait été pris en charge par un organisme social.

Venant après le scandale des fraudes aux prestations pratiquées par des musulmans polygames et les polémiques à propos du remboursement par la Sécurité sociale des certificats de virginité réclamés par les imams, ces révélations marquèrent profondément les esprits. Beaucoup en conclurent que les réseaux islamistes vivaient des subsides généreusement distribués par l'Etat. Les dommages collatéraux furent considérables. Plutôt que de se montrer rassérénés par cet épisode répressif, les Français s'alarmèrent des réalités dérangeantes que celui-ci faisait remonter à la surface. Parmi les centaines de commentaires qui m'arrivèrent, les mêmes questions revenaient de façon lancinante. Pourquoi les pouvoirs publics toléraient-ils de telles situations et de telles pratiques? Pourquoi la République laïque montrait-elle tant de faiblesse à l'égard des revendications musulmanes ? Pourquoi, enfin, le président élu en 2007 pour restaurer l'autorité de l'Etat n'avait-il rien fait pour changer l'ordre des choses ? En filigrane, d'autres interrogations plus fondamentales se faisaient jour. Qu'avions-nous en commun à opposer à l'islam ? Sur quel essentiel s'unir avec les fidèles d'une religion si prosélyte, si étrangère à nos mœurs et à notre culture ? Comment arrêter l'implacable mécanique qui s'était mise en marche ?

CHAPITRE XII

Une politique de civilisation

« L'essentiel s'appelle permanence, il a nom continuité. Nous vivons dans un monde brusquement encombré d'écume. L'écume du changement est comme la mousse des détergents sur un fleuve mort de pollution ; je plains le changement et les hommes de changement. »

Pierre Chaunu.

Au lendemain des attentats du 13 novembre 2015, devant le congrès réuni à Versailles, François Hollande pose au chef de guerre dans une posture qui n'est pas sans rappeler celle des dirigeants français à la veille de la Seconde Guerre mondiale. Comme ses calamiteux prédécesseurs, il entend se hisser jusqu'au tragique pour qu'on le prenne enfin au sérieux. Sans plus de succès. A l'instar d'un Paul Reynaud qui s'exclama en septembre 1939 : « Nous vaincrons parce que nous sommes les plus forts », le second président socialiste de la Ve République emprunte des accents martiaux pour lancer du haut de la tribune : « Le terrorisme ne détruira pas la République, car c'est la Répuplique qui le détruira. » En une spectaculaire volte-face, il proclame la nécessité de rétablir des frontières, perspective qu'il a fermement combattue lors de la campagne de 2012.

Pas une fois, cependant, il ne nomme l'ennemi autrement que sous l'obscur acronyme de Daech, convoqué pour éviter d'avoir à désigner l'Etat islamique et à prononcer le mot qui fâche. Question de logiciel mental : les terroristes ne peuvent être que des « fous », « barbares » et « monstres » hors humanité, en aucun cas des ennemis déterminés à nous combattre et sachant pourquoi ils nous combattent. Mais, refusant d'identifier la menace, il perd du même coup toute possibilité d'y répondre.

S'ensuit l'énumération des moyens destinés à renforcer la sûreté intérieure et à encadrer l'état d'urgence, mais dont la mobilisation tardive ne fait que souligner l'urgence d'Etat, de ce pouvoir régalien qu'on s'est employé méthodiquement à démanteler. Les responsabilités, il est vrai, sont partagées tant les gouvernements de droite et de gauche se sont accordés, depuis trente ans, pour diviser par deux le budget de la Défense tout comme ils ont amputé les dépenses de sécurité dans leur commune volonté d'oublier la dimension tragique de l'histoire et la violence inhérente à la condition humaine. D'instinct, François Hollande a mis ses pas dans le sillage du dernier gouvernement du Front populaire avec cet art inimitable que manifeste la gauche pour maquiller son dépôt de bilan en un péan avantageux. De réarmement moral, en revanche, il ne sera pas question. A aucun moment. Comme s'il n'était d'autre barrage à dresser contre le terrorisme islamiste qu'une éternelle logomachie depuis longtemps vidée de tout sens.

L'empire du vide

Les bougies allumées sur les lieux où ont été perpétrées les tueries du 13 novembre 2015 ne vont pas sans évoquer la résurgence de quelque vieux culte animiste. Si elles dispensent un peu de chaleur, elles n'émettent guère de lumière. Dans la nuit parisienne, elles ne sont que d'éphémères compensatrices de vacuité. Pendant des heures, les images des télévisions nous ont ainsi confrontés au vertige de notre propre néant. A l'empire du vide.

Des fous d'Allah ont vidé leurs kalachnikovs au hasard des rues de la capitale. Ils ont abattu, selon les mots mêmes de Daech, des « idolâtres », châtié une « fête de la perversité », et nous n'avons rien à leur opposer que de pauvres rites conjuratoires qui témoignent de notre désarroi et de notre faiblesse devant l'effet de souffle de ce funeste vendredi 13. Face à cette tératologie surgie d'un autre temps, nos élites n'ont rien à dire. Nous sommes face à la mort qui a cruellement prélevé sa dîme, plus démunis que des paysans du Moyen Age. Du péril ne vient pas ce qui sauve, selon le vers célèbre d'Hölderlin[1], mais un péril plus grand encore. L'action n'engendre pas de contre-réaction, mais le spectacle d'une asthénie morale qu'on se précipite de baptiser « résistance » dans le dessein dérisoire de s'approprier des vertus qui nous ont depuis longtemps abandonnés.

Il faudra attendre plusieurs jours pour que l'apparition de drapeaux tricolores, émergeant çà et là de l'abîme, atteste de la survivance de raisons supérieures de vivre et de mourir. Cette fois cependant, à la différence du 11 janvier, les invocations aux valeurs républicaines se feront plus discrètes. Un certain islam a administré la terrible démonstration de sa force aux dépens d'une République réduite à l'état d'agrégat de minorités par sa coupable complaisance à l'égard du communautarisme. Aux Français dans leur diversité désormais impossible à ramener à l'unité, la République n'a plus rien à faire partager si ce n'est un vague règlement de copropriété connu sous le nom de « vivre ensemble ». Se dévoile alors l'entropie qu'a décrite Pierre Manent dans un essai publié quelques jours avant la tragédie : « Lorsqu'on réclame l'attachement de tous aux valeurs de la République, il faut comprendre que l'on propose en vérité des valeurs sans République, ou une République sans chose commune, puisqu'une chose commune comporte appartenance, éducation commune, loyauté et dévouement à la chose commune, toutes choses par lesquelles on n'entend plus être lié. Ainsi, lorsqu'on nous demande d'adhérer aux valeurs de la République, on ne nous demande rien[2] (...). »

Un tel constat revient à dresser l'acte de décès de la *Res publica* telle que l'avaient conçue les rois de France ou les grands mystiques républicains du XIXe siècle, c'est-à-dire le primat du *pro mundo* sur *le pro domo*, de l'amour du monde sur le souci de soi, de la vertu publique sur le calcul égoïste. Avec l'avènement de l'individualisme qui inverse l'ordre des facteurs, il n'est plus que la tyrannie des droits de chacun, personne, groupe ou minorité, puisque la communauté de valeurs devient d'autant plus impossible à réaliser que l'atomisation autorise des modes de vie et de pensée radicalement incompatibles.

Minée dans ses fondements par les assauts de la postmodernité politique, la République se voit en outre confrontée, en raison de l'expansion de l'islam, à l'angle mort de son histoire. Elle retrouve là son talon d'Achille. S'étant employée, au nom de la raison et de la loi, à refuser toute religion pour mieux en fabriquer des ersatz, elle a implicitement reconnu l'infériorité et la fragilité de son appareil symbolique, dès lors qu'il s'agit de prendre en charge le besoin d'absolu qui existe à des degrés divers dans chaque être humain. De la théophilomédie à la théophilanthropie, du culte décadaire au culte de l'Etre suprême, les tentatives de la Révolution française pour acclimater une religion civile, un sacré républicain ont toutes sombré dans le ridicule, et leurs créateurs avec. Le XIXe siècle bute sur les mêmes difficultés. Le grand historien Michelet écrit une *Bible de l'humanité* à la gloire des mythes orientaux. Auguste Comte, auteur d'un catéchisme positiviste, projette d'installer une statue de l'Humanité au-dessus du maître-autel de Notre-Dame de Paris. Victor Hugo, en féru d'occultisme, comme nombre d'intellectuels de son époque, aime à faire tourner les tables pour y convoquer les esprits. Convaincu que la raison technicienne doit être un remède à la perte de l'absolu (« plus de science, moins de croyance »), le présomptueux XXe siècle ne se montre guère plus heureux. En somme, les grandes figures tutélaires de la République se seront échinées, chacune à sa manière, à valider l'observation narquoise de G.K. Chesterton selon laquelle : « Quand on cesse de croire en Dieu, ce n'est pas pour croire en rien, c'est pour croire en n'importe quoi. » Au vu de ce qui précède, il est permis de douter que le vieux modèle politique, qui s'est révélé incapable de faire religion à la place du religieux, puisse trouver en lui les ressources nécessaires pour combattre l'emprise politico-religieuse de l'islam.

Impasses de la laïcité

La sommation djihadiste, la menace qu'elle fait désormais peser en permanence sur notre société, a eu pour effet de relancer le débat autour des vertus de la laïcité ou plutôt des laïcités, devrait-on dire, tant le mot est devenu polysémique. Parmi les diverses conceptions qui abondent, la plus ancienne et la mieux avérée est sans conteste celle qui s'inscrit dans le prolongement du gallicanisme. L'exception, moins républicaine que française, de la laïcité trouve sa détermination historique dans le tour pontifical donné au pouvoir royal des Capétiens au début du XIVe siècle. Et l'esprit laïque, dans la victoire de Philippe le Bel sur Boniface VIII qui établit l'indépendance de la monarchie à l'égard de la papauté au moment même où Guillaume de Nogaret et les légistes achèvent de transférer au roi, avec la sacralité des fonctions christiques, la « plénitude de puissance » qui va avec l'absolutisme, c'est-à-dire les éléments juridiques et mystiques qui fondent la théocratie romaine depuis la réforme grégorienne.

De cette laïcité gallicane qui soumet les religions et les Eglises à la loi d'airain de l'Etat-nation, il existe encore un certain nombre d'héritiers dans la France contemporaine. On connaît leur leitmotiv : accomplir avec les musulmans ce que la IIIe République a fait avec les catholiques. A ceci près que l'analogie entre la situation de l'islam en France aujourd'hui et celle de l'Eglise au début du siècle dernier est pour le moins trompeuse. Car si les catholiques ont jadis accepté comme citoyens une loi qu'ils réprouvaient sur le plan spirituel, tout indique que ce n'est pas là le chemin sur lequel se sont engagés les musulmans de France qui ne consentent ni à un évidement de leur foi, ni à un évitement du sacré comme y invitent ces ultimes tenants de la « laïcité à la française ».

D'aucuns, parmi ces intransigeants, citent également comme modèle le questionnaire soumis en 1806 par Napoléon au Grand Sanhédrin, afin d'obtenir des rabbins et notables juifs, sur le plan des mœurs et des coutumes (mariage mixte, polygamie, divorce, etc.), une adhésion pleine et entière à la communauté nationale. La reproduction d'une telle démarche nécessiterait qu'au moins trois conditions soient remplies : un Etat-nation effectivement souverain, délivré du carcan des institutions européennes comme de la réglementation supranationale ; une instance véritablement représentative de l'islam de France avec laquelle pourrait s'engager un dialogue permanent ; une volonté clairement manifestée de la part des musulmans d'amender ou de modifier leurs pratiques et leurs mœurs pour les rendre compatibles avec les lois de notre République laïque. Or il faut bien admettre qu'il y a peu de chances que l'une ou l'autre de ces conditions et encore moins les trois à la fois puissent être satisfaites à brève échéance.

On pourrait penser *a contrario*, parce qu'elle ne nourrit pas de semblables exigences, que la version moderne de la laïcité serait mieux à même d'apporter une solution aux problèmes que pose une société multiculturelle et multiconfessionnelle. Après tout, n'est-elle pas la plus en phase avec un Etat libéral, axiologiquement neutre, puisque cette laïcité-là se borne à proposer un cadre de coexistence pacifique des diverses religions en limitant leur visibilité dans l'espace public, autrement dit, un mode et code de cohabitation ? L'expérience de la décennie écoulée a montré qu'il n'en était rien. La société française est devenue si hétérogène que le périmètre du règlement *a minima* qu'elle est prête à accepter ne cesse de se restreindre. Quand les sociétaires n'ont plus de langage commun, ils ne vivent plus que dans un entre-soi, n'ayant plus à partager ni croyance ni projet collectif. « On n'habite pas une séparation », écrit fort justement Pierre Manent dont le mérite aura été de montrer à un moment critique de la prise de conscience collective que la laïcité, qu'on s'acharne à présenter comme le seul bouclier et la seule réponse licite à l'agression djihadiste, est à peu près aussi solide et protectrice qu'une aile de libellule.

L'un des non-dits les plus assourdissants du débat actuel consiste à taire la responsabilité du progressisme de gauche dans la séparation de l'islam et de la société française. Il n'est pourtant pas abusif d'imputer pour une large part aux effets conjoints de l'individualisme hédoniste et de l'idéologie émancipatrice le processus de radicalisation des musulmans français travaillés par le double sentiment explosif et contradictoire de la supériorité de leur civilisation et de l'infériorité de leur puissance. Le mépris que leur inspire la société française, jugée à la fois apostate et décadente, est pour beaucoup dans leur refus croissant d'intégrer la communauté nationale. De la banalisation de l'avortement à la légalisation du mariage gay, de l'exaltation du féminisme à la marchandisation de la maternité, de la dévalorisation de l'autorité masculine à la proscription des vertus viriles, de la théorie des genres à l'ABCD de l'égalité, de l'obscénité à la pornographie télévisuelle, les musulmans se sentent et se disent agressés en permanence dans leur être de croyants comme dans leur identité la plus profonde par nos lois et par nos mœurs.

En la matière, les politiques de gauche, écartelées entre l'extrême sollicitude et l'autisme le plus lourd, sont toutes condamnées à l'échec. On ne peut, en effet, d'une part, considérer que les musulmans sont les nouveaux damnés de la terre auxquels les souffrances de l'exploitation coloniale conféreraient une créance sous forme de droits supérieurs à ceux de la majorité et, d'autre part, ignorer le fait que ces mêmes musulmans, même s'ils ne le disent pas tous à haute voix, rejettent en leur for intérieur une société qu'ils jugent déliquescente. Pour l'islam de France, la sortie de religion telle que la conçoivent de concert le progressisme libertaire et la modernité libérale n'est pas seulement vécue comme un désenchantement absolu du monde, mais aussi et surtout comme un système qui met en péril les invariants anthropologiques dont les religions ont eu jusqu'ici la garde historique. Il y a là, pour qui tient les yeux ouverts, l'embryon d'une guerre civile.

L'exception de laïcité, qui fait de la France le seul pays européen à ne pas laisser de place aux religions dans l'espace public, quand tous les autres ont conscience que la dimension religieuse est essentielle à la vie de l'homme, n'est donc pas une solution, mais une part du problème. A moins qu'on ne décide que l'islam tel qu'il est, c'est-à-dire porteur d'une contre-révolution normative dans le domaine des mœurs, et non pas tel qu'on voudrait qu'il soit, autrement dit, soluble dans l'anomie générale, n'a plus sa place sur le territoire national. A moins qu'on ne se résigne à tirer les leçons d'un état de fait qui laisse de plus en plus apparaître l'impossibilité qu'il y a à faire coexister sur un pied d'égalité des cultures et des modes de vie opposés, sans que l'un impose sa loi aux autres.

Force est de constater que l'intégration des musulmans présentait autrefois beaucoup moins de difficultés et ce, pour au moins trois raisons parfaitement identifiables. D'abord, parce que la nation française était alors dotée d'une identité forte et attrayante et que le patriotisme y avait été érigé en religion séculière par l'Etat laïque lui-même, soucieux d'offrir un substitut à la vieille foi catholique. Ensuite, parce que la communauté musulmane n'avait pas atteint la masse critique d'environ 5 à 6 millions de fidèles qui est la sienne aujourd'hui. Enfin, parce que l'islam de France se situait alors dans une extrême proximité morale et symbolique avec les valeurs qui prédominaient dans la France traditionnelle, c'est-à-dire les valeurs d'une France encore majoritairement chrétienne et foncièrement conservatrice : reconnaissance de la famille comme structure anthropologique et sociale première, adhésion à un ordre hiérarchique et transcendant, place centrale accordée à l'autorité, au respect de la personne et au sens de l'honneur. Ces temps-là ne reviendront plus, en tout cas pas sous cette forme, mais est-ce une raison pour ne pas être attentif à ce qu'ils ont encore à nous apprendre ? Le moment n'est-il pas venu de conclure que ni le vide de la laïcité, ni le trop-plein de la société de marché n'offrent d'alternative crédible face à l'islam ?

Ceux que ce questionnement habitait depuis longtemps, et qui le considéraient inévitable depuis le tournant opéré à partir du 11 septembre 2001, n'auront pas été insensés de penser que l'élection de Nicolas Sarkozy représentait une opportunité d'enfin y répondre.

De la laïcité positive

L'allocution du chef de l'Etat à la basilique Saint-Jean de Latran, le 20 décembre 2007, était appelée à rester, à n'en pas douter, le grand acte de rupture du quinquennat. S'il y eut un coup de génie, un seul, ce fut bien celui d'avoir été le premier président de la Ve République, depuis de Gaulle, à ressentir et à exprimer publiquement à quel point le corpus intellectuel de la France était marqué par sa relation avec l'héritage chrétien et qu'il y avait là, malgré les apparences d'une déchristianisation massive, une ressource politique immédiatement disponible. Embarqué à la proue de la basilique majeure, Nicolas Sarkozy développa ce jour-là une double intuition dont les événements ultérieurs ne feraient que mettre en lumière le caractère visionnaire, voire prophétique. La première était que l'effondrement en France du christianisme comme pratique religieuse ne signifiait nullement sa disparition en tant que composante identitaire et socle civilisationnel. La seconde fut la mise en exergue, à contre-courant de la pensée dominante, du fait que la religion n'était pas une affaire purement privée qui fondait le rapport de l'individu à l'au-delà, mais ce qui reliait les individus entre eux, un élément important et même, comme le pensait Tocqueville[3], le fondement du lien social au même titre que la langue, là où l'intégrisme laïque, faute d'être adossé à une espérance, échouait à produire du sens et du partage.

D'où cet appel à une *« laïcité positive »*, une laïcité *« enfin parvenue à maturité »* où la religion ne serait plus un danger, *« mais plutôt un atout »*. Ce coup de tonnerre dans le ciel romain fit trembler les colonnes des temples. A tout le moins celui du Grand Orient de France dont la pensée rayonnait depuis la rue Cadet, à Paris, siège de l'obédience. Ce n'était pas tous les jours qu'un président de la République française faisait le constat de l'incomplétude de notre société et, à bien le lire, de la supériorité des valeurs spirituelles sur des valeurs démocratiques que ne soulevait aucune transcendance. Ce n'était pas tous les jours qu'un chef de l'Etat s'en prenait au laïcisme accusé de s'être fourvoyé en tentant de couper la France de ses racines chrétiennes. Le grand maître et les desservants de quelques chapelles annexes, comme *Libération* ou *Marianne*, s'en émurent à grand renfort de protestations. Pour ce défilé des indignés avant l'heure, il était intolérable que le président foulât ainsi aux pieds les apports du rationalisme, des Lumières et de la libre-pensée et qu'il préférât à la patrie de Descartes celle de Pascal.

La précognition qui avait rendu possible dans l'esprit de Nicolas Sarkozy le discours du Latran était que le retour de la barbarie, indéniable depuis les attentats du 11 septembre 2001, aurait pour vertu de faire redécouvrir aux Occidentaux les fondements de la civilisation, de *leur* civilisation. Or, à la source des civilisations, entendues comme manière d'être de l'homme, de même qu'au principe de leur conservation au cours de l'histoire, il y avait toujours eu la religion. En France comme en Europe, la matrice de l'identité civilisationnelle, n'en déplût à Jacques Chirac qui avait combattu avec succès qu'on y fît référence dans feu le projet de Constitution européenne, était le christianisme. Il n'était pas insensé de penser que, sous la double menace anxiogène du djihadisme et de la mondialisation, on assisterait à la renaissance d'un sentiment identitaire fort et que celui-ci se manifesterait chez les peuples européens, et singulièrement en France, par la réappropriation d'un cadre historico-politique dont l'héritage chrétien formait les contours.

J'en étais, pour ma part, d'autant plus convaincu que le phénomène de déchristianisation propre à la modernité, depuis l'« invention du progrès[4] », n'était, à bien l'examiner, rien d'autre qu'un christianisme inversé. Il correspondait à ce moment de l'histoire – la sécularisation – où les grands thèmes théologiques avaient été non pas abandonnés, mais retranscrits sous une forme profane. Communisme et capitalisme, les deux conceptions jumelles et rivales qui, en s'entrecroisant et en s'affrontant depuis le XIXe siècle, s'étaient disputé le monopole de l'idéologie du progrès, ne relevaient-ils pas d'idées chrétiennes ramenées sur terre, de ces « idées chrétiennes devenues folles » dont parlait G.K. Chesterton : le déterminisme marxiste, d'un côté, la prédestination protestante, de l'autre, l'amour de l'homme jusqu'à la mort de Dieu, d'une part, et l'obéissance à la volonté divine jusqu'à la négation de la liberté humaine, d'autre part ? De ce que Pierre de La Coste avait parfaitement identifié comme étant « le principe actif de l'histoire occidentale » sous la forme d'une « dialectique du libre arbitre et de la grâce »[5], principe toujours fécond, toujours à l'œuvre, j'étais et je reste persuadé que pouvait sortir une politique de l'espérance. Une politique qui répondrait à la volonté, de plus en plus manifeste du peuple français, de retrouver en partage un monde commun de valeurs, de signes et de symboles qui ne demandait qu'à resurgir à la faveur des épreuves à venir.

Puisque ses dernières incarnations avaient échoué, le grand mystère chrétien laïcisé n'était-il pas disponible pour une autre aventure? Nous étions arrivés à ce que les physiciens appelaient le « point de bifurcation », où le tout-déterminé cédait devant le tout-indéterminé, où à un système stable succédaient des variations instables, où n'importe quel événement, si insignifiant fût-il, à l'instar de l'effet de bascule cher à l'essayiste Malcolm Gladwell[6] ou encore de l'effet papillon décrit par le romancier Ray Bradbury[7] et le météorologue Edward N. Lorenz[8], était susceptible de modifier radicalement le cours des choses. Désertées comme lieux de prière, les églises et les crèches nous attendaient, au détour de l'histoire, comme symboles d'identité. L'ombre archaïque des fous d'Allah qui faisait de nous des croisés fantasmés allait agir de telle sorte que nous nous redécouvririons à la fois français et chrétiens si ce n'était par conviction du moins par destination, puisque l'ennemi nous nommait comme tels. Des formes, qu'on avait décrétées obsolètes, d'un patrimoine historique et spirituel que l'on s'était efforcé de liquider après l'avoir criminalisé, allaient renaître – oui, nous étions quelques-uns à y croire – les déterminants directs de l'établissement politique, ainsi que la réponse à la Babel mondialiste.

Nul ne pouvant sonder les reins et les cœurs, personne ne sut jamais pour quelles raisons et comment le sixième président de la Ve République se décida à accomplir cette transgression majeure que fut l'introduction de la « laïcité positive » dans le débat public. Avait-il ressenti confusément que le recours à la transcendance était la seule voie possible pour refonder une légitimité et restaurer l'autorité chancelante de l'Etat? Chercha-t-il à combler le déficit de sacralité du modèle républicain par une parole puisant à la source d'une spiritualité vieille de plus de deux mille ans? Se sentit-il mû par cette impérieuse conviction à agir qu'inspirait invariablement, pour qui commandait, toute forme de nœud gordien?

Après le discours du Latran, des voix s'élevèrent au sein même de notre petit cénacle élyséen pour que le président amendât quelque peu son propos en y ajoutant le maître mot de « tolérance », seul à même, d'après elles, d'apaiser les esprits et d'arrêter la polémique. La réponse arriva, propulsée par un mouvement d'épaules :

— *Non, je ne changerai pas un mot à ce que j'ai dit. Tout ça me va très bien. Cela donne de moi une image plus complexe que celle de l'homme à la montre en or.*

Henri Guaino, qui était resté muet jusque-là, crut bon d'émettre des réserves à propos de la déjà fameuse comparaison faite par le nouveau chanoine du Latran entre le curé et l'instituteur à qui *« il manquera toujours la radicalité du sacrifice de sa vie et le charisme d'un engagement porté par l'espérance »*. Il y avait vu une inutile provocation contre l'école publique. Il aurait voulu qu'on épargnât les hussards noirs de la République chers à Péguy ; mais, des hussards noirs, il n'y en avait plus et nul n'avait eu le courage d'en aviser Guaino. En désespoir de cause, il cita Jaurès selon un rituel bien établi : « Le mot de Dieu ne me fait pas peur. » Ce qui lui procurait immanquablement un grand réconfort.

Quand les Roms mènent à Rome

Ce supplément d'âme qui avait été convoqué dans le débat public, ces valeurs sur lesquels on prétendait refonder le bien commun, ce retour à l'extériorité d'une norme qui légitimerait à nouveau le pouvoir et lui ferait remonter l'escalier qu'il avait autrefois gravi avec la pensée grecque et chrétienne, il incombait à Nicolas Sarkozy, à partir du moment où il avait fixé le cap, d'en faire le principe actif de son action politique. Or la « laïcité positive », dont il avait si brillamment tracé les contours à Rome, resta un cadre sans contenu et ne connut pas le moindre début d'application dans l'année qui suivit.

Le dialogue avec les autorités religieuses entamé sous les plus prometteurs auspices s'interrompit brutalement. La première visite du chef de l'Etat au Vatican était intervenue le lendemain du décès de notre ambassadeur. Nommé par Jacques Chirac, Bernard Kessedjian avait passablement excédé la Curie par son hostilité marquée envers Benoît XVI, se risquant à prédire que le *Motu Proprio Summorum Pontificum*[9] qui autorisait la célébration de la messe tridentine allait provoquer des « troubles sociaux » en France ! La dégradation de la situation était telle que le prestige de notre ambassade, fondé sur sa double qualité de première mission diplomatique ouverte à Rome près le Saint-Siège et de plus ancienne représentation française à l'étranger, en fut profondément affecté. La mort de Kessedjian ouvrit une longue période de vacance du poste durant laquelle aucun ambassadeur ne put être accrédité.

En agitateur patenté, Bernard Kouchner sortit de sa trousse de médicastre du *charity-business* la candidature d'un membre de son cabinet, Jean-Loup Kuhn-Delforge, qui lui aussi avait fait carrière sous l'enseigne franchisée de l'humanitaire. A la suite de l'enquête préalable d'usage qu'avait diligentée le Saint-Siège, il apparut que certain « facteur personnel » qu'on prêtait à l'impétrant ne le surqualifiait pas pour la fonction. Le trouble des Eminences et des Excellences de la Curie, qui virent dans cette candidature une provocation d'autant plus incompréhensible que le discours du Latran avait fait naître chez eux de grandes espérances, remonta jusqu'à moi. Je m'en fis l'écho auprès des principaux protagonistes de ce psychodrame. Emmanuelle Mignon n'y vit aucun embarras : « Où est le problème ? Il ne s'agit pas de l'ordonner prêtre, c'est quand même un peu différent, non ? » Le très gourmé et très pince-sans-rire Jean-David Levitte, le sherpa de l'Elysée pour qui l'art de la litote faisait partie des agréments de la conversation, me livra une vision plus sociologique de la situation : « Vous comprenez, cher ami, la "chapelle" est très puissante au Quai d'Orsay. Elle surveille chaque nomination. S'il nous faut éviter à la fois les homosexuels et les divorcés, il ne va plus rester grand monde dans le corps diplomatique. »

Comme il fallait s'y attendre, le Saint-Siège refusa l'agrément que nous avions sollicité pour le protégé de Kouchner. Une crise diplomatique larvée s'installa. La villa Bonaparte resta inoccupée. Elle l'était encore en septembre 2008 lorsque Benoît XVI, déférant à l'invitation du chef de l'Etat, arriva en France pour une visite officielle de quatre jours. Entre-temps, aucune des solides candidatures qu'Emmanuelle Mignon et moi-même avions présentées à Nicolas Sarkozy n'avait eu l'heur de retenir son attention. Il est vrai que leur résonance médiatique eût été faible, voire inexistante. Passé le plaisir de la transgression, de la gnose et de la glose qui l'avait accompagnée dans l'instant, la question, au fond, ne le passionnait pas. Pas suffisamment, en tout cas, pour qu'il se préoccupât de chercher l'homme idoine qui arracherait la « laïcité positive » à ses limbes conceptuels.

En moins de dix mois, le climat avait changé du tout au tout. Chargée de la rédaction du discours pour la réception que le président devait donner le 11 septembre à l'Elysée en l'honneur du souverain pontife, Emmanuelle Mignon reçut pour consigne de « ne pas refaire un Latran bis », pas plus qu'elle ne devait employer le mot de « transcendance ». Effectivement, il ne fut pratiquement plus question de « laïcité positive », la « belle expression » qui avait si fortement impressionné Benoît XVI, ni du rôle de la religion comme ciment social. Une phrase, en revanche, figurait en bonne place à la demande du chef de l'Etat et attira aussitôt notre attention : « Le dalaï-lama mérite d'être respecté et écouté pour cela et c'est dans cet esprit que, le moment venu, je le rencontrerai. » Tout droit sortie du rayon « bien-être et développement personnel » de l'espace culturel Leclerc, une religion asiatique réduite à une spiritualité light s'invitait dans l'allocution présidentielle destinée à accueillir le pape. A vrai dire, nous redoutions cette intrusion depuis que Carla Bruni-Sarkozy, mains jointes et revêtue de la *kata*, l'écharpe de bienvenue traditionnelle, avait rencontré l'ancien maître du Tibet lors de l'inauguration, au mois d'août précédent, d'un temple bouddhiste sur le plateau du Larzac. Elle avait pris feu et flamme pour la croisade non violente de l'homme à la tunique safran : « Est-ce vrai, l'avait-elle interpellé, que c'est vous qui avez demandé à mon mari qu'il ne vous reçoive pas pendant les Jeux olympiques de Pékin ? » Ayant recueilli la parole de l'oracle, la Première dame de France, jean slim et t-shirt de la créatrice chinoise Yiqing Yin, s'était retournée vers son président de mari : « Tes collaborateurs t'ont menti. Je ne laisserai pas fouler aux pieds ton image de défenseur des droits de l'homme. » Nous étions confondus. La cause étant sacrée, la partie s'annonçait rude.

En gants blancs, comme à son habitude, « Diplomator » Levitte tenta une percée : « Est-ce bien le moment d'annoncer une rencontre avec le dalaï-lama ? Notre ambassadeur à Pékin va être appelé en consultation et nous allons subir une nouvelle campagne de boycott contre les produits français. Les Chinois ne voient pas en lui une figure spirituelle, mais un agent de démantèlement de leur pays. » Je m'engouffrai dans la brèche : « La confusion des deux fonctions, c'est la théocratie. Est-ce bien là le projet que veulent soutenir tes amis, les partisans des droits de l'homme ? Au reste, tu connais les journalistes, ils ne retiendront rien d'autre que cette annonce. Ne mélangeons pas les registres. C'est le chef de l'Eglise catholique que tu accueilles demain. » En un tour de main, Sarkozy, qui n'avait pas son pareil pour habiller les concessions conjugales du drapé des grands principes, régla l'affaire à notre grand désespoir :

— *La vérité, c'est que nous avons maquillé une réalité peu flatteuse. La France est-elle une nation indépendante ? Voilà la question. En vérité, je me suis couché, j'ai dit que la Chine ne fixerait pas l'agenda du président de la République et j'ai fait exactement le contraire. Je suis allé à Pékin et je n'ai pas reçu le dalaï-lama pendant les Jeux olympiques.*

Que faire devant une force supérieure sinon battre en retraite ?

Pour cette raison et quelques autres, la visite de Benoît XVI ne marqua pas une nouvelle étape dans la définition des valeurs sous l'invocation desquelles le président avait pourtant tenu à placer son mandat. Bientôt la politique de civilisation irait rejoindre la fosse commune des idées mort-nées, ensevelies sous les retombées de la crise financière. Le krach boursier ayant paradoxalement provoqué un krach de la transcendance au plus haut sommet de l'Etat, on n'en parla plus pendant de longs mois. Cependant, une vague odeur d'encens imprégna encore un temps les tentures du salon Murat où se tenait, chaque mercredi, le Conseil des ministres. Il se disait qu'une bonne messe n'avait jamais fait de mal à personne et ne pouvait pas nuire à une carrière sous Nicolas Sarkozy.

D'un œil amusé, j'observai le ballet de quelques-uns de ces catéchumènes aux parcours initiatiques parfois surprenants. Un jour de février 2008, je reçus un appel téléphonique du directeur de cabinet de Xavier Bertrand, alors en charge du Travail. Il voulait, toutes affaires cessantes, m'informer que son ministre avait reconnu son appartenance à la franc-maçonnerie dans le numéro de *L'Express* qui devait paraître le lendemain.

— A quelle obédience appartient-il ?

— Au Grand Orient, la loge des « Fils d'Isis ».

— On ne peut pas dire qu'il fasse les choses à moitié, ton ministre. C'est une loge qui a la réputation d'être farouchement antichrétienne et très à gauche.

— Tu sais, on fait n'importe quoi quand on a 28 ans. Ça fait quatre ans qu'il n'y a plus mis les pieds. Il m'a dit de te le dire.

— Il pense que le GO, c'est bien pour être député ou ministre, mais qu'au-delà le ticket n'est plus valable, c'est ça ?

— C'est un peu ça, oui…

Six mois plus tard, ce fut le ministre lui-même qui m'appela à l'issue d'un office religieux célébré en l'église Saint-Louis des Invalides à la mémoire de dix soldats français tués en Afghanistan.

— As-tu vu la retransmission de la cérémonie ?

— Oui et c'est rare d'assister à un miracle en direct.

— Pourquoi dis-tu ça ?

— Parce que tu t'es signé au moins quatre fois, si j'ai bien compté.

— Ah bon ! Tu as remarqué…

— Qui ne l'a pas remarqué, à ton avis ? Mais je te félicite pour ton sens de la mesure. Une génuflexion eût été de trop !

Un fait divers au cours de l'été 2010 fit réapparaître, de façon inopinée, la question des rapports de l'Etat avec l'Eglise. A Saint-Aignan, dans le Loir-et-Cher, des gens du voyage, après le décès de l'un des leurs, tué par un gendarme dans des circonstances controversées, s'en étaient pris à l'antenne locale avant de saccager le village. L'émotion populaire fut telle que Nicolas Sarkozy y vit l'opportunité d'un dégagement sécuritaire comme il les affectionnait. A Grenoble, dans un discours qui allait électriser les esprits, le président crut devoir s'engager sur un calendrier d'évacuation des campements illégaux. A mesure que s'affirmait la résistance des faits, il en était venu à confondre agir dans l'urgence et agir sous le coup de l'urgence, la détermination et l'improvisation. Cas type d'initiative pulsionnelle, la circulaire en date du 5 août signée par le ministre de l'Intérieur Brice Hortefeux, qui enjoignait aux préfets une démarche systématique de démantèlement des camps illicites et qui ciblait en priorité ceux des Roms, allait coaliser contre elle l'hostilité des médias, l'acharnement de la gauche et l'intrusion des instances européennes. La circulaire fut retirée comme elle avait été conçue : dans la précipitation, presque la débâcle. Trop tard cependant, au gré de Viviane Reding, la Commissaire européenne à la justice, qui convoqua les « heures les plus noires » de notre histoire selon la vieille formule chargée d'activer le ressort de la culpabilisation. « Honte », tel était bien le mot qu'elle avait utilisé en comparant implicitement la politique de la France à l'égard des camps de Roms à celle de l'Allemagne durant la Seconde Guerre mondiale. Il fut même question, au détour d'une phrase, de « déportation ». Etranges « déportés » que ces quelque

9000 Roms originaires de Roumanie et de Bulgarie expulsés en 2010 vers leur pays d'origine, après avoir bénéficié, pour la plupart, d'une prime de retour et dont nombre d'entre eux étaient revenus dans l'intervalle, afin d'être gratifiés d'une seconde prime en se jouant d'une bureaucratie débordée. La France de Sarkozy venait d'inventer la catégorie du déporté allocataire. Peu importait la réalité du moment tant que les mots conservaient leur pouvoir de vitrification.

Simultanément ou presque, une autre mystification fut ourdie. Pas moins redoutable dans sa conception, plus dommageable dans ses effets. Le dimanche 22 août, à l'occasion de la prière de l'angélus, Benoît XVI, s'adressant dans une brève homélie à des pèlerins français, les incita à « savoir accueillir les légitimes diversités humaines, à la suite de Jésus venu rassembler les hommes de toute nation et de toute langue ». Aussitôt, quelques têtes mitrées, un ou deux jésuites, deux ou trois curés d'obédience cathodique se livrèrent à une savante exégèse au terme de laquelle ils s'autorisèrent à conclure que le pape, malgré une formulation alambiquée, avait bel et bien voulu condamner la politique sécuritaire de Sarkozy envers les Roms. A entendre ces doux pasteurs, pourtant enclins par ailleurs au plus grand relativisme, l'excommunication était imminente. A tel point même qu'ils étaient, quant à eux, prêts à la fulminer du haut de leur cathèdre[10].

La réalité était tout autre. Il était certain que le pape n'avait absolument pas souhaité exprimer un quelconque message de désapprobation à l'encontre de la France et de son gouvernement. L'opération de détournement de la parole pontificale n'avait pu réussir que grâce aux prises de position instantanées de l'épiscopat français abondamment relayées par les médias. Mais c'était peu dire que les préjugés politiques d'une partie des évêques ne reflétaient en rien ni la pensée de Benoît XVI, ni la doctrine catholique en la matière. Si l'Eglise reconnaissait, parmi les droits humains fondamentaux, un droit naturel à migrer et à bénéficier des biens de la terre, dont la destination, selon la parole du Christ, était universelle, elle n'en subordonnait pas moins l'exercice au bien commun des Etats.

Fidèle en cela à la perspective d'une charité toujours ordonnée à la justice et qui conditionnait le bien de la partie au bien du tout, le pape avait tenu à en rappeler les conséquences pratiques dans un message reprenant l'enseignement constant de l'Eglise : « Les Etats, y affirmait-il, ont le droit de réglementer les flux migratoires et de défendre leurs frontières, en garantissant toujours le respect dû à la dignité de chaque personne humaine. En outre, les immigrés ont le devoir de s'intégrer dans le pays d'accueil, en respectant ses lois et l'identité nationale[11]. » Le souci de hiérarchiser les enjeux le conduirait même à compléter son propos de la manière suivante : « Dans le contexte sociopolitique actuel, cependant, avant même le droit d'émigrer, il faut réaffirmer le droit de ne pas émigrer, c'est-à-dire d'être en condition de demeurer sur sa propre terre, répétant avec le Bienheureux Jean-Paul II que "le droit primordial de l'homme est de vivre dans sa patrie" : droit qui ne devient toutefois effectif que si l'on tient constamment sous contrôle les facteurs qui poussent à l'émigration[12]. »

Mieux encore, même si nombre d'évêques français ne se donnaient plus la peine de les lire, les docteurs de la foi avaient de tous temps considéré comme juste la coutume antique de préférer politiquement sa communauté naturelle à celle des autres cités. Saint Thomas d'Aquin lui-même soulignait le lien entre la conscience de la parenté et la disposition à la bienveillance dans la phylogenèse comportementale en ces termes : « Ainsi donc faut-il dire que l'amitié de ceux qui sont de même sang est fondée sur la communauté de l'origine naturelle, celle qui unit des concitoyens sur la communauté civile, celle qui unit les soldats sur la communauté guerrière ? C'est pourquoi, en ce qui concerne la nature, nous devons aimer davantage nos parents ; en ce qui touche aux relations de la vie civile, nos concitoyens ; et enfin, en ce qui concerne la guerre, nos compagnons d'armes. Ce qui faisait déjà dire à Aristote : "A chacun, il faut rendre ce qui lui revient en propre et répond à sa qualité. Et c'est ce qui se pratique généralement : c'est la famille que l'on invite aux noces ; de même envers ses parents, le premier devoir apparaîtra d'assurer leur subsistance, ainsi que l'honneur qui leur revient." Et ainsi en est-il des autres amitiés[13]. »

Vatican 2 ou le voyage d'automne

Ce matin du jeudi 26 août 2010, Nicolas Sarkozy était d'humeur maussade. Je dois à la vérité de dire que la première partie de mon intervention l'avait laissé de marbre. Peu lui importait de savoir ce que pensaient le Docteur angélique et le Stagirite. Il était à la recherche de la riposte appropriée qui couperait court à la campagne des médias et rien d'autre ne comptait plus pour lui. Dans sa tête roulaient de noirs desseins à l'égard du Vatican, des calottes pourpres et des calottes roses qui en hantaient les couloirs. Les en chasser ne fut pas une mince affaire :

— *Minc a raison de dire qu'un pape qui absout un évêque révisionniste est mal placé pour venir donner des leçons de morale.*

— Voilà que tu fais crédit aux médias maintenant ! Le propos du pape ne visait absolument pas la politique de la France. Il n'utilise jamais l'angélus pour faire passer ce genre de messages. C'est un moment de méditation spirituelle. Evidemment, cela passe très au-dessus de la tête des journalistes.

— *Je les connais à la Curie, ce sont tous des faux-culs.*

— Si tu veux en avoir le cœur net, tu n'as qu'à rencontrer le pape.

Le 31 août, la nouvelle me parvint de Rome que le secrétaire général du Conseil pontifical pour la pastorale des migrants, Mgr Agostino Marchetto, auteur assumé d'une déclaration dans laquelle il déplorait que les expulsions en masse de Roms fussent allées à l'encontre des règles européennes, avait été prié de présenter sa démission. L'information ne fit pas une ligne dans la presse française. Elle intéressa beaucoup en revanche le président qui interrompit son jogging pour me prendre au téléphone :

— *Ton idée d'une rencontre avec Benoît XVI est peut-être la bonne. Il faut leur clouer le bec. Vois ça avec* Claude.

La voie officielle ne me disait rien qui valût : trop sinueuse, trop accidentée, trop semée d'embûches. Notre nouvel ambassadeur qui avait été nommé après une année d'atermoiements, Stanislas de Laboulaye, un énarque de la promotion Voltaire réputé très lié à Dominique de Villepin, ne me paraissait pas être l'homme de la situation. Désabonné des messes pontificales, des audiences du mercredi et des réceptions données en l'honneur du pape, ayant très vite marqué peu d'attrait pour les affaires du Saint-Siège et de la villa Bonaparte, il traînait une réputation exécrable auprès des membres de la Curie.

Mon pressentiment était juste. Personne dans le circuit diplomatique ne voulait de cette visite et surtout pas ceux – et ils étaient légion – qui n'avaient pas intérêt à voir se dissiper le malentendu entre Paris et Rome. Laboulaye, qui avait pour interlocuteur Mgr Dominique Mamberti, un Corse promu par Benoît XVI au poste de Secrétaire pour les relations avec les Etats, autrement dit, ministre délégué aux Affaires étrangères, multiplia d'autant plus volontiers les chausse-trappes que les deux hommes se détestaient cordialement. On apprit ainsi, au bout de plusieurs jours, qu'aucune demande n'avait été introduite auprès du chef du protocole en dépit des instructions transmises. Puis, que la date du 14 octobre avait été proposée, soit en plein synode des évêques pour le Moyen-Orient, une cause chère au cœur du souverain pontife dont il ne souhaitait pas être distrait. « De deux choses l'une : soit notre ambassadeur est nul, soit il se moque de nous, pesta Claude Guéant. Quelle est votre filière ? »

A vrai dire, de filière, je n'en avais pas et celle, trop reconnaissable, qui m'offrait assidûment ses services depuis des mois ne dégageait pas véritablement une odeur de sainteté. A Paris, le nonce apostolique, activé par le cardinal Vingt-Trois, s'employait tout en onctuosité cléricale à faire échouer notre projet. L'affaire s'annonçait mal. Je n'avais plus qu'une stratégie en réserve, celle du fait accompli qui consistait à anticiper l'agrément du Saint-Siège par une annonce publique qui ne lui laisserait d'autre choix que de confirmer ou d'ouvrir une crise diplomatique avec la « fille aînée de l'Eglise ». Pour une fois, l'hâblerie de Nicolas Sarkozy prêta main-forte à l'habileté de Jean-David Levitte.

Vue de l'extérieur, menée en moins de huit heures d'horloge, notre seconde visite au Vatican put apparaître comme une opération de commando. Pourtant, il n'en fut rien. Tout avait été minutieusement réglé entre le sherpa de l'Elysée et moi-même. De la composition de notre délégation, dont le sérieux un peu compassé contrastait avec la joyeuse caravane de notre précédente expédition, à l'élaboration du plan de table pour le déjeuner privé que devait donner le président à la villa Bonaparte en l'honneur des plus hauts dignitaires de la Curie. Une douce arrière-saison nous fit l'hommage de la splendeur d'un ciel de l'octobre romain. L'accueil de Benoît XVI fut au diapason. En raccompagnant son hôte sur le seuil de sa bibliothèque, le souverain pontife eut à l'adresse de celui-ci des mots d'une rare bienveillance : « Merci, merci pour tout ce que vous faites pour la France et pour la chrétienté. » Les images sur les écrans de télévision valaient tous les démentis, balayant dans un même souffle deux mois de commentaires fallacieux et d'exégèses perfides.

C'était le genre de circonstances où Nicolas Sarkozy aimait à partager le sentiment de plénitude que lui apportait l'exercice du pouvoir. Privilège rare, il me fit la faveur, moi qui n'étais rien dans l'organigramme officiel, de me permettre d'assister à son entretien à huis clos avec le secrétaire d'Etat tenant lieu de Premier ministre, le cardinal Tarcisio Bertone. Les deux hommes partageaient la même préoccupation quant au sort des chrétiens d'Orient. Dans ces moments-là, toutes antennes déployées dans ce jeu de séduction réciproque où il donnait le meilleur de lui-même, l'audace du président français bousculait les prudences et les convenances diplomatiques. Sincérité rugueuse, élocution fougueuse, il était rare que ses interlocuteurs ne rendissent pas les armes : « *Nous attendons que l'Eglise hausse le ton pour exiger la réciprocité de la liberté de culte pour les chrétiens dans les pays musulmans, elle nous trouvera toujours dans ce combat à ses côtés. Vous pouvez compter sur elle. La France ne faillira pas.* » Au terme d'un survol géopolitique de la région, on convint sans difficulté que la situation en Syrie était loin d'être la pire et que Bachar el-Assad, malgré ses lourds défauts, était bel et bien le protecteur des églises chrétiennes établies sur son territoire. Là encore, le communiqué commun allait faire apparaître la concordance de vue entre la France et le Saint-Siège.

Au comble de la félicité, Sarkozy se signa quatre fois en remontant la basilique Saint-Pierre et récita un « Notre Père » lors de la « Prière pour la France » célébrée dans la chapelle de Sainte-Pétronille, du nom d'une martyre du Ier siècle reconnue depuis Charlemagne comme la patronne de nos rois. Rien ne pouvait l'arracher à la béatitude de cet instant-là. Pas même l'oraison du cardinal Tauran, président du Conseil pontifical pour le dialogue interreligieux, dont la recommandation en faveur de « l'accueil des persécutés et des immigrés » ne passa pas inaperçue de la presse française. Il n'y eut pas davantage de flottement dans l'assistance lorsque, une heure plus tard, à l'occasion du déjeuner offert à l'ambassade de France, le chef de l'Etat, d'une voix flûtée, s'offrit le luxe de citer un texte pontifical qui présentait la lutte contre l'immigration clandestine comme un impératif moral, au même titre que la régulation de la finance mondiale. Eminences et Excellences ne ménagèrent pas leurs applaudissements. Moyennant quoi les toasts purent être échangés dans un esprit chaleureux et constructif, comme l'on aimait dire au sein des chancelleries. Dans l'avion, selon la tradition bien établie qui ponctuait chaque déplacement officiel, le chef de l'Etat apostropha Jean-David Levitte pour exiger de lui qu'il fît rouler quelques têtes dans la sciure :

— *Il faut me dégager Laboulaye. Il a tout fait pour saboter mon voyage. Comment se fait-il qu'on ait pu nommer un pareil zozo ? C'est vous qui me l'avez casé ?*

— Non, Monsieur le Président. Il était en poste à Moscou et nous devions faire au plus vite, après une année de vacance du poste. Attendons au moins Noël, qu'on ne fasse pas de rapprochement avec votre voyage.

Faut-il ajouter que l'ambassadeur passa un Noël paisible à la villa Bonaparte et le suivant aussi ? A mon retour à Paris, *Le Canard enchaîné* m'affubla d'un surnom : le « bigot-*between* ». C'était drôle, mais très exagéré.

La limite et l'illimité

Au seuil de la campagne présidentielle de 2012, il m'apparut clairement que la ligne de partage autour de laquelle allait s'ordonner le nouveau clivage idéologique passait par un affrontement entre les gardiens de la limite et les partisans de l'illimité. Entre l'exigence de protection pour les plus faibles et les plus pauvres et l'éloge d'un monde de l'avidité abandonné aux puissants et aux riches qui ne connaîtrait ni la moindre frontière, territoriale, économique ou sociétale, ni la moindre limite morale. Un antagonisme fondateur que Jean-Claude Michéa avait prophétiquement décrit en ces termes : « Bernard Shaw, qui incarnait sans doute la première figure de l'intellectuel de gauche, avait parfaitement compris l'essence de la philosophie (ou de la déconstruction postmoderne) lorsqu'il écrivait que la forme supérieure de l'intelligence critique consistait à remplacer la vieille question réactionnaire du "pourquoi ?" par celle beaucoup plus progressiste du "pourquoi pas ?". Il y a évidemment ici le principe de toutes les dérives modernes et libérales puisque la question "pourquoi pas ?" ouvre par définition sur un abîme infini [14]. »

Avec l'avènement de l'idéologie néolibérale, la notion de limite était en effet devenue, pour la première fois dans l'histoire, proprement impensable. *No border and no limit*, tel était le paradigme que cherchait à imposer la nouvelle reconfiguration du monde. L'Amérique était sa terre d'élection, son biotope idéal, le pays dont l'objet même avait été de repousser toujours plus loin la frontière. Dans l'ordre économique, la compétitivité et le retour à la croissance commandaient de supprimer, en les « dérégulant », les « obstacles périmés à l'expansion naturelle » du marché et de la concurrence. Dans l'ordre social et politique, l'autonomisation des individus réclamait de démanteler les « montages normatifs arbitraires » et les « appartenances archaïques ». Sur le plan du droit, le refus du « principe suranné et mutilateur d'autolimitation » s'accomplissait dans le droit d'avoir des droits, extensibles à l'infini tant pour les individus que pour les minorités.

Il n'était donc pas, à mes yeux, d'urgence plus grande que de donner une forme politique au combat de tous ceux qui voulaient s'opposer au grand parti du « pourquoi pas ? », à cette escalade infernale qui engendrait partout le vide et annonçait pour demain une autre humanité. C'était là, indépendamment de toute considération électoraliste, un choix structurant, un enjeu de civilisation qui permettrait à la droite de retrouver une charge existentielle spécifique, sa vigueur politique et philosophique. Et, subséquemment, un retour à la grande politique où s'affronteraient des conceptions contradictoires de la Cité et de l'être humain.

La ligne de front recoupait nombre de débats qui étaient déjà, depuis plusieurs années, autant d'avant-postes investis par les puissances de l'illimitation et de l'indétermination. Emblématique de ces droits individuels subjectifs qui désocialisaient progressivement les individus et morcelaient la société, la revendication du mariage des homosexuels, plus ou moins escamotée lors de la campagne de 2007, revenait en force. Si elle avait contre elle vingt siècles de judéo-christianisme et un siècle de psychanalyse, elle était en revanche activement soutenue par l'oligarchie financière, les classes urbaines dominantes et la quasi-totalité du monde culturel et des médias. Dans la logique libérale-libertaire, le mariage entre personnes du même sexe n'était que l'application du « droit de tous sur tout » qui consistait à faire de n'importe quelle pratique privée un principe d'organisation collective. L'enjeu pour le mouvement gay n'était pas tant d'accéder à une institution bourgeoise qui avait longtemps répugné aux homosexuels, mais de constituer un comportement ultraminoritaire en acte législatif et en identité estampillée. Faire en quelque sorte de l'essentiel avec de l'accidentel, les mœurs devenant le régulateur du droit ; et le droit, la norme de la non-norme.

A y regarder d'un peu plus près, la véritable nature de cette revendication n'était aucunement l'égalité des droits, mais bien le renversement de l'ordre symbolique fondé sur la différence des sexes. Une volonté doublement étayée par un besoin de reconnaissance sociale et par une exigence de réparation morale analogue à celle qui avait été accordée aux victimes de la Shoah ou de l'esclavage. Faute de racines philosophiques ou spirituelles, la position du chef de l'Etat menaçait de rompre à tout moment. Dès 2008, il avait renoncé au Contrat d'union civile, pourtant inscrit dans son projet présidentiel, au profit d'un Pacs réaménagé et quasiment doté des mêmes droits que le mariage hétérosexuel. En privé, Nicolas Sarkozy se montrait d'autant plus réceptif à ce nouveau discours normatif que celui-ci n'émanait pas de la majorité, mais d'une minorité active au premier rang de laquelle figuraient Carla Bruni et les amis et commensaux du couple. En habituée de la psychologie des profondeurs et de la presse qui l'explorait, l'épouse du président défendait des positions très avancées, « courageuses », disait-on chez les rebellocrates ne tarissant pas d'éloges sur ces « couples homos formidables » dont les enfants étaient des « modèles d'équilibre et de santé morale et psychique », bien plus équilibrés, à l'en croire, que beaucoup d'enfants élevés par les couples hétéros.

Sachant le terrain friable et traversé de multiples failles, *Libération* put se livrer à l'une de ces opérations de déstabilisation qu'affectionnent tous les agents provocateurs du monde. Le vendredi 13 janvier 2012, alors que la déclaration de candidature de Sarkozy était donnée pour imminente, le quotidien annonçait sous le couvert d'un conditionnel anémique que le président sortant devrait se prononcer en faveur du mariage gay, décision longuement mûrie, ainsi que le confirmaient « plusieurs députés du premier cercle » dont aucun, cependant, n'était cité. Devant l'avalanche de réactions négatives, j'eus toutes les peines du monde à obtenir que la porte-parole du gouvernement, Valérie Pécresse, fît savoir que le chef de l'Etat, alors en déplacement, n'avait absolument pas changé d'avis et restait défavorable à l'ouverture du mariage aux couples homosexuels. Ce fut néanmoins insuffisant pour dissiper le trouble qui s'était emparé de la cathosphère, ces réseaux sociaux où s'activaient, selon la terminologie des libres-penseurs, les « sectateurs du Galiléen ».

En proie à un conflit déchirant entre son intérêt et ses affects, Sarkozy s'abandonnait à la complexification non comme à une étape salutaire de la réflexion, mais plutôt pour y chercher l'éternel alibi des politiques tentés par la capitulation devant les puissances de l'heure.

— *Attention, c'est compliqué ! Il y a une partie de l'électorat à qui il faut que j'envoie des signaux qui ne soient pas que des signaux de fermeture.*

— C'est très simple, au contraire : si tu fais cela, tu perds l'élection. Car tu perds l'électorat catholique sans rien gagner ailleurs. Ce qui importe, c'est d'être constant et cohérent. On ne peut pas donner une réponse tacticienne à une question anthropologique. La question est de savoir si l'homosexualité est une orientation ou une identité. Si tu crois que c'est le fait d'être un homme ou une femme qui définit notre identité, si tu crois que la différence des sexes structure la pensée humaine, alors il n'y a pas de débat, pas d'hésitation à avoir. S'opposer au mariage gay, ce n'est pas viser l'homosexualité en tant que modalité particulière de la vie privée, mais comme enjeu d'un reformatage politique et social, en tant qu'instrument d'une révolution normative.

Une ultime offensive intervint avec l'exploitation d'une déclaration du député du Nord Christian Vanneste niant, à juste titre, l'existence d'une déportation des homosexuels en France durant la Seconde Guerre mondiale. L'imprudent, qui avait assorti cette évidence d'insupportables persifflages, parla même de « fameuse légende » à ce sujet. Ce fut immédiatement un tollé assourdissant où la droite rivalisa avec la gauche pour demander la tête du blasphémateur. Dans un assaut d'inculture générale et en toute ignorance de cause. La question n'était pas de savoir où était la vérité historique. Opter pour la dénégation eût été faire montre d'une cruelle et mesquine prétention à exclure les homosexuels des bénéfices symboliques du malheur. C'était leur qualité de « persécutés » qui se trouvait ainsi remise en cause quand bien même la persécution en question n'avait pas eu lieu, en tout cas pas dans les circonstances incriminées. Dans cette construction aberrante, l'ouverture du mariage aux homosexuels devenait implicitement une forme de réparation morale envers leur statut historique de « victimes ».

Au milieu de ce tumulte, un homme sut tenir bon en fin connaisseur du dossier : en quelques phrases, Serge Klarsfeld, le dépositaire de la mémoire juive de la déportation, balaya bien des divagations : « Les homosexuels, expliqua-t-il, ont été victimes des nazis en Allemagne, peut-être imaginent-ils que cela correspondait aux prémices de ce qui les attendait ailleurs [...]. S'ils disent que la déportation d'homosexuels a eu lieu ailleurs que dans le Reich et notamment en France, soit ils se trompent de bonne foi, soit ils se trompent de mauvaise foi. En tout cas, il serait tout à fait ridicule d'exclure Vanneste de l'UMP pour cette déclaration[15]. »

L'homme à saute-mutant

Le travail de destruction-déconstruction cher à la gauche sociétale ne s'arrêtait pas à la question du mariage gay. Avec la théorie des genres, l'ambition était plus grande encore : défaire la « matrice hétérosexuelle de la société » et le « règne du patriarcat » en créditant l'individu d'une liberté totale quant à la construction de son identité et de sa subjectivité. Pour y parvenir, le mot « sexe », qui renvoyait trop à une détermination naturelle, devait être remplacé par le concept de « genre » au regard duquel la différence biologique n'avait plus d'incidence anthropologique, le masculin et le féminin n'étant plus que des constructions socioculturelles purement arbitraires et entièrement modelables au gré des individus.

Loin de se limiter au lobby gay et à ses relais médiatico-politiques, l'idéologie du *gender* avait fait des adeptes jusque dans les rangs de la droite gouvernementale, ainsi que l'on dut bien en convenir à la lecture de la circulaire que l'Education nationale publia le 30 septembre 2010. Sous couvert d'initier les adolescents aux subtilités de l'orientation sexuelle et de lutter ainsi contre l'homophobie, le ministre Luc Chatel avait fait inscrire dans le programme de Sciences et vie de la terre de la classe de première une section intitulée « Devenir homme ou femme », qui faisait la part belle à la déconnexion entre sexe biologique et sexe social. Il ne se trouva qu'environ un quart des députés de la majorité pour réclamer la suppression des manuels scolaires dans lesquels cette théorie relevant davantage de la philosophie et de la sociologie était désormais présentée comme une vérité quasi scientifique. Nicolas Sarkozy, quant à lui, ne découvrit l'initiative de Chatel qu'avec la fronde d'une partie de son camp.

En fait, c'était presque l'entière classe politique qui, sans qu'elle en eût toujours conscience, s'était enferrée dans une aporie conceptuelle et dans une contradiction inextricable. Alors que l'on déniait à la différence des sexes toute capacité à déterminer les rapports entre les corps individuels, on lui conférait une valeur constituante dans le corps politique. A l'obsession d'imposer la différence des sexes comme critère là où elle n'avait rien à faire, à commencer par la parité dans la sphère publique et l'exercice du pouvoir, correspondait la volonté également névrotique de l'effacer là où elle était structurante, dans la sphère privée, au sein du couple et de la famille. Mais une fois niée la première différenciation dans la genèse de la pensée humaine, c'était tout le pari de la modernité qui se dévoilait au grand jour. Il y allait, selon l'heureuse formule d'Hervé Juvin, de « la séparation de l'homme à l'égard de toute détermination[16] », de la suppression des limites et des frontières qui organisaient la préservation de la diversité du monde. La liberté de l'individu exigeait désormais le rejet des identités reçues et de les dénoncer comme autant de prisons physiques et mentales. Elle appelait la proscription de ce qui liait, de ce qui durait et de ce qui attachait, le congédiement de tout ce qui avait jusqu'ici déterminé l'aventure de l'homme : origine, filiation, parentèle, nation et autres communautés natives ou naturelles. Pour atteindre ce Graal de l'autonomie émancipatrice, les rectifications du corps, les hybridations de l'âme, les bricolages de soi devenaient non seulement légitimes, mais encore recommandables et recommandés. On choisirait dorénavant son identité passagère et sa communauté d'appartenance comme on choisissait un forfait d'opérateur téléphonique ou un fournisseur d'accès à Internet, mais avec l'option de résiliation instantanée. L'homme, devenu autoentrepreneur de lui-même, ne rencontrerait plus d'obstacle à son autofabrication au sein de la société de l'indétermination illimitée.

L'emballement planétaire que suscita en juin 2009 l'annonce de la mort du chanteur Michael Jackson et qui se solda par la panne du réseau Twitter fut comme le révélateur du nouveau rêve prométhéen proposé à l'humanité. On pleura le disparu à proportion de la représentation paroxystique qu'il avait donnée de notre inquiétante modernité : un homme sans race, sans sexe, sans âge, jouant de son corps et avec son corps, à la manière d'un plasticien. Afro-Américain qui n'eut de cesse de se blanchir, garçon lévitant dans la sphère brumeuse du « transgenre », enfant dans une enveloppe d'adulte, père et pédophile selon les jours ou les heures, ce Fregoli du transformisme joua sa vie durant à « saute-mutant », pour finir par incarner le principe même de la mondialisation libérale-libertaire : celui de la dérégulation permanente et généralisée. Un journal comme *Libération*, qui l'avait célébré sous les invocations, ô combien significatives, de « nouvel Adam », « futur de notre espèce », « notre frère en transes », ne s'y était pas trompé.

En cette première décennie du XXIe siècle, la volonté poussée jusqu'au délire de n'être que ce que l'on avait choisi de devenir n'était plus l'apanage d'une minorité avant-gardiste, mais représentait l'une des revendications majeures de la pensée dominante. Elle s'insérait dans un projet politique plus global auquel on avait donné le nom prometteur et lénifiant de « transhumanisme ». Que « l'homme passe l'homme », selon le mot de Pascal, ou que « l'homme doive être surmonté », selon celui de Nietzsche, il n'y avait là qu'une banalité philosophique. L'évidence voulait que l'homme ne coïncidât pas avec sa nature. Toute la question était de savoir si l'homme devait se dépasser par le haut ou par le bas. Emprunter, selon la distinction de Jean Wahl[17], la voie de la transascendance ou celle de la transdescendance. En d'autres termes, ou bien l'homme était promis à la divinisation par la grâce, ce que lui faisait espérer le Nouveau Testament[18] et d'autres mystiques religieuses, ou bien il se condamnait à la parodie de cette divinisation par l'autopromotion à laquelle revenait l'humanité « augmentée », cette régression vers l'animalité conjuguée au règne de la mécanique.

Le transhumanisme ou posthumanisme, en cédant à l'utopie délirante de l'Homme-dieu, n'était pas à la recherche d'un « supplément d'âme », comme l'avait souhaité Bergson, mais d'un supplément de corps, d'un corps délivré de sa « condition carcérale », d'un corps amélioré grâce aux progrès des biotechnologies, des nanotechnologies et des techniques cognitives, d'un corps transféré de la catégorie de la nature à celle de la production. La logique et l'enjeu d'une telle révolution anthropologique consonaient étroitement avec la mutation tout aussi radicale que prônait la théorie du genre en rapportant la condition humaine à un réservoir d'organes et à une espèce de matière première ployable en tous sens.

Cette industrie de la vie était déjà à l'œuvre dans bien des domaines où le législateur peinait à la contenir : clonage, Procréation médicalement assistée (PMA), culture de l'embryon hors du corps maternel par utérus artificiel, achat aux enchères de gamètes permettant de sélectionner le quotient génétique par les mères en projet d'enfant, rentabilisation de la mort avec les opérations de prélèvement et de transplantation d'organes, marchandisation et trafic du « matériel corporel humain », mais aussi prothèses bioniques ou intelligentes, implants nanocrâniens, puces connectées au système nerveux, réplication artificielle de cerveaux humains, interfaces cerveaux-machines, etc.

Les nouvelles de cette révolution en marche nous arrivaient de toutes parts. En Belgique, plus de 3000 enfants naissaient chaque année, grâce à une procréation médicalement assistée. En Californie, sous l'impulsion du gouverneur Schwarzenegger, le *Golden State* avait décidé d'investir 3 milliards de dollars dans un programme autorisant la culture des cellules-souches embryonnaires et la recherche sur la production d'organes de substitution, malgré le veto de l'administration Bush à la destruction d'embryons humains, tandis que l'argent des Gafa (Google, Apple, Facebook, Amazon) se déversait dans des laboratoires dignes des pires cauchemars de la science-fiction. A Londres, l'équivalent britannique du Conseil national de bioéthique avait donné son autorisation de principe à la création d'embryons hybrides par intégration d'ADN humain dans des ovules animaux. A Tirana, un rapport de l'ambassade de Grèce nous avait appris que des enfants étaient kidnappés et assassinés pour alimenter un trafic d'organes vers l'Europe, transitant par les valises diplomatiques des fonctionnaires albanais. *Mundus est immundus*, disait déjà saint Augustin.

Le meilleur de l'im-monde

Un chiffre marquait cette année 2012 à l'approche de l'élection présidentielle, les 190 milliards d'euros consacrés aux dépenses de santé dont la progression était exponentielle. Dans une société où la vie ne serait plus une grâce donnée, mais un produit à optimiser, la logique du marché, en soumettant chaque individu à une balance coûts-avantages, exigerait tôt ou tard la mise en place d'un double contrôle étatique : l'eugénisme en amont de la vie, l'euthanasie au seuil de la mort.

Une partie de ce programme était déjà bien avancée : jamais la tentation du formatage des naissances par les manipulations génétiques n'avait été aussi grande. Elle l'était d'autant plus que, partout ailleurs, de sinistres docteurs Folamour s'activaient à mettre au point un « Meccano du vivant », à refabriquer intégralement l'homme. Le couple inédit de la science et du marché était en passe de relever le défi assigné par le théoricien anarchiste Miguel Amoros à la modernité capitaliste : produire à la fois de l'insupportable et les hommes capables de le supporter. Rien de vraiment surprenant pour ceux qui savaient que *Le Meilleur des mondes*, le roman d'anticipation dystopique d'Aldous Huxley publié en 1931, n'était pas le fruit de sa seule imagination, mais la transposition des théories de son frère, le biologiste Julian Huxley, qui définissait le transhumanisme comme la « religion de l'avenir[19] », dont les religions historiques n'avaient été que des brouillons maladroits, de même que les grands hommes n'avaient été que des esquisses spontanées de ce que devait devenir l'homme transhumain.

Le meilleur de l'immonde était ainsi à venir. Une fois levé l'interdit moral, l'idée s'imposerait d'améliorer le patrimoine génétique de groupes humains en limitant la reproduction des individus porteurs de caractères jugés défavorables. L'affaire s'annonçait comme une simple formalité que légitimeraient la nécessaire lutte contre les déficits publics et le contrôle de la dette sociale. Déjà, en novembre 2009, un avis du Comité consultatif national d'éthique (CCNE) avait préconisé d'autoriser le dépistage de la trisomie 21 sur les embryons soumis au Diagnostic préimplantatoire (DPI). En élargissant sans cesse le rayon d'action des diagnostics anténatals, la médecine, dans ce fameux esprit d'humanité régulièrement invoqué dès lors qu'il s'agissait de justifier des décisions transgressives, favorisait de plus en plus le tri sélectif des enfants à naître. De ce point de vue, la rencontre entre la fécondation *in vitro* et les tests génétiques marquaient une étape décisive vers la gestion sanitaire de la population.

La production de corps visant sinon à l'excellence du moins à la performance laissait néanmoins en suspens une autre question cruciale : que faire de ces corps quand ils n'obéissaient plus aux critères qui fondaient une vie digne ? Là encore, en attendant l'immortalité promise par le transhumanisme, il n'était pas difficile de comprendre que le monothéisme du marché finirait par imposer ses critères et dicterait sa loi. Celle de la rentabilité, bien sûr, habilement dissimulée par le déploiement des ailes séraphiques de la compassion humanitaire. Le « trop de souffrances ! » des bonnes âmes volerait au secours du « trop cher ! » des fonctionnaires de Bercy pour abréger le non-sens économique des vies qui se prolongeraient abusivement. Les adeptes du « droit à mourir dans la dignité » se transformeraient en auxiliaires bénévoles des régulateurs de la dépense publique, tous réunis sous le signe de la seringue létale.

Certes, les prescriptions du CCNE favorables aux pratiques sélectives prénatales avaient été écartées, la proposition de loi « transpartisane » légalisant l'euthanasie et le suicide assisté rejetée par les parlementaires de la majorité. Certes, le gouvernement, lors de la révision des lois bioéthiques en 2011, avait refusé de laisser transformer l'embryon humain en simple objet d'expérience ou d'échange. Mais il rôdait autour de ces questions un malaise diffus entretenu par un flottement au sommet de l'Etat. De retour dans la garde présidentielle après trois années d'absence, Emmanuelle Mignon, à qui le futur candidat avait commandé un livre-programme, était elle aussi en proie au doute. A intervalles réguliers, mais surtout la nuit, elle allumait des balises de détresse auxquelles je m'efforçai de répondre tant bien que mal :

— On dit quoi sur l'euthanasie ? Les Français sont hyper pour. Ils ont la trouille. Ils ne veulent pas mourir comme de vieux Alzheimer ou en soins palliatifs. Notre candidat lui-même, il est un peu pour, non ? C'est quoi la stratégie d'être contre ?

— Il n'y a pas de stratégie, il y a simplement le rôle du politique qui est de fixer des repères. Le repère, c'est le mot de Pascal quand il écrit : « Le propre de la puissance est de protéger » et en l'occurrence de protéger les plus fragiles et les plus faibles. Mon maître Pierre Chaunu était encore plus abrupt : « Une société, un Etat, une politique qui, au nom d'un avantage immédiat, secondaire et trivial, retire sa protection aux plus exposés et aux plus innocents de ses sociétaires ne mérite que le mépris, la condamnation et la haine. » Sais-tu ce que sont les brigades volantes d'euthanasie aux Pays-Bas ? Va voir un peu sur le Net. Les vieux ne veulent plus aller à l'hôpital de peur qu'on les zigouille. L'euthanasie légalisée, ce sera la variable d'ajustement du régime des retraites et la providence du régime d'assurance maladie. On débranchera en priorité ceux qui ne peuvent pas payer, les non-solvables. Chapeau les humanistes !

Loin de l'art scolastique de la *disputatio*, il y avait dans ces échanges nocturnes une rudesse qui nous enchantait et nous stimulait mutuellement. Les interrogations d'Emmanuelle Mignon, par ailleurs catholique pratiquante, étaient symptomatiques des contradictions d'une certaine droite confrontée au « fait social total » du capitalisme, à sa propension comme globalité dialectique à envahir toutes les sphères de l'existence humaine, y compris les plus intimes. L'honneur de la politique n'était-il pas de produire du sens là où l'économie ne considérait que le rapport ?

Pour une droite depuis trop longtemps idéologiquement inconsistante et obsédée par l'économie, le relativisme éthique toujours plus grand qui gagnait la société représentait un vrai défi. L'occasion, en tout cas, de s'opposer aux effets combinés du nihilisme prégnant et de la dérégulation économique. Son candidat devait être celui qui signifierait qu'on ne pouvait pas tout faire et tout essayer. Celui qui assignerait à l'Etat le rôle de limiter la toute-puissance de l'argent et de la technique, de fixer la limite entre l'humain et l'inhumain. Nicolas Sarkozy pouvait-il être l'homme qui, devant ses contemporains, réinstallerait solennellement au centre du débat la question du devoir faire plutôt que du pouvoir faire ?

Lancer la campagne pour un second mandat sur le thème des valeurs, comme je le lui proposais, avait au moins deux avantages : placer, d'une part, le débat sur des hauteurs relativement protégées des effluves politiciennes et de la basse polémique ; consolider, d'autre part, la base électorale d'une droite traditionnelle ébranlée par les mauvaises manières d'un président trop hâbleur et trop cynique à son goût. Au lendemain de son déplacement à Domrémy pour le 600e anniversaire de la naissance de Jeanne d'Arc, il accepta le principe d'un courrier confidentiel à Benoît XVI à la faveur duquel il exposerait les grandes lignes de ce que devrait être, selon lui, une politique de civilisation. Le projet que je lui remis énonçait quelques principes intangibles, du maintien de l'interdit légal de la Gestation pour autrui, de l'insémination *post-mortem* et de la recherche sur embryon à la condamnation de l'euthanasie et de l'eugénisme en passant par le refus du mariage gay.

La réaction ne se fit pas attendre :

— *Elle est très bien, ta lettre. Sur le fond, je suis d'accord avec à peu près tout, mais, tu comprends, c'est un véritable programme que tu me fais exposer dans le détail. Autrement dit, j'annonce ma candidature au pape, alors que je dois en réserver la primeur aux Français. Ce n'est tout simplement pas possible.*

— C'est ce que tu as pourtant fait avec Bush en 2006, sans que cela ne te pose le moindre problème de conscience. Là, au moins, nous serons couverts par le secret diplomatique.

La lettre que je portais au Saint-Siège, le 21 janvier 2012, fut finalement d'une tout autre facture : « *En confiant cette lettre à M. Patrick Buisson, j'ai souhaité pouvoir exprimer à Votre Sainteté ma reconnaissance pour la très grande bienveillance qu'Elle a toujours témoigné à mon pays. Je tenais également à Vous dire combien j'ai été personnellement touché de la disponibilité que Vous m'avez manifestée. J'ai en effet eu le privilège de pouvoir m'entretenir à trois reprises avec Vous et je conserve de nos échanges le souvenir très vif d'un dialogue à la hauteur des relations qui ont toujours uni mon pays au Siège de saint Pierre* [*N.d.A* : suivaient quelques considérations sur les applications politiques possibles de l'encyclique *Caritas in Veritate*]. *M. Patrick Buisson, qui a mon entière confiance, Vous dira mes vues sur plusieurs sujets de société auxquels j'attache une particulière importance. Votre fidèlement Nicolas Sarkozy.* »

Que valaient de tels engagements transmis par mes soins ? Les paroles que je délivrais ce jour-là n'étaient-elles pas destinées à s'envoler ? Elles avaient, je le sentais bien, la légèreté d'une bulle en rien pontificale.

Cependant, j'avais eu tort de douter. Bien que sollicité de toutes parts pour faire campagne sur les thèmes économiques, le président-candidat avait en effet parfaitement perçu la nécessité qu'il y avait pour lui de s'adresser prioritairement à l'électorat conservateur. Ce fut pourquoi il accepta, malgré l'opposition farouche de la plupart des autres conseillers qui craignaient une « droitisation » excessive de son image, le principe d'un entretien au *Figaro Magazine* dans lequel il exposerait ses « valeurs pour la France ». Au dernier moment, son instinct d'animal politique l'avait porté à faire le bon choix.

La relecture des épreuves du texte, au soir du 6 février, nous occupa près de deux heures. Un comité de philologues et de lexicographes n'eût pas été plus acharné que notre petit cénacle à disputer chaque mot et chaque virgule. Le soutien de Camille Pascal, aussi fine plume qu'ardent catholique, vint à point nommé pour rompre mon isolement. Au terme de la réunion, nous n'étions pas peu fiers du résultat. Le mariage homosexuel avait été écarté en trois phrases, ainsi que le Contrat d'union civile pour inconstitutionnalité ; l'adoption par des couples de même sexe, évacuée, bien que le mari de Carla Bruni tînt absolument à ajouter une phrase à propos de ces « situations particulières, avec des hommes et des femmes qui assument parfaitement leur rôle parental » ; l'euthanasie, euthanasiée en une ligne, au nom de la conception que se faisait le président de la dignité humaine. Le vendredi suivant, le numéro du *Figaro Magazine*, battant tous les records de vente, s'arrachait dans les kiosques. Restaient à consolider d'autres frontières sous les auspices, cette fois, du dieu Terme.

Chapitre XIII

La bataille des frontières

> « Moi qui tremblais, sentant geindre à cinquante lieues
> Le rut des Béhémots et les Maelstroms épais
> Fileur éternel des immobilités bleues,
> Je regrette l'Europe aux anciens parapets ! »
>
> Arthur Rimbaud.

La frontière est une paroi protectrice. Elle laisse passer ce qui est bon pour un pays et le peuple de ce pays, mais maintient à l'extérieur ce qui ne l'est pas. Elle est une écluse, pas un barrage. Une fenêtre et non un mur. Plus épiderme que clôture. Les classes dominantes mondialisées le savent bien qui, tout en prônant l'édification d'un monde sans dehors ni dedans, quand ce ne sont pas les vertus de la « mixité », mais il est vrai essentiellement pour les autres, n'ont de cesse de multiplier les démarcations entre espace public et domaine privé. Comme si la disparition des frontières extérieures devait nécessairement s'accompagner d'une prolifération des frontières intérieures. Comme si l'avènement du village global, ce monde unifié auquel la voix de John Lennon avait donné pour hymne sa chanson « *Imagine* », devait obligatoirement avoir pour contrepartie des « sociétés de l'apartheid intérieur [1] ». Comme si l'*only one world* était un double procédé concomitant et indissociable d'unification et de séparation, d'homogénéisation et de dispersion, de forces centripètes et de forces centrifuges.

Avec l'assouplissement des frontières extérieures qui le protégeait, c'est l'espace commun qui se rétracte insensiblement, ce domaine public autrefois ouvert à tous les citoyens, à tous les membres d'une même communauté et dont l'accès est désormais défendu par tout un réseau de barrières invisibles que l'on ne peut plus franchir qu'à l'aide de codes et de badges, de passes et d'identifiants. Sous certains aspects, ce processus n'est pas sans rappeler le mouvement d'appropriation privée des biens et des terrains communaux dont l'usage, selon le droit coutumier en vigueur avant les Temps modernes, était dévolu à l'ensemble des habitants d'une localité qui en tiraient une part importante de leurs ressources, jusqu'à ce que le mouvement des *enclosures* y mette fin, au début du XVIIe siècle, en Angleterre, et que la Révolution française n'en autorise, par la loi du 10 juin 1793, la vente à des individus, autrement dit, à la bourgeoisie du cru qui trouva là de quoi renforcer les bases de sa domination économique et sociale.

Le « nec plus ultra » de la frontière

Au seuil de l'année 2012 marquée par une échéance électorale décisive, il fallait une atténuation certaine de la ductilité intellectuelle, une étroitesse de vue particulièrement homaisienne, pathologies hélas répandues dans la classe politique, pour ne pas comprendre que la question des frontières recouvrait désormais ce qu'il était convenu d'appeler la fracture sociale. D'une étude à l'autre depuis le référendum sur le traité de Maastricht, il n'y avait pourtant qu'un invariant dont les partis du système se refusaient à tirer la moindre conséquence et qui était l'indexation du souhait d'« ouverture » sur le niveau de revenus des électeurs.

Les partisans de la suppression des frontières se recrutaient quasi exclusivement dans les catégories dont la caractéristique commune était d'avoir les moyens financiers nécessaires pour se prémunir contre les effets délétères du libre-échange et de la libre circulation. On était d'autant plus favorable à l'abolition des frontières extérieures qu'on avait la ressource de s'abriter derrière des frontières intérieures. Frontières spatiales : les privilégiés qui habitaient les centres urbains ne connaissaient de l'immigration que la main-d'œuvre à bon marché des clandestins dont ils s'attachaient les services à vil prix. Frontières sécuritaires : la célébration du métissage se faisait à l'abri du double digicode et, dans les quartiers résidentiels, sous la surveillance de vigiles et d'agents de sécurité, dont le nombre avait plus que doublé en vingt ans; au reste, le prix du foncier protégeait des réalités les plus déplaisantes de la mixité sociale plus sûrement que les barrières élevées entre les Etats-Unis et le Mexique ou Israël et les Territoires palestiniens. Frontières culturelles et scolaires : là encore le discours moralisateur dissimulait un féroce égoïsme de classe qui conduisait la nouvelle bourgeoisie urbaine à accaparer le système méritocratique au bénéfice de sa progéniture scolarisée dans les meilleurs établissements. Frontières économiques, enfin : par leur intégration à l'économie-monde, les classes dominantes se trouvaient en situation d'en confisquer la plupart des bénéfices selon le schéma parfaitement décrit par Louis Schweitzer, l'ancien président de Renault, devenu dans l'intervalle une figure emblématique de la « lutte contre les discriminations » quand il déclara : « La mondialisation, ce sont des salaires américains pour les dirigeants et des salaires chinois pour les ouvriers. » Décor flatteur, mais trompeur, l'« ouverture » et tous ses sous-produits sémantiques formaient la nouvelle ligne Maginot morale derrière laquelle s'abritaient les intérêts de classe des catégories supérieures, le précipité existentiel du bien-être et de la bonne conscience.

A l'inverse, la France des campagnes et du périurbain subissait de plein fouet les conséquences en chaîne de la globalisation. C'était cette France des nouveaux damnés de la terre évincés des grandes métropoles par le prix de l'immobilier et chassés des banlieues par la pression de l'immigration qui, sous les coups de butoir de l'économie-monde, avait été également la première victime de la recomposition sociale du territoire, la grande perdante de la lutte des places et de la « société d'ouverture » incriminant pêle-mêle dans ce processus d'éviction la responsabilité des oligarchies financières, des élites corrompues et plus généralement celle des « puissants ».

Le thème de la frontière m'apparaissait plus en surplomb et plus englobant que celui de l'identité mis en avant lors de la campagne de 2007. Il était de nature à opérer la jonction de l'électorat traditionnel de la droite, idéologiquement acquis à l'idée de limite morale, mais aussi de plus en plus préoccupé par la protection économique de la France et des Français face aux désordres de la mondialisation, depuis la crise des *subprimes* de l'automne 2008, avec les catégories populaires pour qui la frontière était perçue comme un salutaire bouclier contre le triple phénomène de l'insécurité économique, sociale, culturelle engendré par le darwinisme financier de la globalisation et le processus de mise en compétition sauvage de tous avec tous. Nicolas

Sarkozy ne pouvait espérer sa réélection que du rassemblement de tous ceux qui, pour des raisons parfois différentes, en tenaient pour le *nec plus ultra*, le « pas plus loin » de la vieille sagesse des nations, contre la démesure impériale de la nouvelle frontière toujours repoussée que prônaient les adeptes européistes et mondialistes du *plus ultra*, du « toujours plus loin ». Pari d'autant plus réaliste que les enquêtes d'opinion montraient qu'une forme d'homogénéisation ou de contiguïté était à l'œuvre dans les évolutions respectives des électorats UMP et Front national au regard de la plupart des thématiques sociétales et culturelles[2].

En pratique, cette porosité idéologique plaçait plus que jamais les deux formations en situation de concurrence. Mais autant la rhétorique sarkozyenne avait fait preuve d'efficacité en 2007 sur les sujets régaliens, autant elle semblait avoir perdu, cinq ans plus tard, une grande partie de son pouvoir de séduction. Si bien que la question n'était pas tant de savoir si Nicolas Sarkozy devait être le candidat de la frontière réparatrice et protectrice, mais s'il avait encore une quelconque légitimité à l'être et les ressources nécessaires pour en convaincre les Français, plutôt sceptiques au vu de son bilan.

Le maillon faible

Pour beaucoup, la nomination de Brice Hortefeux comme premier titulaire du poste de ministre de l'Immigration, de l'Intégration et de l'Identité nationale sembla avoir valeur d'engagement personnel de la part du président nouvellement élu. Assez vite pourtant, le doute s'insinua dans les esprits. Imprécise dans ses objectifs, pauvre en idées et en outils nouveaux, la loi du 20 novembre 2007 relative à la maîtrise de l'immigration, à l'intégration et à l'asile politique fut adoptée à la hâte, comme si l'exécutif avait cherché à bon compte à se débarrasser d'un encombrant fardeau. La seule disposition innovante du texte consistait à mettre en place, à titre expérimental, la possibilité de pratiquer des tests ADN sur les candidats au regroupement familial issus des pays dans lesquels l'état civil présentait des carences ou était inexistant. On sait ce qu'il en advint lorsque Eric Besson, le successeur d'Hortefeux, décida en septembre 2009 de ne pas signer le décret d'application qui concernait cet aspect spécifique de la loi.

Toutes les autres mesures relevaient de la médecine bien connue du cautère sur une jambe de bois, n'étant assorties d'aucune obligation de résultat pas plus que du moindre moyen de contrôle. Rien, en somme, qui ne fut de nature à enrayer véritablement le régime de l'autoengendrement des flux familiaux. Rien qui ne fut à même d'arrêter ce que l'écologue américain Garrett Hardin avait appelé, dans un article fameux, "*The Tragedy of the Commons*[3]", mettant en évidence l'incompatibilité entre la propriété commune, ou plutôt le libre accès aux biens communs, et la durabilité de ces biens. Dans une lettre de mission envoyée le 9 juillet 2007 à Brice Hortefeux, le chef de l'Etat avait pourtant été catégorique : « *Vous viserez l'objectif que l'immigration économique représente 50 % du flux total des entrées à fin d'installation durable en France.* » Trois ans plus tard, le gouvernement dut en rabattre. L'aiguille des indicateurs était restée bloquée. Selon les chiffres de l'Office français de l'immigration et de l'intégration, les entrées pour motif économique ne représentaient toujours que 15,5 % du total contre 15,4 % en 2007.

En plusieurs occurrences, la volonté de combattre l'immigration illégale commença à montrer d'inquiétants signes de défaillance à tous les échelons de l'administration. Profondément affecté par la réputation d'homme de main qui lui avait été faite dans le sillage de Nicolas Sarkozy, le ministre n'eut de cesse de chercher à se défaire de cette tunique de Nessus. Le spadassin se voulait sous-préfet aux champs, poète humaniste, frère prêcheur et – pourquoi pas ? – casque bleu. La fermeté, chez lui, ne dépassait pas le stade oral. Nonobstant la feuille de route que lui avait signifiée le président, il rêvait d'un « prix de l'intégration » qui lui aurait permis, tant par la composition du jury que par le choix des lauréats, de donner quelques gages aux lobbies du sans-frontiérisme. Lesquels étaient d'autant plus mal fondés à lui faire un procès d'intention que lui-même n'en avait absolument aucune et d'aucune sorte, ni bonne ni mauvaise, dans un emploi où les coups à prendre lui paraissaient déplorablement disproportionnés par rapport aux gratifications qu'il pouvait en attendre.

Nous n'avions, le ministre et moi, que très peu de contacts. Mais quand il lui arrivait de me faire part de ses difficultés, c'était régulièrement pour se plaindre de l'insupportable contrainte que faisait peser sur lui l'obligation de se plier à l'objectif annuel, fixé par la fameuse lettre de mission, de 30000 reconduites aux frontières d'étrangers en situation irrégulière : « Les préfets que je menace de faire tomber la casquette font du chiffre en expulsant les Polonais qui travaillent dans les cirques ambulants et d'autres pauvres types des pays de l'Est prêts à accepter, moyennant finances, des retours volontaires. Tout ça n'est que faux-semblant et poudre aux yeux. » Il ne lui vint jamais à l'esprit que je n'étais pas le meilleur confident pour recueillir de telles doléances. A intervalles réguliers, je m'ouvrai auprès du président des doutes que m'inspirait la politique de son ministre. Invariablement, la réponse fusait, toujours la même, à quelques minces variantes :

— *Je vais changer Brice de poste. Il est trop englué dans le politiquement correct. Ami ou pas, il est là pour faire le job et, s'il ne le fait pas, je le vire.*

Hortefeux fut plusieurs fois déplacé, jamais viré du moins jusqu'au mois de février 2011.

L'invention du « cas par cas humanitaire »

L'inconséquence majeure me resta, un temps, inconnue. Dans le plus grand secret, Hortefeux avait repris la politique de régularisation des clandestins au cas par cas. Celle-là même que son ami, alors candidat, avait dénoncée en 2007 comme l'exemple du laxisme des socialistes en la matière, martelant que *« le cas par cas revenait en fait à une régularisation massive »*. Le ministre n'avait pas eu à chercher bien loin dans l'arsenal législatif à sa disposition. Votée à l'initiative de Nicolas Sarkozy, alors que celui-ci était encore place Beauvau, la loi du 24 juillet 2006 avait pour objet affiché de mieux encadrer le pouvoir discrétionnaire du préfet en introduisant une liste de critères qui permettrait un contrôle minimum du juge sur la délivrance des titres de séjour. Sous couvert de supprimer la régularisation de plein droit après dix ans de résidence et en dépit du message de fermeté que cette mesure était censée administrer, la loi marqua, en réalité, un tournant. L'article 313-14 créait à cette occasion, par voie législative, une nouvelle procédure en introduisant la notion d'« admission exceptionnelle au séjour » à titre humanitaire. C'était alimenter une filière supplémentaire qui viendrait grossir le flux déjà abondant des régularisations des étrangers en situation illégale pour liens personnels et raisons familiales. Ainsi pour l'année 2009, celles concernant les étrangers malades s'élevèrent à près de 8000 cas, soit une sur trois.

Au total et à en juger par le nombre de titres de séjour délivrés aux étrangers en situation irrégulière, les régularisations sous la présidence de Nicolas Sarkozy bénéficièrent à 124440 personnes durant la période comprise entre 2007 et 2011 contre 144480 sous le gouvernement de Lionel Jospin (1997-2002)[4]. Proportionnellement, le bilan de la droite au pouvoir attestait d'un plus grand laxisme que celui de la gauche. A ceci près que l'opinion resta dans l'ignorance la plus totale du processus en cours, contrairement à ce qui s'était passé au temps de la circulaire Chevènement, dont la publication en juin 1997 avait fait grand bruit et soulevé bien des polémiques. Ce fiasco, dont je ne pris réellement conscience que vers la fin de l'année 2009, comment pourrions-nous en répondre devant ces Français démunis auxquels il était sans cesse demandé d'accueillir de nouvelles vagues d'immigrés ou de céder la place par un exil contraint que les sociologues avaient désigné sous le vocable de *white flight* sans en anticiper toutes les turbulences? Comment leur faire comprendre que, malgré les engagements pris en 2007, l'acte délictueux et le viol de la loi que constituait la présence d'un étranger en situation irrégulière sur le territoire national étaient plus que jamais, au mépris de toute logique et de toute justice, créateurs de droits? Encore ces Français ne surent-ils jamais qu'à une consultation lancée en 2011 par la Commission européenne sur des modifications éventuelles de la directive sur le regroupement familial, la France, contrairement à un certain nombre de pays soucieux de voir mieux pris en compte l'intérêt des Etats, avait répondu qu'elle n'était pas favorable à une révision du cadre actuel.

A l'heure des comptes, faute de pouvoir expliquer l'inexplicable, on eut recours à un expédient éprouvé : cacher la poussière sous le tapis, dissimuler les mauvais chiffres qui entachaient le bilan du quinquennat. Préposée au nettoyage de surface, Emmanuelle Mignon adressa au président à nouveau candidat une note en date du 2 mars 2012, où lucidité et habileté faisaient bon ménage : « Sur les régularisations, je crois qu'il faut dire que "la régularisation au cas par cas sur la base de critères objectifs" ne veut rien dire; toute indication de critères objectifs crée de nouvelles filières d'entrées [...]. Et naturellement, ne pas nous vanter de faire, nous aussi, des régularisations. Si on est interrogé sur ce que nous faisons, il faut dire que nous faisons du cas par cas humanitaire et que nous n'avons pas, comme Jospin et

Chevènement, émis de circulaire générale s'ajoutant à la loi pour ouvrir de nouveaux "droits à régularisation". »

A dire vrai, il y eut bien, malgré tout, deux ou trois mesures qui échappèrent à la labilité de la politique migratoire des gouvernements Fillon. La loi qui allongeait de trente à quarante-cinq jours la durée de la rétention administrative pour les étrangers en instance d'expulsion et de deux à cinq jours le délai à l'issue duquel le juge des libertés avait la possibilité d'intervenir fut l'une de celles-là. En quête de soutiens auprès de la majorité qui s'en montrait chiche, Eric Besson me prit à témoin des mauvaises manières de la droite à son égard. Non sans courage, il ferrailla pour imposer une réforme qui, par le passé, s'était déjà plusieurs fois heurtée à la censure du Conseil constitutionnel. Imperméable à la casuistique jésuite qui avait cours dans ce genre de débat, il fit valoir que, même porté à quarante-cinq jours, le délai de rétention administrative resterait le plus court en Europe, très éloigné de ce qui prévalait dans les grandes démocraties, puisqu'il était de dix-huit mois en Allemagne et illimité au Royaume-Uni. Pareil argument, s'il faisait mouche auprès des Français et désamorçait en partie les critiques axées sur le caractère prétendument liberticide de la loi, ne convainquit pas en haut lieu. De fortes réticences se manifestèrent au cours des réunions préparatoires, particulièrement chez François Fillon et Brice Hortefeux. A la fois surpris et excédé, craignant surtout que le président ne se découvrît « humaniste » sous l'influence de son épouse, Besson me pressait d'intervenir auprès de lui, afin qu'il tranchât sans plus tergiverser. L'arbitrage que Nicolas Sarkozy finit par rendre *in extremis* en sa faveur lui fit cependant l'effet d'une victoire à la Pyrrhus. Le pilonnage auquel la gauche s'était livrée contre ce transfuge du PS, rappelant par sa violence les campagnes dont le Parti communiste français poursuivait ses dissidents au temps de la guerre froide, avait eu raison de la farouche détermination affichée lors de notre première rencontre : « Un ministre de l'Immigration doit savoir être impopulaire. Hortefeux était inhibé. Rassurez-vous : avec moi, ce ne sera pas le cas. »

A peine un an plus tard, l'homme qui me reçut dans son bureau de la rue de Grenelle avait le regard hagard de ceux qui ont côtoyé les abysses. C'était peu de temps après que *Marianne* lui eut consacré l'une de ces couvertures qui faisaient de la politique une chasse à l'homme non réglementée. « Arrêtez-le ! »

était-il sobrement recommandé aux lecteurs et pour qui n'avait pas compris : « Eric Besson, l'homme le plus détesté de France. » Accablement et usure affleuraient dans les mots du ministre qui semblait découvrir la loi implacable sanctionnant la dissidence de la pensée non conforme : « Ma mère a pleuré quand elle a vu la une de *Marianne*, me confia-t-il. Ma fille qui est à Normale Sup a découvert une affiche me représentant en Hitler. Elle m'a dit : "Tu comprends, papa, quand tu étais député socialiste, tu représentais le bien, c'était sympa. Là, il va falloir que tu choisisses entre ta carrière politique et tes enfants." Qu'est-ce que vous voulez que je réponde à cela ? » Eric Besson avait fini son temps de service utile. Il demanda l'exterritorialité politique et son exfiltration vers un ministère du Numérique, pâturage des pur-sang réformés, comme on disait dans le monde hippique.

Pour qui regardait avec un peu de distance l'évolution des mentalités et des pratiques politiques, une rupture était intervenue dans les dernières décennies du siècle précédent autour du mythe de l'égalité. La social-démocratie, qui avait peu ou prou imprégné toutes les politiques de redistribution en Europe occidentale depuis la fin de la Seconde Guerre mondiale, était de toute évidence dans une impasse. Nous étions arrivés à ce stade si bien décrit dans les années 1970 par le prix Nobel d'économie George J. Stigler[5], où l'autorité régulatrice, autrement dit, l'Etat-providence, se retrouvait sous l'emprise sans cesse grandissante de nouveaux groupes de pression et n'était plus en rien le garant de l'intérêt général. Où les pauvres étaient désormais encore plus démunis sur le marché politique, faute d'y trouver des soutiens actifs et efficaces, qu'ils ne l'étaient sur le marché économique. En France, ce fut à l'hégémonie politico-médiatique de la gauche qu'incomba l'accélération de ce processus lorsqu'elle prit résolument le parti de dissocier le problème de l'immigration de l'ensemble de la question sociale.

Un droit d'aubaine

L'impulsion fut donnée par la génération 1968 qui était en vérité, selon la formule de Jean Birnbaum, une « génération algérienne », une « génération FLN »[6]. Une génération née à la politique en s'identifiant à la cause de la guerre d'indépendance menée par les rebelles algériens contre la France. Une génération qui, au nom de la logique normative de la souffrance maximale, avait transposé la figure messianique, inhérente au combat de l'émancipation, du pauvre vers l'opprimé, cher à Frantz Fanon, du prolétaire vers la victime de notre passé colonial. Dès lors, la question sociale ne pouvait que céder le pas à la question ethno-raciale. Le critère de la redistribution de l'argent public ne devait plus être la condition, mais l'origine ; plus le revenu ou l'absence de revenu, mais l'appartenance ethnique. Il obéirait non plus à une logique de compensation et de solidarité en faveur des démunis, mais à une logique de réparation qui consisterait à faire payer le plus grand nombre pour les crimes du colonialisme au moyen d'un transfert massif de ressources en faveur des « minorités visibles ».

Ainsi naquit la « politique de la ville », apparue formellement avec le premier plan banlieue de Jacques Barrot, ministre de VGE en 1977, mais dont l'essor véritable se déploya avec l'arrivée de la gauche au pouvoir. De la mise en œuvre des zones d'éducation prioritaire en 1981 à celle des zones urbaines sensibles en 1996, du plan de développement social des quartiers en 1982 à la création du ministère de la Ville en 1990, de la création des contrats de ville en 1989 aux contrats de cohésion sociale en 2007, du pacte de relance pour la ville en 1996 au plan Borloo de rénovation urbaine en 2003 en passant par la loi Jospin de « solidarité et renouvellement urbain » en 2000, près de 100 milliards d'euros avaient été ainsi déversés sur trente ans dans les quartiers, asséchant essentiellement au profit de la population immigrée une immense partie des ressources de la solidarité nationale et ce, sans aucun résultat tangible, ni la moindre amélioration des indicateurs sociaux si l'on se fiait aux rapports successifs de la Cour des comptes.

Fondé à l'origine sur le retournement dialectique qui avait servi à justifier ce qui n'était ni plus ni moins qu'une rente politique de la culpabilité coloniale, ce dévoiement des fonds publics s'était trouvé par la suite d'autres légitimations plus conformes à l'air du temps. Moins préoccupée d'eschatologie révolutionnaire que de confort matériel et intellectuel, la gauche libérale-libertaire des classes supérieures avait vu dans le *care*, le « soin » ou la « sollicitude » dans l'usage vernaculaire, mais haussé entre-temps au rang de concept par les démocrates américains, le moyen d'établir un projet politique de substitution et de se doter d'une nouvelle assise morale pour perpétuer sa domination sur la population immigrée. Elle avait surtout compris que la division entre *care givers* et *care receivers* rendait définitivement caduque la notion même de lutte des classes qu'elle achevait de vider de son contenu. D'une pierre deux coups : le *care* lui apportait une réserve de prestataires de service taillables et corvéables à bas prix en même temps qu'un électorat captif auquel François Hollande devrait, entre autres choses, son élection à la présidence de la République, le 6 mai 2012. Sans oublier la bonne conscience que lui procurait, en son narcissique miroir, le plaisir d'arbitrer entre les pauvres selon leurs mérites ou leurs origines, comme les dames patronnesses d'autrefois. Pour cette gauche mondialiste et opportuniste, les occasions n'allaient pas manquer d'exercer ce qui était ni plus ni moins qu'un droit d'aubaine lequel, dans le langage féodal, s'entendait précisément comme le droit de prélever un profit matériel ou immatériel sur les « aubains », les étrangers en situation de dépendance.

Par suivisme, par conformisme, la droite, momifiée dans les bandelettes des lieux communs à la mode, prit grand soin, sur ce point comme sur bien d'autres, de ne jamais remettre en cause les postulats de la gauche. Au lieu de s'extraire du mol oreiller du prêt-à-penser où étaient inscrites la mort du monde rural, la relégation des « petits Blancs » à l'écart des grandes métropoles et la fin d'une véritable politique d'aménagement du territoire pour laquelle elle avait, cependant, quelques titres historiques à faire valoir, elle se plut à reconduire et à homologuer avec une pieuse déférence la politique de la ville quand elle n'ajouta pas de nouvelles pierres à l'édifice à coups de programmes immobiliers opaques et d'incontrôlables subventions aux quelque 12 000 associations de grands frères, éducateurs spécialisés, médiateurs sociaux et autres animateurs socioculturels qui en vivaient. Le *nursing* perdura, avec tétine géante et double ration de lait.

A aucun moment, malgré la masse des informations que faisaient remonter les élus relayant les doléances du terrain, il ne vint à l'esprit des dirigeants de la droite que le paysage social de référence n'avait qu'un lointain rapport avec celui que donnaient complaisamment à voir les médias, que la politique de la ville telle qu'ils la menaient répondait davantage à une demande idéologique qu'à la véritable attente sociale. A aucun moment, il ne leur fut possible de concevoir l'existence d'une autre jeunesse, par exemple celle de la France rurale et prolétarienne, que la jeunesse « vue à la télé » des quartiers sensibles dont Jean-Louis

Borloo, le ministre de la Ville de Jacques Chirac, exaltait le « formidable réservoir d'énergie et de talents » en déclarant *urbi et orbi* que « l'avenir du pays se jouait là ».

Les chiffres étaient pourtant sur la table, à portée de main. Il suffisait d'ouvrir l'*Atlas des fractures françaises*[7] de Christophe Guilluy ou *Le Descenseur social*[8] d'Alain Mergier pour qu'ils vous tombassent sous les yeux, dessinant les contours de nouveaux clivages sociaux et spatiaux. Ils racontaient une tout autre histoire que celle que véhiculaient les tenants de l'idéologie diversitaire. Une histoire qui ne mobilisait que rarement l'ardeur compassionnelle des médias. Une histoire qui était séquestrée dans le hors-champ des grandes consciences. Une histoire qui n'apparaissait jamais ou fugitivement sur les écrans radars des dispensateurs de la manne publique. Bousculant les idées reçues, ces chiffres disaient que les défavorisés, les ultrapauvres, les exclus n'étaient pas là où une représentation controuvée cherchait à nous le faire croire, mais relégués dans les petites villes, les villes moyennes, le périurbain, le rural profond, où les paysans décrochaient le record absolu de mortalité par suicide à raison de deux par jour, et le rural ouvrier, si caractéristique du nord de la France, où se rencontraient les formes les plus terribles de la misère sociale et de la détresse humaine. Ils établissaient sans contestation possible que les taux de pauvreté les plus élevés n'étaient pas l'apanage de la Seine-Saint-Denis, mais celui des départements ruraux, comme l'Aude, l'Ardèche, le Cantal ou la Creuse qui se disputaient année après année le ruban noir de la guigne. Ils faisaient remonter à la surface des données jusque-là inconnues, autant de stigmates propres à ces territoires : sous-consommation des prestations sociales et notamment des allocations logement et du RMI, faible densité en équipements, services et transports publics et, d'une manière générale, sous-investissement de l'Etat. Des territoires qui n'étaient pas, comme les « quartiers sensibles », des territoires perdus, mais bel et bien des territoires abandonnés de la République, où vivaient néanmoins les invisibles, ceux dont on ne parlait jamais. La France des manants et des gueux.

L'impossible rupture avec la préférence immigrée

La gauche avait choisi d'ignorer ce phénomène. A l'en croire, l'« urgence à agir » et l'essentiel des nouveaux défis sociaux que le pays avait à relever dans les années à venir se concentraient dans les « quartiers sensibles ». Elle s'obstinait à voir des « ghettos » là où il y avait des zones de transit soumises à un renouvellement permanent de leur population et qui jouaient le rôle de sas pour chaque nouvelle vague migratoire, ces « primo-arrivants » appelés à prendre la place des jeunes diplômés et des ménages en phase d'intégration sociale. Des raisons électorales présidant à ce choix, nul ne pouvait méconnaître les ressorts. Il s'agissait, selon l'équation établie par le *think tank* Terra Nova, de bâtir une coalition de substitution dans laquelle les classes urbaines dominantes, les femmes, les immigrés, les jeunes, les diplômés, les minorités sexuelles prendraient la place de l'électorat populaire de souche engagé depuis au moins deux décennies dans un lent, mais inexorable processus de désaffiliation. Dans une phase de nécessaire réduction de la dépense publique, une société qui se refusait à identifier les intérêts contradictoires ne se donnait pas les moyens de procéder à des arbitrages transparents et équitables susceptibles d'être débattus devant tous les Français. Les nouvelles classes laborieuses avaient, quant à elles, parfaitement identifié les choix préférentiels de la gauche, ce que le journaliste Hervé Algalarrondo appellera à juste titre, mais au grand effroi de ses pairs, la « préférence immigrée[9] ».

C'était là, me semblait-il, une occasion historique pour la droite de reprendre un avantage moral décisif en se faisant la protectrice des plus démunis et en s'emparant de l'idée de justice redistributive. Dans l'année qui suivit son élection, je m'employai à tenter de convaincre Nicolas Sarkozy de l'impératif qu'il y avait à opérer sans délai cette révolution culturelle en redonnant à la question sociale le primat sur la question ethno-raciale dans l'espace public. Adopter des critères de transferts et de redistribution emportant l'adhésion du plus grand nombre, dans un contexte de précarisation du travail et de fragilisation de notre système de protection sociale, me paraissait être le préalable indispensable à une refondation de la politique de solidarité nationale. Je proposai donc au président de redéployer la politique de la ville en remplaçant le critère du « quartier » par le critère unique de la concentration de la pauvreté calculée à partir du revenu des habitants de manière à élargir la géographie prioritaire des aides aux zones périurbaines et aux petites villes en déclin non éligibles jusque-là à la corne d'abondance de la manne étatique[10].

« Intéressons-nous aux victimes de la discrimination négative, insistai-je. Elles sont pour le moins 10 millions. C'est moralement gratifiant et électoralement porteur. » L'idée le séduisait toujours autant qu'au moment de la campagne, mais les marges de manœuvre s'en trouvèrent tout de suite limitées par la nomination de Fadela Amara au poste de secrétaire d'Etat chargée de la Politique de la ville. De fait, le plan « Espoir banlieues », concocté en 2008 par cette ancienne militante de SOS Racisme, ne sortit pas du périmètre sanctuarisé par les autorités morales de l'idéologie diversitaire, de ce périmètre sacré et médiatiquement consacré comme seul habilité à recevoir l'argent public. Il fut sobrement sous-titré « Une dynamique pour la France », histoire de rappeler aux Indigènes d'où devait venir la régénération et à quel point ils étaient, quant à eux, le réceptacle de tous les archaïsmes. Au risque une nouvelle fois de provoquer, chez les autochtones en question, les démunis de souche, un profond sentiment d'injustice doublé d'un ressentiment non moins profond à l'égard des immigrés. Sans doute fut-ce à ce moment-là que se noua l'échec du quinquennat de Nicolas Sarkozy : dans la dramatique inadéquation entre son fort tempérament instinctif et son irrépressible besoin de reconnaissance médiatique et affective. L'homme public, malgré l'appel qu'il sentait sourdre en lui, fut toujours contraint par l'homme privé, ses passions, ses désordres, ses coupables faiblesses pour l'air du temps et les fragrances de la modernité.

Lorsqu'en mai 2011, Laurent Wauquiez, alors ministre des Affaires européennes, dénonça courageusement les « dérives de l'assistanat » comme le « cancer de la société française »[11], il était déjà trop tard pour renverser le cours des choses. Le tollé fut fracassant, la bronca à proportion du tabou qui avait été foulé aux pieds et des arrière-pensées « nauséabondes » qu'on prêta aussitôt à l'auteur du propos. Ce n'était pourtant pas la première fois qu'un élu de la « droite républicaine » exprimait son malaise devant l'insondable gabegie de l'Etat-providence et l'usage inconsidéré qui était fait de l'argent de la solidarité nationale. Ce qui était nouveau, en revanche, c'était l'ampleur du mouvement de rejet qui frappait d'illégitimité les politiques publiques. Dans un contexte de crise économique et d'accélération du processus de mobilité sociale descendante, le mode de gestion et le champ d'action de l'Etat-providence étaient devenus des enjeux politiques et sociétaux majeurs. Pour l'électorat populaire, le terme même d'assistanat renvoyait à toutes les situations d'abus ou de fraudes dont les populations immigrées étaient rendues responsables.

On accusa donc Laurent Wauquiez d'exciter les bas instincts de la plèbe en creusant le ressentiment envers les immigrés. Cédant à la facilité, *Le Monde* crut pouvoir affirmer que le ministre avait été informé du fait que je voulais « relancer l'assistanat comme thème de campagne[12] » pour 2012. Telle n'était absolument pas mon intention. Elu sur le slogan de l'« immigration choisie », Nicolas Sarkozy allait devoir rendre compte d'une politique qui avait continué à favoriser une immigration d'allocataires sociaux dont le coût pour la collectivité était jugé d'autant plus insupportable par les Français les plus modestes que l'argent public se faisait rare et que les médias les tympanisaient avec le problème de la dette. Pourquoi dès lors, et dans de telles conditions, risquer d'approfondir une contradiction qui menaçait d'être fatale en relançant le débat ?

Echéance et déchéance

Les élections régionales de mars 2010 avaient été marquées par un revers cuisant pour la majorité. Avec 27 % de suffrages au premier tour, la droite parlementaire enregistra son plus mauvais score sous la Ve République, tous scrutins confondus. Le vote populiste asséché en 2007 retrouvait une nappe phréatique. Il se reconstituait quasi exclusivement au détriment de l'UMP, renouant ainsi avec une dynamique qui augurait mal de l'échéance présidentielle pour le candidat sortant. Le message était clair et balisait la route à suivre : la France excentrée des invisibles entrait à nouveau en dissidence. Le périphérique prenait la tangente. Nous n'avions plus d'autre alternative que de la séduire ou de périr. Comme je m'apprêtai à déballer la trousse des premiers soins, Nicolas Sarkozy, à notre grande surprise, étrenna à cette occasion une antienne qui allait lui devenir familière : « *Si on m'avait dit cela il y a encore un mois, j'aurai signé tout de suite. Tout cela n'est pas si mal.* »

Peu importait, au fond, la part de thérapie et la part de sincérité qui entraient dans ce propos. Nous comprîmes ce soir-là qu'il n'évoluerait plus sans le secours de cet opium mental. Les conséquences qu'il convenait de tirer de ce scrutin ne faisaient dans mon esprit aucun doute. La centralité de la question de l'immigration au sein des catégories populaires, jointe à l'incapacité des politiques à y apporter des réponses incontestables, commandait une radicalité qui ne pouvait plus être confinée au seul discours. Nonobstant la rude pédagogie des faits, le président se refusait à admettre une vérité complexe et dérangeante : chacune de ses interventions sur les questions régaliennes produisait désormais un effet contraire à celui qui était recherché. Il croyait toujours à la force de percussion des mots, alors que les siens ne parvenaient plus à infuser dans l'imaginaire national. Ils n'« imprimaient » plus. Une fois encore, je le mis en garde contre le choc en retour que ne manquerait pas de susciter le recours au détonant mélange de surenchère législative et d'inflation langagière à quoi se réduisait de plus en plus son action politique. Il y voyait la marque de son « authenticité », cet étrange mécanisme qui lui donnait à croire que l'urgence de dire le dispensait de l'obligation de faire.

Ce fut dans ce contexte que Nicolas Sarkozy, le 30 juillet 2010, prononça le discours de Grenoble. Le choix de la ville, dicté par la chronique des faits divers, me parut de sinistre augure : c'était là qu'avait eu lieu, le 7 juin 1788, la « journée des Tuiles », la première grave insurrection contre l'autorité royale, annonciatrice des troubles révolutionnaires. Cette fois, de violentes émeutes ponctuées de tirs à balles réelles contre les forces de l'ordre venaient d'embraser le quartier de La Villeneuve, fief de dangereuses bandes de narcotrafiquants issues de l'immigration. Le déclencheur? La mort d'un Franco-Algérien multirécidiviste dix fois condamné, abattu par la police, à l'issue d'une course-poursuite engagée après le braquage du casino d'Uriage-les-Bains. Immanquablement, ce genre de situation appelait chez les politiques une seule question : il s'agissait moins de savoir comment être à la hauteur des événements qu'à l'unisson de l'émotion qu'ils suscitaient dans l'opinion. Alors s'amorçait inéluctablement le piège fatal.

Dans l'une de ces volte-face où se condensait tout son génie de l'esbroufe, l'homme qui avait aboli le principe de la « double peine » proposa que la nationalité française pût être dorénavant retirée à *« toute personne d'origine étrangère qui aurait volontairement porté atteinte à la vie d'un fonctionnaire de police ou d'un militaire de la gendarmerie ou toute autre personne dépositaire de l'autorité publique »*. Ce qui revenait à poser en filigrane la question de la surdélinquance structurelle des populations immigrées, primo-arrivantes, phénomène archiconnu des criminologues étrangers à en juger par l'abondante littérature consacrée aux mafias italiennes et irlandaises aux Etats-Unis, mais frappé en France d'une implacable omerta politico-médiatique. Comme il fallait s'y attendre, la polémique sur la déchéance de la nationalité empêcha une fois de plus tout débat sur le caractère criminogène des sociétés où le multiculturalisme avait force de loi. A force de gonfler son jabot pour ce qui n'était plus que des parades oratoires, la parole sécuritaire débouchait sur un collapsus du sécuritaire.

Dans un jeu de rôle dont les répliques ressortaient des classiques du répertoire, *Marianne* cloua « Le voyou de la République » au pilori de sa couverture. Les réflexes pavloviens qui conditionnaient la non-pensée médiatique me firent immédiatement désigner comme le responsable du « virage sécuritaire » du chef de l'Etat et le promoteur d'une mesure aussitôt décrétée « contraire aux valeurs de la République », alors même que la paternité en incombait au gouvernement républicain de 1848. Les esprits prospectifs y virent une manœuvre préélectorale destinée à faire saillir les « arêtes idéologiques » susceptibles de créer une opposition maximale entre droite et gauche. Prenant le contrepied de ses confrères, *Le Monde*, pour une fois bien informé, notait que je n'étais nullement impliqué dans la « nouvelle offensive sécuritaire » de l'Elysée avant de conclure : « C'est la République des policiers et des préfets qui est à l'œuvre[13]. » Il n'était que trop évident que Nicolas Sarkozy ne pouvait retrouver le crédit que les Français lui avaient progressivement retiré par les moyens ordinaires de la communication politique. Le temps n'était plus à la multiplication des leurres ou des opérations de diversion à caractère électoraliste et, plutôt que de m'employer à convaincre le chef de l'Etat que le débat sur la déchéance de la nationalité relevait de ces catégories-là, j'imaginais une tout autre stratégie.

Depuis l'indépendance de nos anciennes colonies, la question de l'immigration souffrait en France d'un vice originel. Les choix avaient été imposés par la classe dirigeante au peuple français, sans que celui-ci n'ait eu à aucun moment la possibilité de décider collectivement de son destin. Une nation qui ne décidait plus des conditions d'accès à la nationalité et de résidence sur son sol ou, pis, qui acceptait de se les voir dicter de l'extérieur méritait-elle encore d'être considérée comme une nation libre ? En vérité, la manière dont les pouvoirs publics avaient traité le problème depuis les années 1970 constituait un cas exemplaire de déni ou de contournement de la volonté populaire. Ce dont un esprit aussi peu enclin à l'hyperbole que Marcel Gauchet avait pu dresser le constat quand il écrivait, à propos de la politique d'immigration, que « la transformation fondamentale de la société française qui en avait résulté » présentait « cette particularité intéressante d'avoir totalement échappé, de bout en bout, au débat et à la décision démocratique, soit au titre de l'impuissance de l'Etat devant une réalité plus forte que lui en un temps où son impotence se fait par ailleurs cruellement sentir, soit au titre du choix imposé par l'oligarchie économico-politique »[14]. Incapacité de l'un ou arbitraire de l'autre, la montée du Front national était venue sanctionner, quels que fussent le cas, le manque de démocratie et le mépris féroce des élites à l'égard des souffrances du peuple auquel il était refusé toute autre forme d'expression que la protestation populiste. Protestation vilipendée, stigmatisée, mais d'autant mieux tolérée qu'elle offrait au système un repoussoir utile, maintenu par le mode de scrutin à l'écart non seulement du pouvoir, mais encore de l'espérance du pouvoir.

Retour au peuple ?

La charge passionnelle et l'enjeu politique étaient désormais tels qu'aucun pouvoir, ni l'exécutif ni le législatif, n'avait plus la légitimité nécessaire pour imposer au pays les choix fondamentaux que la situation commandait. Pour qui voulait en finir vraiment avec cet interminable débat, il n'y avait d'autre issue que la consultation des Français par voie référendaire. A moins de considérer, comme il en était allé jusque-là, que la décision ne devait en aucun cas relever de la souveraineté populaire, que le peuple français n'avait pas la maturité suffisante pour trancher ce qui était devenu, avec l'amplification des flux migratoires, la question centrale de son destin collectif.

Fort de cette certitude, je pressai le président de s'extraire du débat piégé et piégeur sur la déchéance de la nationalité pour l'amener à envisager d'autres perspectives. Il y était d'autant plus enclin que sa cote de popularité flirtait avec l'abîme et obscurcissait de jour en jour, au point de le rendre hautement hypothétique, le scénario de sa réélection. La note, que je lui adressai au début octobre 2010, détaillait un dispositif complet articulé sur le calendrier de l'élection présidentielle : « Le moment est venu, si l'on veut réformer paisiblement le pays, d'en appeler à une légitimité supérieure, la seule qui compte en démocratie : la légitimité populaire. Contrairement à ce que disent ses détracteurs, il s'agit de la forme la plus indiscutable du gouvernement par le peuple et pour le peuple. La pratique du référendum pacifie le débat en instituant un juge unique et incontestable, donne à la confrontation des idées toute sa place dans la formation du jugement public, introduit plus de rationalité dans le mécanisme de la décision politique, évite les longues et stériles discussions, les pressions et les débordements de la rue aussi bien que la dictature des minorités, désensemence le terreau de l'extrémisme [...]. L'organisation d'un référendum est la seule réponse politique que nous puissions apporter aux problèmes que pose l'immigration. Aujourd'hui comme hier et même davantage encore qu'hier, toute autre initiative, sur un sujet aussi éruptif, se heurterait au scepticisme massif de l'électorat populaire qui serait porté à n'y voir que diversion, digression, manipulation et pour tout dire : encore une opération de communication [...]. Il s'agirait de soumettre au vote des Français quatre ou cinq projets de loi qui porteraient sur le regroupement familial, les critères d'attribution des prestations sociales non contributives (celles qui résultent de la solidarité nationale : RSA et minima sociaux, CMU), les conditions d'attribution du droit d'asile et les conditions d'accès à la nationalité française. La reconquête de la maîtrise de notre politique migratoire ne serait pas complète sans une refonte totale des accords de Schengen qui nous permettrait de rétablir nos contrôles non sur l'ensemble des points frontaliers, mais à certaines frontières, ponctuellement et en toute liberté, quand nous le jugerions nécessaire. Ce point doit être d'autant plus inclus dans le référendum qu'il fournirait aux Français et singulièrement à la France du "non" de 2005, avec laquelle nous avons perdu le contact, l'occasion de réinstaurer avec éclat le primat de la souveraineté nationale sur les directives communautaires et les conventions européennes ou internationales [...]. Une telle consultation n'est envisageable pour des raisons évidentes que si elle intervient à plus d'un an de l'échéance présidentielle. C'est dire si nous sommes dans l'urgence [...]. En tout état de cause, on peut très bien envisager que l'initiative ne vienne pas de la présidence, mais procède du dispositif que tu as fait introduire lors de la révision constitutionnelle de 2008 avec la création du référendum dit "d'initiative populaire". Faut-il ajouter, pour conclure, que si le référendum est la seule réponse qui s'impose en la matière, c'est aussi le seul moyen pour toi de retrouver la confiance de l'électorat populaire en butte à une insécurité sociale et culturelle croissante qu'il nous fait grief tantôt d'ignorer, tantôt de n'avoir pas su prendre en compte. »

Dire que ma proposition reçut un accueil enthousiaste serait mentir. Nicolas Sarkozy n'était pas Bonaparte, ni même Louis-Napoléon Bonaparte. Pas question d'appel au peuple. Trop aventureux, trop risqué. Je lui avais pourtant fait valoir, bien avant même que sa popularité ne dégringole dans les sondages, que l'« hyper-président » qu'il entendait être ne pouvait pas ne pas engager sa responsabilité avant la fin de son mandat sans courir un risque politique majeur au moment de l'élection présidentielle. Hypothèse qu'il avait vigoureusement écartée à l'époque en arguant que l'audience, toujours spectaculaire, et le succès jamais démenti de ses interventions télévisées valaient quitus et renouvellement du bail de confiance que lui avaient accordé les Français en 2007.

Ses réticences avaient été aussi fortes lorsqu'il s'était agi de donner forme à l'un de ses engagements de campagne. Il mit ainsi toute son autorité pour transformer le projet de référendum d'initiative populaire, conçu initialement sur les modèles suisse et italien, en un texte sur le référendum d'initiative partagée où il était stipulé que l'organisation d'un tel scrutin incombait à l'initiative d'au moins un cinquième des membres du Parlement, soutenu par un dixième des électeurs inscrits sur les listes électorales. De condition première, la participation populaire se trouva bientôt réduite au rang de condition supplémentaire, presque annexe. C'était placer la barre à un niveau tel qu'on excluait en pratique la possibilité de mettre en œuvre la nouvelle procédure référendaire. D'ailleurs, en cet automne 2010, le président veilla en personne à ce que le projet de loi organique qui devait être soumis au Conseil des ministres reprît bien l'ensemble des modalités destinées à le rendre inopérant.

— *Le référendum d'initiative populaire, c'était une arme à double tranchant. Si j'avais eu ça sur la tête pour la réforme de La Poste ou pour la réforme des retraites en cours, tu te rends compte du danger que ça m'aurait fait courir*, fit-il observer au moment même où le mouvement social contre la loi Woerth touchait à sa fin.

Les rumeurs sur l'« arme secrète » que j'avais proposée au chef de l'Etat serpentaient dans les couloirs de l'Elysée, les moins malveillantes évoquant un coup d'Etat rampant. Quelques échos parus çà et là dans la presse me firent comprendre qu'un tir de barrage avait débuté, nourri selon les règles habituelles de la *bassa politica* par des snipers qui n'étaient pas tous embusqués derrière les lignes ennemies. On y racontait que Sarkozy me rendait responsable de l'échec de la séquence sécuritaire de l'été et qu'il était lui-même intervenu pour faire retirer la déchéance de nationalité du nouveau projet de loi sur l'immigration que préparait le gouvernement. En réalité, le baisser de rideau sur le malencontreux discours de Grenoble, second du genre [15], eut lieu le 25 novembre 2010 lors de la réunion de notre comité stratégique. Tout débuta par une fausse contrition bientôt élargie par cercles concentriques à une mise en cause collective :

— *Grenoble, c'est un revers. Le discours a troublé une partie de mon électorat. Ça n'a pas marché, ça ne m'a rien fait gagner. Il y a des mots que je n'aurais pas dû employer. Il faut être irréprochable. Il faut aussi savoir, le moment venu, prendre sa part de responsabilité dans un échec.*

Puis vint le tour des députés de la majorité coupables, à l'entendre, de ne pas suffisamment relayer la parole présidentielle, des ministres *« dégonflés »* et *« pétochards »* jetés dans le ressac d'un même mépris. Dans ce jeu de massacre au nombre de figures somme toute limité, certaines têtes revenaient plus souvent qu'à leur tour. Ce fut le cas, ce soir-là, de Christian Estrosi, le ministre de l'Industrie, qui avait cru devoir ajouter un peu plus à la confusion en proposant de sanctionner les maires défaillants en matière de sécurité :

— *Cet abruti d'Estrosi qui a une noisette dans la tête a tout plombé. Il a fait l'unanimité contre nous. Hier, le président des maires de France s'est fait applaudir là-dessus.*

Xavier Bertrand, qui venait d'être remplacé par Copé au poste de secrétaire général de l'UMP, eut droit lui aussi à une mention particulière :

— *Et Bertrand, qu'est-ce qu'il a fait à la tête de l'UMP ? Vous voulez me dire ce qu'il a fait ? Pourtant ce n'est pas un tendre, Bertrand. C'est même un méchant. Dix ans à essayer de placer des assurances en Picardie, dix ans à taper aux portes et à se prendre des râteaux, ça a de quoi vous rendre méchant pour le restant de vos jours. C'est d'ailleurs pour ça que je l'avais choisi.*

La voix embraya, soudain, sur un autre registre. Ce n'était plus le chef de clan, mais le président qui avait repris le dessus :

— *J'ai lu attentivement ta note,* dit-il en me fixant. *Le référendum, je connais, j'en ai fait moi-même l'expérience avec la question du changement de statut de la Corse en 2003. Chirac m'avait propulsé en première ligne de manière à me faire porter le chapeau en cas de victoire du « non ». Le problème, c'est qu'on ne répond jamais à la question posée, mais à celui qui la pose.*

— C'était le cas sous la République plébiscitaire de De Gaulle. Ce n'est plus le cas aujourd'hui. Regarde le référendum sur la Constitution européenne : le débat a porté exclusivement sur le fond. A aucun moment la personne de Chirac n'a interféré dans le choix des Français. Tu peux être tranquille avec l'immigration : la question est tellement forte qu'elle subsumera tout le reste.

— *Tu dis toi-même que ce serait une forme de relégitimation dans la perspective de la présidentielle.*

— Oui, mais pas à cause du résultat. Pas seulement à cause du résultat. Tu seras d'abord celui qui a rendu la parole au peuple, celui qui a écouté la parole du peuple, quand les autres n'ont fait, depuis trente ans, que la néantiser ou l'anathématiser.

— *De toute façon, le peuple, comme tu dis, il n'aura le choix, au second tour, qu'entre le socialiste et moi.*

— Justement, il faut organiser dès maintenant une consultation sur l'immigration. D'abord, parce que c'est un enjeu essentiel qui ne peut être tranché que par un référendum et qu'il est urgent de restaurer la souveraineté populaire sur ce sujet comme sur tant d'autres. Ensuite, parce que ce référendum sera la *catharsis* dont nous avons besoin pour éviter un autre référendum.

— *Explique-toi.*

— Pour empêcher que le second tour de la présidentielle ne tourne au référendum anti-Sarkozy.

— *Tu n'es pas sérieux ?*

— Si !

L'heure des aveux

Notre défiance était réciproque. Tout-puissant secrétaire général de l'Elysée, Claude Guéant avait subodoré en ma personne un contre-pouvoir d'autant plus incontrôlable qu'il s'exerçait de l'extérieur et qu'il obéissait à une logique qui lui échappait. Ce n'était certes pas un grand politique, mais c'était sans conteste un excellent flic, à qui ses patrons successifs, de Pasqua à Sarkozy, n'avaient pas su ou pas voulu lâcher la bride. A l'écouter développer sur les questions régaliennes des idées empreintes de clarté et de détermination, j'avais peu à peu acquis la conviction qu'en situation de responsabilité, cet homme saurait être inaccessible aux imprécations et intimidations routinières des « vigilants » et autres « lanceurs d'alerte » de la gauche médiatique. Je n'en mis que d'autant plus de force, lorsque se posa la question de la succession de Brice Hortefeux, à appuyer sa nomination au ministère de l'Intérieur. Laquelle, après avoir été envisagée à maintes reprises au cours de l'année 2010, intervint finalement à la toute fin du mois de février 2011.

A peine installé place Beauvau, Guéant fut confronté aux premières retombées migratoires des « printemps arabes » de Libye et de Tunisie. Devant la menace d'un afflux massif des clandestins tunisiens débarqués à Lampedusa, il fit déployer une compagnie de CRS en renfort des services locaux de police et de gendarmerie à proximité de la frontière franco-italienne. Le 18 avril, il ordonna de suspendre le trafic entre la France et la gare de Vintimille, d'où un convoi baptisé « train de la dignité » se proposait d'accompagner des centaines d'immigrés encadrés par les habituels agitateurs du sans-frontiérisme. De ce ministère dont il croyait connaître les rouages, voici qu'il appréhendait d'autres réalités toutes plus déconcertantes les unes que les autres : « Ce que je découvre est à proprement parler horrifiant, me confia-t-il au bout de quelques semaines. C'est fou ce que les politiques ont pu mentir à ce sujet. C'est stupéfiant ce qu'on a pu dissimuler aux Français. Rien que pour l'année 2009, l'estimation tourne autour de 250 000 nouveaux immigrés, y compris les clandestins. La vérité, c'est que rien n'a été fait depuis l'élection du président. » Sur quoi, il interrompit brusquement son propos. Pas assez tôt, cependant, pour ne pas m'en laisser deviner la suite. La vérité, indicible celle-là, pour un ministre de Nicolas Sarkozy, c'était que rien non plus n'avait été fait auparavant.

Pris d'un zèle que beaucoup au sein même du gouvernement, à commencer par François Fillon, jugèrent intempestif, le nouveau ministre se jeta à corps perdu sous le feu grégeois du lobby multiculturaliste. Arguant non sans bon sens des effets de la crise sur l'emploi, il déclara forclose la politique de l'« immigration choisie » et proclama sa volonté de réduire drastiquement les permis de séjour délivrés au titre du travail. Dans le maquis des bons sentiments et des intérêts entremêlés, les mots si neufs, si inattendus dans la bouche d'un responsable avaient le tranchant d'une machette : « Contrairement à une légende, il est inexact que nous ayons besoin de talents et de compétences issues de l'immigration, s'insurgea Claude Guéant. Il y a en France la ressource. » Une étrange polyphonie mêlant les voix de Laurence Parisot, au nom du patronat, et celles des grandes centrales syndicales, au nom de la gauche, se fit presque aussitôt entendre pour proclamer l'absolue nécessité d'une immigration du travail. Les « unions ouvrières » parlaient le même langage que les « représentants des 200 familles », pour reprendre le vocabulaire d'antan, sans que personne ne s'en offusquât. Le monde avait bien changé de base comme le réclamait *L'Internationale*, mais pas du tout dans le sens imaginé par Eugène Pottier et ses épigones. En dépositaire franchisé et francisé du *Wall Street journal* et de ses images pieuses sur la libre circulation tant vantée pour son effet désinflationniste et de modération salariale, Christine Lagarde ne tarda pas, depuis Bercy, à faire chorus.

— *De quoi se mêle-t-elle ?* s'agaça Sarkozy.

Pour la France des plans sociaux, les déclarations de cet acabit faisaient désormais l'effet d'une insupportable provocation. L'immigration ne lui apparaissait plus comme une fatalité ou une laxité, mais comme un plan concerté, une forme de délocalisation à domicile quand l'outil de travail, pour une raison ou pour une autre, n'était pas exportable. Elle en imputait quasi exclusivement la responsabilité au patronat, à l'oligarchie financière et à ses représentants dans l'appareil d'Etat. A ses yeux, l'économie comptable du phénomène n'avait plus aucun secret : le recours à la main-d'œuvre immigrée créait un profit qui allait essentiellement aux entreprises (bas salaires, restauration des marges, désyndicalisation du salariat), tandis que les coûts d'intégration (formation, éducation, sécurité) et les coûts sociaux (santé, logement, aides et prestations sociales) de cette main-d'œuvre étaient à la charge de la collectivité. Toute la « France d'en bas » l'avait compris et ne tolérait plus qu'on cherchât à l'abuser sous le couvert d'une pseudo-expertise.

C'était là pour Nicolas Sarkozy l'occasion ou jamais d'atténuer sinon d'effacer l'image détestable du président ami des ploutocrates. Parisot et le Medef n'étaient-ils pas des cibles idéales pour un rappel à l'ordre, une leçon de choses au terme de laquelle il apparaîtrait comme le gardien d'un intérêt supérieur à la somme des intérêts privés ? Pour tout dire, je pensai que le futur candidat avait tout à gagner en exigeant publiquement du patronat un service minimum de la décence dans un contexte d'insécurité sociale rendu encore plus aiguë par la crise. Le président n'en fit rien au motif que Guéant avait « manqué de subtilité dans son propos ». Il n'était pas fâché, en outre, qu'au bout de quatre ans, un ministre lui servît de paratonnerre et que d'autres prissent enfin les coups à sa place.

Cosmétologie funéraire

La prise de conscience fut tardive, brutale, déstabilisante. Sarkozy eut l'air réellement surpris, ce matin du 5 janvier 2012, lorsque je lui lançai tout à trac : « L'immigration est le maillon faible de ton bilan. » La veille, Marine Le Pen, au cours de ses vœux à la presse, avait planté quelques douloureuses banderilles en avançant que 203 000 titres de séjour avaient été délivrés en 2010, soit une progression de 70 % par rapport à 2000. Les chiffres étaient inexacts, mais avaient l'apparence du vrai tant ils tangentaient une réalité dérangeante et que chacun pressentait comme telle. Tout à sa guérilla contre le pouvoir, la présidente du FN n'avait pas résisté à la tentation de solliciter les statistiques. Il n'en demeurait pas moins que, si les entrées au titre du regroupement familial étaient restées à peu près stables depuis 2007, le nombre des demandes d'asile avait fortement progressé, passant de 42 599 à 57 337 entre 2008 et 2011, celui des étudiants étrangers avait suivi une courbe parallèle (+33 %) et les régularisations pour cause médicale, cumulées sur cinq ans, avaient atteint le niveau record de plus de 30 000[16].

Dans l'impossibilité où il se trouvait de s'affranchir des chiffres officiels, Sarkozy n'avait plus d'autre ressource que de reprendre à son compte, après Foucault et quelques autres, la parole de Nietzsche : « Il n'y a pas de faits, rien que des interprétations. » Il somma, devant nous, Claude Guéant de convoquer une conférence de presse et de s'inviter sur le plateau d'un 20 heures : *« Il faut envoyer un signal fort d'ici l'élection »*, lança-t-il à son ministre sur un ton comminatoire.

Plus que jamais il restait fidèle à sa méthode : il n'y avait pas de vérité, mais des énoncés, des discours, un récit et pourquoi pas un récital, forme ultime de l'expression sarkozyenne entre le *stand up* et le one man show ? Ainsi tout n'était que communication, narratologie, « Paroles, paroles, paroles », comme le chantait Dalida, autre victime en son temps des jeux de l'image et du miroir.

Une fois dressé ce constat qui n'était guère nouveau, mais se faisait de plus en plus accablant à mesure qu'on se rapprochait de l'échéance présidentielle, surgissait l'éternelle question léniniste : que faire ? Tout indiquait, cette fois, que les vocalises ne suffiraient pas à rétablir le crédit du président-candidat auprès d'un électorat populaire qui avait une tendance bien naturelle à juger le bilan du sortant à l'aune de ses promesses de 2007. Comment frapper les esprits et rendre irréversibles, d'une manière ou d'une autre, les engagements qu'il serait amené à prendre à l'occasion de la campagne de 2012 ? En adversaire résolue des prolégomènes, Emmanuelle Mignon alla droit au but, dans sa note du 2 mars, en posant à son destinataire la question fondamentale de notre souveraineté politique : « A la demande de Patrick, nous avons travaillé sur des mesures fortes concernant l'immigration. Dans tous les cas, elles ne peuvent être mises en œuvre que dans un cadre constitutionnel et international entièrement nouveau. D'un autre côté, il n'y a aucune raison que notre politique migratoire soit fixée par les juges et la jurisprudence de la Cour européenne des droits de l'homme [...]. Plus largement, je comprends qu'on ne veuille pas le dire, mais nous ne pourrons pas réduire l'immigration si nous ne nous affranchissons pas de l'article 8 de la Convention européenne des droits de l'homme. » Tout était dit avec une remarquable concision. L'article 8 de ladite convention qui proclamait le droit de « toute personne au respect de sa vie privée et familiale » était ce bélier dont se servaient systématiquement les tribunaux administratifs pour mettre à bas l'autorité du pouvoir politique et annuler les décisions préfectorales de reconduite à la frontière visant des étrangers en situation irrégulière à même de prouver l'existence de liens familiaux en France.

En réalité, c'était toute notre politique migratoire qui se trouvait contrainte par l'intrusion croissante du contrôle judiciaire national ou supranational et par la délégation progressive des prérogatives de l'Etat à l'échelon européen. A l'intérieur du pays, le recours quasi automatique au Conseil d'Etat, qui servait aux gouvernants si mal nommés en l'occurrence à se défausser des choix politiques fondamentaux sur une juridiction administrative, illustrait de façon topique ce processus d'autodessaisissement. Si bien qu'échappant à la décision politique, la législation française de l'immigration avait été progressivement façonnée par les jurisprudences convergentes dudit Conseil d'Etat et du Conseil constitutionnel dans un sens toujours plus favorable aux droits des migrants, que ce fût pour le droit d'asile ou pour le regroupement familial[17].

Au regard de l'extérieur, restaurer la souveraineté française sur les lois françaises représentait un préalable, faute duquel la maîtrise de notre politique migratoire demeurerait à l'état de chimère. A partir de là, deux voies s'ouvraient au candidat. La voie radicale consistait à changer de paradigme juridique en dénonçant unilatéralement la Convention européenne des droits de l'homme, procédure explicitement prévue par l'article 58 de ladite Convention. Moins traumatisante pour nos partenaires, la négociation de clauses dérogatoires, nommées d'*opt-out* dans le langage bruxellois et configurant une sorte d'Europe à la carte, comme la Grande-Bretagne, l'Irlande et le Danemark l'avaient déjà fait, offrait une alternative judicieuse. Il s'agissait d'obtenir à notre tour le bénéfice de ce protocole spécial sur la politique migratoire qui nous laisserait libre de nous associer ponctuellement aux décisions de l'Union ou de nous soustraire aux interprétations du droit européen, si nous jugions que celles-ci risquaient de rendre inefficaces nos lois de protection nationale. Une porte s'entrouvrait avec la récente déclaration de David Cameron annonçant que l'article 8 de la Convention européenne ne s'appliquerait plus aux terroristes en Grande-Bretagne, parce que « le droit à la vie familiale normale ne doit pas être perverti en empêchant l'éloignement de personnes qui n'ont rien à faire sur le sol du Royaume-Uni ». On ne pouvait rêver meilleure aubaine. Il suffisait au président-candidat de s'engouffrer dans la brèche ainsi ouverte et de s'associer à l'initiative de la Grande-Bretagne qui, en tant que présidente du Conseil de l'Europe, avait décidé de convoquer à Brighton, du 18 au 20 avril, soit moins d'une semaine avant le premier tour de l'élection présidentielle française, une conférence en vue de réformer la Cour européenne des droits de l'homme et d'accroître la marge d'appréciation de chaque pays. En dépit des efforts conjugués d'Emmanuelle Mignon et de moi-même, aucune consigne ne fut donnée à Laurent Dominati, notre ambassadeur permanent auprès du Conseil qui devait nous représenter en la circonstance.

Entre-temps, les aléas de la campagne nous avaient déjà amplement édifiés sur les limites de l'exercice que Nicolas Sarkozy attendait de nous. La feuille de route avait été tracée en termes énergiques : « *Je me fous de savoir si c'est applicable, c'est une élection, il faut me sortir des propositions fortes !* »

La scrupuleuse Emmanuelle Mignon avait eu la sagesse de ne retenir que la dernière partie du propos. La copie qu'elle remit au candidat musclait sensiblement la plate-forme programmatique de 2007 tout en reprenant certaines de ses dispositions restées lettres mortes : réduction de moitié du nombre annuel des entrées légales, de 180000 à 90000 ; renforcement des conditions de ressources pour accéder au regroupement familial et extension aux conjoints de Français de ces mêmes obligations, délai de carence de dix ans pour l'accès aux minima sociaux, vieillesse et RSA, avec obligation d'une durée minimale de cinq ans de travail pour pouvoir bénéficier du RSA, délai de carence de deux ans pour les allocations familiales et les aides au logement ; deux ans de carence également et obligation minimale de travail pour l'accès à la CMU ; mise en place d'un juge unique pour statuer sur le cas des étrangers en situation irrégulière.

Entre toutes, la question de l'accès des étrangers à notre système de protection sociale était celle qui exacerbait le plus les passions. Personne n'ignorait plus que notre aide médicale d'Etat, remboursant le plus large panier de soins en Europe, faisait de la France une destination privilégiée par les migrants. Non sans habileté, le FN avait entrepris une campagne sur les réseaux sociaux aux termes de laquelle il accusait la « droite postnationale » de se borner à dénoncer les manifestations les plus superficielles de l'immigration sans jamais s'attaquer à ses coûts structurels pour la collectivité, autrement dit, à ces prestations sociales non contributives qui étaient payées par « l'argent des Français ». Le cas le plus fréquemment cité était celui des étrangers arrivés récemment en France et qui bénéficiaient du minimum vieillesse, à hauteur alors de 709 euros, au bout de seulement trois ans de présence sur le territoire national, sans avoir jamais ni cotisé ni même contribué si peu que ce soit à l'économie nationale, quand les femmes d'agriculteurs, de commerçants et d'artisans, ayant travaillé toute leur vie, devaient se contenter de pensions le plus souvent inférieures à 400 euros.

Ce dispositif aberrant était vanté noir sur blanc dans le livret d'accueil « Vivre en France » que le ministère de l'Immigration distribuait à profusion auprès des nouveaux arrivants. La seule vue de l'opuscule, dont je venais de lui décrire le contenu, fit rugir le président. Je n'avais fait qu'ajouter à l'embarras qui était le sien, alors que, en ce 3 mars 2012, nous devions débattre du discours qu'il devait prononcer le soir même à Bordeaux. Avec la lancinante question de savoir s'il fallait évoquer le cas des 165 000 étrangers bénéficiaires du RSA, au risque d'être accusé de « faire le jeu du Front national ». Redoutable dialectique dont la gauche s'était déjà beaucoup servie, dans un tout autre registre, pour congédier les crimes du Goulag soviétique, les massacres de Mao, du Viêt-công, de Pol Pot ou encore le caractère djihadiste de la lutte pour l'indépendance algérienne et autres « accidents de l'histoire » susceptibles de nuire aux « forces de progrès » dans leur combat pour l'émancipation. Aucun d'entre nous ne se hissa ce jour-là au-dessus de son rôle habituel :

Musca : — Les aides sociales sont liées à la résidence, pas à la nationalité. Toute mesure qui discriminerait selon l'origine serait incompatible avec la Convention européenne des droits de l'homme.

Guaino : — C'est la question centrale. Est-on prêt à ne réserver certaines prestations qu'aux nationaux ?

Musca : — Ce serait une révolution qui ferait exploser la moitié de la majorité.

Moi : — En attendant, ce sont nos comptes sociaux qui explosent, sans compter la fraude qui scandalise toutes les petites gens et qui est une sorte d'impôt sur les pauvres.

Sarkozy : — *En tout cas, je ne me sens pas d'interdire l'accès aux soins pour les étrangers. C'est la tradition de la France. Si je la renie, on va me tomber dessus… m'accuser d'inhumanité.*

Moi : — L'hôpital est le lieu où se concentrent toutes les tensions et tout le ressentiment autour de l'immigration. On ne peut pas l'ignorer. Pas plus qu'on ne peut ignorer la fraude massive à la carte Vitale.

Musca : — Ce qui me gêne, c'est l'amalgame entre les fraudeurs et les étrangers. Il y a aussi des Français qui fraudent.

Moi : — Raison de plus pour ne pas en importer de nouveaux. Il ne peut plus y avoir durablement d'Etat-providence sans renforcement de l'Etat-nation qui est le cadre politique, juridique, institutionnel qui en garantit l'existence.

A Bordeaux, le candidat s'en tint au balancement rhétorique dont il était coutumier : « *L'immigration est une chance, mais elle peut être aussi un problème.* » Le propos était doublement maladroit. Il jetait la confusion dans les esprits les plus simples, en rappelant la prédiction pour le moins hasardeuse de Bernard Stasi dans les années 1980, sans pour autant désarmer ceux qui l'accusaient d'attiser les sentiments « altérophobes » d'une partie de l'électorat. Au téléphone, Emmanuelle Mignon transitait entre l'amertume et le dépit : « Sur l'immigration, il ne reste rien de ce que j'ai proposé. Hormis le renforcement de ce qui existe déjà et qui n'est pas respecté. Donc, zéro annonce. » Ce n'était pas tout à fait vrai. Pressentant les glissements tectoniques en cours, Sarkozy avait fini par se rallier à l'idée d'un référendum, mais dont l'objet serait circonscrit à une simple réforme du droit des étrangers. Il s'agissait de soumettre aux Français la dévolution à la juridiction administrative de la compétence exclusive en matière d'immigration et ce, dans le but de faciliter les procédures d'expulsion.

Hormis l'escalade verbale, manifestation bénigne de la fièvre tribunicienne, rien ne devait s'ajouter au programme du candidat si ce ne fut, dans la toute dernière semaine, l'annonce d'une renégociation des accords préférentiels qui liaient la France et l'Algérie en ce qui concerne l'immigration. Plusieurs clauses de cet accord, déjà renégocié en 1968 puis modifié par trois avenants successifs, étaient dérogatoires au droit commun : régularisation de plein droit et non pas à titre discrétionnaire, comme pour la plupart des autres ressortissants étrangers, accès automatique à la carte de séjour après cinq ans de résidence régulière, régime spécifique pour le regroupement familial. Ce fut ce dernier point que le candidat proposa de modifier au cas où il serait réélu, en réintégrant les Algériens dans la loi commune. L'enjeu était de taille puisque, avec 24 000 titres de séjour délivrés en 2010, dont plus de 16 000 pour motifs familiaux, les Algériens formaient le plus gros contingent d'étrangers à accéder au territoire national. En revanche, il ne souffla mot de la situation sur laquelle nous avions, Emmanuelle Mignon et moi-même, attiré son attention et qui, dans le contexte d'inflation de la dette sociale, enflammait les esprits. A savoir les accords spécifiques de la France avec les Etats du Maghreb et douze pays d'Afrique en vertu desquels les conditions d'accès au RSA étaient *de facto* ramenées de cinq à trois ans de résidence. Le courriel sardonique d'un ami ramassait en une phrase le quinquennat de Nicolas Sarkozy, roi de l'oxymore : « En fait de grand timonier, on a eu un grand timoré. »

Lignes de front

Le propos recelait une part d'injustice. Face à l'adversité, Nicolas Sarkozy était capable de prendre sur lui-même et d'aller grand-erre vers des terres inconnues. De s'engager hardiment quand, selon le mot de Kierkegaard, ce n'était pas le chemin qui était difficile, mais le difficile qui était le chemin. Ainsi sut-il se faire violence pour endosser l'armure du grand tournoi des frontières, s'emparer du gonfanon d'un dedans exaspéré contre un dehors de plus en plus intrusif et se faire finalement le champion des *limes* à contrepied de l'intelligentsia postnationale.

Le ralliement de Sarkozy à la thématique des frontières se fit donc par étapes. Comme toujours chez lui, les idées s'éprouvaient à l'aune de leur capacité de télécharger à peu de frais quelque valeur électorale ajoutée. Le premier pas ne lui coûta guère puisqu'il s'était engagé de lui-même dans l'exercice d'un droit d'inventaire partiel des institutions de l'Union. A la demande de la France, le Conseil européen avait fixé les lignes d'une réforme des accords de Schengen le 24 juin 2011, en instaurant un système d'évaluation quant à la façon dont chaque Etat-membre acquittait ses obligations de contrôle aux frontières extérieures et en rendant possible qu'il rétablît un contrôle à ses propres frontières internes en cas de nécessité. Comme la crise économique avec la zone euro, la crise migratoire des « printemps arabes » avait révélé les faiblesses structurelles de l'espace Schengen, la plus grande étant de loin la porosité de sa ligne de démarcation générale, notamment sur le tracé gréco-turc par lequel s'engouffraient annuellement, en temps ordinaires, plus de 150000 migrants. Pourquoi les Européens ne seraient-ils pas capables d'accomplir en ce domaine ce qu'ils avaient fait avec leur monnaie? Les outils de gestion de crise ne manquaient pas. Tout était là, à portée de main, pour peu que les Européens voulussent recouvrer la maîtrise de leur politique migratoire. Mais le voulaient-ils vraiment?

Dans une réitération de la parabole de la paille et de la poutre, Sarkozy eut beau jeu d'interpeller nos partenaires pour exiger d'eux une refonte complète et radicale du système sous un délai de six mois à un an, faute de quoi la France suspendrait sa participation aux accords de Schengen. L'exercice lui convint d'autant mieux qu'incriminer les institutions européennes lui évitait d'avoir à s'attarder sur le bilan de sa propre politique migratoire.

Le plus dur restait à faire. Enfant d'une modernité qui arasait l'un après l'autre tous les murs porteurs de la vieille civilisation occidentale, Sarkozy n'était nullement convaincu que la première fonction du politique tenait, en tout et partout, dans le devoir de protéger. Il se refusa longtemps à admettre que l'utopie libre-échangiste pût être non seulement une violence, mais encore une souffrance pour les peuples. Une propagande implacable était parvenue à ériger en dogme absolu l'idée d'une corrélation entre croissance et ouverture des frontières. Avec pour conclusion subséquente cette autre idée que le libre-échangisme était la condition à la fois nécessaire et suffisante, selon le jargon économiste, d'« une allocation optimale des ressources à l'échelle mondiale ». Malheur à ceux qui, comme Chevènement, de Villiers, Mélenchon ou Montebourg, prétendaient s'insurger contre les nouveaux canons de l'ordre économique transnational. A rebours du discours dominant des experts patentés qui proclamait la malfaisance du protectionnisme, quelques historiens téméraires s'étaient employés à montrer, en se fondant sur des séries statistiques que la croissance, du début du XIXe siècle au mitan du XXe siècle, avait été en relation inverse avec le degré d'ouverture du commerce international, poussant même la provocation jusqu'à relever un *tariff-growth paradox*; autrement dit, à faire, à l'instar de Paul Bairoch, le constat hétérodoxe d'une croissance dopée par les droits de douane[18].

A tout le moins, l'histoire récente avait de quoi interpeller les esprits les moins curieux. Comment expliquer, par exemple, que la fin de la préférence communautaire décrétée par la directive Delors-Lamy de 1988 marquât l'apparition quasi concomitante dans l'ensemble de l'Europe d'un chômage de masse, la stagnation des salaires et une baisse tendancielle de la croissance? Pourquoi les pays à forte croissance comme la Chine reproduisaient-ils la stratégie de patriotisme économique qui avait été celle de l'Angleterre au XIXe siècle et des Etats-Unis au siècle suivant : le libre-échange chez l'autre, la barrière douanière chez soi? Sensibles à cette étrange asymétrie, les Français avaient progressivement cessé de regarder le libre-échangisme comme un éminent bienfait. Ils ne s'émerveillaient plus à l'idée de pouvoir acheter des appareils chinois à bas prix ou des meubles indiens bas de gamme. Contrairement à la fable ânonnée par les tenants de la mondialisation heureuse, la libre circulation des services, des capitaux et des marchandises n'avait en rien amélioré leur pouvoir d'achat. Que pesaient des baisses limitées sur un nombre restreint de produits en regard de la destruction en trente ans, de 1980 à 2011, de plus de 2 millions d'emplois dans l'industrie, de la disparition des savoir-faire et des écosystèmes de sous-traitants ou encore de la hausse des prix des matières premières, de l'énergie et même des produits alimentaires ?

Exprimée une première fois par la victoire du « non » au référendum de 2005, la demande grandissante de frontières économiques et commerciales amena Sarkozy à dissocier, dans son esprit, les notions de protectionnisme, d'autarcie et celle de décroissance qui lui était pernicieusement attachée. Mais ce fut la crainte d'être associé plus qu'il ne l'était déjà à l'oligarchie financière, dont les représentants étaient à la fois les principaux acteurs et les premiers bénéficiaires de la globalisation, qui précipita son évolution. S'écartant des prescriptions d'Alain Minc, il donna son accord vers la fin du mois de février 2012 pour que fussent incluses dans son programme présidentiel des mesures visant à restaurer un système de préférence communautaire. En filigrane, c'était également faire apparaître notre candidat comme le pourfendeur de l'Europe passoire, d'une Europe qui ne pensait qu'au consommateur, jamais au producteur et partant, comme le champion de la relocalisation industrielle.

Personne dans l'entourage de Sarkozy ne crut, un seul instant, que ce programme pût recevoir le moindre début d'application. Pas même ceux qui y avaient peu ou prou contribué, d'Emmanuelle Mignon à Henri Guaino en passant par Camille Pascal et moi-même. Dans ce village Potemkine qu'on appelait une campagne électorale, nous n'étions, et nous le sentions bien, que des tireurs de ficelles, des montreurs de marionnettes. C'était donc cela l'émancipation démocratique des individus-citoyens : un théâtre d'ombres que l'on s'empresserait de démonter au soir même de l'élection, une rhétorique convenue dans un décor standard, un spectacle commémoratif de la souveraineté perdue, un trompe-l'œil destiné à provoquer simultanément le consentement et l'assujettissement des électeurs à des modes de domination sur lesquels ils n'auraient plus aucun contrôle une fois passé le vote : l'Etat et ses juridictions administratives, l'oligarchie et ses représentants, le marché autorégulé et ses économistes et, bien sûr, l'Europe, ses bureaux et ses eurocrates.

Demain, lorsqu'on aurait replié les tréteaux de la foire aux promesses, posé les masques et les couteaux, jeté les sacs et les cordes, le pouvoir reviendrait aux gens sérieux, aux professionnels de la gouvernance qui avaient feint de s'en dessaisir le temps d'une joute verbale. Le secrétaire général de la présidence, Xavier Musca, en était le parangon. Ce Corse, pur produit de la méritocratie républicaine et de ce bloc idéologique central autrefois dénommé par Alain Minc le « cercle de la raison », assistait à nos débats sans jamais se départir de son flegme. Son goût pour l'histoire et la littérature, son humour très proche de l'*understatement*, cher à Wodehouse et Waugh, en faisaient le plus agréable des compagnons dès lors que la politique et l'économie n'étaient plus à l'ordre du jour. Dans ces circonstances, il était capable de la plus rafraîchissante fantaisie. Il me souvient de ce dimanche de printemps où, sur la terrasse de l'Elysée, les questions essentielles ayant été traitées, la conversation s'abandonnait enfin aux charmes de la frivolité. C'était le moment que choisissait Nicolas Sarkozy, dont le dilettantisme avait longtemps abrité une vaste inculture, pour se livrer à une explication de texte axée sur sa lecture de la veille.

— *Je viens d'achever* Un barrage contre le Pacifique *de Marguerite Duras. C'est exceptionnel !*

Un temps de silence avant d'enchaîner :

— *Au fond, on a tous à construire en nous un barrage contre le Pacifique.*

Joues mordues, lèvres pincées, sourcils en accent circonflexe, fronts pensifs et inclinés autour de la table. Un ange passa, Musca, à la surprise générale, le suivit en piqué :

— Si je puis me permettre, Monsieur le Président, de citer Desproges : « Marguerite Duras n'a pas écrit que des conneries, elle en a aussi beaucoup filmé. »

En temps ordinaires, le secrétaire général de la présidence affectait le plus grand sérieux. L'ancien collaborateur de Jean-Claude Trichet à la Direction du Trésor, qu'il seconda dans les négociations préalables au traité de Maastricht, ne daignait pas s'indigner lorsque, de notre cénacle, fusaient des propos sacrilèges. Pas plus qu'il ne s'immisçait dans les choix politiques ou stratégiques. Tout juste intervenait-il, l'air navré d'avoir à jouer le trouble-fête, pour des rappels au règlement de l'ordre européiste ou mondialiste, toujours précis, toujours étayés. Il n'émit en revanche pas la moindre objection en découvrant le panneau portant le mot « douane » écrit en arabe, en français et en catalan que j'avais fait figurer dans le clip de campagne du candidat Sarkozy, alors que l'affaire déchaîna une esclandre dans le microcosme. Au lendemain du 6 mai, il me fit parvenir un bref message : « Je n'étais en rien d'accord avec vous, mais politiquement il n'y avait pas d'autre campagne que celle que vous avez faite pour le président. »

Chapitre XIV

L'étrange défaite

> « Pour les vaincus la lutte est un grand bonheur triste
> Qu'il faut faire durer le plus longtemps qu'on peut. »
>
> Victor Hugo.

Il y a quelque chose de particulièrement sinistre dans l'atmosphère qui nimbe les heures crépusculaires d'une fin de règne en régime démocratique. Au sentiment d'inachevé, que souligne l'impuissance à s'inscrire dans le temps long de l'histoire, se mêle la sourde aversion que suscite chez tout esprit épris d'unité la perspective d'être de nouveau confronté au fanatisme mou d'une campagne électorale, au mimodrame d'une guerre civile. Telle est ma fracture intime : avoir développé une expertise au sujet d'un processus dont la résultante collective ne me paraît pas toujours ordonnée au bien commun. Car si l'élection présidentielle est bien ce moment où l'on confronte les projets, c'est aussi le moment où s'accomplit un rituel de séparation qui dresse les Français d'abord en plusieurs factions rivales, puis en deux camps apparemment irréconciliables. Là est la malédiction du nombre abstrait, anonyme, informe, que Victor Hugo résuma en une formule fulgurante : « Je suis le Médiocre immense. [...] Je suis Tous, l'ennemi [...] de Tout[1]. » Là est aussi la critique la plus aiguë de la démocratie : la multitude opposée à l'unité, la fragmentation à l'indivisibilité, le dénombrement contre le rassemblement. Le doute n'habite-t-il pas le système lui-même ? La célèbre sentence de Churchill qui fait de « la démocratie le pire régime à l'exclusion de tous les autres » ne semble-t-elle pas nous dire que, finalement, la démocratie n'est rien d'autre qu'un pis-aller, une forme de résignation, presque un expédient pour basse époque ? Dans le feu de l'action, le gérant démocratique ne se pose que rarement ce genre de question. Sauf à l'heure des comptes. Alors, il vacille, titube, se perd dans une interminable introspection traversée par un fort sentiment d'injustice dès lors qu'il en vient à envisager la défaite.

Sarkozy n'échappa pas à ces affres. Lui qui avait tant aimé l'odeur de la poudre électorale n'était pas loin de partager désormais le point de vue de Claudel : « Chaque élection ouvre une vue d'ensemble sur la bêtise et la méchanceté des Français. »

« Encore un instant, Monsieur le Bourreau »

En cet automne 2011, un sentiment d'accablement, voire de déréliction, s'était emparé du président et de la plupart des membres de son cabinet. Un vent mauvais nous cornait aux oreilles. Le ballet des courtisans et des opportunistes cherchant une autre mangeoire ne parvenait même plus à nous divertir. De cette langueur monotone semblait émaner quelque supplique à la manière de Madame Du Barry sur l'échafaud : « Encore un instant, Monsieur le Bourreau. » Pas un sondage, pas un pronostic qui ne prédît pour Nicolas Sarkozy le couperet d'une lourde défaite. A la fin septembre, le basculement à gauche du Sénat – une grande première dans l'histoire de la Ve République – accentua ce mouvement de panique chez les parlementaires de la majorité.

Malmené par les réalités, peu pressé de croiser le fer contrairement à ses habitudes, le président sortant, que beaucoup imaginaient déjà sorti, affichait une sérénité qu'il était loin d'éprouver en son for intérieur. Il avait une stratégie, il était bien décidé à n'en pas bouger d'un iota. C'était le décalque de celle qu'avait déployée François Mitterrand en 1988. L'idée farfelue comme quoi la posture du « président-en-action-jusqu'à-la-fin-de-son-quinquennat » vaudrait campagne s'était incrustée dans son esprit et y développait de non moins redoutables chimères. Elle traduisait surtout sa secrète volonté de retarder le plus longtemps possible l'heure des explications et ce qu'il imaginait déjà devoir être, au moins pour partie, un désagréable exercice de contrition.

J'étais, au contraire, persuadé que les Français ne comprendraient absolument pas que Nicolas Sarkozy se contentât d'annoncer sa candidature au tout dernier moment, comme une simple formalité et sans autre forme de procès. Une solution de continuité s'imposait entre le président et le candidat si l'on voulait que l'image du premier n'obérât pas les chances du second. Car, autant il n'existait dans l'opinion ni souhait ni désir de renouveler le mandat du président sortant, autant les ressources du candidat, sa capacité à séduire et à retrouver une force d'attraction dans une dynamique de campagne ne me paraissaient pas entièrement compromises. A condition qu'il se décidât suffisamment tôt pour lui permettre de vérifier *in vivo*, une fois de plus, l'aphorisme selon lequel les qualités nécessaires pour conquérir du pouvoir ne correspondaient en rien à celles qui étaient requises pour l'exercer.

En gestionnaire court-termiste dont la plupart des choix sont dictés par une préférence excessive pour l'immédiat, le gérant démocratique est à la fois préoccupé de son bilan apparent et conscient de son insuffisance. C'est pourquoi, l'élection étant un choix relatif et non absolu, il ne veut plus être jugé sur ses résultats, mais sur ses ennemis. Il parie moins sur l'adhésion à sa personne que sur le rejet du candidat qui lui est opposé. Nicolas Sarkozy s'estimait d'autant plus fondé à penser de la sorte que l'historique des élections présidentielles en France, depuis 1965, n'était pas de nature à l'en dissuader. Suivant ce schéma, il n'eut pas à chercher loin le compétiteur idéal dont il escomptait triompher à peu de frais. Dominique Strauss-Kahn, le directeur général du FMI, remplissait chaque case du profil recherché : dilettante incapable de se plier durablement à une discipline, débauché à la réputation de Sardanapale des Temps modernes et, pour couronner le tout, figure emblématique du cosmopolitisme financier. Autant de caractéristiques susceptibles de faire passer le président sortant pour un prix de vertu – « *un pasteur méthodiste* », disait l'intéressé –, au cas où il devrait l'affronter lors de l'élection présidentielle.

Balayant d'un revers de main les mauvais sondages – « *C'est de la daube !* » –, Sarkozy s'accrocha à ce scénario comme à une planche de salut : « *Il faut d'abord que DSK soit désigné par la primaire des socialistes. C'est bien parti pour. Ensuite ses fragilités feront ma force. Ce type est un dégoûtant personnage. Il n'aime pas les femmes, mais le sexe. Faites-moi confiance. J'ai de quoi le faire exploser en plein vol.* »

Selon les jours, il évoquait une mystérieuse affaire à Marrakech ou une triviale histoire de *« parties fines à Lille »*, s'excusant à chaque fois de ne pas pouvoir nous en dire davantage. Ce que personne, au demeurant, n'avait songé à lui demander. Bien qu'il se targuât d'avoir fait supprimer les « notes blanches » par lesquelles les services faisaient remonter jusqu'au président de la République les informations sensibles concernant telle ou telle personnalité du monde de la politique, des médias ou des affaires, il avait toujours pris soin d'entretenir son propre réseau de renseignement grâce au concours de Claude Guéant, l'ancien directeur général de la police nationale du temps de Charles Pasqua, habitude qu'il avait conservée avec Michel Gaudin et Frédéric Péchenard. L'ancien locataire de Beauvau s'intéressait beaucoup aux indicateurs, et pas seulement à ceux de l'économie.

L'annonce de l'arrestation de DSK à New York dans la nuit du 14 au 15 mai 2011 pour agression et tentative de viol sur une femme de chambre de l'hôtel Sofitel eut instantanément pour effet de rebattre les cartes de l'élection présidentielle. Elle ruinait les ambitions du challenger en même temps que les calculs du président. Le tragique existentiel déboulait en trombe. Le malheur de l'un faisait le malheur de l'autre.

Lorsqu'il nous reçut le lendemain dans l'hôtel particulier de son épouse, Nicolas Sarkozy, assis sous le grand tableau de Brueghel que la mère de Carla avait offert en cadeau de noces au couple, affichait la mine des mauvais jours. C'était comme si le monde païen habité de dieux immanents qu'évoquait la toile du maître flamand avait brusquement fait irruption dans une histoire que l'on avait crue écrite à l'avance. L'ordalie était en cours et notre hôte en était le spectateur médusé, abattu, meurtri. La perspective d'une victoire facile, mais sans gloire s'éloignait. J'y voyais pour ma part une fidèle allégorie de la façon dont la bourgeoisie de gauche traitait le personnel immigré : « Un troussage de domestique[2] », dirait plus tard Jean-François Kahn en déboutonnant son inconscient avec une redoutable candeur. Ce fut le moment que choisit Carla pour faire l'une de ces entrées dont elle nous réservait, de temps à autre, la surprise. Il était alors d'usage qu'elle en profitât pour nous accorder la primeur de ses commentaires sur l'état des choses et le mouvement du monde. Ce dont nous avions toujours la bonne grâce de nous réjouir. Le président y regagna un peu d'alacrité. Il avait entièrement retrouvé ses esprits, lorsque la chancelière allemande se manifesta au téléphone, moins d'une heure plus tard : « *Comment vas-tu, mon Angela ?... Ce serait bien que tu prennes acte de la carence à la tête du FMI... Il faut que cela vienne de toi, car ce n'est pas à moi de le faire... Je pense à la candidature de Christine Lagarde, mais je comprendrai très bien que ce soit le tour d'un Allemand... En tout cas, il ne faut pas que cela échappe à l'Europe... Je me réjouis de te revoir à Deauville... Il y aura plein de bons fromages et de bons vins, tu sais... Est-ce que ton mari t'a préparé du chou ce soir ? Je t'embrasse, mon Angela.* »

L'organisation de l'offre politique de la gauche lui ayant échappé, Nicolas Sarkozy n'en fut que plus déterminé à annihiler la moindre velléité de concurrence à droite. Au cours de l'été 2011, le travail de sape des sondages, tous plus calamiteux les uns que les autres, commença à produire ses effets sur une majorité décontenancée et dubitative. Plus que tout, Sarkozy redoutait que le débat ne s'ouvrît, au nom de l'intérêt bien compris de la « *famille* », sur la nécessité de lui substituer un candidat de rechange, dont les chances de l'emporter, contrairement aux siennes, seraient intactes. S'agissant du personnel politique de la droite, il fit toujours montre au cours de nos conversations d'une lucidité implacable et d'une grande sûreté de jugement. Il visait bas, il visait juste, pour parler comme l'un de ses auteurs fétiches :

— *Baroin ? Je l'ai acheté à la baisse. Trop cher, je te le concède, pour un second rôle. Borloo ? C'est un feignant doublé d'un velléitaire. Villepin ? Il voudrait que je lui trouve un poste à la mesure de ses immenses talents. Tu te rends compte ? On est à huit mois de l'élection et je dois m'occuper de la sexualité des coléoptères.*

Je le réconfortai en lui citant le cas de ce curé qui recommandait à ses ouailles de s'abandonner à la méditation consolante que procurait la contemplation des punaises, dont l'existence même suggérait que l'homme, contrairement aux apparences, n'était peut-être pas sur terre la créature la plus vile et la plus avide de sang.

Restait le cas Juppé dont il m'entretenait régulièrement, à petites touches, et qu'il prenait soin de dissocier des animalcules ordinaires : « *J'ai un accord avec Juppé. Il ne fera rien, il ne bougera pas* », me répéta-t-il à plusieurs reprises, comme pour mieux s'en convaincre. Il en était, au demeurant, si peu convaincu qu'il m'envoya auprès de son ministre des Affaires étrangères en frère prêcheur chargé de lui faire valoir l'âpre réalité des chiffres. Si mal en point fût-il, le président sortant n'en conservait pas moins une confortable avance sur tous ses rivaux en puissance à l'intérieur de la majorité. Ce 6 octobre 2011 au matin, Alain Juppé m'accueillit dans son bureau du Quai d'Orsay avec son affabilité coutumière, un léger sourire étirant les commissures des lèvres d'une pointe d'ironie. Acagnardé sur le bout d'un grand canapé Empire, il semblait me dire : « Ne vous donnez pas tout ce mal, je suis un légaliste, je n'ai pas le gène du coup d'Etat. » Il m'écouta néanmoins sans m'interrompre. Puis d'une voix crépitante me signifia, comme si cela était la chose la plus naturelle du monde : « Dites à Nicolas Sarkozy qu'il a mon soutien. » Mariage gay, homoparentalité, euthanasie : les questions sociétales le passionnaient. Il m'interrogea longuement sur les évolutions qu'il croyait discerner dans la société française. Nous n'étions d'accord sur rien, mais nous trouvions à travers ces divergences un certain plaisir à nous couler dans nos emplois respectifs. Sa distinction un peu guindée, ses manières policées, sa courtoisie d'Ancien Régime faisaient d'Alain Juppé un homme avec lequel il était agréable d'entretenir d'harmonieux désaccords.

« Françaises, Français, aidez-moi ! »

Janvier fut morose. Le 13 du mois, Standard & Poor's dégrada d'un cran la note financière de la France. C'était, pensais-je, l'occasion ou jamais de dénoncer les agences de notation dont la corruption foncière avait été rendue manifeste par la crise des *subprimes* aux Etats-Unis. A leur tour, beaucoup de Français n'y voyaient que des officines de chantage ayant pignon sur rue. En portant le débat sur le plan politique et judiciaire, comme devait le faire deux ans plus tard la Cour des comptes italienne[3], le président-candidat avait là une chance historique de prendre la tête de la croisade des peuples contre la tutelle de la finance internationale qui contrôlait les *Big Three*, les trois grandes agences sévissant sur le marché. Les Américains Warren Buffet (Moody's) et Harold McGraw III (Standard & Poor's), le Français Marc Ladreit de Lacharrière (Fitch) étaient ainsi devenus des figures de proue de la globalisation. S'efforçant par leurs activités de mécènes de gommer leur réputation de prédateurs, ils ne renâclaient jamais pour autant à faire la démonstration de leur puissance auprès des gouvernements.

En remontrer aux marchés en réaffirmant par un coup d'éclat la souveraineté nationale et l'autorité de l'Etat n'était pas seulement un acte fort pour contrer l'annihilation du politique. C'était aussi, au moment le plus approprié, un formidable correctif d'image qui eût permis de prendre la gauche à revers et de se poser en ennemi résolu de la ploutocratie. Pour toute réponse, j'eus le droit à une question déconcertante :

— *Pourquoi veux-tu que je fasse ça ? Tu trouves que je suis trop associé au système ?*

Un même irréalisme irénique amenait le président, à chaque attaque virulente des médias, à nous mettre en garde :

— *Ne dites jamais qu'il s'agit d'une campagne de haine, car cela suggère qu'il y a de la haine contre moi.*

Pourtant, les études qualitatives auxquelles il n'avait jamais accès hors du prisme de nos analyses nous renvoyaient une image fortement dégradée du président et de son bilan. Les Français soulignaient une triple métamorphose en tous points négative. Le « candidat du peuple » était devenu à leurs yeux le « président des riches » qu'un goût immodéré pour le pouvoir et l'argent avait détourné de son vrai rôle de chef de l'Etat. Le candidat du quotidien, le proche de « la France qui trime et se lève tôt » était devenu l'homme des enjeux lointains dont l'investissement sur la scène internationale, selon le tropisme commun aux présidents de la Ve République, avait accentué l'impression de déconnexion avec la base de son électorat. Le leader dont l'activisme plaisait non parce qu'il imposait à chacun de faire de même, mais précisément parce qu'il dispensait chacun d'en faire autant n'était plus perçu que sous les traits d'un agité impulsif dont l'absence de maîtrise ne laissait pas d'inquiéter eu égard à la nature de ses fonctions.

C'était cela, une élection présidentielle. C'était cela que 44 millions d'électeurs allaient devoir juger : des hommes et des femmes réduits à de simples reflets de nos propres affects. Serait élu celui ou celle qui serait émotionnellement le plus en prise avec l'air du temps. Or les temps, après trois années de crise, n'étaient plus à l'exhibition, mais à la sobriété. Plus à l'élan, mais au repli.

Il y eut encore d'interminables journées durant lesquelles Nicolas Sarkozy tergiversait, donnait l'impression d'avancer à reculons vers l'annonce de sa candidature. Son mal-être augmentait à proportion du sentiment qu'il avait de voir le cours des choses lui échapper. A tel point qu'un matin, il nous convoqua, Henri Guaino et moi-même, avec la ferme intention de reprendre la main : « *Entre la "ligne Buisson" et la "ligne Guaino", j'ai l'air de quoi, moi ? J'apparais comme une marionnette. Arrêtez de vous tirer la bourre. J'ai besoin de vous deux. Il faut que chacun s'efforce de dire du bien de l'autre. Toi, Patrick, il faut dire du bien d'Henri. Toi, Henri, tu dois dire du bien de Patrick.* »

Le 31 janvier, n'y tenant plus, nous nous retrouvâmes à nouveau dans son bureau, mais cette fois en compagnie de Jean-Michel Goudard, pour le presser de se déclarer devant les Français. Il fallut encore attendre deux semaines pour qu'enfin il y consentît.

Quel message, quelle posture fallait-il adopter pour marquer l'entrée en campagne d'un candidat si peu pressé de rendre des comptes ? La métaphore du capitaine dans la tempête, à quoi certains voulaient s'accrocher, perdait de sa vigueur à mesure que s'estompait le spectre de la crise ou, en tout cas, que sa perception perdait en acuité. Peut-être le rappel de la crise de 1929, qui ne s'était résolue que dans et par la guerre, conservait-il une valeur heuristique de nature à suggérer, sans le dire, le caractère dramatique de l'histoire immédiate et la nécessité d'avoir à la tête de l'Etat un homme de taille à opposer une résistance aux éléments déchaînés ? Rien n'était moins sûr tant cette mémoire-là semblait ensevelie.

La mystique de l'homme providentiel n'habitait plus les projections mentales des Français et Sarkozy, en tout état de cause, n'était plus en mesure d'y postuler. Ni César ni sauveur suprême, il pouvait, en revanche, malgré ou à cause de ses erreurs, de ses déficiences et de ses défaillances, être celui qui se rédimerait en rendant la parole au peuple par la voie du référendum. Pour désamorcer la perspective d'un second mandat affranchi de toute sanction électorale, d'une réélection qui vaudrait carte blanche, scénario qui en effrayait plus d'un, il n'était pas d'autre moyen que de placer sa nouvelle candidature sous l'égide non pas d'une entreprise plébiscitaire, mais d'un gouvernement sous contrôle populaire aux antipodes de la gouvernance par les experts. L'aiguillon de l'adversité et les sinistres augures sondagiers furent de bien meilleurs pédagogues que mes pauvres arguments. Tombèrent alors en l'espace de quelques jours les préventions anciennes qui, un an auparavant encore, lui faisaient refuser énergiquement tout recours à la démocratie directe au motif d'un risque de personnalisation du scrutin. Il n'était plus cet intégriste du doute, ce fanatique du scepticisme qui, depuis le funeste discours de Grenoble, avait multiplié devant moi objections et réfutations pour mieux camoufler sa dérobade. Sur le plateau de TF1, le 15 février, il jeta les mots comme un défi : *« Il y a une idée centrale dans mon projet, c'est redonner la parole au peuple français », « Les grands arbitrages seront tranchés par les Français, pas dans un coin »* et ce, *« chaque fois qu'il y aura un blocage ».*

Pour sceller ce pacte rédempteur entre le peuple et celui qui sollicitait l'onction populaire, pour signifier que le président-pénitent ne devrait son succès qu'aux forces salvifiques venues du tréfonds de l'âme française, j'imaginais de lui faire prononcer, telle une formule à la fois expiatoire et propitiatoire à la fin de chaque meeting, l'exhortation que de Gaulle lui-même avait adressé aux Français pour réclamer leur soutien au lendemain du putsch des généraux à Alger, le 23 avril 1961 : « Françaises, Français, aidez-moi ! » Ces mots, je ne les avais pas choisis pour être un clin d'œil à ma propre adresse ou pour les réminiscences historiques qu'ils éveillaient encore chez quelques-uns. Je les avais retenus pour ce qu'ils exprimaient du nouveau rapport entre le candidat et le peuple, en rupture avec l'économie fallacieuse des promesses sans lendemain propre aux campagnes électorales.

Les bénéfices de la « droitisation »

Tout montrait que la France des invisibles, un instant séduite par Nicolas Sarkozy, lui avait tourné le dos et nourrissait à son encontre un ressentiment qui ne cessait de grandir. Par pans entiers, l'électorat populaire qui l'avait rallié au premier et au second tour de la présidentielle de 2007 commençait à subir l'attraction de Marine Le Pen, héritière un peu fruste, mais déterminée du label familial. Un étrange parallélisme, aussi bien en termes de personnalité que de positionnement, s'était insinué dans l'esprit de ces électeurs que la droite avait la fâcheuse habitude d'ignorer hors des périodes électorales. On prêtait à la présidente du FN les mêmes qualités que celles qui avaient été associées au candidat de l'UMP en 2007 – proximité, authenticité, spontanéité, dynamisme communicatif, capacité à faire bouger les choses –, avec l'attrait de la nouveauté en plus. Personne à droite n'ignorait l'importance stratégique que représentait la reconquête de ces Français désorientés par les fluctuations du sarkozysme, mais nul n'était vraiment décidé à en payer le prix en termes d'avancée programmatique et d'affichage médiatique. Espérer rameuter ne fût-ce qu'une fraction de cet électorat-là restait une pure chimère tant que la moindre référence à un quelconque « front républicain » accréditerait l'idée de l'« UMPS », d'un syndic entièrement dévolu à la défense des intérêts du système. D'un peu partout, les voix autorisées de la gauche morale haussaient d'autant plus le ton que le doute s'était installé dans le camp adverse.

Vers le début du mois de mars 2011, au lendemain de la publication d'un sondage qui, pour la première fois, plaçait Marine Le Pen devant le président sortant, un éditorialiste de France Inter, ancien militant trotskiste dont on devinait derrière les mots l'attachement sincère à la réélection de Sarkozy, s'empressa de dispenser les conseils pénétrants et désintéressés d'un journaliste au-dessus de la mêlée : « Le croisement même virtuel entre Le Pen et Sarkozy crée un choc. Quel sera l'effet de ce choc à l'Elysée? Va-t-on y prendre conscience du caractère suicidaire de la stratégie actuelle? Stratégie inspirée par le très droitier et occulte conseiller Patrick Buisson. [...] Après ce sondage, Nicolas Sarkozy va-t-il admettre que Patrick Buisson est un boulet aussi néfaste pour sa politique que le furent Michèle Alliot-Marie ou Brice Hortefeux? Si non, le risque, à force, c'est que ce soit lui, Nicolas Sarkozy, qui finisse par être perçu comme le principal boulet de sa majorité. »

Le sondage en question eut l'effet inverse de celui escompté. Il mit en rage le candidat dont les yeux se dessillèrent au point d'accepter, sans autre forme de procès, l'abandon de la stratégie dite de « front républicain », dans laquelle il n'était plus porté à voir qu'un médiocre stratagème inventé par la gauche pour rabattre de plus en plus d'électeurs protestataires vers le FN tout en servant occasionnellement de force supplétive à un PS désormais abandonné par l'électorat populaire. Ainsi naquit, en ce samedi 5 mars 2011, le « ni-ni » – ni « front républicain », ni Front national – qui devait fracasser les réflexes de soumission intellectuelle hérités de la longue nuit du chiraquisme. Promu depuis trois mois au poste de secrétaire général de l'UMP, Jean-François Copé, auprès de qui je m'empressai de répercuter la bonne nouvelle, ne se voulait pas encore ce « champion de la droite décomplexée » qu'il prétendrait par la suite avoir toujours été :

— Il n'y a plus de « front républicain ». La consigne de l'entre-deux-tours des cantonales, ce sera le « ni-ni ».

— C'est une révolution culturelle ! Ça va mal passer auprès de nos partenaires et associés. Que va dire Borloo ?

— Ce qu'il voudra. On s'en moque. On n'applique plus la stratégie dictée par l'adversaire. C'est fini ! Toute opposition à cette ligne débusquera les faux amis du président. Il ne peut pas être réélu sans un bon report des voix frontistes, sans le concours des petites gens. Des prolos, quoi ! Tous ceux qui s'obstinent à l'ignorer veulent en réalité son échec.

— Je me vois mal expliquer ça.

— Peut-être, mais c'est désormais la ligne du président et, d'accord ou pas, il va bien falloir que tu l'appliques.

— Je ne suis pas son chaouch. Je ne le serais jamais, tu m'entends ?

Le Monde titra dans un froncement de sourcils de surveillant général : « Patrick Buisson, l'homme qui droitise Nicolas Sarkozy[4]. » Une photo me représentant dans la cour de l'Elysée, l'air assez peu amène, donnait à entrevoir la figure du mal. Le premier tour des élections cantonales se transforma toutefois en répétition générale à treize mois de la présidentielle. La percée du FN se nourrissait de l'hémorragie des voix de droite. En appelant à voter contre le Front national en cas de duel PS-FN, François Fillon, Jean-Louis Borloo, Nathalie Kosciusko-Morizet ne firent pas que manifester une préférence personnelle, ils compliquèrent délibérément la tâche de celui qui devait porter les couleurs de leur camp lors de l'échéance de 2012. Les mots trahissaient leur hâte de tourner la page. Ils étaient d'autant plus prêts, selon la formule de Michel Noir, à perdre l'élection plutôt que leur âme qu'ils n'étaient pas eux-mêmes candidats. Au paroxysme d'une colère froide, le président nous prit à témoin de la déloyauté de son Premier ministre, l'accablant d'épithètes toutes plus malsonnantes les unes que les autres. A l'en croire, le refoulement était la clé psychologique des oscillations comportementales de ce dernier. Néanmoins, fidèle à son habitude, il se garda de la moindre remontrance publique au prétexte qu'il ne fallait pas davantage diviser la famille à la veille d'un combat décisif.

Presque un an s'était écoulé lorsque le candidat Sarkozy se résolut, bien tardivement, à engager la « bataille des frontières » en développant des thématiques qui, pour la plupart, visaient à capter une frange significative de l'électorat tenté par le Front national, soit dès le premier tour, en concurrençant directement

Marine Le Pen, soit au second tour en améliorant le niveau des reports de voix. Bien que réduites, des marges de manœuvre existaient auprès de ces « déçus du sarkozysme » qui, dans le même temps, manifestaient l'envie d'être à nouveau séduits par le candidat au bénéfice des forts vents contraires qu'il affrontait et la crainte de voir se répéter l'histoire, d'être une nouvelle fois trahis par un président versatile.

A Villepinte, le 11 mars 2012, au bout d'un mois de campagne, un Sarkozy ressuscité parut marcher sur la houle des drapeaux tricolores que brandissait une foule enthousiaste. Plus d'impétuosité, mais une énergie canalisée qui pouvait donner à croire qu'il avait enfin su faire de ses faiblesses une force irrésistible qui allait de l'avant. Profitant de cette embellie, je m'employais dans un entretien au *Monde*[5] à instiller le doute chez l'adversaire et à déconstruire, selon sa phraséologie, quelques-uns des sophismes qui irriguaient ses certitudes. J'y expliquai que le rapport de force du second tour, qui apparaissait très favorable à François Hollande, reposait sur l'hypothèse jamais vérifiée à ce jour dans un scrutin présidentiel, sauf lors du duel Pompidou-Poher en 1969, d'une abstention sensiblement plus importante au second tour qu'au premier. Autrement dit, sur du sable. Mes arguments eurent le don de réconforter la petite cohorte brinquebalante de ministres – de Pécresse à Le Maire en passant par Bertrand et Lellouche – qui n'avait pas encore rangé la candidature du président au rayon des causes perdues. Au téléphone, le principal intéressé exultait : « *Tout le monde me parle de ton interview. Ça remobilise. On en avait besoin. Je n'oublierai pas ce que tu fais pour moi.* »

Le soir même, un sondage fit passer pour la première fois Sarkozy devant Hollande. « Le croisement, c'est maintenant », jubilèrent les *twittos* acquis au candidat de la « France forte ».

Les événements, qui avaient suivi jusqu'ici le cheminement tumultueux d'un destin adverse, semblaient brusquement changer de cours. Longtemps portée par une impressionnante dynamique, la campagne de Marine Le Pen marquait le pas. En réalité, la présidente du FN inaugurait l'une de ses campagnes à contresens dont elle se ferait une spécialité par la suite, passant maître dans l'art de transformer l'or des sondages en un vil plomb électoral – soit l'opération inverse de celle que le fondateur de la dynastie était parvenu à réaliser jusqu'en 2007 sans autre moyen que la magie, d'aucuns diront la démagogie du verbe. Sous la houlette de l'ex-chevènementiste Florian Philippot, elle s'aventurait sur le terrain de l'économie où sa crédibilité était faible, voire inexistante, et délaissait ainsi les ressorts traditionnels du vote frontiste au moment où ceux-ci n'avaient sans doute jamais été aussi puissants. Ce qui suscitait au sein de son électorat un sentiment d'improvisation et de confusion.

« *Heureusement qu'elle est mauvaise comme un cochon, qu'elle n'a ni le sens politique ni la culture de son père, sinon je serais très mal. Là, elle nous ouvre un espace...* », observait un Sarkozy mi-amusé mi-incrédule.

Il n'avait pas tort. L'écart dans les intentions de vote, qui n'était en moyenne que de trois points en faveur du président sortant à la fin janvier, oscillait entre dix et douze points à la mi-mars. Dans un article où il analysait l'impact de la campagne du candidat Sarkozy sur l'électorat frontiste, Jérôme Fourquet, le directeur de l'Ifop, écrivait de façon prémonitoire : « La hausse dont a bénéficié Nicolas Sarkozy s'est accompagnée d'un tassement concomitant de Marine Le Pen. Et l'analyse des données du *rolling poll* de l'Ifop démontre que les deux phénomènes sont bien liés [...]. Par ailleurs, si cette stratégie de droitisation, mais aussi plus globalement de "campagne au peuple", pour reprendre l'expression du conseiller élyséen Patrick Buisson, a donné des résultats tangibles en permettant à Nicolas Sarkozy de regagner une partie de l'électorat frontiste et de creuser significativement l'écart avec Marine Le Pen, la candidate du FN conserve toujours une bonne partie de son électorat et au second tour ce dernier ne se reporte que très imparfaitement sur le président sortant. [...] Si ce niveau de reports s'est amélioré sur la dernière période [...], il reste actuellement nettement insuffisant pour permettre à Nicolas Sarkozy d'atteindre la barre des 50 % face à François Hollande[6]. » Tout était dit.

Mauvaise renommée et racaille dorée

Les positions reconquises par Nicolas Sarkozy auprès de l'électorat populaire au bout d'un mois de campagne constituaient une base encourageante, mais dont la solidité n'était pas garantie. Le moindre faux pas, le moindre soupçon d'insincérité pouvait remuer le spectre des promesses non tenues de 2007 et réactiver la crainte d'une manipulation. De ce point de vue, le choix comme porte-parole de Nathalie Kosciusko-Morizet, qui venait de signer en 2011 un libelle prônant la reconstitution du « front républicain » contre le FN, défiait tout bon sens tant il était de nature à brouiller le message et à jeter le trouble dans les catégories les plus volatiles de l'opinion. Au peu d'ardeur que le président mit à le défendre, je compris cependant qu'il n'était pas complètement le sien :

— *De toute façon, je n'avais personne à mettre à la place.*

— Pourquoi ne nous en as-tu pas parlé ? Il y avait quand même deux ou trois alternatives possibles.

— *Non, je n'en vois pas. Il fallait que je rééquilibre mon image. Elle est bobo et elle est de gauche, elle touche un public que je ne touche pas. C'est complémentaire.*

— Ce n'est pas complémentaire, c'est incohérent.

Les faits n'allaient pas tarder à me donner raison et NKM à mettre en mots sa différence. Une première fois, elle fit publiquement connaître son désaccord avec Claude Guéant, lui reprochant d'avoir établi un lien entre le vote communautaire et le risque d'islamisation de l'espace public. Le 18 mars, au cours d'un débat sur France 3, alors que Florian Philippot lui avait demandé si elle était prête à réitérer son appel des élections cantonales à voter PS contre le FN en cas de duel entre François Hollande et Marine Le Pen au second tour, elle répondit par l'affirmative, en ajoutant toutefois un précautionneux : « Ce n'est pas d'actualité. » N'empêche, la simple évocation d'un 21 avril à l'envers, hypothèse que ne confirmaient nullement les sondages, qui verrait l'élimination du candidat de la droite dès le premier tour, suffit à faire bondir l'intéressé :

— *Envisager un tel scénario, ne serait-ce qu'un instant, revient à l'accréditer. Quelle bêtise !*

— Le problème, c'est que tu as choisi une porte-parole qui est en désaccord avec ta ligne politique, fis-je observer tout en proposant de faire « monter en première ligne » Guillaume Peltier, déjà porte-parole adjoint, ainsi que Jeannette Bougrab.

— *De toute façon, je n'aurai plus besoin de porte-parole entre les deux tours*, esquiva-t-il.

A chaque réunion, il y avait désormais une sorte de prolongation, un espace réservé à l'amertume et aux défoulements d'un « moi » de plus en plus offensé, dont la révolte se condensait en des promesses de représailles. Toujours les mêmes et jamais suivies d'effets :

— *On est en guerre. Ceux qui se mettent devant notre route ? Une balle dans la tête ! Il faut être brutal, sauvage.*

Au lendemain de cet incident dont la presse, alimentée par un informateur appartenant à notre cénacle, s'était fait l'écho, le candidat avait déjà beaucoup perdu de son agressivité :

— *On ne peut pas à la fois reprocher à NKM de ne pas relayer mon discours et la maintenir à l'écart de nos réunions stratégiques. On l'a déjà évincée du meeting de Villepinte. Ça en devient ridicule. Il faut que tu m'arranges ça. Déjeune avec elle, s'il te plaît.*

Nous déjeunâmes donc, elle et moi, le 23 mars, chez Francis, une cantine qui fut celle de Jean Giraudoux, l'auteur injustement oublié de *La Folle de Chaillot*. Elle était arrivée sans longue cuillère et s'amarra, languide, diaphane, dans une pose digne d'un tableau préraphaélite de la Tate Gallery. J'étais venu sans animosité, dissimulant tant bien que mal mes pieds fourchus sous la table. Sa première question fut désarmante d'humilité : « On me dit que ma participation aux réunions du soir dépend de vous ? » Mais l'humilité n'était pas son fort et il ne fut plus question des contingences de l'heure durant notre tête-à-tête. Pas plus que de la campagne du candidat Sarkozy qui était censément à l'ordre du jour de nos frugales agapes. Non, ce qui préoccupait exclusivement NKM, c'était sa propre candidature… en 2017 : « Ne me demandez pas, comme mon mari, d'abandonner le patronyme de Kosciusko. Je ne le ferai pas. J'y tiens trop. » A dire vrai, je ne demandais rien du tout si ce n'était à comprendre par quelle aberration, par quelle déformation du sens commun cette jeune femme issue de la grande bourgeoisie, au phrasé affété, pouvait imaginer un seul instant être en prise avec le pays réel ? « Puis-je compter sur vous pour des conseils ? Une fois par mois par exemple ? » La proposition me prit tellement au dépourvu que j'en restai coi.

A deux reprises le dimanche suivant, alors qu'elle participait pour la première fois à nos réunions, elle m'adressa un discret « merci », tout en conservant dans le port de tête cette hauteur patricienne que la nature et son extraction lui avaient conférée. On ne devait pratiquement plus par la suite entendre le son de sa voix, absorbée qu'elle était par l'écran de son iPad, là où palpitait le monde virtuel des geeks, ces animaux technicisés sous perfusion d'imaginaire. Durant les six semaines que devait durer notre cohabitation, je n'ai pas souvenir de la moindre observation, de la moindre objection de sa part à l'encontre d'une stratégie dont elle dirait, par la suite, qu'elle était plus destinée à « faire gagner Charles Maurras » que Sarkozy. En fait, il n'y eut guère de tension entre nous et le seul incident notable intervint entre le candidat et sa porte-parole dans une loge de France Télévisions, après le direct de « Des paroles et des actes », lorsque NKM plaida en faveur de l'accès anonyme et gratuit des mineures à la contraception orale. La réplique de Sarkozy, qui avait publiquement émis des doutes sur la pertinence de ce dispositif, fusa comme une sédition du bon sens contre le nouvel ordre moral :

— *Moi, j'aimerais que ma fille m'en parle. Le dialogue avec les parents, c'est primordial. J'ai été placé devant ce cas à une certaine époque de ma vie. J'ai fait ce qu'il y avait à faire et j'emmerde les harpies hystériques du Planning familial.*

Quand elle en usait, la parole de l'ancienne ministre de l'Ecologie ne s'embarrassait guère d'apprêt, dût-elle au passage lever le voile sur ses plus intimes convictions. Cela donnait lieu à des scènes cocasses auxquelles son accent inimitable conférait la dimension d'un sketch de Jacques Chazot. Comment oublier ce cri du cœur de l'arrière-petite-fille d'André Morizet, communiste exclu du Komintern en 1923 pour son appartenance au Grand Orient de France[7], quand elle découvrit les images d'une manifestation des Indignés, en Espagne, dans l'un des clips de campagne de Nicolas Sarkozy : « Franchement, tous ces drapeaux rouges, c'est plutôt sympa, non ? »

Nul ne pouvait plus ignorer à quoi ou plutôt à qui NKM devait la promotion dont elle avait fait l'objet à la surprise générale, depuis que Carla Bruni-Sarkozy était venue elle-même nous en livrer la clé : « Tous nos amis adorent Nathalie. Ils ont tous eu le coup de foudre pour elle. J'ai dû même en décourager certains en leur disant qu'elle est mariée et amoureuse. » Ces interférences sur la bande passante du président, nous en avions très tôt mesuré les nuisances qui étaient allées en s'accentuant au fil du quinquennat. En avril 2010, un test réalisé par l'institut Ipsos nous alerta sur la profonde dégradation qui affectait l'image du couple présidentiel. Entre toutes les photos proposées à un échantillon d'électeurs des milieux populaires, celle qui représentait le chef de l'Etat en compagnie de sa nouvelle épouse lors d'une réception officielle fit l'objet d'un rejet unanime, sitôt répertorié entre nous sous le nom de « syndrome de Marie-Antoinette ». Le verdict était catastrophique. On disait « l'Italienne » comme autrefois les sans-culottes parlaient de

« l'Autrichienne » à propos de la reine de France. Sans aménité excessive. A ses côtés, Nicolas Sarkozy était ravalé au rang de « président showbiz », de « président VIP » et même de « président monégasque ». Les plus féroces évoquaient l'alliance de la droite bling-bling et de la gauche caviar. Chacune de leurs apparitions publiques les installait davantage à la rubrique jet-set, parmi les figures en vue d'un gotha dont nous redoutions de plus en plus qu'il ne fût voué au Golgotha par l'électorat populaire. Le sujet n'était évoqué qu'à mots feutrés dans le petit salon du permanencier jouxtant l'ancien bureau de François de Grossouvre où nous déjeunions chaque semaine.

— Qu'est-ce que le président est prêt à entendre ?

— Pas tout, pas tout, concédait un Claude Guéant pressé de tirer la clenche.

— Qu'est-ce qui est négociable ?

— Euh… Je crains que rien ne soit négociable.

Ce n'était pas tout à fait vrai. Nous en eûmes la confirmation au cours de ce dimanche de février 2012 où, dans un silence lesté du poids de notre accablement, Sarkozy nous fit part de sa volonté de voir sa femme s'engager *« fortement »* dans la campagne. L'adverbe ne recouvrait, pour l'heure, rien d'autre qu'une vision de metteur en scène. Il s'imaginait remontant la salle au bras de Carla jusqu'au proscenium et, à mesure qu'il parlait, les images qui me venaient à l'esprit suggéraient une sorte de mixte de la marche nuptiale et du festival de Cannes. Le volume sonore de nos protestations dépassa, cette fois, les normes de la bienséance. Il dut battre en retraite et concéder que le rôle de l'épouse du candidat était plutôt de l'accueillir au pied du podium.

Certes, la participation de Carla Bruni aux meetings de la campagne n'excéda pas une présence décorative et emphatique. Toutefois, ces apparitions amplifiées par les écrans géants qui en retransmettaient les images dans les salles et conjuguées avec l'omniprésence de NKM sur les plateaux de télévision ne cessèrent d'émettre des signaux négatifs, surréels, en complet décalage avec la « campagne au peuple » qui avait été conçue pour rétablir une proximité et un dialogue avec les Français. Ce furent là des marqueurs indélébiles. Un tel spectacle avait peut-être le pouvoir de divertir les lecteurs de la presse people, il avait plus sûrement encore celui de réactiver au pire moment tout ce qui avait creusé un fossé entre Sarkozy le magnifique et les préoccupations des petites gens, ce *popolo minuto* dont on sollicitait à nouveau les suffrages.

Les efforts accomplis depuis plusieurs mois en matière de sobriété et de discrétion furent ainsi balayés par l'entrée en scène de Carla et de son amie NKM dans une exhibition où la superposition des symboles revêtait la force d'une parabole. « Une parade de belles dames qui se moquent bien de nos souffrances », voilà ce qu'en perçut la France profonde, à l'image de ce couple d'ouvriers retraités du Pas-de-Calais qui eut devant moi cette formule saisissante : « On ne veut ni de la racaille des cités, ni de la racaille dorée que nous a apportés Sarkozy dans ses bagages ! » Ces mots restèrent dans mon esprit comme la butte témoin de l'incompressible ressentiment populaire sur quoi finirait par s'écraser les ultimes illusions du sarkozysme. L'esprit de *Germinal* n'était donc pas mort. Au reste, je n'étais pas le seul à m'en être aperçu. Le 23 avril, quelques heures avant le premier meeting de l'entre-deux-tours qui devait se tenir à Saint-Cyr-sur-Loire en Touraine, Bruno Le Maire, le ministre de l'Agriculture, m'adressa cette supplique quasi désespérée : « Vous qui avez de l'influence, faites en sorte qu'on ne voit plus NKM. Dans le milieu rural, c'est une catastrophe. Chacune de ses sorties nous coûte 50000 voix ! »

« Mélenchon-Buisson, copains comme cochons » ?

Ce fut une escarmouche de fin de campagne, l'un de ces traquenards dont les bonimenteurs patentés usent et abusent comme routine et comme intimidation. Le vigile qui, ce matin du 16 avril, faisait la police de la pensée sur une chaîne d'information continue interpella rudement Jean-Luc Mélenchon. Au son de sa voix, on comprit qu'il allait le conduire dare-dare au poste : « Est-ce que vous êtes ami avec Patrick Buisson ? Avez-vous assisté à sa remise de Légion d'honneur à l'Elysée ? » Le fondateur du Parti de gauche n'était pas du genre à se laisser houspiller. Sans rien celer de la vérité, il repoussa crânement l'offensive qui, partie de l'état-major de campagne de François Hollande deux jours plus tôt, se déployait par l'entremise de quelques journalistes en livrée et autres amateurs de complot. Pour ces derniers, la cause était entendue : l'Elysée, par mon entremise, soutenait en sous-main la candidature de Mélenchon afin d'affaiblir François Hollande, de la même manière que François Mitterrand avait fait naguère la courte échelle au FN pour déstabiliser la droite. Le parallélisme séduisait les esprits déficients et enflammait les imaginations toujours prêtes à débusquer quelque machination dans les coulisses de la petite ou de la grande histoire.

Dans ce registre où la complexité des êtres et des choses n'avait pas droit de cité, Marine Le Pen trouva le moyen de surenchérir sur les apparatchiks du Parti socialiste. Au point de jeter en pâture nos deux noms réunis dans une commune exécration : « Mélenchon-Buisson, copains comme cochons! » s'exclama-t-elle, le 17 avril, devant la foule de ses partisans réunis au Zénith de Paris, comme en d'autres temps le bourreau offrait à la populace les têtes qu'il venait de trancher. La violence verbale n'était jamais ici autre chose que l'aveu d'une impuissance politique. De ce maelström qui charria, pendant quelques jours, un flot ininterrompu de sottises, nous avions pris, Mélenchon et moi-même, le parti d'en plaisanter par textos interposés :

— Alors, vous préparez le wagon plombé de Lénine? m'interrogea-t-il.

— *Yes!*

— On dit : *Da!*

— Je me sens l'âme d'un Kerenski, mais je ne veux pas payer la corde pour être pendu.

— C'est toujours la même chose : au moment de payer, il n'y a plus personne.

Mélenchon, allié occasionnel de Sarkozy, comme Lénine fut réputé agent du Kaiser pour avoir accepté, en avril 1917, la proposition allemande de traverser le Reich en train pour regagner la Russie, y hâter la désagrégation du régime tsariste et neutraliser le front de l'Est? Les apparences étaient contre nous, notre cas pendable. Que pouvait bien avoir à se dire un réactionnaire sulfureux et un partageux archaïque? Qu'était-ce donc qui nous avait rapprochés sinon le fait d'avoir le même adversaire, le PS et François Hollande, l'ours savant du social-libéralisme sur lequel on nous soupçonnait de vouloir faire feu de concert? Riche en rhétoriques indignées ou simplement grosse d'interrogations suspicieuses, la thèse du complot était cependant pauvre en données factuelles. Cela n'arrêta personne.

J'avais connu Mélenchon sur les plateaux de LCI où, au fil des débats, nous avions pris goût à nos joutes verbales et aux jeux de rôle dans lesquels nous nous glissions non sans un certain plaisir, en prenant garde toutefois de ne point trop nous caricaturer : blanc contre rouge, contre-révolutionnaire contre jacobin, anarque épris de chrétienté contre franc-maçon libre penseur et bouffeur de curé. Mélenchon résumait, à lui seul, tout un processus de décantation historique. C'était un homme-laboratoire. En lui, l'idéologie communiste s'était métabolisée en une célébration antimoderne d'un ouvriérisme communautaire, sédentaire et national dans la tradition de la Commune de 1871, un peu à la manière de l'Union soviétique adoptant pour emblème la faucille et le marteau plutôt que l'avion et la locomotive à vapeur. Son universalisme procédait d'un enracinement semblable à celui qui avait inspiré à Jean Ferrat « La Montagne », implacable réquisitoire contre la mobilité et l'exode rural.

Plus que tout, c'étaient nos dégoûts très sûrs du nouveau paysage sociétal, de ses conformismes et de ses ridicules, qui nous faisaient prolonger nos conversations à bâtons rompus sur le dos des bobos écolos, héritiers anémiques de l'« avant-garde chien de garde » que dénonçaient déjà les situationnistes en 1968, des z'urbains à trottinette, des intrigantes à bac +5 qui se servaient de la parité comme d'un coupe-file au service de leurs plans de carrière; toutes ces formes avachies de la petite bourgeoisie intellectuelle illustrées de façon prémonitoire par les romans de Perec et les films de Truffaut.

Son écœurement culmina, ce jour d'octobre 2008, où nous nous rencontrâmes pour la dernière fois. C'était au Mucha Café, à un jet d'arbalète de la rue de Solferino : « Le PS, ce n'est plus qu'une nomenklatura : 100000 types qui vivent peu ou prou du parti. Leur seul objectif est de se perpétuer et de se reproduire. Il y a belle lurette qu'ils sont coupés de la réalité sociale de ce pays. Le peuple, non seulement ils ne l'aiment pas, mais ils ne le connaissent pas et ils en ont la trouille. J'ai le plus grand mépris pour ces gens-là. Dray en est le prototype avec ses liasses de billets plein les poches et ses grosses montres de m'as-tu-vu. » La rupture qui mûrissait en lui depuis 2005 était devenue inéluctable. Il me l'annonça en ces termes : « Aujourd'hui, c'est le groupe parlementaire qui fixe la ligne et plus la direction du parti. Ce n'est pas rien. C'est même là-dessus que s'est produite la scission de la SFIO avec le départ de Déat dans les années 1930. Je vais me barrer. Dans huit jours, je leur claque la porte au nez. Il en est plus que temps. Je vais créer mon Linke[8]. Lafontaine va venir à Paris pour me soutenir. Ils vont me couvrir de crachats comme ils l'ont fait avec lui. Ils vont faire en sorte d'éteindre la lumière. »

Lorsque les médias choisirent, vers la fin de la campagne, de propulser sous les feux de l'actualité « les liaisons dangereuses de Mélenchon avec le conseiller de l'Elysée », il y avait déjà beau temps que nos échanges s'étaient réduits à l'extrême concision d'une communication à la fois électronique et sporadique. A quoi bon tenter d'expliquer ce qui avait pu, un moment, nous rapprocher et qui ne relevait en rien d'une convergence circonstancielle, mais participait au contraire de ce qui ne prenait sens, assises culturelles ou perspectives historiques, que dans la durée ? Pas un de ces procureurs intraitables ne savait, ne se doutait même qu'il y avait eu, en des temps pas si lointains, d'étroites correspondances entre la droite anticapitaliste et le socialisme français, que Péguy en était l'enfant adultérin et qu'au début du XXe siècle le Cercle Proudhon rassemblait des royalistes d'Action française et des syndicalistes révolutionnaires dans une même critique du libéralisme et dans une même passion pour la Cité ordonnée aux principes de la tradition nationale.

Vestige d'une archéologie des idées, ma relation avec le candidat du Front de gauche n'avait aucun intérêt pour les faiseurs de polémiques. Présomption d'une alliance objective destinée à affaiblir Hollande, l'affaire devenait aguichante. On décida donc de faire avec les traces fugaces d'une histoire ancienne des signes patents d'une collusion active.

C'était d'autant plus absurde que nos visions de la société française avaient profondément divergé. Pressé d'asseoir son magistère sur le « peuple de gauche », Jean-Luc Mélenchon avait changé d'orientation en cours de route, au point de reconstituer à son profit une fraction du mouvement petit-bourgeois et anti-populaire qu'il critiquait, la veille encore, comme étant l'expression la plus exécrable de la dérive du PS. On l'attendait appelant aux mânes de Maurice Thorez et de Georges Marchais dans une version colorisée des défilés Bastille-Nation sous l'étendard d'un communisme national, on le vit surgir à Marseille, sur les plages du Prado, en apôtre exalté d'une France sans frontières, vouée « à la gloire du métissage et au bonheur d'être mélangés ». Le vrai néoprolétariat de la France périphérique était décidément une réalité trop rugueuse à étreindre. Il lui échappa pour se rabattre sur Marine Le Pen.

De la mutation sociologique en cours, j'eus une preuve supplémentaire lorsque Nicolas Sarkozy, après m'avoir interrogé sur les reports des voix au second tour, me confia en pleine euphorie :

— *Ecoute, j'en connais une, Fred Vargas, la reine du polar, l'amie de Carla. Elle votera Merluche* [sic] *au premier tour et pour moi au second. Elle me l'a dit. C'est pas du bonheur, ça ?*

Décidément, le rêve d'un populisme de gauche, d'un Chavez à la française était bel et bien mort-né.

La drôle de guerre des chapeaux à plumes

Vers la fin de l'année 2011, le chef de l'Etat qui semblait avoir épuisé les ressources de son propre personnage public se livra à un étrange exercice de métempsychose. Il crut pouvoir renaître sous les apparences d'un animal bicéphale, le Merkozy. Le président français en avait donné sa version à la chancelière allemande : « *Je suis la tête, vous êtes les jambes.* » Ce que cette dernière s'était empressée de rectifier : « *Nein !* Je suis la banque. » Le 5 décembre, lors d'une conférence de presse commune à l'Elysée, le couple franco-allemand avait affiché une cohésion sans faille. En réalité, Paris avait cédé à toutes les demandes de Berlin, à la veille du nouveau sommet de crise qui allait s'ouvrir à Bruxelles : nouveau traité européen, constitutionnalisation de la règle d'or budgétaire, sanctions automatiques contre les Etats aux déficits excessifs. En stratège avisé, Xavier Musca nous avait exposé son plan de marche : « Nous devons faire languir les Allemands, avant de conclure un accord avec eux, sinon les journalistes se feront un devoir de cocher les cases de ce que Merkel aura obtenu et cela nourrira la polémique de notre soumission à Berlin. » Ce fut effectivement l'angle d'attaque que choisirent le Parti socialiste et le Front national. A Guaino et moi-même qui le mettions en garde contre les sentiments ambivalents des Français vis-à-vis de l'Allemagne, Sarkozy opposa dans un premier temps l'opiniâtreté d'une pédagogie intarissable : « *C'est l'œuvre historique réalisée par de Gaulle qui est remise en cause. C'est grave,* ne cessait-il de nous répéter. *L'Europe franco-allemande, c'est soixante-dix ans de paix qui succèdent à soixante-dix ans de guerre. Le propre des chefs d'Etat, c'est de faire des compromis – j'en fais – et de ne pas céder aux bas instincts germanophobes qui nous ont déjà coûté assez cher comme ça.* »

Avec l'annonce, au tout début de 2012, des accords compétitivité-emploi et de la TVA sociale, qui revenait à faire supporter aux consommateurs une part des cotisations patronales, le projet présidentiel semblait ne proposer aux Français qu'un alignement pur et simple sur le modèle économique et social allemand. L'enthousiasme ne fut pas au rendez-vous. Ce dont Alain Minc, qui avait fait venir à l'Elysée l'ancien chancelier Gerhard Schröder pour appuyer la ligne réformiste, finit par convenir dans un entretien au *Monde* : « Quand, au mois de janvier, M. Sarkozy fait la campagne que j'aime – sur le rattrapage de l'Allemagne, sur la compétitivité, la TVA sociale –, il ne gagne pas un point. Quand il fait la campagne "buissonnière", il en gagne cinq à six[9]. Cela me désole, mais cela en dit long sur la France. Le diagnostic de M. Buisson n'est pas complètement faux[10]. »

La « ligne Merkozy » l'eût-elle emporté sur la « ligne Buisson » que Nicolas Sarkozy n'eût pas trouvé davantage de soutiens parmi les caciques et les sous-caciques de la droite. Car la question de la ligne politique, si capitale fût-elle, n'était pas seule en cause dans la désaffection qui frappait le président sortant. Un glacis d'incompréhension et de mésestime mutuelles le séparait de ceux qu'il avait pourtant choisis pour occuper les postes de confiance et mener le combat décisif. De Fillon à Copé en passant par NKM, pas un n'était prêt à s'engager loyalement dans la bataille. Pas un qui n'eut en tête quelque arrière-pensée à l'horizon de 2017. Ce sentiment d'abandon et de solitude sur lequel il refusait de mettre un nom, mais qui actait le dénouement d'une longue transe égotique, il l'éprouva au plus fort de son intensité, pour la première fois, le dimanche 1er janvier, à l'occasion des derniers vœux de son mandat :

— *Je n'ai reçu que deux coups de fil. Deux, tu m'entends, pas un de plus ! Tapie qui m'a dit qu'il avait eu la chair de poule en m'écoutant et Bernard-Henri Lévy qui m'a dit que j'avais fait un discours de gauche et que, par conséquent, il allait voter pour moi… Toute la journée, on aura entendu Benoît Hamon, Luc Ferry et Marine Le Pen dire tout le mal qu'ils pensaient de mon intervention d'hier soir, sans qu'aucun de mes ministres ne daigne réagir, ne serait-ce que par un communiqué.*

Semblable déréliction l'incita, le 3 avril, à moins de trois semaines du premier tour, à me demander d'intervenir devant ceux qu'il appelait les « chapeaux à plumes » – dont certains, ajoutait-il drôlement, étaient nés coiffés –, afin de leur faire partager toutes les raisons objectives qu'il y avait encore de croire au bel adage selon lequel « tout désespoir en politique est une sottise absolue ». Autant vouloir décrocher la lune. Personne, dans ce cénacle, n'aurait misé un liard sur les chances du candidat Sarkozy. J'étais assis en bout de table et les visages qui se tournèrent vers moi semblaient déjà m'accabler du poids de l'inéluctable défaite à venir, avides qu'ils étaient de n'adhérer en rien à mon propos. Le gibet était prêt, la presse avait déjà tressé la corde, il ne restait plus qu'à me la passer autour du cou. Comment ne pas penser au poème de Prévert en présence de cette galerie surréaliste, comment résister à l'envie de mettre un emploi sur chacune de ces têtes qui me dévisageaient : « Ceux qui courent, volent et nous vengent, tous ceux-là et beaucoup d'autres entraient/fièrement à l'Elysée en faisant craquer les graviers, tous ceux-là se bousculaient, se/dépêchaient, car il y avait un grand dîner de têtes et chacun s'était fait celle qu'il voulait [...]. Il y en avait avec des têtes de boule puante, des têtes de Gallifet, des têtes d'animaux malades de la tête [...] des têtes de pied, des têtes de/monseigneur et des têtes de crémier[11] »? Raffarin m'interrogea sur les abstentionnistes, Le Maire insista sur la grande misère du monde rural et toutes les vraies détresses qu'il recelait, Borloo sur l'obligation régalienne qui devait être la nôtre de faire en sorte que les enfants du primaire sachent lire, écrire et compter. Juppé, plus hiératique que jamais, ne disait rien en assidu discret des causes perdues.

Contre toute attente, dans la toute dernière ligne droite, Nicolas Sarkozy, qui avait jusque-là donné l'impression de faire campagne comme s'il marchait au supplice, se jeta dans la bataille avec l'énergie du désespoir. Nos conversations vespérales participaient plus du réarmement psychologique que du brief opérationnel, mais il ne laissait jamais passer une journée sans sacrifier à ce rite auquel il semblait attacher un certain prix. Au soir de son dernier meeting à Nice, gagné par l'enthousiasme contagieux des rapatriés d'Algérie qui venaient de l'acclamer, il fit montre d'un optimisme dans lequel n'entraient pas seulement l'autosuggestion et la méthode Coué, médications communes à tous les candidats :

— *En trente-cinq ans de vie politique, je n'ai jamais senti une telle mobilisation. Je peux me tromper, note bien. Il se peut que je ne sente plus le pays.*

Carla Bruni, qui s'était emparée du combiné, fut encore plus catégorique : « Tout le monde autour de moi va voter pour Nicolas.

Je sens instinctivement qu'il va les exploser. En 2002, tous mes copains se fichaient de moi parce que j'avais vu que Le Pen était plus sympathique qu'auparavant et qu'il allait faire un bon score. » Quant à moi, je n'avais plus beaucoup d'illusions sur le verdict qui allait sortir des urnes.

Un grand bonheur triste

Au soir du dimanche 22 avril, il y eut d'abord cette interminable attente propice aux rumeurs les plus folles, comme celle qui plaçait la candidate du Front national en deuxième position derrière Hollande. Puis l'annonce des premières estimations fut pour Nicolas Sarkozy comme un grand bonheur triste. Certes, il était devancé par le candidat socialiste, mais l'écart au final ne devait guère dépasser un point, soit un peu plus de 500 000 voix. Derrière l'optimisme de façade des derniers jours, le président sortant avait trop longtemps redouté la terrible humiliation que lui annonçaient les sondages pour ne pas accueillir avec soulagement un résultat qui n'était pourtant que médiocre et ne laissait guère de doute sur l'issue du second tour. Lorsque François Fillon et Alain Juppé nous rejoignirent un peu après 20 heures, ils furent accueillis par un sarcastique : *« Heureusement que je n'ai pas fait campagne au centre ! »*

Ni l'un ni l'autre ne crurent utile de relever. Il est vrai que le score historique de Marine Le Pen fermait le débat, en même temps qu'il fléchait la stratégie du second tour pour les deux candidats restés en piste. L'issue du scrutin ne dépendait plus que de la qualité des reports des voix frontistes sur Sarkozy et des voix centristes sur Hollande. Mais les masses en jeu variaient du simple au double : 6 400 000 dans un cas, 3 200 000 dans l'autre.

Nicolas Sarkozy n'avait pas encore pris publiquement la parole que la vulgate médiatique dénonçait déjà, par anticipation, une campagne qui allait donner des « gages à l'extrémisme » et franchir les « lignes rouges » du périmètre républicain. A ce jeu où la gauche dite « morale » était capable de toutes les prouesses, *Le Monde* se surpassa pour annoncer à la une : « M. Sarkozy joue son va-tout en pariant sur l'électorat du FN. Le candidat de l'UMP entend plus que jamais persévérer sur sa ligne “à droite toute” préconisée par son conseiller politique Patrick Buisson [12]. » En réalité, le candidat de la droite, au vu des premiers sondages qui le donnaient largement battu avec dix points d'écart, était bien déterminé à ne prendre aucun risque, à n'accomplir aucune transgression susceptible d'altérer son image, s'essayant à cet art d'habiller intelligemment une déroute qui était la subtile victoire du vaincu.

Aux propos que nous échangeâmes, au cours de la réunion du mardi qui suivit le premier tour, nous comprîmes qu'il avait déjà intériorisé sa défaite. *« Si je suis battu, c'est Marine Le Pen qui sera le chef de l'opposition »*, lâcha-t-il d'emblée, comme pour faire taire le trop-plein d'ambitions dont il subodorait l'effervescence.

Pour rallier l'électorat populaire, sans céder au racolage indécent auquel s'était livré Pasqua pour le compte de Chirac entre les deux tours de l'élection présidentielle de 1988, il fallait agir en équité, sortir d'un mode de scrutin qui, en nourrissant une désaffection croissante à l'égard du politique, était à l'origine de la crise de la représentation. En finir avec ce détournement du suffrage universel où, pour reprendre la terminologie de Baudrillard[13], les « événements voyous », comme la victoire du « non » au référendum de 2005, qui contestaient la violence intégriste du système et son emprise hégémonique sur une scène politique complètement désinvestie et disqualifiée, n'avaient aucune espèce d'incidence sur ces « événements fantômes » qu'étaient devenues les élections intermédiaires. N'impliquant plus au fil du temps que les « inclus », le scrutin majoritaire à deux tours s'apparentait désormais à ce qu'avait pu être le suffrage censitaire dans la France du XIXe siècle. Il répondait en tout point à la définition que Paul Valéry donnait de la politique : « L'art d'empêcher les gens de se mêler de ce qui les regarde[14]. » Parce qu'il s'y était engagé en 2007 et qu'il n'avait pas tenu sa promesse dans l'intervalle, le candidat Sarkozy, s'il voulait retrouver la confiance du peuple, n'avait plus, de mon point de vue, d'autre choix que de prendre en compte la révolte des citoyens contre une démocratie non représentative. C'était pour lui une obligation morale autant qu'une question de survie. Au regard de ces millions de Français, la considération ne se mesurait plus qu'à la part qui leur serait faite ou pas dans la représentation nationale. Tout le reste était propos dilatoires et calembredaines.

M'appuyant sur une note d'Emmanuelle Mignon qui concluait à la légalité et à la faisabilité technique d'une telle initiative sans toutefois se prononcer sur sa pertinence, je proposai au président-candidat de s'engager en cas de réélection à convoquer par décret un référendum qui soumettrait aux Français l'adoption d'un mode de scrutin mixte incluant une forte dose de proportionnelle. Ce qui impliquait, en tout état de cause, que les élections législatives, prévues pour la mi-juin, fussent reportées en octobre. J'avais imaginé quelque réticence, à tout le moins de la circonspection. J'eus le droit au claquement sec d'une porte qu'on referma sans ménagement :

— *Je ne le sens pas. C'est trop violent. Tu as dit toi-même qu'il ne fallait pas bouger l'offre politique entre les deux tours et maintenant tu veux me faire passer de 10 à 25 % de députés élus à la proportionnelle ? Avec quelle majorité je vais gouverner, moi ? Je ne peux pas faire ça à l'UMP... Non, non, je ne le ferai pas.*

L'intensité de la partie qui s'était jouée en quelques secondes n'avait pas échappé à mon voisin, Jean-Michel Goudard. « Je l'ai bien observé, quand tu lui as parlé du référendum, me dit-il en sortant du salon vert. Ce que tu lui proposes, c'est un coup de force, presque un coup d'Etat. Il n'en veut pas. Il ne veut pas tacher son costume. Tu lui as évité l'humiliation. Ça lui suffit. Il ne désire plus la victoire au point de tout lui sacrifier. Il a une autre vie en tête. Si tu insistes, tu le déstabilises. Il ne te suivra pas sur ce coup-là ».

Croyant faire bouger les lignes à moindres frais, Sarkozy multiplia alors les concessions formelles et les erreurs d'appréciation. Les premières qui le conduisirent à accorder des brevets de légitimité sinon de respectabilité à la candidate frontiste – *« Marine Le Pen est compatible avec la République »* – accréditèrent l'idée, martelée par nos adversaires, d'une course à l'échalote avec le Front national. Les secondes qui consistaient à sous-estimer ce que le vote populiste comportait d'adhésion pour le réduire à un *« vote de souffrance »* et *« de crise »* émanant de gens *« perdus »*, pour ne pas dire de pauvres gens, alors que ces derniers se sentaient pleins de convictions dans une société rongée par le doute, ne firent qu'éloigner davantage ceux qui, parmi les électeurs du FN, éprouvaient déjà un fort sentiment de relégation.

Le général de la guerre morte

Le 27 avril fut un vendredi noir. Ce fut ce jour-là que Nicolas Sarkozy acheva de basculer dans la logique qui devait sceller sa perte, vérifiant à ses dépens la terrible sentence hégélienne selon laquelle « l'histoire est un abattoir ». En quelques lignes dans un entretien au quotidien économique *Les Echos*, François Fillon, se défroquant de sa cautèle habituelle, venait de s'employer à saper l'entreprise de récupération de l'électorat frontiste par le candidat qu'il était censé soutenir. En toute perfidie. Une conscience intransigeante l'avait poussé à expliquer qu'il ne pouvait y avoir « le moindre accord entre le FN et la droite » en raison d'une « incompatibilité de valeurs ». Les mots avaient été choisis pour leur pouvoir de répulsion auprès de l'électorat-cible. Leur effet, en tout cas, fut immédiat chez le candidat Sarkozy qui, livide, avait peine à contenir les sentiments tumultueux qui l'animaient :

— *Qu'est-ce qu'il raconte, Fillon ? Bien sûr que nous avons des valeurs communes avec le Front national !*

Les épithètes convoquées dépassèrent tout ce à quoi le président nous avait habitués jusque-là. Il en ressortait, en version châtiée, que derrière le masque d'un premier communiant se dissimulait un être sournois, vicieux et lâche. Nous n'en étions pas plus avancés pour autant. J'entrevis une brèche :

— Ecoute, si on veut limiter les dégâts et reprendre l'initiative, je ne vois, à défaut d'avancée programmatique, qu'une déclaration un peu forte de ta part. Il faut clarifier le débat. Il faut que tu dises : « Je n'ai qu'un adversaire, c'est le candidat socialiste. Je n'ai qu'un ennemi : la gauche. »

La réponse qu'il me lança au visage avait tout d'un jet de l'éponge :

— *Non, je ne le dirai pas. Je ne veux pas qu'on ait l'impression que je donne des gages. L'électorat du FN aime que je sois fort, viril. Je veux qu'il puisse se dire : « C'est un roc. »*

Plus que jamais les journalistes redoublèrent de questions sur l'influence du « gourou Buisson » au moment même où celle-ci ne trouvait plus ou presque plus à s'appliquer. Invariablement, Sarkozy répondait avec un haussement d'épaules :

— *Est-ce que vous croyez vraiment que j'ai une tête à être manipulé ?*

En postdémocratie, tout candidat en difficulté devenait un candidat sous haute surveillance, bénéficiant de la même conspiration à base d'informations tronquées et de pieux mensonges que celle entourant les grands malades. Il était alors de règle de ne traiter certains sujets que par de vagues prétéritions et des bouquets d'euphémisme. L'irréel, le sédatif, le palliatif devenaient des commandes psychologiques. Dans les derniers jours d'avril, je dus me rendre à l'évidence : mon rôle de conseiller politique avait cédé le pas à une fonction aux contours plus flous. Les confidences que je recueillais malgré moi, sans les avoir le moins du monde sollicitées, m'intronisaient dans un nouvel emploi d'intervenant compassionnel semblable à ceux qu'on dépêchait sur les lieux des grandes catastrophes. Au coup de fil du candidat succédait désormais, tard dans la soirée, le coup de fil de l'épouse du candidat. Ses questions, rebondissant en cascade, alternaient avec des constats navrés : « C'est effrayant, cette montée de haine contre mon mari. Le soir, je n'en parle pas. Nous discutons d'autres sujets. Est-ce qu'il faut que je fasse quelque chose ? Vous croyez qu'il faudrait un miracle pour qu'il soit élu ? Est-ce que toute cette campagne va se retourner en faveur de mon mari ? C'est tellement injuste. » Parfois, ce mal-être s'exprimait de façon plus lapidaire : « Que disent nos amies les bêtes ? » avait pris force d'usage pour s'enquérir des dernières charges lancées par les journalistes contre l'époux martyrisé.

En dépit des sondages et d'une campagne qui, malgré tous nos efforts, tournait au référendum anti-Sarkozy, beaucoup dans l'entourage du président sortant se raccrochaient au débat télévisé avec François Hollande, programmé pour le mercredi 2 mai, comme à une bouée de sauvetage. La pugnacité, la télégénie, les qualités de débatteur du candidat de la droite étaient naïvement surinvesties d'un pouvoir tel qu'on le croyait capable de renverser le rapport de force. Certes, les angles d'attaque ne manquaient pas contre un homme dont j'avais remarqué à quel point la méthode du questionnement insistant et répétitif qu'avait employée le journaliste David Pujadas, au cours de l'émission « Des paroles et des actes », avait pu le déstabiliser. Un habile harcèlement textuel, axé sur les sujets critiques, aurait permis à coup sûr de mettre en évidence son penchant naturel pour l'esquive, le faux-fuyant et l'indécision, cette propension à la défausse que Martine Aubry avait souligné, lors des primaires du PS, par un trait qui, depuis, lui collait à la peau : « Quand c'est flou, c'est qu'il y a un loup. » A partir de quels revenus est-on riche ? Etes-vous d'accord pour diviser l'immigration par deux ? Pourquoi tenez-vous tant au droit de vote des immigrés ? De ces armes de destruction massive, Nicolas Sarkozy avait l'embarras du choix. En faire usage le mettait dans la peau du challenger, contraint à l'offensive, et par là même à abandonner la posture du président sortant en surplomb de son interlocuteur. Mais avait-il encore le choix ? Ragaillardi par le meeting à ciel ouvert du Trocadéro où nous avions fait déferler une marée de drapeaux tricolores qui mit aussitôt en transe les singes hurleurs de la francophobie, il fit montre d'une telle agressivité, tout au long de notre réunion du mercredi matin, que nous dûmes nous employer à tempérer plus d'une fois son ardeur belliqueuse.

Son attitude avait changé du tout au tout, lorsque nous le retrouvâmes aux studios de La Plaine Saint-Denis, dans le huis clos de la loge, peu de temps avant la confrontation. Il n'avait plus ses silences, ses regards, ses crispations de mâchoire d'homme décidé à forcer le destin. Il souriait à peine, quand il nous lut la lettre d'une journaliste de RFO qui, ayant joint une photo à son courrier, lui intimait : « Bats-toi, mon petit coq ! » Les minutes qui suivirent concentrèrent en abondance ces « petits faits vrais », chers à Stendhal, qui laissaient entrevoir un autre versant de la conjugalité. Carla Bruni, qui s'était servi un verre de vin et commençait de le siroter, eut droit à une remontrance d'une voix doucereuse.

L'ancien mannequin n'écoutait plus. Elle détourna la tête et se mit à moquer l'ambition de Hollande en se lançant dans une interprétation de « J'me voyais déjà », la chanson d'Aznavour que la raucité de sa voix restitua de façon troublante. Puis, avec un entrain qui sonnait faux, le couple entonna de concert « Tu t'laisses aller », un autre standard des années 1960. Jusqu'à ce que Sarkozy lui-même, assis face à son épouse, interrompit la mascarade en lâchant d'une voix lasse, mais parfaitement audible :

— *Si tu savais ce que ça m'emmerde, ce que j'en ai marre.*

La suite, les Français médusés la découvrirent à travers le spectacle, durant plus de deux heures, d'un champion sur la défensive, retenant ses coups, bousculé, acculé dans les cordes, qui, bien que n'étant pas encore déchu, semblait consentir par avance à sa déchéance. L'anaphore « Moi, président » déroulée par Hollande sans interruption nous fit l'effet, comme à beaucoup de nos compatriotes, d'un découronnement symbolique. A son retour dans la loge, il stoppa d'un geste de la main nos effusions qui, de toute évidence, ne demandaient qu'à tourner court. Il ne nous devait aucune explication. Il ne put, dès le lendemain, s'empêcher de nous en fournir une :

— *C'est Giscard qui m'a conseillé de ne pas l'interrompre. Cela aurait donné une image d'un manque de confiance en moi.*

Eût-il agi autrement, eût-il consenti à l'assomption publique de la ligne politique claire et cohérente que je lui proposais si les sondages lui avaient laissé entrevoir l'espoir, même ténu, d'une victoire, comme ce fut le cas dans la journée du vendredi précédant le second tour, quand l'écart mesuré entre les deux candidats ne fut plus que de quatre points ? Il faut laisser la réponse aux amateurs d'uchronie.

Le 4 mai, devant les élus vendéens, il se laissa de nouveau aller aux rodomontades :

— *Et dire que j'ai une mauvaise stratégie ! Qu'est-ce que ce serait si elle était bonne... Je sens monter la vague.*

Mais l'anneau saturnien de la mélancolie l'avait déjà repris, lors du trajet des Sables-d'Olonne à l'aérodrome de La Roche-sur-Yon, et ne le quitta plus tout au long de ce qui devait être notre dernier tête-à-tête du quinquennat. Je lui montrai le message du père abbé d'une grande abbaye bénédictine : « Je crois que la prière des catholiques de France va être entendue. » Il tourna vers moi un visage dont le désarroi accusait les rides :

— *Tu crois à tout ça, toi ?*

Je ne sus jamais quelle foi voulait-il que, dans l'instant, je confessasse. A quel dieu, à quel intercesseur, à quel sondeur désirait-il que nous nous fussions remis.

Carla Bruni, quant à elle, croyait désormais à l'enfer et ne rêvait que de se soustraire aux flammes de cette géhenne, à la patte griffue, que le diable avait mise sur son existence. Jamais elle n'avait pensé que cette bonne gauche qu'elle avait si longtemps chérie fut capable d'un tel déferlement de haine. A la veille de ce second tour, un univers s'effondrait qui ne lui inspirait plus que dégoût, nausée, désespoir : « Je n'en peux plus. Je suis physiquement épuisée par le bébé qui se réveille trois fois dans la nuit. Hier, je me suis retrouvée toute seule dans le salon à boire une bière à 3 heures du matin. Moralement, je ne vous dis pas. C'est une épreuve terrible, avec la pression de tous ces immondes. Et je me dis que tout cela va recommencer s'il est réélu. Vous ne croyez pas ? C'est pour la France ? O.K. Mais moi je ne suis française que depuis trois ans. Si on perd, je redeviens italienne. Vous croyez qu'il y a encore une chance que ça passe ? Vous comprenez cette ambivalence : je désire pleinement quelque chose que je ne souhaite pas au fond de moi. Je désire qu'il soit réélu, mais en même temps j'en rejette de toutes mes forces la perspective. Hier, il m'a dit : "Je suis content que cela soit fini, cette campagne aura été la plus terrible." A la maison, tout le monde est malheureux. Les enfants sont malades et malheureux. J'ai eu Jean au téléphone qui m'a dit qu'il priait. Vous êtes croyant vous aussi, Patrick? »

Contrairement à Juliette Gréco qui en fit au tout début des années 1950 une sorte de manifeste existentialiste, je n'avais pas de raison particulière pour haïr les dimanches et les enduire de la couleur du morne. Jusqu'à cet interminable 6 mai 2012 où les heures me parurent de plomb et où rien ne dérogea à ce que j'avais imaginé être la chronique d'une défaite annoncée. Chacun joua son rôle dans un drame où le simulacre occupait une place essentielle. Où les visages, déjà, avaient leur nécessité double, commandée par un enjeu de survie, une obligation de feinte. Un peu après midi, le candidat de la droite qui sortait du bureau de vote du lycée La Fontaine chercha à mesurer auprès de moi la part d'espérance qui lui était encore dévolue :

— *Tu n'as pas idée de la foule et de l'enthousiasme autour de Carla et moi. Limite émeute. Je crois qu'il y a une très forte mobilisation des nôtres.*

A quoi bon lui répondre que je ne doutais pas de l'engouement de Passy et de La Muette? Je m'en tirai avec un prudent et dilatoire : « Les sondages font la campagne, pas l'élection. » S'égrenèrent alors ces heures molles où le mauvais sort n'était encore que cette bête qui rôdait, jappait, s'accrochait aux mollets sans parvenir toutefois à les mordre. Les questions sur l'issue du scrutin dont on m'assaillait enclenchaient chez moi un automatisme verbal : « Le résultat est acquis, seul l'écart est incertain. »

Vers 17 heures, je me rendis à l'Elysée où je trouvai porte close. La réunion que nous avions initialement prévue avait été décommandée à la dernière minute. Je dus me faire ouvrir par le secrétariat de la présidence. En moins d'une heure, un dernier carré acheva de se former. Les plaisanteries fusaient sur un ton faussement enjoué, *modus vivendi* qu'on passait avec la cruauté du réel. Le dépouillement fit très vite apparaître un nombre anormalement élevé de bulletins blancs et nuls, principalement dans les bastions du vote Front national. Une voix s'éleva : « Au moins, on sait d'où viennent les voix qui vont nous manquer ce soir »; une autre observa : « Pour la première fois, le président élu aura moins de 50 % des votants. » Minces consolations.

Lorsqu'il fit son entrée dans le salon vert, le président battu n'était nullement abattu. Le scrutin venait de configurer sur un mode manichéen cette masse flottante de contradictions et de velléités, de sursauts et de résignations qu'on appelait le peuple français et celui qu'il avait rejeté, s'efforçant de sauver la face, y parvenait fort bien à la faveur d'une honorable défaite qui le hissait enfin à la hauteur où l'histoire l'avait requis. Il en était visiblement rasséréné. Il me demanda de faire un premier commentaire, me confirmant en cette fin de règne dans mon rôle de chroniqueur. Puis l'huissier introduisit Alain Juppé et François Fillon. L'usage établi voulait que je cédasse ma place, face au président de la République, lorsque le Premier ministre nous rejoignait pour une réunion en cours. Une humeur frondeuse m'incita, cette fois, à n'en rien faire. Le président relut à haute voix le discours qu'il allait prononcer pour prendre acte des résultats. Il biffa le mot « échec », le remplaça par « défaite ». Alain Juppé eut l'élégance d'intervenir pour lui suggérer de supprimer un « jamais » qui scellait un peu trop solennellement le caractère définitif de son renoncement à la vie politique.

Comme les ministres s'impatientaient dans le vestibule, il me fit signe d'aller leur parler. Les mines reflétaient une affliction qui ne semblait pas feinte. Seul Jean-François Copé, apparemment indifférent au résultat, s'indignait d'être tenu à l'écart de la réunion. Stoïque et navré, le général Benoît Puga se tenait à l'écart devant le grand escalier d'honneur, les bras croisés sur la poitrine. Je m'approchai de lui, rempli de sympathie pour cette figure légendaire de nos derniers barouds : « La rumeur dit que les rues de Paris sont envahies de drapeaux étrangers. Que va faire l'armée, mon général ? » demandai-je sur le mode badin. Il n'y eut pas de réponse, juste un sourire triste et une main qui serra mon avant-bras. En retournant dans le salon vert, je découvris que François Fillon, en passager de première classe du *Titanic*, avait profité de mon absence pour réinvestir le siège dû à son rang.

Sur mon portable, les messages affluaient presque aussi nombreux qu'un soir de victoire, exprimant à parts égales l'attrition et le soulagement : « Quel dommage que votre stratégie n'ait pu être totalement suivie ! », « Je suis convaincu que nous n'avons pas perdu faute de trop de convictions, mais faute de ne pas avoir assumé assez fortement nos convictions », « Le score est serré, quasiment inespéré. Quelle remontée fabuleuse, quelle chevauchée fantastique ! », « Tu lui as évité l'humiliation. Cette défaite nous donnera d'éternels regrets », « Il n'aurait pas fait ce score sans les vrais choix stratégiques que tu lui as proposés.

Nous sommes un certain nombre à le savoir et je suis sûr que lui aussi le sait », « La stratégie était la bonne. Il n'a manqué qu'un débat offensif pour réussir le coup parfait », « Faire 48,4 %, malgré son impopularité, après dix ans de pouvoir et une telle omniprésence depuis 2002, est bien la preuve qu'il n'y avait pas d'autre stratégie que la tienne ». Ce ne fut évidemment pas le point de vue qui prévalut, ce soir-là, dans les médias. On fustigeait d'autant plus la « ligne Buisson » qu'elle avait échoué de peu.

Se voulant optimiste, un journaliste confraternel et bienveillant, espèce qui se faisait rare, me glissa : « Le score serré va sans doute te faire échapper à la lapidation du bouc émissaire ou de la victime expiatoire. » Je savais qu'il n'en serait rien. Je savais que les idées que j'avais portées au cœur même du pouvoir me rendaient justiciable d'une inquisition sans excuse métaphysique. A la Mutualité, les adieux de Nicolas Sarkozy eurent le panache et la superbe d'un chef de guerre. D'une guerre qu'il avait perdue pour ne pas avoir voulu la mener dès le départ et jusqu'au bout.

CHAPITRE XV

Le crime de Caïn

« Une preuve suffisante que nous ne sommes pas un Etat essentiellement démocratique, c'est que nous sommes constamment à nous demander ce que nous allons faire des pauvres. Si nous étions des démocrates, nous nous demanderions ce que les pauvres vont faire de nous. »

G.K. Chesterton.

S'il est un sujet que la classe politique, toutes nuances confondues, se garde d'aborder ou n'envisage que retranchée derrière d'infinies précautions, c'est bien celui de la crise de régime latente qui, depuis les années 1980, condamne les gouvernements successifs à l'impuissance, faute d'une légitimité avérée et durable. En une formule percutante, Pierre Manent a résumé le paradoxe dans lequel se débat ce théâtre d'ombres que l'on s'obstine à nommer le pouvoir : « Ce serait un épigramme [*sic*] presque irrésistible, avance-t-il, que de dire que la gouvernance démocratique ressemble à un gouvernement représentatif qui ne représente pas et ne gouverne plus[1]. »

Un gouvernement qui ne gouverne plus? Faut-il rappeler ici quel inexorable processus d'autodépossession a conduit nos dirigeants, sans exception aucune, à abdiquer par pans entiers de la souveraineté de l'Etat? Le mouvement de transfert aura été double : d'une part, aux institutions internationales ou supranationales, de l'Organisation mondiale du commerce à l'Union européenne pour ne citer qu'elles, en fonction de traités et de conventions limitant de plus en plus notre souveraineté; d'autre part, aux institutions administratives ou judiciaires, des autorités indépendantes au Conseil d'Etat ou au Conseil constitutionnel en passant par le simple tribunal, érigées en bras séculier d'un nouveau despotisme éclairé s'exerçant contre le primat du politique et subsumant la volonté populaire.

Pas plus qu'elle ne gouverne, la gouvernance démocratique ne représente les citoyens. Il s'agit en fait d'une postdémocratie qui n'est en rien une démocratie, mais un système qui en usurpe l'appellation et n'en respecte que les apparences. L'antique principe, élaboré au temps de la cité grecque, qui voulait que la politique soit déterminée par l'accord de la majorité est aujourd'hui foulé aux pieds. La majorité n'est plus une réalité arithmétique, mais un concept politique résultant d'une application truquée et tronquée du principe majoritaire. Par le jeu combiné de la progression constante de l'abstention et du vote populiste exclu ou presque de toute représentation, une minorité de plus en plus étroite de citoyens élit une majorité parlementaire qui, elle-même, se démet de son pouvoir de décision au profit de structures non démocratiques et de fonctionnaires non élus. Le régime sous lequel nous vivons, nonobstant les parures dont il s'affuble, est celui d'une démocratie dissociée de la souveraineté du peuple. Une démocratie purement formelle confisquée par une oligarchie.

L'avènement de cette postdémocratie, à tous égards antidémocratique, n'aura été rendu possible que par les ébranlements anthropologiques que la France a connus depuis un demi-siècle. Le désintérêt à l'égard de la politique a eu la même matrice que le déclin des cultures et des sociabilités traditionnelles. Il est la conséquence d'un déplacement massif de l'horizon de l'accomplissement, passé de la société à l'individu. Il résulte d'un processus général de désaffiliation. Avec l'effondrement des grands appareils verticaux qui, tels l'Eglise catholique ou le parti communiste, constituaient la colonne vertébrale du corps social, ce sont les formes les plus achevées de la solidarité qui ont disparu les unes après les autres. Comme le note justement Pierre-André Taguieff : « Les sociétés démocratiques contemporaines sont des sociétés d'abstention où se croisent des collections fugitives d'individus que ne relient nul sentiment de coappartenance, ni de coresponsabilité, nul engagement dans un projet collectif[2]. »

La démocratie apaisée dont se réclame la classe dirigeante n'est plus qu'une démocratie affaissée dont les actuels promoteurs d'un factice « vivre ensemble » auront facilité l'établissement par un lent et minutieux travail de déconstruction du lien social.

Un « kratos » sans « dèmos »

Le système représentatif est devenu en France une fiction qui, pour choquante qu'elle soit, ne suscite pourtant guère de débats. L'antiparlementarisme, plus ou moins latent, qui a secoué sporadiquement la chronique de la IIIe et de la IVe République a fait la place à une profonde indifférence par quoi se manifeste l'éloignement des catégories populaires à l'égard des assemblées délibératives. Rien de ce qui se dit ou se fait au Parlement n'intéresse plus les Français, conscients qu'ils sont que le pouvoir a depuis belle lurette déserté les lieux.

Au deuxième tour de l'élection législative, le 17 juin 2012, 47,6 % des électeurs se sont abstenus, ou ont voté blanc ou nul. Un record absolu sous la Ve République. Plus de la moitié des moins de 45 ans ne se sont pas rendus aux urnes, de même que la majorité des ouvriers et des employés. Si l'on ajoute à cela les 3,4 millions de Français qui, selon l'Insee, ne sont pas inscrits sur les listes, soit 7 % du corps électoral, il en résulte que les députés censés représenter la nation ont été élus en moyenne par moins d'un électeur sur cinq. Autant dire que le socle de leur légitimité s'est érodé jusqu'à l'insignifiance. Avec 16,5 % des inscrits au premier tour, le PS et ses pseudopodes ont obtenu la majorité absolue des sièges à l'Assemblée nationale (295 sur 577). Crédités de 2 % des suffrages lors de l'élection présidentielle, les Verts sont parvenus à faire élire dix-huit députés lors des législatives de juin, tandis que le FN, malgré les 18 % de Marine Le Pen le 22 avril, a dû se contenter de deux élus. Avec la perspective de nombreuses triangulaires lors des législatives de 2017, le scénario d'un Parlement croupion, où siégeraient des députés élus par un électeur sur huit ou sur neuf, n'est plus à exclure. Ce ne serait là que la consécration d'un système qui, à la différence de la démocratie ancienne, ne considère pas le mode de scrutin comme un moyen au service du bien commun, mais comme un absolu intangible.

En adoptant le scrutin majoritaire à deux tours, la Ve République, née des convulsions d'un régime incapable de dégager des majorités stables, se fondait sur l'idée que la gouvernabilité était plus importante pour le bon fonctionnement de la démocratie qu'une représentation fidèle de l'éventail des opinions. Une telle idée est-elle encore soutenable quand le bloc central des partis de gouvernement que forment l'UMP et le PS attire à peine un électeur inscrit sur trois et moins de 30 % des Français en âge de voter, comme cela a été le cas lors des législatives de 2012 ? Quand près de 80 % des personnes interrogées, selon une enquête Ipsos-Cevipof menée en 2014[3], estiment que la démocratie fonctionne mal et que leurs idées ne sont pas ou mal représentées ? Quand la non-représentativité des instances élues atteint un tel degré que n'importe quel autre mode de désignation, y compris, comme le propose Jacques Julliard[4], le recours au tirage au sort, c'est-à-dire le retour aux origines de la démocratie athénienne, permettrait de redonner au peuple le sentiment qu'il participe ou est pour le moins associé au gouvernement de la Cité ? Jusqu'où, jusqu'à quel degré d'absurdité, les Français toléreront-ils l'hégémonie absolue de ce *kratos* sans *dèmos*, de cette démocratie postiche détachée de tout peuple réel ?

D'autant que notre système électoral, dont l'objectif est d'empêcher la volonté populaire de s'exprimer et de la priver au moyen de divers correctifs d'une représentation conforme à ses aspirations profondes, opère un autre détournement de la démocratie, plus insidieux cette fois, à travers le rétablissement *de facto* d'un suffrage de type censitaire. Dans les élections intermédiaires, quand les catégories populaires se mettent volontairement hors-jeu par une abstention massive, c'est en effet le cens qui fait sens et se traduit par une surreprésentation des « inclus » appartenant aux classes les plus favorisées. Depuis trente ans, le fossé n'a cessé de s'élargir entre la France des abstentionnistes exposée à toutes les insécurités et la France participationniste qui a peu ou prou trouvé sa place dans le nouveau modèle de l'économie mondialisée, cette France urbaine où se mêlent et s'allient la fonction publique et la bourgeoisie intellectuelle, dont l'agent à statut et le cadre du privé sont les figures médianes et emblématiques.

En outre, la surmobilisation civique des seniors, dépassant en implication n'importe quelle autre classe d'âge, fait que les plus de 60 ans représentent régulièrement entre 35 et 40 % des suffrages exprimés à l'occasion de ce type de scrutin. Ce qui leur permet de peser de façon décisive sur le résultat final. Ainsi l'écosystème de la génération du babyboom, fondé sur la redistribution massive des jeunes actifs vers les aînés par le biais du système de retraites et surtout vers le système de santé, s'est transformé peu à peu en un egosystème imposé par un simulacre de démocratie à l'ensemble de la société. En somme, la génération de 1968, qui s'était fixée comme programme de « jouir sans entraves », s'est appliquée à l'installer dans un présent perpétuel en se faisant la propagatrice d'un modèle économique et social entièrement conforme à ses intérêts : celui d'une gérontocratie absolutiste[5]. Ainsi, comme le fait observer Hervé Juvin, « la solidarité horizontale entre cohabitants de la même génération, proclamée, cultivée et obligée par les prélèvements publics » a ruiné « la solidarité verticale, celle qui unissait entre elles les générations d'une même lignée, par-delà la vie et la mort »[6]. Evoluant sous couvert d'une égalité politique apparente et dans l'illusion d'une égalité sociale qui ne viendra jamais, la postdémocratie à la française est devenue l'outil par lequel se perpétuent les inégalités les plus criantes.

A-t-elle jamais été autre chose? Quiconque se penche sur la question est forcé d'en convenir : le système représentatif a toujours été en France une fiction par quoi la classe politique confisquait à son profit la souveraineté populaire pour mieux se constituer en caste autonome. Si déplaisante soit-elle, la vérité oblige à dire que les républicains n'ont jamais entretenu de bons rapports avec le suffrage universel. Et qu'ils n'ont pas cessé de s'en défier à proportion des sentiments que leur inspiraient les classes laborieuses, jugées globalement incapables de faire un choix éclairé ou de résister aux sirènes de la démagogie.

Paradoxe éclatant que souligne Frédéric Rouvillois : « Le suffrage universel a été défendu pendant plus d'un siècle par le courant le plus radicalement antirépublicain du spectre politique, alors que les républicains l'ont toujours envisagé avec méfiance[7]. » A commencer par la Constitution de l'an III, la première constitution républicaine effectivement appliquée qui, plus restrictive que la constitution monarchique de l'an I, réserva la qualité de citoyen à celui qui payait une contribution directe, foncière ou personnelle. Inversement, les ultraroyalistes, certains de trouver dans la France rurale un soutien majoritaire, se firent dès la Restauration les plus ardents défenseurs du suffrage universel contre le suffrage censitaire qui, de leur point de vue, assujettissait l'ensemble du peuple français au règne du Veau d'or.

Tandis que les républicains intransigeants de 1848 et les rédacteurs de la loi électorale du 31 mai 1850 se montrèrent surtout préoccupés de tenir à l'écart, selon la formule d'Adolphe Thiers, « la vile multitude qui a perdu toutes les Républiques » par crainte à la fois des tendances réactionnaires des masses paysannes et des inclinations révolutionnaires du prolétariat urbain, la IIIe République radicale-socialiste mit, quant à elle, toute son énergie à repousser le vote des femmes réputées à l'époque comme soumises à l'influence de l'Eglise et donc susceptibles de favoriser des majorités de droite. Il fallut attendre 1944 et la fin de la Seconde Guerre mondiale pour que la France républicaine consentît enfin à un élargissement du suffrage qui avait été adopté depuis des lustres dans la plupart des monarchies européennes.

Au vrai, loin d'être ce modèle tant vanté par ses docteurs, notre République ne s'est jamais vraiment souciée d'accomplir la volonté générale, mais plutôt d'en restreindre l'expression par des procédures d'exclusion ou de neutralisation frappant telle ou telle catégorie au gré des circonstances et les plus modestes avec une rare constance. Comme si, victime d'un suprême paradoxe, la démocratie ne pouvait survivre qu'en manipulant le corps électoral. Au nom, bien évidemment, de l'intérêt supérieur des citoyens.

Les démolâtres ne sont pas des démophiles

Ce fil une fois déroulé, perdure-t-il autre chose qu'une démocratie substitutive si l'on admet que l'ultime effet, sinon le but unique de l'élection, est de substituer à la volonté populaire une caste de politiciens professionnels toujours plus étrangère à la vie des gens ordinaires ? Depuis l'origine, le fondement du libéralisme, que l'abbé Sieyès exposa en 1789 dans son fameux discours aux états généraux[8], a été d'asseoir la souveraineté nationale aux dépens de la souveraineté du peuple, toujours suspectée de succomber tôt ou tard aux passions populaires. Si la première mission du député est de « représenter les Français », l'interdiction de tout mandat impératif, par l'article 27 de la Constitution de la Ve République, l'exonère d'entrée de la moindre obligation vis-à-vis du corps électoral et opère du même coup un transfert immédiat de souveraineté du peuple électeur à l'assemblée élue. En d'autres termes, le premier acte de la souveraineté dite nationale est de congédier, à travers sa représentation, la souveraineté populaire. Notre système n'est en réalité qu'une démocratie intermittente et illusoire, comme le note Jacques Julliard : « L'acte par lequel le peuple se choisit des représentants est celui-là même par lequel il s'engage à ne plus rien dire jusqu'à la prochaine consultation générale : souveraineté limitée à une journée tous les cinq ans[9]. »

De la souveraineté limitée à la souveraineté répudiée, il n'y a qu'un pas, d'autant plus facile à franchir dès lors que le vote n'est plus qu'un rituel destiné à habiller la volonté d'une minorité organisée, qu'on la nomme « élite », « oligarchie » ou « partitocratie », et un simulacre conçu à la seule fin de lui décerner une légitimité de façade, de lui permettre de s'octroyer le pouvoir de penser et d'agir au nom d'une France qui n'est rien d'autre, en définitive, que le masque de ses propres préjugés ou de ses propres intérêts. L'apothéose de notre postdémocratie, sa consécration éclatante, véritable coup d'Etat contre le peuple français, fut sans conteste l'adoption, en février 2008, sur proposition du président Sarkozy, du traité de Lisbonne, ce « minitraité simplifié » frère jumeau de la Constitution européenne pourtant rejetée par les Français le 29 mai 2005. Sans autre forme de procès, la « représentation nationale », à plus de 85 %, balaya d'un revers de main ce qui avait été l'expression de la souveraineté populaire moins de trois ans auparavant. En l'espace d'une séance, députés et sénateurs mirent ainsi à bas l'un des fondements théoriques de la démocratie représentative qui postulait la subordination des élus aux électeurs.

La dialectique avait été rodée à l'occasion du débat sur la peine de mort, et par-delà le sujet même, à la fin des années 1970. Une partie de la classe politique excipa alors du devoir que lui dictait une conscience aussi impérieuse qu'intransigeante de s'opposer, en certaines circonstances, à la volonté de la majorité. Elle en fit même une preuve de son indépendance et de son aptitude à discerner l'intérêt supérieur qui lui commandait de passer outre l'opinion dominante. Au terme de sa logique, la postdémocratie a pour objet de « protéger » le peuple tantôt contre son immaturité, tantôt contre sa prétention à exercer sa souveraineté par la voie du suffrage. Autrement dit, la démocratie n'est plus dans l'exercice d'une souveraineté majoritaire, mais dans la neutralisation de sa majorité hégémonique. On comprend que l'usage abusif qui est désormais fait du mot « démocratie » recouvre très exactement une réalité contraire à ce qu'il énonce, qu'il s'agit là d'une antiphrase qui désigne la privatisation des instruments de gouvernement par une minorité résolue à imposer sa loi au plus grand nombre et à exclure le peuple du processus de décision. Comme quoi, on peut être démolâtre sans être pour autant démophile.

Un nouveau stade du dépérissement démocratique fut atteint à partir du milieu des années 1980, lorsque la gauche, sous l'impulsion de François Mitterrand, s'employa à battre en brèche la volonté majoritaire en décomposant l'identité dominante d'une nation qui, par ailleurs, donnait déjà bien des signes d'une grande fatigue devant l'histoire. Ce fut là le point de départ d'un processus qui, imprégné par le marxisme culturel de l'école de Francfort, visait à instrumentaliser les minorités ethniques, sexuelles, religieuses afin de les dresser contre la majorité traditionnelle. Pour que nul ne l'ignorât, *Libération*, au lendemain de la manifestation très people du 22 février 1997 contre la loi Debré sur l'immigration, édictait en ces termes la règle d'une démocratie dont la légitimité serait renouvelée par la représentation de la « diversité », d'une démocratie diversitaire libérée de l'hégémonie de la majorité : « Il y a là une minorité morale – selon les sondages en tout cas – suffisamment forte pour valoir toutes les majorités silencieuses[10]. » Le peuple français se retrouvait donc frappé d'inexistence au regard des groupes historiquement dominés, dont l'inclusion devenait nécessaire à la démocratisation de la communauté politique, autrement dit, à une recomposition continue du *dèmos*.

A l'image de SOS Racisme, tout un semis d'associations, de groupes, bientôt étoffé par les organisations non gouvernementales, les fameuses ONG, connut alors une efflorescence spectaculaire. Evoluant dans le domaine social et culturel ou dans le secteur de l'humanitaire, abondamment financé par les subventions publiques, ce maillage associatif s'étendit au point de former la trame d'une « démocratie participative » pompeusement présentée tantôt comme l'« expertise du terrain », tantôt comme l'émanation de la « société civile ». Selon la formule de Shmuel Trigano[11], le « mandat social » hors de tout contrôle démocratique se substituait ainsi au « mandat électoral », en offrant aux minorités agissantes une capacité illimitée à contester, à paralyser, voire à annihiler, grâce à de puissants relais dans les médias, toute mesure qui leur déplaisait. Mieux qu'une écluse, un barrage, une sorte de contrôle de conformité idéologique fut donc mise en place au nom d'une rationalité supérieure à la souveraineté populaire. Si bien qu'il n'était pas excessif de dire qu'un régime de censure préalable avait été rétabli en France afin de soumettre tout débat, toute délibération publique à ce qui constituait, depuis

Jean-Jacques Rousseau, le prérequis méthodologique de toute la pensée progressiste française : « Commençons par écarter tous les faits[12]. » Du coup, le cimetière législatif de la droite ne cessa de se remplir au fil des ans de ces textes et de ces projets mort-nés, victimes de campagnes virulentes orchestrées par les groupes de pression s'autoproclamant « représentants » (médiatiques et non pas démocratiques) de telle faction ou de telle communauté et s'interposant entre les citoyens et l'Etat.

En prenant ses fonctions de directrice de cabinet du président de la République, Emmanuelle Mignon, consciente de l'importance de ces enjeux, m'avait fait part de sa détermination à mettre un terme à ce phénomène rampant de privatisation de l'intérêt public et à opérer des coupes claires dans les subventions de l'Etat. La manne distribuée chaque année par le gouvernement à près de 21 000 associations s'élevait à environ 1,4 milliard d'euros. Ces dotations, pour la plupart, étaient justifiées. Néanmoins, nous partagions l'idée simpliste, mais ô combien subversive, selon laquelle le pouvoir revêtu de la légitimité, indiscutable celle-là, que lui conférait l'élection présidentielle n'avait pas à financer certaines d'entre elles dont l'objet n'était ni plus ni moins que de combattre le projet politique pour la mise en œuvre duquel il avait été élu. Bien qu'énarque, Emmanuelle Mignon cultivait la droiture et la loyauté comme des plantes à l'accoutumance délicate dans les allées du pouvoir. Ce qui lui valut d'être affublée tantôt du surnom de « la mère supérieure », tantôt de celui de « la cheftaine », en raison de son passé de commissaire national des Scouts unitaires de France. Têtue et téméraire, elle n'appartenait pas à cette droite masochiste courbée sous le joug moral de ses adversaires. Autant dire qu'elle ne répugnait pas à l'idée de priver la gauche de sa colossale rente sur fonds publics en asséchant les mille canaux de son entreprise de conditionnement et de manipulation des esprits. Un jour, elle brandit devant moi le « jaune budgétaire », ce pavé en trois volumes de 500 pages, chacun qui dressait la liste de toutes les subventions accordées par l'Etat. Son regard promettait une hécatombe joyeuse, une Saint-Barthélemy du gauchisme prébendier. Il n'y eut rien de tout cela. Un mois plus tard, le franc sourire de l'iconoclaste avait laissé la place à la mine revêche des mauvais jours. Entre-temps, le président lui avait fait comprendre qu'il y avait d'autres priorités que celle-là.

Du peuple comme sujet politique

Comment s'étonner dès lors que, après tant de dysfonctionnements et les choix opérés par tant de dysfonctionnaires – de François Mitterrand s'accrochant au pouvoir malgré les désaveux électoraux de la gauche en 1986 et en 1993 à Jacques Chirac refusant de tirer les conséquences de ses échecs de 1997 et de 2005 –, un nombre croissant de Français ait pris acte du déclin d'un suffrage qui n'a jamais eu d'universel que le nom ? Comment peut-on encore être surpris que ces mêmes Français aient pu interpréter de tels comportements autrement que comme le souci de la classe dirigeante de perdurer sans autre projet que celui non pas de maintenir, dans l'esprit de la belle devise de Guillaume d'Orange, mais de se maintenir et de s'autoperpétuer indépendamment du peuple ? Plus les prérogatives du suffrage universel ont été amoindries, contournées, déniées, plus l'invocation incantatoire de la démocratie réduite au formalisme de l'Etat de droit et à la défense institutionnelle des droits de l'homme s'est faite insistante chez ceux-là même qui la foulaient aux pieds. Plus les décisions ont été prises pour et non par la collectivité, selon la définition que Raymond Aron lui-même donnait de la démocratie[13], plus a prospéré le culte d'un « démocratisme » cantonné au respect de certaines formes procédurales de légitimation.

Dans l'émergence du populisme, la dimension protestataire du peuple-*dèmos* a été le plus souvent escamotée au profit de la dimension identitaire du peuple-*ethnos*. La volonté de combattre l'emportant contre le devoir de réflexion, le goût de l'exorcisme sur la volonté d'élargir le spectre discursif, il a fallu attendre le début des années 2000 pour que des analyses moins stéréotypées s'intéressent au populisme en tant que symptôme d'une crise de légitimité politique affectant l'ensemble du système de représentation. Pour Pierre-André Taguieff, le populisme serait un hyperdémocratisme privilégiant « la *potestas* du peuple contre l'*auctoritas* des élites politiques et intellectuelles[14] ». Pour Marcel Gauchet, il s'agit d'un mouvement de fond qui se développe en parallèle avec une réactivation de l'idéal de démocratie directe. « La demande de consultation du peuple en masse, observe-t-il, témoigne à la fois du consentement des citoyens à l'extériorité des gouvernants et de la volonté de les rappeler à leur devoir de représentants[15]. » Si tel est bien le cas, on comprend que la demande de démocratie soit le point aveugle de tout le discours dominant sur le populisme. La diabolisation devient plus ardue, pour ne pas dire impossible, dès lors que cette irruption brutale du peuple sur la scène politique est identifiée à une révolte des citoyens contre les élites de gauche comme de droite qui, depuis trente ans, cherchent à instaurer de nouveaux modes de décision moins risqués que les urnes, fidèles en cela au slogan soixante-huitard « élections, piège à cons » devenu le mot d'ordre de la classe dirigeante.

Il est vrai qu'il n'y a pas loin entre la stigmatisation du populisme et l'expression plus ou moins camouflée d'une certaine populophobie qui se traduit, notamment au sommet des partis de gouvernement, par une méfiance accrue à l'égard de leur propre base militante. Cet antipopulisme de droite comme de gauche a été parfaitement décrit comme la « révolte des élites[16] » par l'historien américain Christopher Lasch contre les tendances conservatrices, voire réactionnaires, de l'électorat populaire – en écho à ce que fut au siècle précédent la « révolte des masses[17] » telle que l'avait analysée Ortega y Gasset. Face à une opinion rétive et de plus en plus difficile à contrôler, malgré bien des efforts pour ordonnancer le cadre mental des citoyens, le cynisme tranquille des élites politiques n'a plus d'autre choix que de s'étaler au grand jour. Ainsi, depuis que l'UMP et le PS ont décidé d'avoir recours au vote des adhérents pour élire leur président ou leur premier secrétaire, la fraude a-t-elle été institutionnalisée par chacun des deux partis comme instrument de confiscation de la procédure démocratique. On peut même dire, sans forcer le trait, que l'organisation de la triche a été la contrepartie du droit de vote accordé par les appareils à leurs adhérents, la liberté de choix étant tempérée par l'arbitraire de l'organisateur du scrutin. Quel Français ne garde pas en mémoire le spectacle à la fois burlesque et pathétique qui a entouré l'accession de Martine Aubry à la tête du PS en novembre 2008 et celle de Jean-François Copé en novembre 2012 à la présidence de l'UMP, élus respectivement avec 50,04 % et 50,03 % des voix au terme de scrutins entachés de fraudes massives et d'une falsification à grande échelle des résultats ? Le seul reproche formulé par Nicolas Sarkozy à l'encontre de Copé, au soir de ce dimanche 18 novembre qui vit le secrétaire général de l'UMP se hisser lui-même sur le pavois de la présidence, ne fut pas d'avoir triché, mais de l'avoir mal fait, d'avoir manqué en quelque sorte de professionnalisme. Copé, lui, regrettait de s'être fait prendre quasiment la main dans le sac, tandis que les partisans de Fillon se lamentaient de n'avoir pas su anticiper sur la « fraude industrielle » de leur concurrent, comme s'ils déploraient d'en être restés, quant à eux, au stade artisanal. Dans tous les cas, la volonté profonde des adhérents était tenue pour superfétatoire et anecdotique.

A un tel stade de discrédit, la politique ne peut retrouver un sens que si elle échappe à ce mode de domination qui confisque la souveraineté populaire au profit d'une caste en se réservant le droit d'entériner, ou non, les choix exprimés par le corps électoral. Laisser aux démagogues du populisme le monopole de la revendication de la démocratie directe reviendrait à leur abandonner l'avantage de porter seuls la promesse politique d'une régénération de la démocratie de l'intérieur, l'espoir d'une restauration de la souveraineté du peuple comme unique principe de légitimation.

Largement plébiscité à travers les enquêtes d'opinion, le référendum d'initiative populaire est devenu, au regard d'une écrasante majorité de nos concitoyens, le dernier recours disponible pour améliorer le fonctionnement d'une démocratie dont la panne est diagnostiquée par quatre Français sur cinq. A l'heure d'Internet, le pullulement des mobilisations et des pétitions en ligne atteste de la vitalité d'une telle demande, produit de l'alliance de la révolution technologique et du désir populaire tout autant que de la frustration à l'égard d'un régime où la liberté d'expression se trouve réduite à la portion congrue par l'accumulation des lois punissant le délit d'opinion. L'exigence de démocratie directe est ce moment où le peuple rappelle aux gouvernants, assemblées et corps intermédiaires qu'il entend être gouverné selon son intérêt.

Il reste que, pour les élites mondialisées, le référendum est d'autant plus à exclure qu'il offre l'inconvénient majeur de légitimer le cadre national comme espace d'expression de la souveraineté populaire. Aux yeux de la classe dirigeante en général, il est l'instrument privilégié d'une dangereuse tyrannie de la majorité et le vecteur des passions plébéiennes. Aucun des sujets qui sont aujourd'hui au cœur du débat politique ne saurait pourtant recevoir de réponse légitime, aucune réforme de fond ne saurait désormais être conduite de façon indiscutable, sans que le concours et l'assentiment des Français ne soient sollicités par cette voie. Le référendum n'est pas l'outil désuet et dangereux que décrivent ses contempteurs, mais une technologie de pointe, la seule « appli » qui permette une reconnexion immédiate de la souveraineté populaire avec le pouvoir. Si l'on veut que la nation reste la grande solidarité qu'elle a pu être par le passé, il faut sinon ce « plébiscite de tous les jours » dont parlait Renan, du moins autant de consultations que nécessaires pour renouveler le pacte fondateur et réaffirmer le principe spirituel qui l'a maintenue dans la durée. En quarante ans, les Suisses ont été consultés deux cent quinze fois, les Français six fois seulement. Ne pourrait-on pas trouver un moyen terme ? La crise de la démocratie française est celle d'un système qui en usurpe le nom. Il n'est pas d'autre urgence que de rendre au peuple la dignité de sujet politique.

Déliaisons dangereuses

L'avènement de cette démocratie sans *dèmos* n'est en rien un accident. C'est là le point d'orgue d'une révolution des mœurs qui sera parvenue à imposer une modification des rapports à soi, aux autres, au destin, à la vie, à la mort et finalement à l'être dont les Français n'ont pas connu d'équivalent en si peu de temps au cours de leur longue histoire. C'est aussi l'aboutissement d'une profonde rupture anthropologique, celle du passage du sujet métaphysique à l'individu narcissique, tombé de l'âge religieux dans l'âge thérapeutique, exclusivement préoccupé de bien-être personnel et d'amélioration psychique, de son propre accomplissement *hic et nunc*. Pour la première fois dans l'histoire des civilisations, le but de l'existence, assigné à l'individu-roi, tend à l'autopréservation, à la conservation de soi et non plus au perfectionnement de soi. Il s'agit d'une nouvelle morale publique qui, à en croire Christopher Lasch, fait « du bien-être le critère de la bonne société et du bien-vivre le critère de la bonne politique [18] ».

En France, l'Etat-providence a été, depuis la fin de la Seconde Guerre mondiale, l'instrument central de cette reconfiguration anthropologique. Il s'est construit comme une religion séculière, comme un substitut de l'Eglise, le terme même ayant été emprunté à sa doctrine sociale avant d'être détourné [19]. D'un point de vue historique, il n'est pas excessif de dire que, sous couvert de solidarité et de redistribution, l'Etat-providence a agi comme un séparateur de particules, un formidable agent de déliaison. La socialisation du risque a eu pour effet d'accroître les risques de désocialisation. La machine à fabriquer des « affiliés » a été à l'origine d'un vaste mouvement de désaffiliation.

En cherchant à remédier aux accidents de la vie et à sécuriser les individus, notre République providentielle les a dispensés de l'entretien des attaches familiales ou communautaires, des solidarités de voisinage ou d'origine qui étaient l'apanage de la vieille civilisation chrétienne. Elle les a coupés de ces collectivités humaines, véritables structures d'éternité, par quoi les hommes échappaient tant à la solitude qu'au sentiment de leur propre finitude. En moins d'un demi-siècle, ce furent les murs porteurs de notre *affectio societatis* qui tombèrent les uns après les autres. Dans cette entreprise de désagrégation des structures élémentaires, l'Etat-providence et le marché ont œuvré de concert, alors même qu'ils semblaient diverger par leurs finalités. Leurs efforts conjoints eurent pour résultat de transformer en prestations et en services marchands à peu près tout ce qui était dispensé autrefois sous forme de gratuité par l'immense réseau d'entraide que formaient les solidarités organiques, les ancrages du lieu, les liens du sang et les affinités électives.

Avec l'expansion illimitée du marché, s'est confirmé le pronostic du sociologue allemand Georg Simmel d'après lequel la culture moderne dominée par le rôle de l'argent aboutissait à la conjonction de deux états sociaux, l'interdépendance et l'indifférence[20]. Mais l'Etat sauveur a aussi joué son rôle dans cette mutation et parfois même dans certains pays, comme le nôtre, un rôle prépondérant. La solidarité qu'il a planifiée et organisée grâce aux prélèvements publics n'a jamais été qu'une solidarité sans visage, un partage sans rencontre, déshumanisé par la rationalité sèche de ses agences et l'anonymat glacial de ses guichets. Un tel Etat n'a affaire qu'à des allocataires. Il ne connaît que des sujets de plus en plus dépersonnalisés et interchangeables. Qui ne voit qu'au-delà de ses aspects bénéfiques, notre modèle de protection sociale a fabriqué, au bout du compte, moins de solidaires impliqués que de solitaires assistés, au point d'amplifier sinon de provoquer une crise de l'« être-ensemble », selon le jargon des sociologues, autrement dit, une décomposition des mœurs qui avaient jusque-là institué la société française ?

Ce mouvement s'enclencha à partir de la fin des années 1960, quand les politiques publiques se rallièrent à la promotion de l'individualisme aux dépens des anciennes formes d'holisme.

Première cellule économique et première structure de protection humaine assurant l'antériorité et la primauté du social sur l'individu, la famille vit son statut législatif bouleversé de fond en comble. La responsabilité en incomba exclusivement aux gouvernements de droite qui se succédèrent à l'époque et entreprirent, dans un contre-emploi ahurissant, de révolutionner l'institution familiale en y introduisant intégralement les principes de liberté et d'égalité : liberté du mariage et du non-mariage par l'alignement des régimes juridiques, liberté du divorce facilitée par la loi du 11 juillet 1975 introduisant la procédure par consentement mutuel, égalité des époux et des parents avec la loi du 4 juin 1970 supprimant la fonction de chef de famille, égalité des droits pour les enfants légitimes et les enfants adultérins instituée par la loi du 3 juillet 1972 ; et ce, sans même parler de la loi Veil et de l'application laxiste du droit à l'avortement que gaullistes et communistes, unis par une même préoccupation nataliste, dénonçaient encore, au lendemain de la Libération, comme le pire des « fléaux sociaux ».

La question n'est pas de savoir aujourd'hui si ces « avancées » étaient ou non légitimes, mais bien plutôt d'établir la balance entre ces nouveaux droits octroyés aux individus et leur coût pour la collectivité. A cet égard, il est incontestable que le processus d'individuation impulsé par l'Etat-providence a eu pour corollaire une dislocation des liens familiaux et des anciens réseaux de sociabilité. Principal symptôme de la malsociété, l'isolement touche, selon le rapport de la Fondation de France de juillet 2014, un Français sur huit. Il affecte en priorité les personnes âgées de plus de 75 ans résidant dans les grands centres urbains, mais aussi dans les villages où le voisinage tend à s'étioler avec la fermeture des petits commerces et des services publics. La spirale de la solitude extrême s'achève avec la disparition de ces derniers lieux de vie qu'étaient les bistrots – 600 000 au début des années 1960, moins de 35 000 aujourd'hui –, victimes de la croisade des lois Evin contre l'alcoolisme et le tabagisme. Infantilisation et culpabilisation auront été les deux bras armés d'un hygiénisme puritain et éradicateur, copié du « modèle suédois ».

Révélatrice des effets combinés de l'Etat-providence et de la société de marché, la crise de la canicule de l'été 2003 fit apparaître une vérité dérangeante. La modernité n'était pas innocente. Il y avait un cadavre dans le placard, même plusieurs si l'on en juge par les quelque 15 000 victimes enregistrées entre le 1er et le 20 août. Au demeurant, ce fut moins l'hécatombe frappant les personnes âgées qui provoqua le traumatisme que le paysage désocialisé brusquement mis à nu. Une société si obsédée par l'idée de sa supériorité sur les « âges obscurs », si pénétrée de cet ethnocentrisme du présent qu'elle s'était approprié tout l'empire du bien, se trouvait confrontée à l'image peu flatteuse de son manque d'altruisme. Qui eût dit que la sociabilité artificielle des grandes villes abritait tant de monstres mous, toujours prêts pour la fête des Voisins, mais jamais disponibles quand ces mêmes voisins n'étaient pas à la fête en cet été qui fut le plus meurtrier depuis la Libération ?

La répartition géographique des décès fit apparaître de forts contrastes régionaux. En province, le maintien des solidarités de proximité, les survivances de la vie communautaire, des pratiques de surveillance et d'entraide atténuèrent en partie l'impact de la crise. La France de l'Ouest, du Languedoc-Roussillon et du Massif central fut relativement épargnée. En revanche, les chiffres mirent en évidence une surmortalité en milieu urbain, là où l'anonymat accentuait l'isolement des personnes âgées, et, dans le total national, une surreprésentation de l'Ile-de-France, ainsi que de la capitale[21]. L'affaire sidéra les Parisiens, à commencer par ceux qui aimaient à exhiber leur cœur en bandoulière et de petits insignes au revers de la veste, quand on s'aperçut que les vieux pouvaient tomber comme des mouches dans la Ville lumière, sans que personne ne s'en rendît compte. A la demande de la Mairie de Paris, une cellule spéciale fut mise en place pour rechercher les familles de plus de 300 défunts dont les corps n'avaient pas été réclamés. Mue par une compassion tardive, la presse arpégea sur l'abandon des aînés comme elle avait pris l'habitude, à la même époque de l'année, de s'émouvoir du sort des animaux domestiques lâchés par leurs maîtres sur le bord des routes. Au 2 septembre, ils étaient encore 86 « oubliés » à attendre à la morgue improvisée de Rungis que quelqu'un voulût bien les reconnaître. En désespoir de cause, les services municipaux finirent par les inhumer au cimetière de Thiais dans des caveaux construits de manière à ce qu'un système de ventilation spécifique accélérât la décomposition des corps afin de faciliter leur incinération. Edifiante parabole. Qu'il s'agît de reproduction ou de décomposition du corps humain, ce siècle, qui se voulait protecteur de la nature, s'acharnait à la dénaturer.

Cette année-là, la ville de Paris avait dépensé 5 millions d'euros pour la deuxième édition de Paris Plages. L'installation de fontaines à eau sur les rives de la Seine fut saluée comme une heureuse initiative. La nouvelle sensibilité sociale réclamait des images de bonheur factice pour chasser la mort du spectacle collectif. On les lui donna. Le déni de la mort, d'une mort désormais socialement proscrite et collectivement refoulée, succédait au mépris dans lequel on avait tenu ces morts-vivants auxquels personne ne s'intéressait déjà plus au temps où ils étaient encore de ce monde.

Tout se passe comme si l'Etat-providence, au prétexte qu'il se proposait de les couvrir, avait inconsciemment agi de manière à augmenter les risques d'accident. Comme si les experts en ingénierie sociale n'avaient rien prévu des pathologies qui allaient en découler. L'effondrement des mariages, l'explosion des divorces ont peut-être, comme le proclament les féministes, libéré « la femme de l'oppression du patriarcat », ils n'en ont pas moins provoqué la paupérisation massive de plusieurs générations de femmes, sujet tabou sur lequel les médias ne se bousculent guère pour enquêter. Aujourd'hui, les Français sont plus fidèles à leur banque qu'à leur conjoint : seize ans de vie commune en moyenne pour le couple, vingt-deux ans pour le compte. Or bienfaits et effets délétères des conquêtes du féminisme ont été, là comme partout, inégalement répartis selon le milieu d'origine. Les gains en termes de liberté, de carrière et de situation sont allés aux femmes diplômées issues des classes favorisées, tandis que le sort des femmes appartenant aux catégories populaires n'a cessé de se détériorer. Là encore les chiffres parlent d'eux-mêmes : 80 % des « salariés pauvres », c'est-à-dire percevant un salaire inférieur au SMIC, sont des femmes. Le nombre des femmes « parent isolé » a triplé en quarante ans pour atteindre près de 2 millions de personnes. Enfin, plus de 40 % des 220 000 dossiers déposés chaque année auprès des commissions de surendettement concernent des femmes seules, divorcées, séparées ou veuves.

La déliaison est la grande figure du temps présent. En extrayant l'individu de son milieu de vie, en l'arrachant à ses attaches les plus profondes et les plus fécondes, en le soustrayant à ses obligations communautaires ou familiales, la modernité l'a isolé comme « sujet » pour mieux le charger de l'entière responsabilité de son propre destin. Erigée en impératif catégorique par tous les marchands d'utopies, l'injonction au bonheur a amplifié son désarroi et transformé l'hédonisme en pensum. Nos sociétés, comme le résume Pascal Bruckner, sont « les premières dans l'histoire à rendre les gens malheureux de ne pas être heureux[22] ». Engagé dans la poursuite d'un paradis illusoire et inaccessible où il n'y a que déceptions, attentes insatisfaites ou tristes compulsions, l'homme moderne ne rencontre finalement que des paradis artificiels. Y a-t-il mesure plus pertinente du décalage entre le bonheur promis et le bonheur réel que la croissance exponentielle, depuis les années 1980, de la consommation et du trafic de la drogue sous toutes ses formes et dans tous les milieux ? Ajoutons, pour compléter le bilan de la dictature du bonheur, que notre pays détient, avec 65 millions de boîtes vendues par an, le record mondial de la consommation de médicaments psychotropes et qu'il y a 6 millions de consommateurs d'antidépresseurs et d'anxiolytiques, soit un Français sur dix.

L'observation vaut également pour la désagrégation plus générale du sentiment national qui avait longtemps été le lien social le plus fort, le plus créateur d'affinités et de solidarités, celui qui reliait les individus entre eux à travers la nation, autour d'une histoire, d'une langue, d'une tradition, mais aussi d'un patrimoine de coutumes et de mœurs transmis à la fois par héritage et par imitation. En marge du travail de sape de la mondialisation libérale, l'Etat social n'avait eu de cesse de miner les bases de la solidarité nationale, de la délégitimer en profondeur.

Le collapsus est programmé

Impensé ou angle mort de la classe politique, le fait majeur qui a profondément modifié les comportements électoraux ces dernières années est là : la critique de l'Etat-providence n'est plus désormais portée par les classes aisées, la France d'en haut rechignant à supporter le poids de la solidarité *via* l'impôt, mais de plus en plus par la France d'en bas, celle qui, parce que plus vulnérable aux aléas de l'existence, plus exposée aux situations de détresse, plus faible tout simplement, est en théorie la plus demanderesse de protection. La distinction entre « bons » et « mauvais » pauvres, entre « accidentés de la vie » et « mendiants professionnels », entre méritants et non-méritants n'est plus le fait des riches et des libéraux soucieux de délégitimer les politiques de redistribution, mais émane de plus en plus des catégories défavorisées. Paradoxe qui ne s'éclaire qu'en considération de la critique dont la gestion de l'Etat-providence fait l'objet de la part de ces nouvelles classes pauvres qui l'accusent de s'exercer désormais prioritairement au bénéfice des immigrés, des étrangers et des clandestins. Pour désigner ce phénomène, la pensée populophobe a forgé le concept de « chauvinisme du bien-être », décrit non sans mépris comme l'« idéologie résiduelle » des « petits Blancs », une sorte d'inventaire des peurs et des fantasmes entremêlés d'une population mal informée et repliée sur elle-même[23].

De fait, jamais la défiance envers l'Etat-providence n'a été aussi perceptible, ainsi que le montre l'étude du Crédoc publiée en 2014[24]. L'empathie pour les plus démunis, traditionnellement très forte chez les Français en période de chômage élevé, n'est plus le sentiment dominant. Au contraire, c'est l'adhésion aux politiques de redistribution et au principe même de solidarité entre jeunes et vieux, salariés et sans-emploi, mais surtout entre Français et étrangers résidant sur le territoire national, qui se trouve remise en cause. On ne souhaite pas moins d'Etat et de prestations sociales pour soi, mais pour les autres, comme l'indique, après tant d'autres études, l'enquête de l'Ifop de 2013 selon laquelle 67 % des personnes interrogées estiment que « l'on en fait plus pour les immigrés que pour [elles]-mêmes[25] ».

Sous-jacent à ce discours, et contrairement à ce que croient certains sociologues, le procès contre l'assistanat n'est pas instruit parce que les catégories populaires à la lisière de la pauvreté éprouvent un besoin pressant de se démarquer des plus démunis, mais parce qu'elles ressentent la politique de redistribution de l'Etat comme une profonde iniquité, un facteur qui contribue à distendre le lien qui les relie à la communauté nationale. Que peut bien encore signifier être français si le « capital d'autochtonie » se trouve galvaudé, si les droits attachés à la citoyenneté sont étendus à tous sans distinction ?

En instituant en 2009 le Revenu de solidarité active (RSA), sous l'impulsion du socialiste Martin Hirsch qu'il avait nommé « haut-commissaire » à ces questions, Nicolas Sarkozy crut faire œuvre de justice sociale. A aucun moment, il ne voulut comprendre qu'une telle mesure ne réaffirmait pas le devoir de la nation vis-à-vis des plus pauvres, mais, au contraire, sous couvert de bonnes intentions, revenait en pratique à le nier par une sorte de proclamation de l'universalité des droits sociaux, créant un appel d'air favorable à l'immigration massive de nouveaux allocataires, comme le furent en leur temps l'institution de la Couverture médicale universelle (CMU) et celle de l'Aide médicale de l'Etat (AME). Autant d'effets pervers dont le constat s'imposa, au bout de quelques mois, quand il apparut que le RSA entraînait des coûts bureaucratiques importants et une forme nouvelle de fraude sociale, qu'il contribuait, en outre, à précariser les travailleurs pauvres confrontés à des offres salariales calibrées en fonction de ce complément de revenu public sans améliorer pour autant le taux de retour à l'emploi. Et, surtout, que son effet premier était d'étendre un peu plus encore le champ d'action de l'Etat-providence en créant de nouveaux contingents d'assistés. A tel point qu'on recensa bientôt près de 2 millions de bénéficiaires du RSA contre 1,2 million pour le RMI. Les oubliés de la France d'en bas ne pardonnèrent pas à Sarkozy cette nouvelle trahison. Ils comprirent tout de suite que le RSA n'avait pas été créé pour eux, ni pour les paysans de l'Ardèche, ni pour les ruraux de la Creuse, ni pour les caristes, ni pour les caissières, ni pour aucun de ces nouveaux prolétaires du tertiaire relégués dans la périphérie des grandes villes et pas davantage pour les travailleurs précaires ou les victimes des plans sociaux.

Or notre système providentialiste de justice, ou plutôt d'injustice, redistributive touche aujourd'hui à sa limite qui est celle de son financement et de son déficit abyssal. Avec la combinaison, pour la première fois dans l'histoire, d'un vieillissement démographique, d'une immigration de peuplement et d'une recherche frénétique du bien-être, l'explosion économique et l'implosion politique de notre prétendu modèle social sont inéluctables. Qu'adviendra-t-il le jour où l'assistance de l'Etat fera défaut, alors même – les chiffres le montrent – qu'elle est déjà impuissante à empêcher la pauvreté de s'étendre? Alors que nous avions jusqu'ici pour usage de spiritualiser ou d'aménager la souffrance et la solitude, nous ne sommes plus en mesure de faire ni l'un ni l'autre. Il y a, en effet, une grande différence entre l'âge religieux et l'âge thérapeutique dans lequel nous vivons. Le premier fonctionnait pour une large part sur la base du don et de la gratuité, invariants anthropologiques par essence inépuisables de l'ancienne sociabilité, tandis que le second, tributaire de besoins financiers en croissance exponentielle, est menacé par l'épuisement des ressources.

Le collapsus sera d'autant plus brutal que les politiques de droite comme de gauche ont laissé se déliter tout ce qui donnait au lien social et au lien national leur plus grande force. Du patrimoine culturel aux liens du sang en passant par le legs de la tradition et des mœurs, tout ce qui incitait les Français à « faire société » ou à « faire nation » a subi l'arasement d'une vaste entreprise de liquidation.

Veut-on réinstituer le peuple français autour de ce qui lui a donné force et résilience de siècle en siècle ? Aux oppositions canoniques de la vie politique, plus ou moins caduques, s'ajoute l'opposition désormais cardinale entre défenseurs du peuple central et promoteurs des peuples des marges. Entre partisans du peuple maintenu dans ses fondements culturels et historiques et adeptes d'une recomposition du *dèmos* qui rêvent de fabriquer un nouveau peuple, une nouvelle société régénérée par l'apport d'identités ethniques et culturelles minoritaires[26]. Entre les conservateurs, attachés au rétablissement de la souveraineté populaire et de l'unité du sujet politique à travers une démocratie référendaire, et les déconstructeurs, résolus à dissoudre l'hégémonie surplombante de la majorité au profit d'une « démocratie diversitaire » consacrant la prééminence des minorités et de leurs droits sur la société d'accueil.

Une République qui se désolidarise du prochain en prônant la solidarité avec le lointain n'a plus la légitimité que confèrent l'exigence et la visée du bien commun. Elle tombe sous le coup de la suspicion dont Jean-Jacques Rousseau frappait déjà les « âmes généreuses » qui firent le malheur de tous les temps. « Défiez-vous, disait-il, de ces cosmopolites qui vont chercher loin de leur pays des devoirs qu'ils dédaignent accomplir chez eux. Tel philosophe aime les Tartares pour être dispensé d'aimer ses voisins[27]. » Seul l'amour du voisin, l'amour du *proximus*, assume la totalité du réel. Ce n'est pas là un champ clos, mais la case départ pour accéder à l'universel.

Les hommes qui, depuis quarante ans, Nicolas Sarkozy comme les autres, se sont succédé à la tête de l'Etat ont perdu ou n'ont jamais eu le sens du service collectif. Les monarques au règne vertical ont laissé place à des communicants à l'action exclusivement horizontale s'abandonnant le plus souvent à un humanitarisme dévoyé, à un exhibitionnisme faussement compassionnel. A aucun moment, ils n'ont posé la question qui est au centre de la crise de la société française : comment redéployer les solidarités perdues, comment relier de nouveau les Français entre eux ? A aucun moment, ils n'ont cherché à les rétablir dans leurs prérogatives de peuple souverain. Leur discrédit est profond et durera aussi longtemps qu'ils oublieront que le premier devoir de la puissance est de protéger, d'avoir le souci des humbles, « le cœur doux et pitoyable aux malheureux[28] », comme le recommandait Saint Louis dans le testament politique qu'il laissa à son fils. Au regard de l'histoire, ils sont coupables d'avoir reproduit le premier crime de l'humanité[29], le crime de Caïn qui fut de se délier de l'exigence politique suprême qu'est l'amour du plus proche, l'amour du prochain, en se refusant d'être d'abord et avant tout les gardiens de leurs frères.

Epilogue

Cette chronique d'une présidence qu'il me fut donné d'accompagner plus que de mesure, je la devais à mes contemporains, non sans l'idée qu'elle pourrait être, demain, en quelque façon utile aux historiens qui se pencheraient sur notre époque pour y discerner un de ces temps de troubles qui reviennent régulièrement hanter la France. Sans trop nourrir de vaine espérance, j'avais aussi à cœur de rétablir un tant soit peu ce que fut la vérité de ma personne et de mon action auprès de Nicolas Sarkozy.

Au moment de clore ce récit, devrais-je me résoudre à soupirer, parodiant Proust, que « j'ai gâché des années de ma vie, pour quelqu'un qui n'était pas mon genre » ? D'avoir lu, du cardinal de Retz à Régis Debray, quel est l'inévitable désenchantement qui étreint le conseiller du Prince à la fin de l'exercice ne prémunit pas contre l'appel à y entrer. J'ai cru que Nicolas Sarkozy, malgré toutes ses insuffisances que palliait par fulgurances une rare énergie, pouvait rompre avec le cycle d'un déclin que tout annonçait irrésistible. Je me suis trompé.

La présidence Sarkozy a trahi sa promesse. Pas plus qu'elle n'a cherché à réinstituer le peuple français en tant que sujet historique et souverain, elle ne s'est employée à enrayer la destruction des médiations qui relient les hommes et les femmes de ce pays à la communauté nationale pour les unir dans une même communauté politique. A d'autres de dresser le bilan comptable des forces qui l'en ont empêché. Il m'apparaît plus certain que l'homme qui avait reçu l'onction du suffrage universel, ce consentement du peuple en forme de couronnement que de Gaulle avait voulu inscrire dans la Constitution afin de résorber l'hémiplégie de notre mémoire et de restaurer la légitimité du pouvoir, refusa peu à peu de se plier à l'injonction de Victor Hugo et de faire la « guerre aux démolisseurs ».

Jusqu'à quel point cette défection fut-elle consciente et volontaire, seul l'intéressé peut le savoir en son for intérieur, quoique sans l'assurance d'une quelconque certitude tant le secret de nos vies ne nous appartient pas. Il est sûr, en revanche, qu'elle procéda d'une erreur plus grande et plus profonde sur le sens même de l'histoire. De même que l'élan nationaliste aura porté la réaction des peuples à la première mondialisation libérale à la fin du XIXe siècle, le soulèvement populiste marque-t-il aujourd'hui le rejet de la seconde dans sa prétention, cette fois, à congédier le fait national. Contrairement au grand roman de la « croisade des démocraties », ce furent les nations qui vainquirent les totalitarismes. D'abord en écrasant le nazisme, ensuite en mettant à bas le communisme. D'instinct, les peuples savent que la fonction cardinale du politique est de protéger et non de réformer ou de transformer. Avant de décider comment doit être tenue une maison, il faut que cette maison existe et c'est ce préalable que les partis oublient désormais.

Chez Nicolas Sarkozy, l'attachement à la nation relevait moins d'une politique existentielle que des intermittences électorales. Il ne fit qu'entrevoir l'importance du capital immatériel dans la vie d'un peuple et tout ce qui le constitue en tant que peuple à travers les âges : une sociabilité collective, des mœurs communes, une mémoire profonde, un imaginaire historique. Pour le reste, il se montra au diapason de l'idéologie économiste, cette réduction de l'homme à la somme de ses intérêts, de ses appétits et de ses désirs qui fait de l'anthropologie un simple chapitre de l'éthologie animale.

Ses limites naturelles, mais aussi le sentiment qu'il a de sa supériorité condamnent un tel système à ignorer ce qui s'appelle civilisation, ce dont dépend notre vie et qui se ramène en dernière analyse à des biens qui ne sont pas quantifiables : le goût de la liberté, la fierté d'être soi, la confiance, l'honneur, le sens de la beauté et de la justice.

De ce réalisme cynique, nous ne sommes pas sortis tant il est l'apanage d'une génération de dirigeants qu'il réunit par-delà les casaques qu'ils se plaisent à arborer. Le malheur aura voulu que la France ait à affronter depuis 2015 une vague d'attentats sans précédent sous la présidence d'un homme qu'elle avait déjà enseveli sous son mépris. Au moins, les Français en proie à la déréliction auront-ils compris ce que François Hollande et la gauche entendent par « République » : une expérience multiculturelle, dont la forme politique correspond à l'absence de nation et à l'absence de peuple. Comment, dès lors, ne pas augurer du pire? La postdémocratie avachie et déracinée, étrangère à l'héritage comme au patriotisme, n'a rien à opposer au double péril que représentent la finance globalisée et l'islam radicalisé. Chacun pressent que, le moment venu, elle tombera comme un fruit gâté, avant d'être balayée par le grand vent de l'histoire.

A nos frontières, sur nos *limes*, menace la puissance de l'argent-roi avec son cortège de cauchemars orwelliens qui vont jusqu'à vouloir dénaturer l'humanité; à l'intérieur de nos frontières, sur le sol national, s'érige une autre nation avec sa religion, ses coutumes, sa langue, déjà ses lois et ses territoires. Ou bien la France officielle se refuse de voir ces défis, ou bien, si elle les admet, elle les traite dans une improvisation totale. Singulièrement, l'islam en France apparaît comme notre ombre, ombre à quoi nous devons nous colleter depuis que les faits commencent à parler plus haut que les mots. Les héraldistes médiévaux donnaient à la lune en croissant de Mahomet une devise explicite *: Donec impleat orbem*, « Jusqu'à ce qu'elle soit pleine ». Telle est en effet la loi de l'histoire pour qui n'entretient pas la crédulité arrangeante d'en être sorti.

De même que les dibbouks du folklore juif, ce double péril se nourrit de nos lâchetés et de nos renoncements. La République n'est plus ce rempart miraculeux auquel d'aucuns persistent à s'accrocher. Depuis longtemps, elle a capitulé sur la liberté, qu'elle devait protéger avant toute chose, puisqu'elle s'est fondée sur cette même liberté. D'autres capitulations ont suivi et d'autres encore suivront. C'est qu'elle aussi, plus que d'être restaurée, a besoin d'être réorientée, de retrouver son cours plus originel que l'absolu commencement qu'elle prétend d'être. Car ses « valeurs » procèdent d'une inspiration chrétienne, altérée ou dévoyée autant qu'on voudra, mais essentiellement chrétienne. Or on oublie trop aisément la dernière partie de sa devise initiale : « Liberté, égalité, fraternité *ou la mort.* » L'Evangile, par opposition, inaugure une fraternité vraie parce que gratuite, ni une fraternité d'extermination (« Sois mon frère ou je te tue »), ni une fraternité d'inversion (« Sois mon frère et que je t'utilise »). On n'y est pas frère contre, on y est frère avec. C'est cet assemblage unique au monde, cette fraternité authentique qui a façonné, en dépit de tous les aléas, notre sociabilité nationale et qu'il nous faut maintenant défendre contre toutes les entreprises de dissolution et de démolition.

L'affaire n'est pas nouvelle. Il y a toujours eu dans notre histoire des « élites », pour s'accommoder de la disparition de la France, et des pauvres, pour ne pas en être d'accord. Nous sommes une fois encore au pied du mur. Quelque chose doit jouer, qui est de l'ordre de la réaction vitale, de l'instinct de conservation. Personne ne croit au discours lénifiant du « vivre ensemble ». Dans la guerre culturelle tous azimuts qui nous est imposée, les Français se sentent de plus en plus dépossédés de leur trésor commun. Ils comprennent par leurs fibres mêmes qu'on veut leur peau, la peau de leur âme. Et c'est dans leur chair qu'ils éprouvent désormais le mensonge qu'on leur fait et le danger qu'ils courent.

La réponse ne relève pas de la politique ordinaire, de la politique bassement politicienne, mais d'une réforme intellectuelle et morale qui finira par surgir du fond de notre désarroi. Il ne suffit pas de refaire l'Etat, il faut refaire la France. Le danger est tel qu'il nous oblige de nouveau à être un peuple, à nous reconstituer en tant que peuple autour d'une mémoire, d'une langue et d'un patrimoine communs. Quand la terre et les hommes vont ensemble, ils forment un peuple, apte à se défendre contre les mystiques venues d'ailleurs. Des mystiques qui sont la négation de notre esprit, de notre manière d'être et de vivre.

« Il faut que France, il faut que chrétienté continue », écrivait Péguy au début du siècle dernier. Par chrétienté, il entendait non pas tant une adhésion confessionnelle que cette amitié supérieure qui lie les Français entre eux, une affection et une solidarité fondées sur l'esprit de sacrifice mutuel, ces milliers de fils ténus qui définissent une sociabilité inestimable et affirment une puissance de vie.

De n'avoir pas réussi la mission que je m'étais donnée ne prouve rien. D'autres, je le sais, viendront après moi pour dire et redire que ne font qu'un la cause du peuple et l'amour de la France. Aimer la France ne relève ni d'un combat d'arrière-garde, ni d'un combat d'avant-garde, au sens où l'entendait Roland Barthes : « Etre d'avant-garde, c'est savoir ce qui est mort, être d'arrière-garde, c'est l'aimer encore. » Aimer la France, ce n'est pas aimer une forme morte, mais ce que cette forme recèle et manifeste d'impérissable. Ce qui demeure, malgré toutes les vicissitudes, une promesse de vie, autrement dit, une promesse d'avenir. Ce n'est pas ce qui mourra ou ce qui est déjà mort qu'il nous faut aimer, mais bien ce qui ne peut mourir et qui a traversé l'épaisseur des temps. Quelque chose qui relève du rêve, désir et vouloir d'immortalité. Quelque chose qui dépasse nos pauvres vies. Et qui transcende notre basse époque. Infiniment.

Notes

Chapitre I
Vivement hier !

1. Alain Rey, *Dictionnaire historique de la langue française*, Le Robert, 1992.
2. Ainsi, les Français étaient 74 % à penser que « c'était mieux avant ! », 78 % à considérer que « dans ma vie, je m'inspire de plus en plus des valeurs du passé », 70 % à estimer que « rien n'est plus beau que la période de mon enfance » et 62 % à endosser le constat selon lequel « on n'est plus chez soi en France » (Enquête Ipsos-*Le Monde*, janvier 2014).
3. Raoul Girardet, *Mythes et mythologies politiques*, Le Seuil, 1990.
4. Enquête « Génération Quoi », France Télévision, Upian et Yami 2, février 2014.
5. Pierre-André Taguieff, *Résister au bougisme*, Mille et Une Nuits, 2001.
6. Philippe Muray, *Après l'Histoire*, Les Belles Lettres, 1999-2000.
7. Gilles Deleuze et Félix Guattari, *L'Anti-Œdipe*, Les Editions de Minuit, 1972.
8. Eric Dupin, *Voyage en France*, Le Seuil, 2011.
9. Michel Maffesoli, *Après la modernité ?*, CNRS éditions, 2008.
10. Michèle Tribalat, *Assimilation. La fin du modèle français*, Le Toucan, 2013.
11. Voir Walter Benn Michaels, *La Diversité contre l'égalité*, Raisons d'agir, 2009.
12. Laurent Bouvet, *L'Insécurité culturelle*, Fayard, 2015.
13. Tony Anatrella, *Le Règne de Narcisse*, Presses de la Renaissance, 2005.
14. Invité au 5e anniversaire de Gaylib, le mouvement gay associé à l'UMP, en avril 2007, Nicolas Sarkozy devait déclarer : « *L'amour homosexuel n'est pas moins beau, moins fort, moins sincère que l'amour hétérosexuel… Vous avez dans mon cœur une place particulière, celle de ceux qui nous obligent à nous remettre en question. Sachez que je suis fier de Gaylib.* »

Chapitre II
L'élection se gagne au peuple

1. Christopher Lasch, *Culture de masse ou culture populaire ?*, Climats, 2001.
2. Gaël Brustier, *Le Mai 68 conservateur*, Cerf, 2014.
3. Maurice Agulhon, *De Gaulle. Histoire, symbole, mythe*, Hachette, 2000.

4. Marcel Gauchet, *Le Désenchantement du monde*, Gallimard, 1985. Voir également « Ce que nous avons perdu avec la religion », *Revue du MAUSS*, n° 22, 2003.

5. Sur les 1300 individus interpellés durant les émeutes urbaines de novembre 2005, 80 % étaient connus des services de police pour des délits de droit commun.

6. Rapport d'information n° 2832 sur *La Violence des jeunes dans les banlieues*, présenté par Julien Dray, Assemblée nationale, 25 juin 1992.

7. Vincent Coussedière, *Eloge du populisme*, Elya, 2012.

8. L'« élue du 8 mai » est évidemment Jeanne d'Arc, dont la fête a été instituée sous la IIIe République par la loi du 24 juin 1920, soit moins d'un mois après sa canonisation par le pape Benoît XV.

Chapitre III
Feu le corps du roi

1. Marcel Gauchet, *La Religion dans la démocratie, Parcours de la laïcité*, Gallimard, 1998.

2. Saint-Simon, *Traités politiques et autres écrits*, Gallimard, « La Pléiade », 1996.

3. Charles de Gaulle, *Le Fil de l'épée*, Berger-Levrault, 1932 ; Tempus, 2015.

4. Platon, dans le troisième livre des *Lois*, qualifie ainsi la décadence de la démocratie athénienne. L'expression a été reprise par le sociologue Georges Balandier, *Le Pouvoir sur scène*, Fayard, 3e éd., 2006.

5. *« Etre président*, avait déclaré Nicolas Sarkozy, lors d'un meeting à Tours le 10 avril 2007, *c'est une ascèse et sans doute la mise entre parenthèses de son bonheur personnel. »*

6. Jules Mazarin, *Bréviaire des politiciens*, préface d'Umberto Eco, Arléa, 2007.

7. François-Timoléon de Choisy, *Mémoires pour servir l'histoire de Louis XIV*, Mercure de France, 2000.

8. Henry de Montherlant, *La Reine morte*, Gallimard, « La Pléiade », 1980.

9. S'il faut en croire Nicolas Sarkozy lui-même, l'hostilité des conseillers figurait parmi les griefs récurrents de sa troisième épouse qui s'en plaignait en ces termes : « Personne ne m'a aidée parmi tes collaborateurs, parce qu'aucun d'entre eux ne me perçoit comme un atout, quelque chose de positif dans ta vie. Tous me voient comme une menace. »

10. Thomas d'Aquin, *Somme contre les Gentils*, III, CXXV, Cerf, 1983.

11. Louis XIV, *Mémoire pour l'instruction du dauphin*, Imprimerie nationale, 1992.

12. Régis Debray, *Vie et mort de l'image, une histoire du regard en Occident*, Gallimard, 1992.

13. Arlette Jouanna, *Le Prince absolu, apogée et déclin de l'imaginaire monarchique*, Gallimard, 2014.

14. Cette tentative de « reprèsidentialisation » eut un impact éphémère sur l'image de Nicolas Sarkozy. L'amélioration à la marge, enregistrée par les enquêtes d'opinion, m'autorisa cependant à lui adresser, le 11 mai 2010, une note qui avait au moins le mérite de la clarté : « Notre triptyque "sobriété-gravité-humilité", même si certains médias y ont vu un artefact, a permis de raccrocher l'électorat des seniors qui ne supportait plus le spectacle de ta jouissance. Il ne te demande pas d'être dans la souffrance, mais dans la tempérance. »

15. La désacralisation progressive de la charge suprême ne s'est pas accompagnée d'une désacralisation équivalente des autres institutions. En France, la République se pose en un indépassable si absolu qu'il la faudrait qualifier de « droit divin », faute de qualificatif mieux approprié. C'est en effet une particularité des Constitutions françaises que d'avoir gravé, à la manière des commandements dans les Tables de la Loi, l'interdit d'abandonner la forme républicaine de l'Etat quand, par exemple, la Constitution espagnole, adoptée après près de quarante années de franquisme, permet de renoncer à la monarchie.

16. Emmanuel Mounier, *Ecrits sur le personnalisme*, Le Seuil, 4e éd., 2000.

17. Jacques Julliard et Jean-Claude Michéa, *La Gauche et le Peuple, Portraits croisés*, Flammarion, 2014.

18. Hervé Juvin, *Le Renversement du monde. Politique de la crise*, Gallimard, 2010.

Chapitre IV

De l'hyperprésidence à l'hypoprésident

1. Max Horkheimer, « Autorité et famille », *Théorie traditionnelle et théorie critique*, Gallimard, 1996.

2. Evelyne Sullerot, *Quels pères ? Quels fils ?*, Fayard, 1992.

3. Elisabeth Badinter, *L'un est l'autre*, Odile Jacob, 1986.

4. Hannah Arendt, « Qu'est-ce que l'autorité ? », *La Crise de la culture*, Gallimard, 1972.

5. La scène se passe lors d'une réunion du comité de pilotage stratégique, le 11 septembre 2011, dans le salon vert de l'Elysée, alors que Nicolas Sarkozy vient de prendre connaissance de l'entretien que l'avocat Robert Bourgi a accordé au *Journal du dimanche* et dans lequel il affirme avoir remis des dizaines de millions de francs à Jacques Chirac sous forme de fonds occultes provenant de chefs d'Etat africains.

6. François Pérol était alors secrétaire général adjoint de la présidence.

7. Presque un an plus tard, dans une note datée du 21 novembre 2008, quand il fut évident que Nicolas Sarkozy s'était coulé, sous l'influence de Raymond Soubie, dans une gestion très chiraquienne des « équilibres fragiles qui préservent la paix sociale », la très libérale Emmanuelle Mignon laissa éclater son exaspération en me prenant à témoin de la dérive présidentielle : « Tout ce qu'il dit maintenant, c'est du Chirac et puis, franchement, tout le discours sur les pauvres, c'est à pleurer. La France a assez de pauvres comme ça. Ce qui lui manque, ce sont des riches. C'est eux qu'il faut aider, ceux qui travaillent, pas ceux qui quémandent et se plaignent. Prime de Noël augmentée de 50 % : c'est le contraire de tout ce qu'on a proposé dans le projet. Et toi, tu n'arrêtes rien ! »

8. Marcel Gauchet, « La démocratie du privé perturbe le collectif », *Libération*, 28 avril 2009.

9. Dany-Robert Dufour, *Le Divin Marché*, Denoël, 2007.

Chapitre V

Le temps des médiagogues

1. Jérôme Fourquet, « Qui furent les manifestants du 11 janvier en France ? », *Le Figaro*, 21 janvier 2015.

2. L'expression est du philosophe Dany-Robert Dufour, *Le Divin Marché*, *op. cit.*

3. Aristote, *Constitution des Athéniens*, Les Belles Lettres, 2003.

4. Christian Salmon, *La Cérémonie cannibale*, Fayard, 2013.

5. Michel Houellebecq, *Plateforme*, Flammarion, 2001.

6. Michel Foucault, *La Volonté de savoir*, Gallimard, 1976.

7. Une enquête CSA-Institut de la justice, réalisée en février 2014, montrait que 77 % des personnes interrogées estimaient que la justice fonctionnait assez mal ou très mal, 54 % avaient une mauvaise image des juges, 62 % ne les trouvaient pas assez sévères et 53 % les considéraient « plutôt orientés idéologiquement » dans leur façon de juger.

8. Etudiante française condamnée pour espionnage par la justice iranienne, Clotilde Reiss fut libérée au terme d'un accord dont l'un des termes secrets tenait à la libération par la France d'Ali Vakili Rad, l'assassin de Chapour Bakhtiar, ancien Premier ministre iranien et opposant à l'imam Khomeiny, réfugié à Paris. Condamné en 1994 pour son crime commis en 1991, Vakili Rad avait purgé dix-huit ans de prison et pouvait accéder à la liberté conditionnelle.

9. Mécanisme juridique prédominant dans le monde hispanophone, l'*amparo* permet un recours citoyen au contrôle de constitutionnalité.

10. Lire notamment, sur le sujet, Seymour Hersh, *La Face cachée du clan Kennedy*, L'Archipel, 1998.

11. Karl Marx, *Le 18 Brumaire de Louis Bonaparte*, La Table ronde, 2001.

12. Dans la compétition implicite qui s'était engagée entre les deux leaders, Barack Obama n'hésita pas à faire valoir cet avantage. « Je suis sûr que Giulia a hérité du physique de sa mère, plutôt que de celui de son père, ce qui est une très bonne chose », devait-il ainsi déclarer en guise de félicitations, après la naissance de la fille du couple présidentiel français. Cette manière toute personnelle de congratuler son homologue en marge du G20 de Cannes, en novembre 2011, irrita profondément Nicolas Sarkozy.

13. C'est par le vote de confiance du 17 mars 2009 que l'Assemblée nationale entérina le retour de la France dans le commandement intégré de l'Otan. Lequel se concrétisa par la participation de Nicolas Sarkozy au 21e sommet de l'Alliance atlantique à Strasbourg-Kehl les 3 et 4 avril 2009.

Chapitre VI

Figures de la soumission

1. Carl Schmitt, *La Notion de politique : théorie du partisan*, Flammarion, « Champs », 2009.

2. Ernst Jünger/Carl Schmitt, *Briefwechsel (1930-1983)*, édité et commenté par Helmuth Kiesel, Klett-Cotta, 1999.

3. Selon Yves Bertrand, l'ancien directeur des Renseignements généraux, l'exploitation anti-FN de l'affaire de Carpentras fut orchestrée par François Mitterrand avec le double objectif de refaire l'unité des gauches autour de sa personne et d'empêcher toute tentative d'alliance ou de rapprochement entre la droite dite « républicaine » et le Front national. Voir *Je ne sais rien… mais je dirai (presque) tout*, Plon, 2007.

4. Le jugement de Georges Pompidou à l'égard de la politique d'ouverture pratiquée par son Premier ministre Jacques Chaban-Delmas, au début des

années 1970, disait déjà l'essentiel : « Avec ces idées d'ouverture et de changement, on ne provoque que des courants d'air et on prépare sa propre éviction… A vouloir attirer ses ennemis et décevoir ses amis, on ne l'emporte jamais. Quand on fait la politique de ses adversaires au détriment de celle de ses électeurs, on perd ses électeurs; alors qu'il est tellement plus facile de les retenir que de les rattraper » (cité dans Alain Peyrefitte, *Le Mal français*, Plon, 1976).

5. La liste RPR-UDF conduite par Nicolas Sarkozy, qui n'avait obtenu que 12,8 % des suffrages, avait été reléguée à une peu flatteuse troisième place, derrière la liste socialiste de François Hollande (21,9 %) et la liste souverainiste de Philippe de Villiers et Charles Pasqua (13,1 %).

6. Fadela Amara ne sera pas reconduite au poste de secrétaire d'Etat chargée de la politique de la ville dans le troisième gouvernement Fillon (novembre 2010).

7. Claude Barbier, *Le Maquis de Glières, mythe et réalité*, Perrin, 2014.

Chapitre VII
J'attendais Gramsci, ce fut Kouchner

1. « Il est plus facile pour un chameau de passer par le chas d'une aiguille que pour un riche d'entrer au royaume des cieux », Matthieu 19,24.

2. Louis Chevalier, *Classes laborieuses et classes dangereuses*, Plon, 1958.

3. *Elle*, 17 octobre 2007.

4. *Journal du dimanche*, 8 novembre 2008.

5. Laurent Bouvet, *L'Insécurité culturelle*, *op. cit.*

6. L'actrice Sharon Tate, épouse de Roman Polanski, et ses trois invités furent assassinés, en août 1969, dans la résidence conjugale de Los Angeles, par les membres d'une communauté sataniste dirigée par un illuminé nommé Charles Manson.

7. Florence Aubenas, *La Méprise : l'affaire d'Outreau*, Le Seuil, 2005.

8. Frédéric Mitterrand, *La Mauvaise Vie*, Robert Laffont, 2005.

9. Daniel Cohn-Bendit, *Le Grand Bazar*, Belfond, 1975.

10. Tony Duvert, *Paysage de fantaisie*, Les Editions de Minuit, 1973.

11. Marcel Proust, *A la recherche du temps perdu*, t. 4, *Sodome et Gomorrhe*, Gallimard, « Folio », 1989.

12. Gabriel Matzneff, *Les Moins de Seize Ans*, Julliard, 1974.

13. Nicolás Gómez Dávila, *Les Horreurs de la démocratie*, Anatolia/Le Rocher, 2003.

14. Mediapart et *Marianne*, ainsi que *Le Nouvel Observateur*, *Les Inrockuptibles* et Rue89, tinrent à Paris, le 30 janvier 2009, une réunion publique sur ce thème, animée entre autres par Guy Bedos.

15. Dans le numéro du 2 juillet 2008 de *Charlie Hebdo*, le dessinateur Siné avait publié une chronique dans laquelle il prenait à partie Jean Sarkozy, le fils du président, en ces termes : « Il vient de déclarer vouloir se convertir au judaïsme avant d'épouser sa fiancée, juive, et héritière des fondateurs de Darty. » L'affaire donnera lieu à plusieurs procès successifs. Poursuivi pour « incitation à la haine raciale » par la Licra, Siné sera finalement relaxé par la cour d'appel de Lyon.

Chapitre VIII

La droite, ce grand cadavre à la renverse

1. Albert Thibaudet, *Les Idées politiques de la France*, Stock, 1932.
2. Samuel Huntington, *Le Choc des civilisations*, Odile Jacob, 1997. Publiée un an plus tôt à New York sous le titre *The Clash of Civilizations and the Remaking of World Order*, après un aperçu dans la revue *Foreign Affairs* en 1993, la thèse a pâti de son utilisation par l'administration Bush Jr. Son auteur fut néanmoins un des penseurs du Parti démocrate et actif au sein du Conseil de sécurité nationale sous Carter.
3. Jean-Claude Michéa, *La Double Pensée. Retour sur la question libérale*, Flammarion, « Champs », 2008.
4. Pétrone, *Satyricon*, Garnier-Flammarion, 2008.
5. Pierre Boutang, *Précis de Foutriquet*, J.-E. Hallier-Albin Michel, 1981.
6. Georges Bernanos, *La liberté pour quoi faire ?*, Gallimard, 1953.
7. Karl Marx et Friedrich Engels, *Le Manifeste du Parti communiste*, Champ Libre, 1983.
8. Albert O. Hirschman, *Les Passions et les Intérêts, justifications politiques du capitalisme avant son apogée*, PUF, 2011.
9. Jacques Julliard, *L'Argent, Dieu et le Diable. Péguy, Bernanos, Claudel face au monde moderne*, Flammarion, 2008.
10. Jean-Edern Hallier, *Lettre ouverte au colin froid*, Albin Michel, 1979.
11. Emmanuel Carrère, *D'autres vies que la mienne*, POL, 2009. L'ouvrage relate, entre autres choses, le combat que mènent contre les organismes de crédit deux juges malades et infirmes, solidaires des surendettés.
12. René Rémond, *La Droite française de 1815 à nos jours*, Aubier, 1954.
13. Pour une synthèse de leurs arguments, voir Stéphane Rials, *Révolution et contre-révolution au XIXe siècle*, DUC, 1987, et Frédéric Bluche, *Manuel d'histoire politique de la France contemporaine*, PUF, 2001.
14. Louis-Napoléon Bonaparte, *Extinction du paupérisme*, 4e éd. 1848, Hachette/Bnf, 2012.
15. Alban de Villeneuve-Bargemont, *Economie politique chrétienne*, Paris, 1834, reprint Nabu Press, 2011.
16. Albert de Mun, *Discours*, Librairie Poussielgue, 1888.
17. Léon Bloy, *Le Désespéré*, La Table ronde, 1997.
18. Marcel Mauss, *Essai sur le don. Forme et raison de l'échange dans les sociétés archaïques*, in *Sociologie et Anthropologie*, PUF, 1973.
19. Max Weber, *L'Ethique protestante et l'esprit du capitalisme*, Plon, 1964.
20. Pierre Chaunu, *Le Refus de la vie. Analyse historique du présent*, Calmann-Lévy, 1975.
21. Bennett Harrison, *Lean and Mean: The Changing Landscape of Corporate Power in the Age of Flexibility*, Basic Books, 1994.
22. Benjamin Barber, *Comment le capitalisme nous infantilise*, Fayard, 2007.
23. Walter Benjamin, « Sur le concept d'histoire », *Œuvres*, tome III, Gallimard, « Folio », 2000.
24. Raoul Vaneigem, *Traité de savoir-vivre à l'usage des jeunes générations*, Gallimard, 1967.
25. Pier Paolo Pasolini, *Ecrits corsaires*, Flammarion, « Champs », 2009.

Chapitre IX
La révolte identitaire

1. Bernard Maris, *Et si on aimait la France*, Grasset, 2015.

2. L'expression est tirée du titre du livre-drapeau de l'historien constructiviste Benedict Anderson, *Imagined Communities: Reflections on the Origin and Spread of Nationalism*, publié en 1983 chez Verso Books, la maison anglo-saxonne issue de la *New Left Review*, et paru en français sous le titre *L'Imaginaire national : réflexions sur l'origine et l'essor du nationalisme*, La Découverte, 1996.

3. Marcel Gauchet, *La Démocratie contre elle-même*, Gallimard, 2002.

4. Christophe Guilluy, *La France périphérique : Comment on a sacrifié les classes populaires*, Flammarion, 2014.

5. Georges Bernanos, *Nous autres Français*, Gallimard, 1939.

6. Alain Finkielkraut, *L'Identité malheureuse*, Stock, 2013.

7. François-René de Chateaubriand, *Mémoires d'outre-tombe*, Hachette, 2001.

8. Alexandre Vialatte, *Almanach des quatre saisons*, Julliard, 2001.

9. Selon le rapport du groupe d'études de l'Assemblée nationale, les profanations avaient touché 522 sites chrétiens, 57 sites musulmans, 42 sites israélites entre janvier et décembre 2010. Et, pour la période de janvier à octobre 2011, 434 sites chrétiens, 41 sites musulmans, 34 sites israélites.

10. Les premières chroniques de Vialatte publiées dans *La Montagne* se terminaient, quel que soit le sujet abordé, par une formule incantatoire récurrente qui témoignait de son humour anticonformiste : « Et c'est ainsi qu'Allah est grand. »

11. Jacques Dupâquier, *Histoire de la population française*, PUF, 1988.

12. Pierre Milza, « L'intégration des Italiens en France : "miracle" ou vertus de la longue durée ? », in *Pouvoirs* n° 47, novembre 1988, p. 103-113.

13. Fernand Braudel, *L'Identité de la France*, Artaud, 1986.

14. Emmanuel Todd, propos recueillis par Jean-Baptiste de Montvalon et Sylvia Zappi, *Le Monde*, 28 décembre 2009.

15. La thèse d'Emmanuel Todd sur la sécularisation de la communauté musulmane française a été réfutée, entre autres, par les travaux de Michèle Tribalat qui note, au contraire, un retour vers l'islam des jeunes générations. Démontant, par ailleurs, la légende selon laquelle la France était la championne des mariages mixtes en Europe, la démographe montre que les mariages en question ne sont mixtes que par la nationalité des époux et non par leurs origines. Un état civil trompeur masque en réalité des mariages en majorité ethno-culturellement endogames. A l'en croire, l'endogamie religieuse serait encore plus forte parmi les musulmans qui se sont le plus frottés à la société française. Voir Michèle Tribalat, *Assimilation : la fin du modèle français, op. cit.*

16. Sous la direction de Michèle Virol, Champ-Vallon, 2007.

17. *L'Alouette* est le titre de la pièce en un acte que Jean Anouilh consacra à Jeanne d'Arc et à son procès. La pièce fut créée à Paris en octobre 1953 avec Suzanne Flon dans le rôle de Jeanne et Michel Bouquet dans celui de Charles VII. On en trouvera le texte dans la collection « Folio », Gallimard, 1973.

CHAPITRE X

La guerre d'Algérie n'est pas terminée

1. André Malraux, *Les chênes qu'on abat*, Gallimard, 1971.

2. Lire sur ce sujet David Martin-Castelnau, *Les Francophobes*, Fayard, 2002.

3. Raoul Girardet, *Singulièrement libre*, entretiens avec Pierre Assouline, Perrin, 1990.

4. Principe qui guide son ouvrage *L'Algérie sans mensonge*, Hachette, 1960.

5. Le terme arabe *moudjahid*, au sens propre « le combattant de la foi », sert à désigner en Algérie les anciens combattants de l'Armée de libération nationale ayant porté les armes entre 1954 et 1962.

6. Jacques Benoist-Méchin, *Un printemps arabe*, Albin Michel, 1959.

7. Réédité et augmenté de la *Vie d'Ernest Psichari*, par Henri Massis, aux Editions Saint-Lubin en 2008.

8. Publié chez Perrin, en 1995, *Les Champs de braises* reçut le prix littéraire de l'armée de terre – le prix Erwan-Bergot – en 1995 et le prix Femina essai en 1996. *Les Sentinelles du soir*, le second ouvrage, fut publié aux Arènes en 1999.

CHAPITRE XI

Le retour du religieux

1. Elle lui avait été suggérée, avec quelques autres *snowclones*, ou « expressions-valises », par James Carville, le « stratège » du Parti démocrate.

2. Serge Latouche, *Décoloniser l'imaginaire : La pensée créative contre l'économie de l'absurde*, Parangon, 2003.

3. Bernard Maris, *Et si on aimait la France*, *op. cit.*

4. A la suite de Rudolf Otto et de son livre fondateur, *Das Heilige*, publié en 1917 (Payot, « Petite Bibliothèque », 1995), Mircea Eliade a consacré le terme dans *Le Sacré et le Profane*, Gallimard, 1956.

5. Herbert Marcuse, *L'Homme unidimensionnel*, Les Editions de Minuit, 1968.

6. Jérôme Fourquet, *Le Sens des cartes, analyse sur la géographie des votes à la présidentielle*, Fondation Jean-Jaurès, 2012.

7. Une enquête publiée peu de temps après indiquait que 33 % de l'échantillon interrogé faisait grief à François Hollande des promesses non tenues de la campagne présidentielle, 24 % de la manière dont il exerçait la fonction présidentielle, tandis que 19 % incriminaient le manque de résultats économiques et seulement 10 % la progression du nombre des chômeurs.

8. Charles Péguy, *Notre jeunesse*, in *Œuvres en prose 1909-1914*, Gallimard, « La Pléiade », 1961 ; Perrin, « Tempus », 2016.

9. Alain Besançon, *Problèmes religieux contemporains*, De Fallois, 2015. C'est là un renversement des considérations classiques sur foi et raison d'Alain, le philosophe « pour classes de terminale » et maître à penser de la IIIe République, dans *Définitions*, Proverbe, 2000.

10. Dany-Robert Dufour, *Le Divin Marché*, *op. cit.*

11. Deux ouvrages parus en 2015, tardifs, mais informés et lucides, signés par de hauts fonctionnaires, dressent la chronique et le bilan de l'échec de ces vingt ans d'une politique commune à la gauche et à la droite : *L'Islam au feu rouge*, sous le pseudonyme de Camille Desmoulins, au Cerf, et *La Question musulmane en France*, de Bernard Godard, chez Fayard.

12. *Le Figaro*, 13 novembre 2009.
13. Enquête de l'Ifop pour *Le Figaro*, octobre 2012. Le « refus de s'intégrer à la société française » était cité par 68 % des personnes interrogées contre 61 % deux ans auparavant, les « trop fortes différences culturelles » par 52 % contre 40 %.
14. Jacques Julliard et Jean-Claude Michéa, *La Gauche et le Peuple*, *op. cit.*
15. *Le Monde*, 9 décembre 2009.
16. *Le Parisien*, 3 décembre 2011.
17. Note de l'Ifop pour *Paris-Match*, le 2 mars 2012.
18. Andrew Hussey, *Insurrections en France, du Maghreb colonial aux émeutes de banlieues, histoire d'une longue guerre*, L'Artilleur, 2015.

Chapitre XII
Une politique de civilisation

1. « Proche est/et difficile à saisir le Dieu. Mais là où est le péril, là croît aussi/ce qui sauve. Quand j'étais enfant, un dieu souvent me retirait des cris et du fouet des hommes ». Hölderlin, *Patmos*, in *Œuvres*, Gallimard, « La Pléiade », 1967.
2. Pierre Manent, *Situation de la France*, DDB, 2015.
3. Alexis de Tocqueville, *De la démocratie en Amérique*, Garnier-Flammarion, 1993.
4. Frédéric Rouvillois, *L'Invention du progrès. Aux origines de la pensée totalitaire (1680-1730)*, Editions Kimé, 1998.
5. Pierre de La Coste, *Apocalypse du Progrès*, Perspectives libres, 2014.
6. Malcolm Gladwell, *Le Point de bascule*, Transcontinentale, 2003.
7. Ray Bradbury, *Un coup de tonnerre et autres nouvelles*, Gallimard, 1976.
8. Edward N. Lorenz, *The Essence of Chaos*, University of Washington Press, 1993.
9. Benoît XVI, *Lettre apostolique en forme de Motu Proprio sur l'usage de la liturgie romaine antérieure à la réforme de 1970*, Salvator, 2007.
10. Tout en finesse, l'archevêque de Toulouse Mgr Le Gall compara l'expulsion des Roms à la traque des juifs sous Vichy, tandis qu'un prêtre lillois, non moins inspiré et charitable, déclarait qu'il allait prier pour que Sarkozy soit foudroyé par une « crise cardiaque ».
11. Message du pape Benoît XVI pour la 97e journée mondiale du migrant et du réfugié, 27 septembre 2010. Lequel n'est jamais qu'un commentaire du § 2241 dans *Le Catéchisme de l'Eglise catholique*, Plon-Mame, 1992 : « Les autorités politiques peuvent, en vue du bien commun dont elles ont la charge, subordonner l'exercice du droit d'immigration à diverses conditions juridiques, notamment au respect des devoirs de migrants à l'égard des pays d'adoption. L'immigré est tenu de respecter avec reconnaissance le patrimoine matériel et spirituel de son pays d'accueil, d'obéir à ses lois et de contribuer à ses charges. »
12. Message du pape Benoît XVI pour la 99e journée mondiale du migrant et du réfugié, 12 octobre 2012.
13. Thomas d'Aquin, *Somme théologique*, IIa IIae, q. 26, a. 8.
14. Jean-Claude Michéa, *La Double Pensée*, *op. cit.*
15. Entretien de Serge Klarsfeld à *Nouvelles de France*, le 15 février 2012.

16. Hervé Juvin, *La Grande Séparation. Pour une écologie des civilisations*, Gallimard, « Le Débat », 2013.

17. Jean Wahl, *Existence humaine et transcendance*, La Baconnière, « Etre et Penser », 1944.

18. Deuxième Epître de Pierre, 1, 3-11.

19. Julian Huxley est, semble-t-il, l'inventeur du mot « transhumanisme ». Dès 1957, il en donna une définition dans *New Bottles for New Wine* : « L'homme demeurera l'homme, mais en se transcendant et en réalisant les possibilités de sa nature humaine et à son avantage. »

Chapitre XIII
La bataille des frontières

1. La formule est d'Hervé Juvin.

2. Enquête Ifop-Cevipof. Jérôme Fourquet et Marie Gariazzo, *FN et UMP : électorats en fusion ?*, Fondation Jean-Jaurès, 2013.

3. *Science*, 13 décembre 1968. Cette conférence prononcée en juin de la même année, à l'université d'Utah, a connu diverses traductions françaises sous les titres *La Tragédie des biens communs* ou *La Tragédie des communaux*.

4. Rapport annuel sur les orientations de la politique de l'immigration et de l'intégration déposé devant le Parlement.

5. George J. Stigler, *The Citizen and the State. Essays on Regulation*, The University of Chicago Press, 1975.

6. Jean Birnbaum, *Un silence religieux. La gauche face au djihadisme*, Le Seuil, 2016.

7. Christophe Guilluy, *Atlas des fractures françaises*, L'Harmattan, 2000.

8. Alain Mergier, *Le Descenseur social*, Fondation Jean-Jaurès/Plon, 2006.

9. Hervé Algalarrondo, *La Gauche et la Préférence immigrée*, Plon, « Tribune libre », 2011.

10. Contre toute attente, ce sera l'option retenue en 2013 par la loi Lamy de programmation pour la ville et la cohésion urbaine, du nom du ministre de la Ville du gouvernement de Jean-Marc Ayrault.

11. Entretien de Laurent Wauquiez, 8 mai 2012, BFM-*Le Point*-RMC.

12. *Le Monde*, 12 mai 2012.

13. *Le Monde*, 8 août 2010.

14. Marcel Gauchet, « Les mauvaises surprises d'une oubliée : la lutte des classes », *Le Débat*, mai-août 1990.

15. Le premier discours de Grenoble fut prononcé par Gambetta le 26 septembre 1872. Le député de la Seine autoproclamé « commis voyageur de la République » y annonçait l'avènement politique d'une « couche sociale nouvelle », en clair les futures classes moyennes.

16. Rapport d'activité 2011 de l'Office français de protection des réfugiés et des apatrides (OFPRA) et Rapport annuel sur les orientations de la politique de l'immigration et de l'intégration déposé devant le Parlement.

17. Par l'arrêt « Gisti » de 1978, le Conseil d'Etat s'engagea le premier dans un revirement jurisprudentiel décisif en affirmant le principe général du droit à mener une vie familiale normale dans le cadre du regroupement familial. Puis ce fut au tour du Conseil constitutionnel d'ériger, en 1993, le droit de l'étranger à mener une « vie familiale normale » en principe constitutionnel.

18. Paul Bairoch, *Mythes et paradoxes de l'histoire économique*, La Découverte, 1994.

Chapitre XIV
L'étrange défaite

1. La citation complète tirée de *Dieu*, le poème fleuve inachevé de Victor Hugo, est : « Je suis Tous, l'ennemi mystérieux de Tout. »
2. Sur France Culture, le 16 mai 2011. A la suite de la bronca que souleva la formule, Jean-François Kahn annonça qu'il quittait le journalisme.
3. 90 % du chiffre d'affaires des trois premières agences de notation proviennent des entités notées selon Norbert Gaillard, *Les Agences de notation*, La Découverte, 2010.
4. *Le Monde*, 25 mars 2011.
5. *Le Monde*, 14 mars 2012.
6. Jérôme Fourquet, « "Faire campagne au peuple" : quel impact sur l'électorat frontiste ? », Ifop, mars 2012.
7. Sénateur-maire SFIO de Boulogne-Billancourt, André Morizet est absent le 10 juillet 1940 lors du vote des pleins pouvoirs au maréchal Pétain. Il sera maintenu dans ses fonctions de maire par le régime de Vichy jusqu'à son décès en mars 1942.
8. Die Linke est le parti de gauche radicale allemande fondé par Oskar Lafontaine en 2007, après sa démission du SPD en 2005, le parti social-démocrate.
9. La moyenne des intentions de vote en faveur de Nicolas Sarkozy, mesurées par les cinq principaux instituts, est passée de 23,6 % pour la période du 9 au 28 janvier 2012 à 28,6 % pour la période du 21 mars au 8 avril de la même année.
10. *Le Monde*, 18 mai 2012.
11. Jacques Prévert, « Tentative de description d'un dîner de têtes à Paris-France », *Paroles*, Gallimard, « Folio », 1976.
12. *Le Monde*, 23 avril 2012.
13. Voir en particulier le recueil posthume de Jean Baudrillard, *L'Agonie de la puissance*, Sens & Tonka, 2015.
14. Paul Valéry, *Regards sur le monde actuel et autres essais*, Gallimard, 1988.

Chapitre XV
Le crime de Caïn

1. Pierre Manent, *La Raison des nations*, Gallimard, 2006.
2. Pierre-André Taguieff, *Résister au bougisme, op. cit.*
3. « Fractures françaises », sondage Ipsos-Steria pour *Le Monde*, France Inter, la Fondation Jean-Jaurès et le Cevipof, janvier 2014.
4. Qui invoque à ce propos Montesquieu. Jacques Julliard, « La fatigue démocratique », *Marianne*, 14 mars 2014.
5. Jean-Pierre Le Goff, *La Gauche à l'épreuve 1968-2011*, Perrin, « Tempus », 2011.
6. Hervé Juvin, *La Grande Séparation, op. cit.*
7. Frédéric Rouvillois, *Etre (ou ne pas être) républicain*, Cerf, 2015.

8. Emmanuel-Joseph Sieyès, *Qu'est-ce que le Tiers-Etat ?*, Flammarion, « Champs », 2009.

9. Jacques Julliard et Jean-Claude Michéa, *La Gauche et le Peuple*, *op. cit.*

10. Ce que l'éditorialiste Laurent Joffrin avouait être « une nouvelle manière de faire de la politique », *Libération*, 24 février 1997.

11. Shmuel Trigano, *La Nouvelle Idéologie dominante. Le post-modernisme*, Hermann, 2012.

12. Jean-Jacques Rousseau, *Discours sur l'origine et les fondements de l'inégalité parmi les hommes*, Gallimard, « Folio », 1985.

13. Raymond Aron, *Démocratie et totalitarisme*, Gallimard, 1965.

14. Pierre-André Taguieff, « Le populisme et la science politique : du mirage conceptuel aux vrais problèmes », *Vingtième siècle*, 1997, 56, 1, p. 4-33.

15. Marcel Gauchet, *La Religion dans la démocratie*, *op. cit.*

16. Christopher Lasch, *La Révolte des élites et la trahison de la démocratie*, Flammarion, 2007.

17. *La Rebelión de las masas* de José Ortega y Gasset, le chef de file du mouvement « Génération de 14 », fut publié en 1930 et traduit chez Stock en 1937.

18. Dont on lira les développements dans Christopher Lasch, *La Culture du narcissisme*, Flammarion, 2006.

19. Le terme apparaît dans l'encyclique *Rerum Novarum* du pape Léon XIII, mais est paradoxalement omis dans la version française concomitante, autrement dit, censuré, comme le note Pierre Legendre dans *La 901ᵉ Conclusion. Etude sur le théâtre de la Raison*, Fayard, 1998. La sécularisation de l'idée suit.

20. Georg Simmel, *Philosophie de l'argent*, PUF, 1987.

21. Victor Collet, *Canicule 2003. Origines sociales et ressorts contemporains d'une mort solitaire*, L'Harmattan, 2005.

22. Pascal Bruckner, *L'Euphorie perpétuelle, essai sur le devoir de bonheur*, Grasset, 2000.

23. En une crase conceptuelle de la critique du *Wohlstandchauvinismus* chez l'européiste allemand Jürgen Habermas (« Immigration et chauvinisme du bien-être », *La Revue nouvelle*, novembre 1992) et de la thématique du *poor white trash* dans la littérature américaine (Sherwood Anderson, *Pauvre Blanc*, La Découverte, 2005).

24. *En 2014, le soutien à l'Etat-providence vacille*, Crédoc, septembre 2014.

25. *Les Français et l'Immigration*, Ifop, novembre 2013.

26. Non plus même changer le peuple, mais « changer de peuple », comme le réclame Eric Fassin, *Gauche : l'avenir d'une désillusion*, Editions Textuel, 2014.

27. Jean-Jacques Rousseau, *Emile, ou De l'éducation*, *Œuvres complètes*, Gallimard, « La Pléiade », tome IV, 1969.

28. « Le cuer aies douz et piteus aus povres », Jean de Joinville, *Vie de Saint Louis*, Le Livre de Poche, 2002.

29. Genèse 4, 1-15.

Table

CHAPITRE IX
LA RÉVOLTE IDENTITAIRE

CHAPITRE X
LA GUERRE D'ALGÉRIE N'EST PAS TERMINÉE

CHAPITRE XI
LE RETOUR DU RELIGIEUX

CHAPITRE XII
UNE POLITIQUE DE CIVILISATION

CHAPITRE XIII
LA BATAILLE DES FRONTIÈRES

CHAPITRE XIV
L'ÉTRANGE DÉFAITE

CHAPITRE XV
LE CRIME DE CAÏN

DU MÊME AUTEUR

Le Paris de Céline, Albin Michel, 2012.

1940-1945, l'Occupation intime, Albin Michel, 2011.

1940-1945, années érotiques, vol. 2 : *De la Grande Prostituée à la revanche des mâles*, Albin Michel, 2009 ; Le Livre de Poche, 2011.

1940-1945, années érotiques, vol. 1 : *Vichy ou les infortunes de la vertu*, Albin Michel, 2008 ; Le Livre de Poche, 2011.

La Guerre d'Algérie, Albin Michel, 2009.

La Guerre d'Indochine, Albin Michel, 2009.

La Grande Guerre 1914-1918, en collaboration avec Max Gallo, XO éditions, 2008.

Sacha Guitry et ses femmes, Albin Michel, 1996.

Avec le temps, Editions du Chêne, textes de Léo Ferré et photographies de Hubert Grooteclaes, 1995.

Le Livre de la mémoire, Vendée 1793-1993, en collaboration avec Jean Tulard, Valmonde, 1993.

Composition : O. R. Nitoflač

PERRIN
12, avenue d'Italie
75627 Paris cedex 13

Achevé d'imprimer en octobre 2016
par Normandie Roto Impression s.a.s.
61250 Lonrai
N° d'impression : 1604417
Dépôt légal : septembre 2016
K06936/03

Imprimé en France